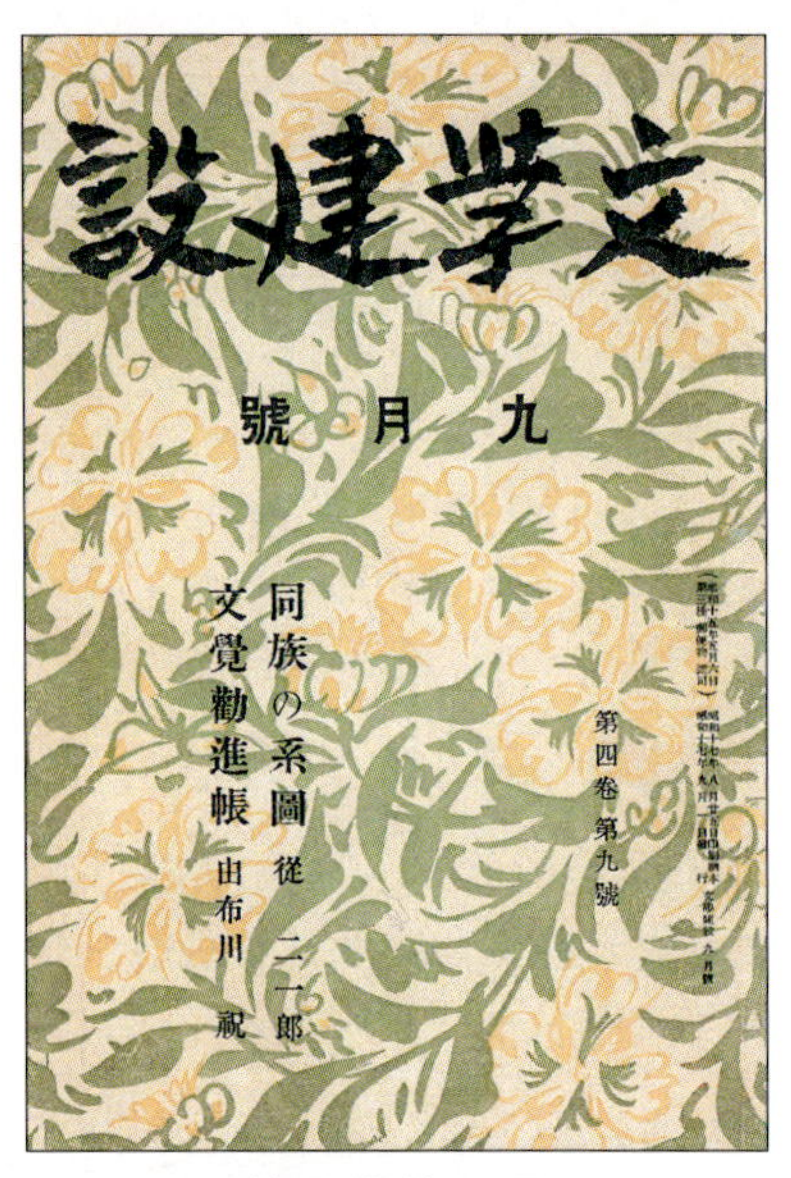

第４巻第９号

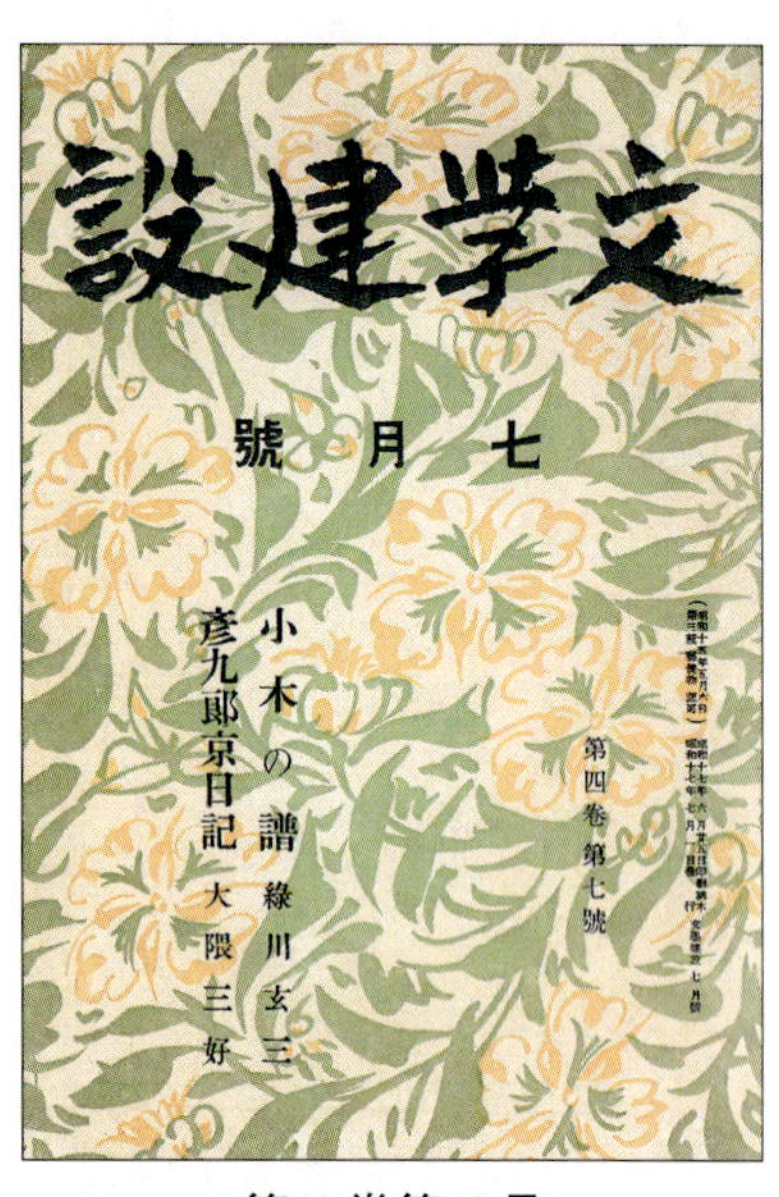

第４巻第７号

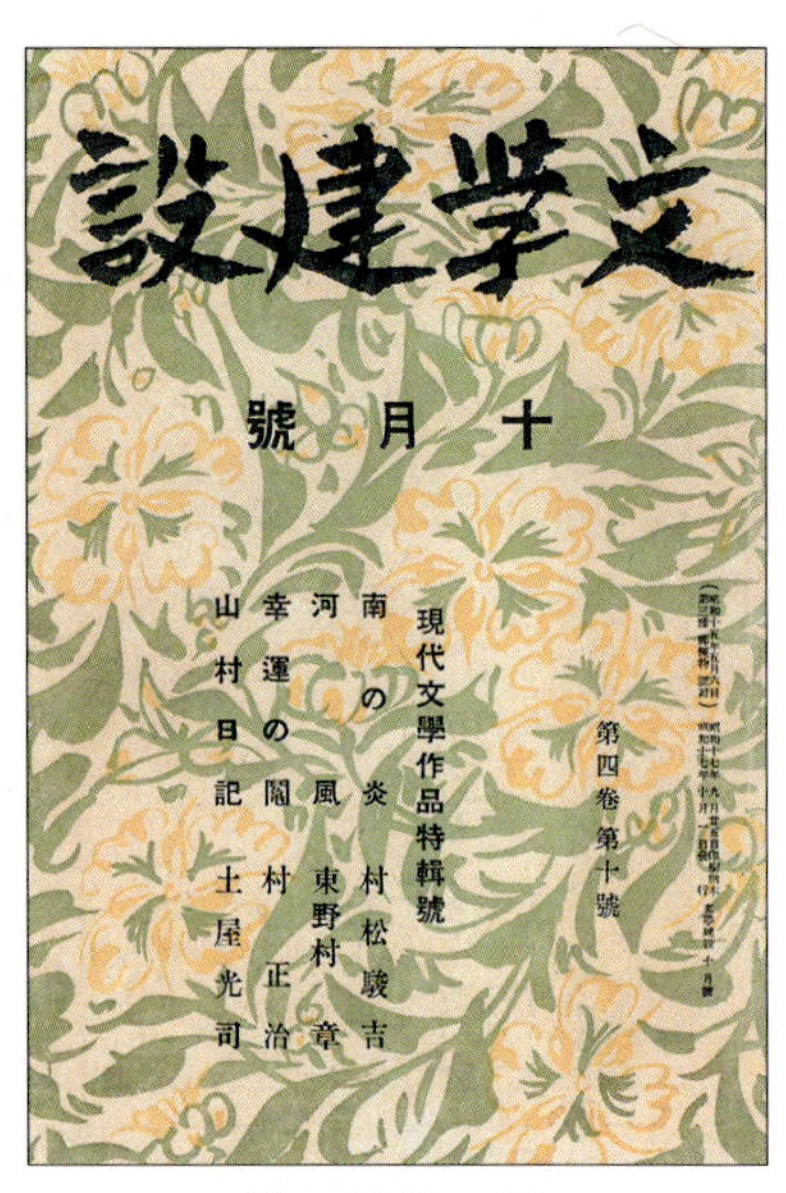

第４巻第10号

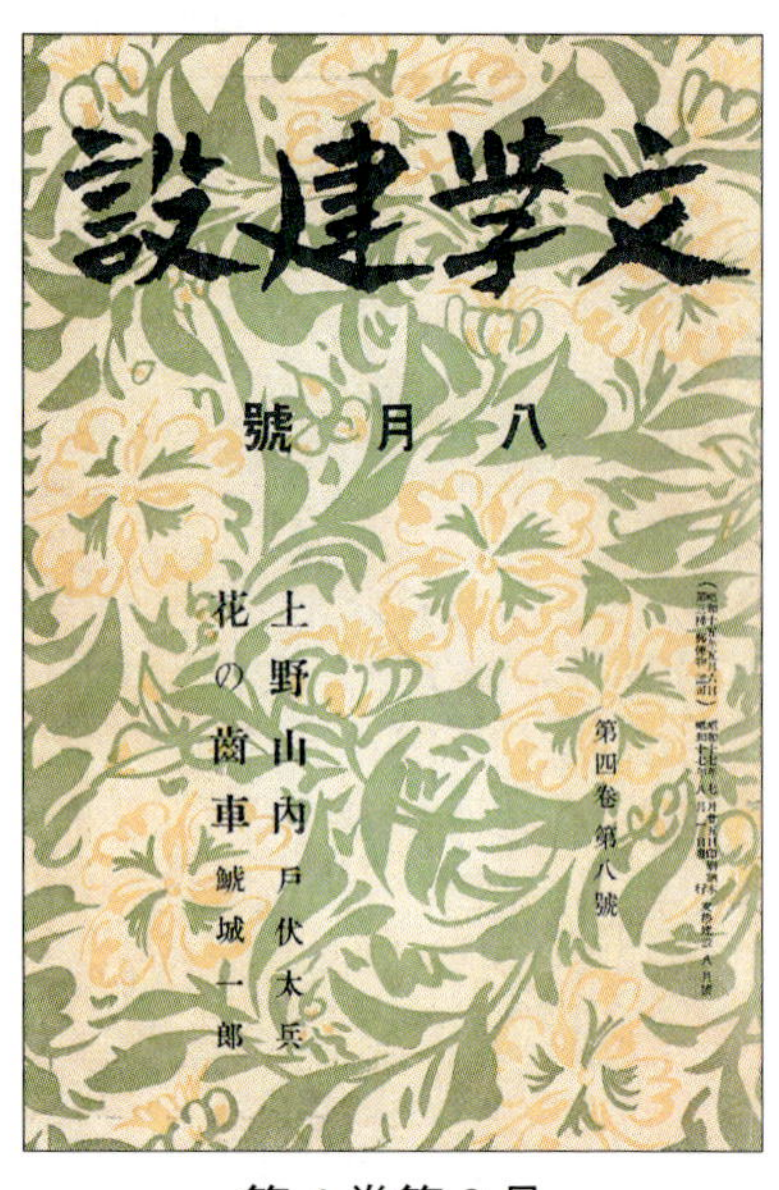

第４巻第８号

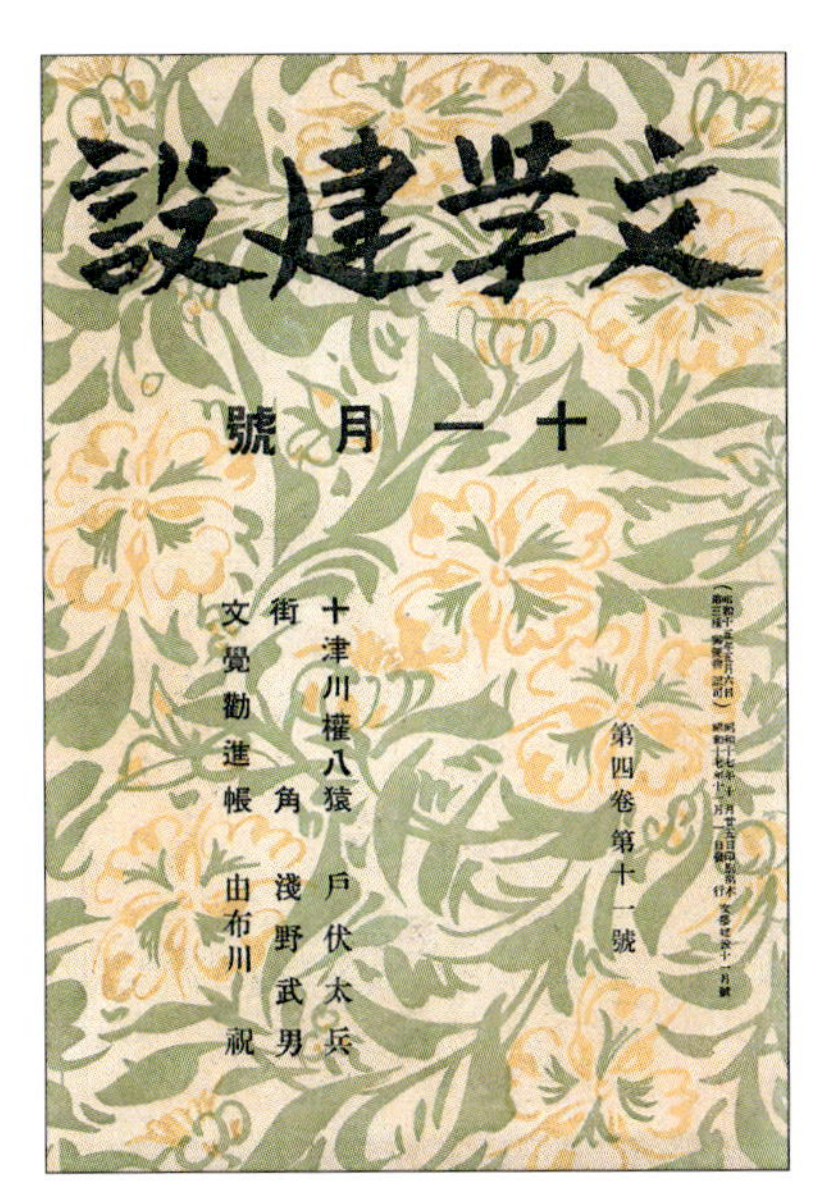

第 4 巻第11号

第 4 巻第12号

文学建設

七月號

（昭和十五年五月六日第三種郵便物認可）昭和十七年六月廿五日印刷納本 昭和十七年七月一日發行 文學建設 七月號

第四巻第七號

小木の譜　緑川玄三

彦九郎京日記　大隈三好

文學建設

第四巻第七號

目次　【通卷第四十二號】

望洋雜記

村雨退二郎

模倣的再現と藝術的再現

直接間接の見聞、または書かれた物を讀んで、これは面白いと感じた時、それを自分の筆で再現してみたいと云ふ慾望が起る。それを、作家達はよく、これは書ける、または小說になる、と云ふ。

しかし、こゝには怖るべき陷穽があることを考へなければならない。單なる模倣と、文學的創作との全く相反した二つの路が、同時に、そこから發してゐるのである。

面白い、と感じたのは、誰が感じたのか。勿論、私が感じたのである。

では、私とは何者か。私とは、作家である。なるほど、職業又は社會的位置としては、作家として認められてゐるだらう。しかし、ある事物を見聞し、または書物に書かれた事を面白いと感じた瞬間、そしてそれを文筆で再現してみたいといふ慾望が、自然に湧いて來た刹那、私といふ人間は、果して嚴密な意味で、作家、文學者として、その對照に直面し、冷嚴な批判の目を光らしてゐただらうか。問題は、そこにあるのである。

私は、これを、讀者として感じる興味と、作家として感じる興味との二つに分類する。

即ち、批判力が盲ひてゐる時に感じる面白さは、たとへその人が職能的に作家であつても、それは單なる讀者として感じた面白さであつて、正しい意味での作家的感興とは、全く

別個のものである。また、面白いと感じたものを、何かの方法で再現してみたいといふ慾望を起すのは、決して作家ばかりではない。あるひは藝術家ばかりでもない。それは、人間共通の、本能的な慾望である。

その共通の慾望に出發しながら、作家藝術家でない人によれば、單なる模倣的再現に終り、作家藝術家によれば、創造的藝術的となつて現はれると云ふ事を深く考へてみたい。

これを、直接的に云へば、讀者的感興によつて呼起される再現慾は、人間共通の模倣性であつて、決して創作慾ではないのである。創作慾といふのは、嚴正な作家的視點に立つて作家獨自の感興により呼起されたものを云ふのである。

歴史文學に於て、古い書物から拾つて來た名君、賢相、勇士、名匠の美談、逸話を、その儘小說風に書直した所謂美談小說、逸話小說の類が、極めて低い位置に置かれるのは、前述した通り、それが讀者としての興味から出發した模倣的再現に過ぎないからであつて、勿論、文學の名には値しないものである。

現代小說に於いても亦、同樣のことが云へるであらう。そして、それは一つの話として、書物に記載されてゐる場合だけではなく、單なる素材の斷片、あるひは間接、直接の各種の見聞に就ても同樣である。

それを讀み、または見、あるひは聞いた時には、非常に面白いと感じたのに、書いてみると、少しも面白くない。または、自分では面白いつもりで書いてゐるのに、人は一向に面白く感じてくれないと云ふ場合の多くは、作家が無意識の中に、この重大な過誤に陷つてゐるのである。

自讃的說明について

メリメがやつてゐるやうに、小說の藝術的效果を昂めるため、適當な註釋を入れることは面白い。森鷗外等にも、註釋を小說の一部分と見て差支へないやうな、なかなか秀逸のものがある。

さういふ意味の註釋ではなくて、不必要な註釋――少くとも文學としては必要のない註釋や附記のあるものが散見されるが、私はさういふものは、却て小說の藝術的効果を破壞するものだと信じてゐる。

殊に、自讃的な說明は、折角の力作を傷ける場合が多いから絕對に避けるやうにしたいものである。

小說は小說として、一本立のできるものでなければならない。作家は、自分の作品に、一々自讃を加へて、これを價値付けようとしてはならない。自讃しなければ、讀者が自分の創作意圖を理解してくれないだらうとか、自分の作品の文學

的價値を認めてくれないだらうとか、さういふ心配が伴ふやうでは、まだその人は、自分の文學について確乎たる信念を持つてゐないのである。

自讃的な說明を附加するのは、自信のないことを告白してゐるやうなものである。小說だけでは獨立獨步できないから自讃のつッかひ棒で支へてゐる――そんな風に感じられる場合が多い。

自主精神と民衆

嚴密な意味で、一般民衆は文學を批判する能力を備へてはゐない。文藝批評は、特殊の素養と技術を要することであるから、そのために文藝批評家といふものが存在し得るのである。一般民衆が、文學を批判する能力を備へてゐないといふことは、決して民衆の不名譽でも何でもない。

言葉を換へて云へば、一般民衆にとつて、不名譽なことは立派な、高級な文學作品に親しむだけの敎養を有つてゐないといふことだけである。

國民の文化が高いとか低いとか云ふことの中には、さういふ敎養の高低といふことも含まれてゐるのであつて、文藝敎養の低い、または皆無な國民が、高度な文化國家を形成するなぞといふことは、絕對にあり得べきことではないのである。

所謂純文學の高級說を固持する人々は、大衆文學は批判力の無い大衆に讀まれるから、常識的、道德的でなければいけないが、純文學は批判力の有る知識階級に與へる文學だから大衆文學のやうに常識的である必要も無ければ、殊更道德を强調する必要も無い――といふやうな說を立ててゐる。

前期大衆文學が、低級な常識や、封建的、又は自由主義的道德に叩頭してゐたことは事實だが、それについては別に議論することにして、こゝでは、批判力の有無について考へて見る。

文學に對する批判力とは、その個々の作品に取扱はれてゐる人生のある問題を、道德的な角度だけで批判し得る能力といふやうなものでは無い。文學の價値をさういふ角度だけで判定しようとするのは、唾棄すべき、道學者的態度である。

眞の文藝批評は、前にも述べたやうに、廣く且つ深い特殊な敎養と技術を備へた、文藝批評家のみのよく爲し得るところである。その外には、完全な、文藝批評といふものは成立たないのである。

不完全な批評なら、別に求める必要もなく、我々は隨時隨所に、會社に、電車に、工場に、學校に、これを聞くことができる。それは、知識階級だけの特權でもなければ特技でもな

い。學者は自分の專門的學術的立場から、學生は學窓を通じて見た不完全な世間觀人間觀を以て、勤勞青年は自分の從事する仕事の上から、歷史家は史觀及時代考證について——各人各樣の批評を試みる。

しかし、さういふ批評は、文學作品の、ある部分に對する批評であつて、決して正しい意味での文藝批評ではない。從つて、純文學擁護者の云ふやうに、知識階級だけが批判力を備へてゐて、大衆には批判力が無いなぞとは云へないのである。

もともと、知識階級にも、さうでない大衆にも、文學に對する完全な批判力なぞは無いのである。そして、知識階級大衆を含めての、一切の一般民衆に、批判力が備はつてゐないといふことは、作家にとつて、一向に差支へないことなのである。

作家は、民衆に、その作品の價値を、批判してもらふために文學するのではない。

廣津和郎氏は、ある講談師の「敎へるのではなく、聞いて頂くのだ」といふ言葉を引いて、大衆作家の態度を規定してゐるが、さういふ態度は、藝人の態度であつて、決して藝術家、文學者の態度では無い。

「敎へる」といふ言葉の語感は、文學のある性質を現はすには適當で無い。文學は直接に知識を人に與へるためにあるものではないから、敎へるといふ言葉は穩當でないし、また敎訓を直接の目的とするものでもないから、訓へるといふ言葉は一層不適當である。

しかし、決して「讀んで頂く」そして批評して頂くといふやうな、卑屈な態度であつていゝものでもない。

一般民衆が、文學作品を批評すると否とは民衆の自由に任せて置くべきである。それは制止できることでもないし、制止する必要も無いことである。

たゞ作家は、さういふ不完全な、民衆的批評によつて、民衆の各種各樣の嗜好や傾向を知ることは出來るけれど、それによつて——民衆の批評によつて、作品の文學的價値が定まるものではないといふことを、はつきり知つて置けばよいのである。

文學者はその自主性について、常に毅然たる信念を把持してゐなければならない。

もしひとたび文學者にしてその自主性を喪ふ時は、たとへ一代の花形、人氣作家としてもて囃さるゝとも、その文學は必ずや匠氣ふんぷん、俗臭鼻を衝く、低俗文學と化し去るであらうと私は信じてゐる。

——五月晦日、松原町にて——

國民文學としての歷史小說

會友　蔭山東光

わが國民文學の建設は、多くの方面に於て、完成されねばならない。小說、劇、評論、隨筆等々、その範圍は頗る廣汎に亘つて居る。併し、この扇の要となるものは小說であり、更にその樞軸を成すものは歷史小說であるといつても、過言にはなるまい。

國民文學建設の使命を達成するに就て、歷史小說が重要な役割を占めてゐることを、理論的に究明するには、國民文學とは何か、歷史小說とは何か、といふ根本原理に溯らねばならないが、是等は、旣に文壇諸先輩の間に檢討を盡されて居ることであるから、敢へてその定義などは擧げない。併しこれから述べようとする「國民文學としての歷史小說」の研究に關聯する範圍に於ては、二三、その本質にも觸れる必要があらう。

國民文學としての歷史小說らしいものゝ起源は、森鷗外の晚年の作品である。

中來、歷史小說には、その創作態度、或は手法に、二つの型がある。その一つは、客觀主義、或は史實尊重主義ともいふべきもので、歷史的事實の詮索に重點を置き、濫りに變更歪曲を加へないものである。その極端なものは、史實の研究のみに終始して、終に小說の重大要素たるテーマを忘却し、或は故意に之を排除してしまふ。他の一つに、主觀主義、或は主題尊重主義といふべきもので史實よりも、むしろ、哲學的理念に重點を置き、この目的遂行の爲めには、時として、史實を變更或は歪曲する。その甚だしいものになると、史實の研究に先立つて、或觀念を豫定し、之に當嵌るやうな歷史上の事件や人物が見當らないと、史實を創作、或は揑造するに至る。

鷗外は、前者の代表的なものである。彼の所謂「歷史その

儘」は、この態度を、最も端的に表明して居る。彼は、自らいふ。『私の近頃書いた歴史上の人物を取扱つた作品は、小説だとか、小説でないとかいつて、友人間にも議論がある。…私は史料を調べて見て、その中に窺はれる「自然」を尊重する念を發した。そして、それを猥りに變更するのが厭になつた。私は、又、現在の人が、自家の生活をありの儘に書くのを見て、現在を、ありの儘に書いて好いなら、過去も書いて好い筈だと思つた云々』即ち、特定の主題を設定して、史實を歪曲することを極力排斥したのである。その態度は、歴史小説の第一要素を具へたものとして稱讃に値する。併し、之と同時に、意識的なテーマが用意されて居ない點、或はそれが十分でない點は、鷗外の作品の大部分に通ずる缺點である。それは、彼自らも氣にして居る如く、歴史或は傳記たるに過ぎないもので、斷じて小説ではない。小説と銘打つ以上は、何等かのテーマが、設定されて居なくてはならない。史料の研究よりも先に、計畫されて居るのは邪道であるが、史實を研究した後、之を小説として、發表するにあつては、何か人生問題或は國民生活等に關する觀念が、作者の腦裡に纏つて居なくてはなるまい。この意味に於て、鷗外の作品の大部分は、本格的な歴史小説とはいへないのである。

例へば『護持院ケ原の敵詩』に於ては、敵討までの經過が史實に依つて、よく描寫されては居るが、意識的な倫理批判は示されて居ない。『阿部一族』も、單に、殉死を許されなかつた一族の滅亡史を克明に描いた丈けで、殉死に關する哲學的解明は不充分である。『最後の一句』に在つても、個人の性格を描くのみに急であつて、當時の社會情勢とか、國民生活の動向には、あまり觸れて居ない。從つて、假りに一歩を譲つて、歴史小説たることを許容するとしても、國民文學とはなり得ないものである。

併し、『山椒大夫』となると、大分趣が變つて來た。之は、その材料を史實に求めたのではなく、傳説に求めて居る。彼が自ら『山椒大夫のやうな傳説は、書いて行く途中で、想像が道草を食つて、迷子にならぬ程度に、筋が立つて居るといふ丈けで、私の辿つて行く糸には、人を縛る强さはない。私は傳説そのものをも、餘り、詳しく、探らずに、夢のやうな物語を、夢のやうに思ひ浮べて見た。』といつて居る通り、鷗外としては珍らしい作品である。從つて、『山椒大夫』には、『歴史その儘』といふやうな、彼獨特の創作態度が見出されないが、さりとて、『歴史離れ』に成功して居る譯でもない。文献や記錄を、傳説に置き代へた丈けのことであつて、その内容は、依然として、テーマを缺いて居る。

鷗外の作品中、主題の明瞭なのは、僅に『高瀬舟』の一篇

があるのみである。之は、單純なる『歴史離れ』から、一歩を進めて、主觀主義の領域に踏み込んで居る。しかも、史實尊重の一面をも忘れて居ない所に、この作品の不朽の價値がある。國民文學であるか否かは、姑く措くとしても、兎に角本格的の歴史小説といひ得る。

之は、德川時代に、遠島を申渡されて、京都の高瀬川を下る罪人と、之を連れて行く同心とを、題材としたものであるが、そのテーマの第一は、死に瀕して、苦痛に直面して居る人を死なせることが、果して『罪』となるか否か、即ち現代醫學に於けるユウタナジイの問題であり、その第二は、人間の欲望には際限がないといふこと、即ち現代の經濟學に所謂欲望無限の法則である。特に、二百文の鳥目を財産として喜ぶ罪人喜助と、相當の扶持米を貰ひ乍ら、滿足して居ない同心との心理的對照が、巧みに取扱はれて居る。

併し、鷗外は、『高瀬舟』で、本格的歴史小説の彼岸に到達したのに拘らず、クルリと向きを變へて、再び『史實尊重主義』(或は『史實至上主義』といつた方が適當であるかも知れない。)の奔流に棹して行つた。即ち『澁江抽齋』『伊澤蘭軒』『北條霞亭』等の困難な大事業に身を投じたのである。之は彼をして不朽の金字塔を築かしめる結果となつたが、歴史小説の本道は、その開拓を中止されてしまつたのである。

之を要するに、鷗外の業績は、歴史小説の大成ではなく、歴史そのものの探究にあつたといつても過言ではあるまい。更に一歩を進めて、その業績を批判することを許されるならば、彼の所謂史實とは何を指すかといふ點にも觸れねばならない。彼が、史實を渉獵するには主として文献、即ち記錄、著書、手紙、系譜等に依つたものゝ如くである。併し、是等の歴史上の證據と、史實とは、別個の觀念に屬する。證據のない事實の中にも、重要なものがある。『證據その儘』が『歴史その儘』とはならないのだ。

假りに、是等の文献を補足する爲めに、實地調査や現地報告等が加へられて、史實に近いものとなつても、作家の主觀的濾過作用が伴はないならば、それは小説とはなり得ないことは、前にも屢々指摘した通りである。

『椙原品』の中で、彼が自ら『私は、この伊達騷動を傍觀して居る綱宗を書かうと思つた。外に向つて發動する力を全く絶たれて、純客觀的に傍觀しなくてはならなかつた綱宗の心理狀態が、私の興味を誘つたのである。私は、その周圍にみやびやかにおとなしい初子と、怜悧で氣骨のあるらしい品とを立たせて、この三角關係の間に靜中の動を成り立たせようと思つた。併し、私は創造力の不足と平生の歴史を尊重する習慣とに妨げられて、この企を拋棄してしまつた。』といつ

て居るのは、よく彼自身の性格を知るものである。

鷗外の史實至上主義と全く對蹠的の地位に立つものは、芥川龍之介の主觀主義である。この主義は、現代に至るまで、綿々として續いて居り、史實を無視する點に於ては、所謂大衆文藝も、その庶子位には當るであらう。主觀主義の鼻祖としての芥川の作品は、鷗外の『高瀨舟』に於ける創作態度とも著しく相違して居るから、その後繼者といふことは出來ない。若し、その遺鉢を襲ぐものならば、もつと史實が尊重されねばならないであらう。

彼に在つては、歷史はどうでもよいのである。特定の思想觀念、哲學が先行し、之を表現する爲めの道具として、歷史を借りようとするのが、その創作手法である。適當な歷史上の人物や事件が、見當らないならば、史實をも創作するのである。從つて、それが如何に古典的な裝束、古風な扮裝を具へて居ようとも、その內容は、正しく現代小說である。『僕が、或テーマを捉へて、それを小說に書くとする。さうしてそのテーマを藝術に最も力強く表現する爲めには、或異常な事件が必要になるとする。その場合、その異常な事件なるものは、異常な丈け、それだけ、今日この日本に起つた事としては書きこなし惡い。……僕の昔から材料を採つた小說は大抵この必要に迫られて、不自然の障害を避ける爲めに、舞臺を昔に求めたのである。だから所謂歷史小說とは、どんな意味に於ても、「昔」の再現を目的にして居ないといふ點で區別を立てることが出來るかも知れない。』

彼の手法は、槪ねこの類であつた。『羅生門』では、下人と老婆とを借りて、現代人の心理を描寫し、飢餓と犯罪との關係を銳く批判して居る。『鼻』は、人間の欲望の問題を取扱つたものである。『芋粥』に至つて、彼は、その創作態度を、冒頭に於て、赤裸々に告白して居る。

『元慶の末か、仁和の始にあつた話であらう。どちらにしても、時代は、さして、この話に大事な役を勤めて居ない。讀者は唯、平安朝をいふ遠い昔が背景になつて居るといふことを知つてさへ居て吳れゝばよいのである』といひ、更に主人公をも殊更に『某』として歷史無視の態度を强調した。それもその筈である。この小說の主人公たる色の褪めた水干に、萎々した烏帽子を掛けて居る五位、「芋粥に飽かむ」ことを一生の望みとして居る五位は、草疲れた羊羹色の洋服に、煤けた帽子を被つて、一枚の勸業債券の當ることを念願として居る現代薄給サラリーマンの姿に外ならないからである。『或日の大石內藏之助』は、『その放埒の生活の中に、復讐の拳を全然忘却した駘蕩たる瞬間を味』つて居る。之は現代のインテリ大石である。又、『袈裟と盛遠』に於ける袈裟は、

『私は夫の爲めに死ぬのではない。私は私の爲めに死なうとする。私の心を傷けられた口惜しさと、私の體を汚された恨めしさと、その二つの爲めに死なうとする。』といふ。之も明に、現代の不貞な人妻の心理に外ならない。

　右の二篇に於ては、歴史を閑却すると共に、心理狀態に皮肉な歪曲を試みたのである。『枯野抄』に於ける芭蕉の門人は漱石山房を髣髴させるものがある。

『戯作三昧』の馬琴は、芥川自身の自畫像に過ぎない。錢湯に浸つて、『そこへ行くと、十九や三馬は、大したものでげす。あの手合ひの書くものには、天然自然の人間が出て居やす。決して小手先の器用や生噛りの學問で、捏ち上げたものぢやげえせん。そこが大きに蓑笠軒隱者なんぞとは、違ふ所さ』といふやうな悪口を聽いて居る馬琴は、取りも直さず芥川そのもの姿である。

『崋山が歸つた後で、馬琴はまだ殘つて居る興奮を力に、八犬傳の稿を繼ぐべく、何時ものやうに机へ向つた。先を書き續ける前に昨日書いた所を一通り續み返すのが、彼の昔からの習慣である。』といふ所などは、澄江堂の書齋風景に外ならない。

『地獄變』では、骨董的な屛風と、それにまつはる物語とを借りて、藝術と道德との關係を論じて居る。その他、『尾形了齋覺え書』『奉教人の死』『るしへる』等、一聯の切支丹物が如何に擬古體の文章を用ひて居ても、畢竟彼自身の宗教觀を吐露した現代物に過ぎない。殊に『奉教人の死』では、史實の借用どころではなく、文献を創作して居る。

『予が所藏に關る長崎耶蘇會出版の一書、題して「れげんだ・おうれあ」といふ。……體裁は上下二巻美濃紙摺草體交り平假名文にして、印刷甚しく鮮明を缺き、活字なりや否やを明にせず。……「奉教人の死」は、該「れげんだ、おうれあ」下巻二章に依るものにして……予は「奉教人の死」に於て發表の必要上多少の文飾を敢へてしたり。……』などといつて居るが、實は、この「れげんだ・おうれあ」は、架空の書であり、之が爲め、借覽や讓受を申込んだ好事家が失望したといふ挿話もある。

　之を要するに芥川の作品は、その出發點に於て歴史を無視する態度に出でゝ居る。彼の作品に現れて來る人物は、總べて、現代人である。そこには、時代精神や、或時代に於ける國民生活の實相等は、片鱗だも、現れて居ない。主題があるから小説には違ひないが、歴史性を缺如して居る。從つて、之を嚴格な意味に於ける歴史小説といふことは出來ない。即ち鷗外の場合とは反對に、今少し史實を尊重する態度に出でたなら、本格的歴史小説を大成することが出來たであらうが

餘りにも主觀に囚はれた爲めに、歴史小說の本道を外れてしまつたのは惜しい。

私は、『國民文學としての歴史小說』を述べる爲めに、鷗外と芥川との業績に就て、餘りに多く引用し過ぎたかも知れない。併し、引用が目的ではなく、實はこの兩者並にその作品の歴史的研究を續けて居る裡に、自然と、このテーマが生れて來たのである。

建設途上に在る『國民文學としての歴史小說』は、鷗外の長を採り、芥川の短を捨てたものであらねばならない。即ち第一に史實を尊重することである。從來の大衆文藝に於ける通俗的時代小說は、餘りにも史實を歪曲し過ぎた。或は、史實などは、最初から問題として、居ないものも、あつたやうだ。史實の探究は、單に文献の渉獵のみに跼蹐して居ては不充分である。尙、國民文學としては、單に或事件や人物の個性を調査するに止まらず、その時代に於ける全體的國民生活の實相や、事件の背後に横たはり、或はその底に流れる社會情勢並に時代精神等をも充分に探究せねばならない。而してその中から、適當なテーマを捉へ來つて、意識的に之を表現する。主題は先行するのではなく、後から生れて來るのである。しかも、そのテーマは、露骨に說明されてはならない。作品の全體を通じてほのかに掲げられることを必要とする。頭から、テーマの意圖を鮮明にすることは、史實借用の主觀主義者の爲す所である。先づ、なだらかに歴史を語り出でなければならない。又、妄りに現代と照應させるのは、一定の時代に特有な時代精神の存在を理解しないものである。

特に國民文學としての歴史小說の要求する所は、大衆に迎合し追隨することを念願とする興味本位のものであつてはならないことである。國民を指導し誘掖する高雅なテーマが織込まれて居ることを必要とする。

從來の大衆文藝に見受けられる如き卑俗な時代小說を排擊し、鷗外や芥川に還ると共に、その短所と缺點とを揚棄した新鮮な歴史小說の出現を待望する。是が、國民文學建設の第一步である。（昭和一七・五・二七）

◇受贈雜誌紹介◇

オール讀物、講談倶樂部、ユーモアクラブ、日の出、新青年、講談雜誌、文藝日本、開拓、メトロ時代、につぽん、女性日本、愛の日本、文藝情報（以上六月號）

漁村、意匠（以上五月號）

獨逸文化資料（4）

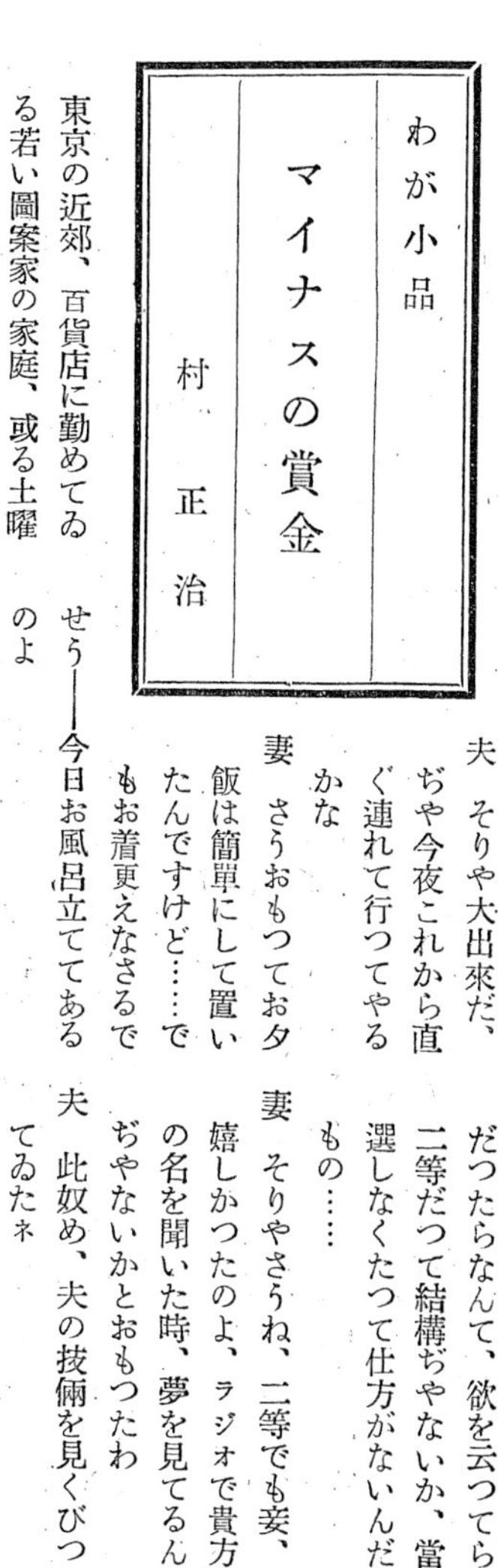

わが小品

マイナスの賞金

村 正治

東京の近郊、百貨店に勤めてゐる若い圖案家の家庭、或る土曜日の夕方

―玄關のベルが鳴る音―

妻 あら、お歸りなさい、まあ、よかつたわ、貴方、書留が來たのよ、今日は土曜日だから、また映畫ぢやないか知らといらいらしてゐたところよ

夫 いや、僕も今日あたり賞金が屆いてゐやしないかとおもつてネ、それで開けて見たかい

妻 え、爲替だつたので、明日は局が休みでせう、それですぐお金に換えて來たのよ

夫 そりや大出來だ、ぢや今夜これから直ぐ連れて行つてやるかな

妻 さうおもつてお夕飯は簡單にして置いたんですけど……でもお着更えなさるでせう――今日お風呂立ててあるのよ

夫 ハハハ、帶を買はさうッてんで大いにサービスしてゐるな、で、君の夏帶つてのは三十圓もあればいいのだらう

妻 あのネ、今日、爲替を取りに出た序に買つて來たの、三十六圓だつたの……だつて當選したら半分下さるつてお約束だつたでせう―― 一等だと妾、百圓貰へるところだつたのに……惜しかつたわ

夫 何だ、もう買つて來たのか、かなはないや、その上まだ一等だつたらなんて、欲を云つてら二等だつて結構ぢやないか、當選しなくたつて仕方がないんだもの……

妻 そりやさうね、二等でも妾、嬉しかつたのよ、ラジオで貴方の名を聞いた時、夢を見てるんぢやないかとおもつたわ

夫 此奴め、夫の技倆を見くびつてゐたネ

妻 さうでもないけど……それより貴方、早くお湯を濟ませて出かけませうよ、妾、お先へ失禮しましたの

夫 ウン汗だけ流して直ぐ上がるから、君はその間に仕度して置き給へ

妻 妾、もうこれでいいのよ、だから早く上がつて下さいね

―間、再びベルの鳴る音―

客 御免下さい、ちよつと伺ひますが、上野さんは此方樣でせうか

妻 はい、上野で御座ゐますが、誰方樣でゐらつしやいますか

客 私、太田と申しますが、御主人は御在宅で……

妻 は、唯今、お湯に入つて居りますが……

――間――

夫 やあ、貴方でしたか、太田さんと聞いても、ちよつとおもひ出せませんでしたが……お主婦さん、御壯健ですかネ、あのお主婦さんには隨分厄介になつたもんだが、相變らず一日中忙しく動き廻つてゐられますかネ

客 實はその家内が、この春亡くなりましてネ、あの下宿屋も先月に讓つてしまつたやうなことでして……

夫 何、あのお主婦さんが亡くなつたつて? そりや、大變でしたネ、少しも知らなかつたので……ちよつと知らして下さればお悔みに出るんでしたのに……

客　いや、實は此方樣へは一度お伺ひしたい用事も御座ゐましたのですが、何分にも御住所が判らなかつたもんで……

夫　成程、さうだつたなァ、何、僕の方もつひうつかり知らしそびれつちやつてネ、それで、何うして此處が……

客　いや、それが四五日前の新聞に、彈丸切手の圖案に御當選になりましたさうで、御住所も出てゐましたのを拜見しましたので、斯うしてお訪ねした譯でして……實は亡くなりました家内も、上野さんのことだから、あの位の滯りは此方から御催促せなくとも、何れその中にはお屆け下さるよと申して居りましたので、なほざりにしてゐたのですが、私も家内に死なれ營業も人に讓りましたので、今度は大阪へ歸つて、もう一旗擧げたいとおもひまして、實はその……

夫　すると下宿代の滯りを取りに來られたんですな、これは、僕の勝手な話かも知らないが、あのお主婦さんが、何、五年近くも辛抱してゐて下さつたんですもの。これ位の滯りは氣にかけなくたつて……と云つてくれた上にもう三年近い今日まで何の話もなかつたので、まあ身勝手な話だが、僕の方ぢやすつかり忘れてゐましたよ

客　え、それが新聞で御名前を見まして……私もこの先心細い身の上なんで、ひとつ助けていただかうとおもひまして……

夫　よろしい――拂ひませう、でいくらになるんです

客　え、ここに勘定書を持つて來て居りますが、下宿料が三月分とお取替えで百四圓八十錢となつて居りますが、何、百圓だけ頂戴出來ましたら、それで結構なんで……

夫　フン、氣は心といふところですがネ、何うせ拂ふなら綺麗に拂ひますよ、おい、僕の蟇口を持つて來てくれ、それから晝の金と……百五圓あればいいんだ

妻　まア、馬鹿らしい、貴方、そんなものお拂ひしていいの？

夫　いいから出せつてことよ、ほんとに馬鹿にした話だが、仕方がない（低聲に）金は足りるかい

妻　え、あるにはありますけど……でもいいの

夫　まあいいさ、ぢや受取りをして　剩錢は要らないから、早く持つて行つてくれ給へ、僕ら、これから出かけるんだから……

客　それは何うも御出かけのところを御邪魔して濟みませんでした。それでは遠慮なく頂戴して歸ります……これが受取りになつて居りますから……それではこれで失禮を……

―間―　三度ベルの鳴る音―

夫　あ、歸りやがつた。ほんとにいまいましい奴だ、馬鹿馬鹿しいつたらありやしない

妻　貴方、あんな借りがあつたのちよつとも知らなかつたわ、でも忘れてゐたのを新聞で見ましたからなんて、隨分馬鹿にしてゐるわネ、こんなことなら當選しない方がましだつたわネ

夫　馬鹿！　金が何だ、金は無くなつたつて僕の技倆は認められたんだぞ。

妻　だつて馬鹿馬鹿しいわ、妾、帶を買つちやつて何うしませう今月のお會計大丈夫？

夫　何うにかなるさ、然し、こんなことになるんだつたら國防獻金にでもして置くんだつたネ

妻　ほんとにネ　妾　帶なんか買つちやつて……濟みません……貴方、御免なさいね

夫　まあいいさ　鳶に油揚げを奪られたつてやつさ、アハハハ

月例評壇

現代人の心理

―五月號の現代小説の中から―

東野村章

一

私小説に就いて再びいろいろなことが言はれてゐる。大體、私小説に對してあびせられた非難の多かつたある時期が、やゝ下火になつたところへその反動のやうにして再び問題になつてゐるので、私小説再認識といつたやうな口ぶりが多い。かうした問題が綜合雜誌や文藝雜誌にきまじめに執りあげられ、論じられてゐるのを見ると、依然とした〈文壇〉的のんきさと言ふものを感じないではゐられない。これは私だけの考へではあるが、私小説とか私小説でないとかいふのは、結局ひとつひとつの枠を造らうとする分割的見方であつて、どちらが良いとか惡いとかは、いくら論じてみたところで行きつくものではない。勿論、その形式だけを云々するわけではないが、文學的にすぐれたものが、どちらが餘計に書ける率があるかといふことなんかよりも、どちらでもその作品に對する作者の表現方法の如何にまかせてより廣いところから文學的にすぐれたものを期待する方が進歩的であると思ふのである。

更に「私どもは今日まで手のこんだ陰微な戀愛御理のかけひきや人目をそばだてるどぎつい題材の作品を、どのくらゐ讀ませられたことだらう。さうした作品の氾濫のただなかに、この子供らしい肉聲そのものゝやうな物語を据えてみると、今更ながら藝術派と素材派といふ論爭が依然として今日の主題であることがはつきりする」（長篇小説時評、平野謙、都新聞）といふ、藝術派、素材派の問題にしろ、先の私小説の場合と同樣、いつたい何のためにかうした問題を〈論爭〉しなければならないのか、と考へられるのである。何故なら、その〈論爭〉がかりにどちらかゞ勝つたり負けた

りするやうな場合があつたとしても、それによつてどれだけのものが得られることになるのであらう。藝術派がたとへ勝利を得たとしても、今日われわれの眼の前に具體的に作品としてあるところの藝術派のものが絶對的作品であるとは、恐らく信じることは出來ないに違ひないのである。

無論、主觀的、客觀的な表現、構成、組織等について研究されねばならないと思ふのであるが、今日の日本の文學にとつて、尤も切望されるところの大きな意味での國民文學へのためになければならないのではないだらうか。それは、それが藝術派でなければ生れないとか、素材派でなければ生れないとかといふ豫言的なたはごとは必要ではないのではなからうか。

二

さて、それにしても、現代小説の最も苦しいこの時代の中を作者達は、どんな方向へその心を向けてゐるのであらうか。

作品が、たゞ興味だけにある時代から、何らかの主張、意見をもつものに移つて來たことは、大いに喜んでいゝことではあるのであるが――。

いま、私の前に今月の雜誌の中から拔いて送られた現代小説の作家達の名を並べてみる。林芙美子、立野信之、伊藤永之介、寺崎浩、寒川光太郎、堤千代の諸氏。

此處に注意すべきことは、寺崎浩までの四人が揃つて〈オール讀物〉に書いてゐることである。これらの作家は所謂純文學の畠の作家達であつて、然かも所謂純文學作品を最近餘り書いてない作家達である。

何らかの主張、意見といふものは、便乘迎合といつたものと紙一重である。われわれは主張を迎合と見あやまることのないことを祈ると共に便乘を意見と間違つてもいけない。先に現代小説の最も苦しいこの時代といつたが、其處にこの苦しさも存在するのではないかと思ふ。

林芙美子は〈流恨〉を書いてゐる。別れ別れに生活しなければならなくなつた夫婦の愛情を、夫の思ひがけぬ死に結びつけて描かうとし、更にさうした夫婦の愛情を若い娘の理性で批判する。(自分が娘でありながら、自分と云ふ娘はまた別な世界に住んでゐてェイツャツと氣合まじりに立ち働いてゐるやうな、そんなふくざつな自分を感じても來るのだつた。德子は心のなかでは本當に結婚をしたいと思つてゐた。夢のやうに男のひとには戀ひこがれてゐながら、いまだに一人の男のひとも與へられない自分を不運だと思つてゐる。えたいの知れない軀のほてりを感じ、政江のゐない時など、疊の上を轉々と寢轉がつてみたいやうな苦悶に近い軀の責苦を感じる時がある)と、現代の一部の若い女の心を突いてゐるのだが、果してからした〈苦悶〉を投げつけるだけで何かを言はうとする作者の態度をよしとすることが出來るであらうか。

立野信之の〈彼岸櫻〉は、ある娘の(歸還勇士である許婚者が戰爭のお話を、いや〳〵ながらしてくれた、といふことがどうにも我慢ができ)ず結婚破約を申込み、父に叱られ家を出て校長先生の處へ落つき、そこに矢張り歸還勇士が居て(歸還勇士の方が手柄話をしたがらないのは附燒刃でさうしてゐるのでなく、また頑な心でもなく、

本當に戰つて眞實に觸れた者のもつ、深い崇高なまでに美しい謙讓の心だといふことを！　そしてさういふ謙讓さはアメリカ人やイギリス人には到底見られない、優秀な日本民族のみが持つてゐるものだといふことを）知つてもとのさやにおさまるといふのである。＜流恨＞にしろ、これにしろ現代の女性の心理を描かうとしたのであらうと、想像されるが、どちらも成功してゐるとは思へない。

現代人の心理は、現代の激しい時代的色彩の中で仲々とらへにくいものゝ一つである。概念的に一應は纏りつけられるものでありながら、それが直ぐには息づいて來ないところにむつかしさがある。同じことが伊藤永之介の＜故鄕＞にも言ひ得られる。醫者の處まで、まだ一里半あるのを、死んだやうにぐつたりした子供を背負つて歩いてゐるので、車に乘せてやつてたすける。後で、そのお禮だと言つて饅頭を屆けてくる。人の好意といふことがことさら此處にとりあげられてゐる理由は、八百屋の前で一時間以上も並んで待ち、自分の番がやつと來たと思ふと「もう、賣れねえよ。賣切れたんだから」と突つぱねられる時代であることに、あるのではないだらうか。

そして、寺崎浩の＜友情＞は、＜歸還兵だ戰傷兵だと特別の目で見られる＞のが厭だといふ畫家の挿話であるが、これは、先の立野信之の＜彼岸櫻＞の歸還勇士の心理を對照として讀んで面白く思つた。

歸還兵といふことを特別の目でみられたくないと言ふことに、作者は特別な目で見てゐる奇妙な心理の錯綜を感じるのである。――現代人の心理を描く六つかしさは抽象的な概念の中へ、人間をはめようとするところにあるのではないだらうか。

パレンバンの花束（伊知地進）・海戰（木村莊十）、その他

大慈宗一郎

共に講談倶樂部四月號掲載作品で、そして共に凡作、月評の對照にするほどでもない際物小說。內容は健全になつてゐるが、藝術的價値がどうの描寫がどうのと云々するは却つて野暮と言ふべきであらう。尙一言云ひたいのは、一體ニユース小說といふ銘は何を意味するものであらうか。不可解千萬な代物だと思ふ。ニユース映畫を見る代りにこれをお讀み下さいと言ふのか、新聞記事は難解だから分りやすく小說に致しましたと言ふのか、作者か雜誌社の創作か知らないがまるで文學を馬鹿にした話である。斯う言へば彼等は「ニユース小說」とは、ニユースに取材したと言ふだけで何んの變りもなく文學として成り立ち得るものであると言ふであらう。成程尤もらしい說である。無論材料を事實にとらうが取るまいが作品として立派なものであればそれでよい。だが多くは作者の器用さで書きあげたもので、そこには醱酵した素材がない。ある事實を見聞きしそれを一つの作品として完成されるまでにはその素材が作者の內に燃燒しなければならない筈である。處が大低の場合それではニユースとしての時期を失してしまふのである。かくして「ニユ

ース小説」は單なる際物的讀物以外の何物でもないのであると言はれても止むを得ないと思ふ。作者は、ニュース小説などといふ奇をテラはず充分に材料と取組んで完全な作品を作るべきである。

マカッサル海戰（日ノ出　攝津茂和作）

米本土上陸作戰（日ノ出五月渡邊啓助作）

共に前に述べた通り際物小説に過ぎない恐らく題名を與へられて書かされたものゝ様な氣がする。若しさうだとすれば渡邊啓助氏はあゝした筋でなくもつと空想的な小説とした方が却つてよかつたのではないだらうか。その方が別の面白さを味へるだらうと思ふ。どうも羊頭狗肉の感が強い。

獨立黨員（オール四月　多田裕計作）

初めの中に強くもられたサスペンスが後半に入つてなくなつてしまつたのが殘念。イスマヘル青年の動きが強い魅力であるが監獄に入ると同時に此の作品の魅力がなくなつてしまつた。結末は作者としては他にあつたのではないかあまりあつけない氣がする。然し面白く讀ませる點作者の巧者な處であらう。

印度洋司令の帽子

（ユーモア五月　大阪圭吉作）

同じ事局柄の小説を讀んだ中で此の一篇に好意がもてる。主題が帽子のトリックにあるからである。巧にはられた伏線、ついうつかりとプリンスオブウェルスの聯想にとらはれる讀者の心理を狙つた點探偵作家の作らしい。印度洋の海流に就ての説明は作者としては正直過ぎる感がする。もつと伏線的な説明の方（ウェルス號に結びつける様な）が作者として得ではなかつたかと思はれる。

あとがき

與へられた月評の作品六篇を通讀して、あまり際物的なものが多いのでつい毒舌じみてしまつた。斯うした作品が一般大衆に歡迎されるとしたら、一體大衆文學は何處へ落着くであらう。大衆文學を向上せしめよと叫ぶ一方此の樣な傾向があるのは何んとした事だらう。讀者のせいか、雜誌編輯者のせいか、作家のせいか、大いに考へるべきことではないだらうか。

神崎武雄氏の二作

（日の出・オール讀物・五月號）

村松駿吉

神崎氏の作品には、私は常に氣をつけて讀んでゐる。いつみても、面白く、そしてきれいに、器用に書いてあつて、ある意味ではソツの無い作品ばかりだと云つていいだらう。

芝居とか演藝方面の仕事に携つてゐた人に共通の、筋の組立ての器用さ、筆の運びの面白さ、會話の巧みさを、この人も持つてゐる。しかし、同じこれ等の人たちの一部にある作品の安易さもまた、いくらか同じやうに備へてゐるのではあるまいか。

ある程度までの巧さはどの作品にも見うけられるが、作品發表の數に比べて、ズバ拔けていゝ作品――感心させられる作品の少ないのは、この安易性によるものだと思ふ。

さて、作品評に移つて――

「信義」（オール讀物）

支那事變の起る前に、イギリスの貨物船にのつてゐたインド人たちが、常に上級船員であるイギリス人に虐待されてゐるが、横濱へ寄港する毎に、人種の差別なく親切にしてくれる酒屋の一家に親しみを持つ。そして遂には、横濱へ寄港するイギリス船のインド人船員をみんなこの酒屋へ連れて來るやうになる。

この酒屋一家もまた、好人物揃ひであるところから、この印度人たちにすつかり同情して、しまひには、酒屋を廢業して、インド人たちばかりのための「インデアン酒場」を開いてやる。

そのうちに、支那事變が起つて來て、イギリス船は日本の港へはいらないことになる。

その最後の寄港の時に――インド人たちは、この事變の勃發は、やがて日本がイギリスをやつつける口火になるであらうと、明るい希望を抱いて去つて行く。――と云ふ筋だ。

その中には、繪かきの泉さんなどゝ云ふ變つた性格の人物が出たり、例によつて面白い道具立と、輕妙な筆致で、最後まで引摺られて讀ませられる。

題材の面白さや、筋の運びの巧みさ、しみじみとした人情の發露などあつて、充分樂しませられるのだが、讀後感に何となく物足りない、淋しいものが殘るのはどうしてであらうか？

それは、この作品全體の底を一貫して流れてゐる、一種のセンチメンタリズムによるものであらうと思ふ。

この題材――永年の間、虐げられて來た民族インド人が、大東亞の黎明に氣付いて一旦第二の故郷とも思つた日本へ來られなくなる悲しみをも、暫しの間は押へて、やがて來るべき『自由の日』を希んで出發すると云ふ話や、その當面の戰ひを始めた日本人である酒屋の主人を中心にして描いて、ありながら、この小說の讀後には、さうした『起ち上る國の民』と云ふやうな强い感銘が少しも殘らないのは、このためにほかならない。

最後の別れの場面で、若いインド人のペレスを、『今こそ俺たちに自由が來るんだ』と、希望にもえたゝせてゐるあとから老インド人ゴミスには、やつぱりさうした希望は抱かせながらも、『今度はいつあへることやら』とか、ゴミスの所持金をみんな酒屋の主人に預けて、『肌に卷きつけてゐても仕方のない金だ、何かの足しにして下さい』などと、別離の哀愁の情を一きはかきたてさせたり、――また最後の章での酒屋の主人が、インド人が來なくなつたために店はすつかり駄目になつて、便利屋を開業して妻と共に、再びインド人たちが來る日をたゞわけもなく『待つてゝやらうなあ』と、わびしげに語り合ふ邊りで結んであつたりする。

この酒屋の主人も、元は銀行に勤めてゐた人物で、全然無學の男ではないのだからこの時代に於ける、この國民としての自覺をも、今少しどこかに現はされて、題材の持つてゐる建設的な役割をも果さしたならばどうであつたらうか？

泌々とした人情を滲み出させて、ほろり

とさせる技巧はこの作家の十八番で、大衆の讀者を掴むには最もいゝつぼには違ひなからうが、それを今一歩進んで、新しい時代の作家の理念でもつて讀者を魅了する技巧を發見しなければならないのではなからうか。――この作家には、充分それを期待してもいゝものがあると思ふのだが。――

尙、部分的にいへば、作中に畫家が出るが、あとでは大した必要の人物ではなく、結局、無くもがなのものである。

「女あとやま」（日の出）

この作品は、炭坑夫であつた亭主に死別れた女が、『女あとやま』になつて三人の子供を育てあげ、やうやく末の娘を他家へかたづけてほツとする。その時、戰地へ行つてゐる長男から來た手紙をみて、急に、年老いて四五年も休んでゐた「あとやま」を志願して再び炭坑入りをする、と云ふ話だ。例によつて、人情味たつぷりで、巧みに纏めてある。炭坑の樣子や、時局柄、石炭の增產問題なども巧みにとり入れて、無難な作品にはなつてゐるが、これだけの內容を盛るには、少しばかり枚數が足りなかつたと思ふ。

四五年間も休んでゐた「あとやま」の仕事を、長男の手紙をみただけで、（そのほかにも、多少の小道具は使つてあるが）急にまた始めやうと云ふ氣持になる心理が、少しうなづけないものがありはしまいか？

この作家だから、すーツと讀ませられてしまふと、うつかり氣がつかないでしまふけれど、よく考へてみると、ちよつと無理があるやうに思ふ。これは、今少し枚數を與へたら、必らず讀者を納得させるものになつたと思ふ。惜しい作品だ。

大衆文藝五月號

村　正治

渡御の記　長谷川孝延

冠婚葬祭（傍標題では冠婚祭葬となつてゐた）の祭は、作者自らこの作品の會話の中で說明さしてゐるやうに、祖先の靈を祭祀することだ。さういふ定義に囚はれると四部作の（祭の部）に天神祭の御神輿を擔ぎ出して來たのは、些か窮餘の策かと見られる。が結果としては、それに依てスケールが大きくされ、この作者得意の持味である大阪のローカルカラーを多分に盛り得た點だけでも成功してゐる。と書きながら、最後まで讀んで來たら、最後の十行程で、主人公の慰靈祭に結びつけて、何うにか定義通りに辻褄を合してゐる。然し、この一篇は徹頭徹尾、天神祭に依つて活かされてゐるのである。ニユアンスに富んだ描寫に、祭提燈、鉾流し神事等々文献的紹介を適當に混へて、地方人にも天神祭の盛觀が眼に見えるやうに描かれてゐる。

この天神祭を背景に、神輿の前捧三人組の友情と、お若の戀を絡ませ、沒落した境遇裡にも、大阪商人らしい昔の意氣を失はない彌七の面目を配して面白く讀ませる。瀧之助の應召といふ今日的な事件を織込んでゐる手際も心得たものだ。それだけに、文章も鮮しくと意識してのことか、從來の作品に較べると、ヴオカルフオーアだとか

アルト・パートだとか片假名の散見するのが、怎うも折角の純米の御飯に、鼠の糞のやうな防腐劑が混つてゐるやうで、之れは感心し難い。相變らず漫才じみた駄洒落が飛び出すのは、跪くを悶搔く、しがむを死嚙むと書くやうな例と併せ、文章に大阪式のあくどい感じを深めるために意識的に用ひてゐるのだとしても、感心した趣味ではない。天神祭りとりを送つてゐる使ひ方なども不用意である。

登高行　鈴木彥次郎

北大山岳部報に據つた山の遭難記。主人公である香山寧雄とその父の愛情。山の友達間の深い友情。それに山の小父さん尾島先生を點出してプロットに變化を持たせてゐる。それに一行九名中唯一人、山の遭難に生き殘つた宇治が北支に出征して小說的な結びをつけてゐるが、尙ほ記錄文學の域を出てゐない。渡御の記で天神祭に就ての智識を得たやうに、讀者はこの一篇からペテガリ登頂に就て多くを教へられるが、それは小說としては第二義以下のことに屬する。

文章は伸び〳〵と美しいが、手紙や日記追憶の場合と現實の場合が入り混つて少しゴタゴタしてゐるやうでもある。清冽な大氣、氷斧は青白い切尖を清冽に輝かしてゐた、清冽に霽れた空、緊しい友情、緊しい檢討、緊しい果敢なさのうちに等、一つの言葉を多角的に用ひてゐるのは一考すべきである。

百姓の園　森健二

飢餓に迫りながら、それを食へば生命の繫げる麥種には手を着けず、その一俵の麥種を蒔き了つて親娘共に餓死する。といふ題材の悲壯さに胸をうたれる。斯ういふ題材の持づ迫力に壓されて看過される傾向があるが、仔細に見れば、相當難のある作品だ。

剽輕な仲人嘉六を配し、結婚の夜から始まつて儲兒、田地の所有と幸福の連續で明るかつた前半が、後半に移つて陰慘な程グルーミーになる。主人公の倨傲な百姓魂を叙してその暗い感じを救はうとしてゐるやうだが、さして効果してゐない。麥種の出し方も唐突である。もう少し早く麥種を出してくれて、眼の前にある一俵の麥種と逐日迫つて來る飢餓との鬪爭を漸層的に描いて行つた方が、却つて陰慘感を薄めはしなかつたかとおもふ。飢えてゐる者の前に突然甘い食物をつきつけて、次の瞬間もう匿してしまふやうな結末の運びは餘りに悲慘に過ぎる。

この作者の文章は以前にも月評か、合評會かで指摘した記憶があるが、恙がなく、健やか、鮮やか、爽やか、暫らく、恭々しく等送り假名に無駄の多いことや、同訓異義の誤用が目立つ。この作品で「一粒だとて無駄にしては、土にも種子にもすまぬ」といつてゐるやうに、一字だとて無駄にしては、紙にもペンにも相濟まぬ。米を大切にするのが百姓魂なら、文字を大切にするのが作家魂だ、と云へるだらう。

三笑亭可樂　長谷川伸

旗本の次男と生まれた可樂が、維新の騷ぎを眼前にして、武士に引返し得ない焦燥煩悶を經に、その弟新助の會津武士を匿まふ心事を緯に組合せ、會津武士と遊女田毎の戀を點景にして道具は揃つてゐる。席亭

の高座、雛家の住宅、湯屋の二階等々、それに吉原の場面を持つて來ると芝居にでも映畫にも御自由にといつた譯で背景もよく人物の出し入れも、流石に手に入つたものだ。然し、刑死の前に、可樂が「三笑亭可樂、名殘りの一席、こゝでお耳を汚してからこの世を打出しにしたい」といふ雛家の心理に復る經路が描かれてゐないので、ラストが力弱いものになつてゐる。

可樂が酒の空樽を集めたのも、具體的に何ういふ風に使はれるのかが示されてないため、頭腦の散慢な男だつたのかといふやうな疑問も出て來る。さうなると可樂といふ人物が判らなくなつて來る。

「三笑亭可樂になつたぐれゐのことは、何をいやがる鮨常だぞ、知つてらあい馬鹿野郎」と岡つ引が口先で取つて押へるイキだといふ會話の調子を「そんなドヂを踏むやうなことは、小祿ながらお旗下、自慢にやあならないが三男坊でも以前は武士ですよ。遣るものですか」と新助にも辯舌らしてゐるのは何うしたことか。「話術の奇蹟にひたつてゐて」「舌がつくり出す奇術に憑かれて」等長谷川さんらしくもない文章で、外にも文章の粗い瑕が二三、眼に着く箇所がある。

「赤道地帯」讀後感

鹿島孝二

著者戸伏君からこの本を贈られた。戸伏君のことだから勿論歴史文學であらうと思ひ乍ら目次を繰つて、はてといぶかつた。

坂上田村麿の作家、天の川辻の作家、時代考證に於て文壇一ではないかと定評のある戸伏君のこの本が何と、アフリカ篇と南太平洋篇に分れてゐて、連作短篇小説で、第一話、野蠻人と蓄音器（バトンカの魔法使ひ）第二話、鰐の事件（イムフユージヤナの名探偵）――等々第十話まである。「あとがき」を見て感慨に打たれた。

「いたづらに狹い島國的感傷を揚棄して文學をしてより廣い天地に濶歩せしめたい――といふ希望のもとに、僕がこの連續短篇集の構成に着手してからでも既に數年が經過してゐる（下略）」

戸伏君は歴史文學ばかりを研究してゐたのではなかつたのだ。

が、一寸頭を働かして見れば、この事をさう意外と感じるものはないのだ。戸伏太兵といふペンネームが明白に之を物語つてゐる。あべこべ、とか、さかさま、とかいふ意味の英語（TOPSYTURVY）をもぢつて戸伏太兵とつけてゐる位だから、西洋流の學識はあるし、存外バタ臭い趣味も藏してゐるのだ。

さうは思つても、餘りに眞面目な歴史研究家、いさゝかの時代考證もおろそかにしない歴史文學作家、としての君ばかりを見て來ただけに、どうも今流行の南方小説を書くのがピンと來ない。

ところが、この小説は今書いたのではない。南方ものがはやるからとて書くやうな作家でもないし、俄か勉强ではこの小説は書けない。讀めば分るが、南方的語彙の豐富さ、どこでどう調べたか驚くばかりだし

俄か仕込みでは足許へも及ばないことが分る。聞けば、赤道地方に取材した小説が好きで、もう十年も前から英米の小説を集めて讀み漁つてゐたとのことだ。それからヒントを得て、前揭の「あとがき」の中に叙べられた作者の抱負を以てぼつぼつとこの小説を書いてゐたのださうだ。

趣味が多いといふのか、學が廣いといふのか、しかもこの部面に於ても、近頃流行の俄か南方作家の追隨を許さぬ程の物識りぶりを發揮してゐる。一體何たる頭の所有者であらうと思はざるを得ない。

以上僕は大分感心したが、小説自體の批評にはなつてゐないことに、氣がついてゐる。少しくこゝに小説について讀後感を述べよう。

前述のやうに、第一話から第十話までの十の短篇からこの小説は成立つてゐて、一つ一つの短篇はそれなりに完結してゐる。作者は探偵小説にも趣味を持つてゐると見えて、探偵小說的手法でストーリイを構成してゐる。仲々巧みな構成で、それを彩るのに、豐富な南方的語彙を以てし、文章も妙で、エキゾチックなところもあつて、飜譯小說を讀むかのやうな錯覺に落入るが、流行のこの種の小說としては、堂々たるものである。

が、嚴格に言へば、現在流行しつゝある小説に伍して堂々としてゐるだけであつて現在流行の南方小説は殆んど全部娯樂文藝の域を脫してゐないが、その域にこの小説も止まつてゐるのが物足りない。

大抵の南方ものは（北方ものでも、さうだが）文明人の眼から見てその土地を蠻地としてのみ描き、つまり傍觀的にのみその土地に觸れ、だから幾らその土地を描いても小説の背景として描くだけで、從つてその地方人の生活感情なぞが全く描かれないのが常で、僕はそれを甚だ食ひ足りないものに思つてゐたが、この小説もその點は充分には滿足させてくれなかつた。主として張愚といふ東洋人が活躍して居り、それの活躍天地としての赤道地帶だから、さういふことになるのだらう。いつそ、東洋人や西洋人を出さず（さういふ吾々と同じやうな文化的な感情を持つてゐるものを全然登場させず）赤道地帶に住む赤道地帶人の生活感情を探り、それをのみ描いたらどうであつたらうか？

戸伏君なら充分にそれを爲し得たと想像される。僕は本統の赤道地帶を知りたい。單に赤道地帶を背景としたゞけの小説では飽き足りないし、左程讃辭を呈す譯には行かない。

戸伏君とは仲間なのに（いや仲間なればこそ）餘り率直に言つて了つたが、決して戸伏君のこの小説を、傷つけたとは思はない。前述の通り、現在流行してゐる南方小説の中では堂々たるものである、と言つてゐるのだから。しかも今あはてゝ書いた作品ではない。

このことは戸伏君の烱眼を物語るものだし、若し今後努力すれば、今出來の他の作家を凌駕すること易々たるものたることを證明すると思ふ。歷史文學作家であると共に南方作家であり得ると思ふ。

蕪雜な盲評で恐縮至極だが、御海容を願ひたい。

（二六〇二、五、十七）

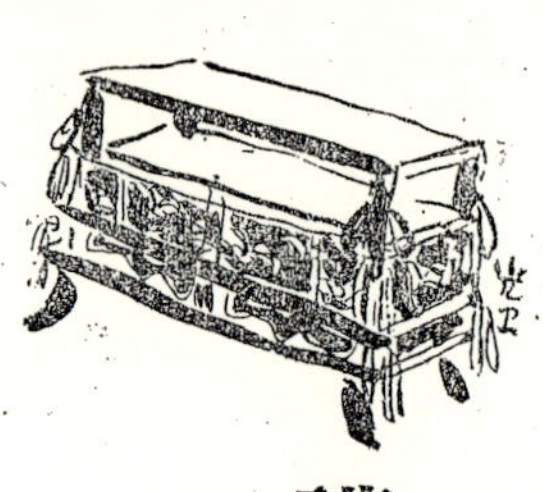

講談覚え書（九）

佐野孝

講談の作者について (2)

この前、大岡政談を一ッの例として、現今、演じられてゐる講釋の大部分が、はじめ原作者によつて上演されたものとは、ひどく變つたものになつてゐることを述べたが、ついでに、もう一ッ大岡政談について述べてみたい。

「雲霧仁左衞門」といふ講釋がある。

これも、馬谷が讀みはじめたと云はれてゐるが、現今では「大岡政談、享保白浪五人男」の別題でも演じられ、先年亡くなつた神田伯治君あたりが得意の讀物にしてゐた。

これなどは、初演當時の何倍かの長さになり、筋も組立ても、多くの人々の手によつてすつかり變つてしまつたものであるが、どういふ風に變化したか、それを調べるには、講談と云つた、高座藝術であつて、形の殘らぬものであるから適確なことは無論云へないし藝風その他については、第三者の記憶印象に頼るより他ないのだが幸にして明治二十年以後の一流の講釋師は速記を殘してゐるので、講釋の筋は勿論、藝風、口跡、高座態度までも、仔細に讀めば、ある程度は想像できるのである。で、私は、後世研究家の資料として速記本の保存といふことを頗る重視してゐるし、又、出來るだけ據り處を、速記本に求めることにしてゐるのだが「雲霧仁左衞門」の場合は、明治二十八年發行、松陽堂版、松林伯圓口演、酒井昇造速記のものが、一番よく舊い形をも傳へ且つ完璧のものと思はれるので、それに據ることにした。

伯圓は先にも述べた通り、泥棒伯圓の異名を持つた白浪物世話物の名人、さすがに、この「雲霧仁左衞門」の如きは、話術の妙、筋の運び方の巧みさ、文章以上の名文章で、明治中期の講釋研究には缺くべからざるものと思はれる。

さて、それに依つて一通りこの講釋の梗概を述べると、雲霧仁左衞門といふ大盜賊が、大岡越前守の名前を騙り、一萬二千兩といふ大金をせしめて、それを乾分に分配し、堅氣にかへつて世をあざむいてゐたが、遂に越前守の探索によつて召捕はれ死刑梟門に處せられる迄の物語であるが、發端は、甲州北巨摩郡荊澤村の大百姓文藏の身上話からはじまるのだ。

文藏の女房お花の母親が大病といふ報せに取るものも取りあえず番頭一人下女一人を連れて見舞ひに行く。

何しろ急ぎの場合、お花は道中手形を忘れてきたので、甲駿國境

の關所萬澤を通ることができない。そこで番頭の才覺で、土地の人達がよくやる手だ、關所の裏側を通つて山越をする。その途中に於て大勢の乞食が現れ、弱身につけ込んで強請(いたぶり)にかける。已むなく一兩の金子をバラ撒いて、そこを通り拔けたが、母親が亡くなつた際には、文藏自身も、その裏道を往來した。

　すると、その秋、文藏宅に突然代官所の手代がやつてきて夫婦の者を縛りあげた。脛に傷持つ身の上だから、サテは關所破りの一件かと大いに恐れてゐるうちに、その役人といふのは眞赤な僞り、雲霧仁左門一味の芝居であつて、マンマと一萬二千兩といふ大金を持つて行かれてしまふといふ、これだけでも充分興味ある一席物になるのだが、これが物語の發端で、それから講釋はガラリ場面を變へて、所謂五人男の洲走熊五郎、因果小僧六之助、木兎權次（別本では山猫三次）木鼠吉五郎の銘々傳になるのである。則ち、巨魁雲霧仁左衛門は、荊澤村でせしめた一萬二千兩を乾兒に分配する。そして皆これからは足を洗つて堅氣になり世を安穩に送らうと誓ひ合つて一同離散。

　舞臺は江戸に移つて、呉服屋の主人になつて實直に暮してゐる木鼠吉五郎と分配金をつかひ果して無一物になつた洲走熊とが一石橋の出會ひとなる。それから熊五郎が、吉五郎の店で食客となり、生地が現れさうで危險なところから吉五郎の世話で近江屋といふ質屋に奉公させられる。その近江屋の女房お民といふのが浮氣者で番頭と密通してゐるのを、洲走熊が早くも感づき、何か一仕事をと窺つてゐたところへ、これも偶然、按摩に化けて呼び込まれた因果小僧六之助を發見する。この二人が諜し合せて組んだ芝居が、質屋の番頭と女房お民の道行といふことになり、隅田堤で待受けた六之助がこの二人を殺す場面や、これも充分仕事をして飛出した洲走熊との邂逅の會話など、浮世繪双紙仕立ての世話狂言、なか〳〵默阿彌ものゝ芝居も及ばぬ面白さがある。

　次はお約束の吉原の場面だ。

　洲走熊と別れた六之助が、桔梗屋の花魁琴浦のところへしけ込んだ。そこの主人といふのが、もとの主魁の雲霧仁左衛門の世を忍ぶ假の姿。流連のその朝、チラリ顏を合せた二人が、久方ぶりの積る話。雲霧は琴浦の證文を卷いて六之助と一緒にしてやり、小店を買つてやつたのだが、性根まで垢にそまつた六之助が、際限のない無心と、斷れば自分をはじめ今は堅氣になつてゐる昔の乾兒の身の上に迄危險を及ぼすやうなことになりかねないので、トドのつまり雲霧は六之助を鈴ヶ森に誘ひ出し、バッサリ殺つてしまつたが、それから足がついて雲霧一味の召捕となる。

　世話講談の典型的な筋立て、意氣で氣の利いた芝居好みの會話、臺詞まはし爛熟の江戸情緒といつたものもにじみ出てゐる講釋だ。

　が、こゝで雲霧仁左衛門を持出したのは、何も伯圓のそれを紹介するのが目的ではない。

　最初、格川馬谷が讀んだ時分と、どう變りどう發展して行つたかを考察する爲なのだ。

　馬谷が演じた大岡政談雲霧仁左衛門は、恐らく、甲州荊澤村の騙

りの場面と名を騙られた越前守が、躍氣となつて之を追求し、手段を用ゐて之を逮捕するといふ、それだけの筋に過ぎなかつたであらう。そして、それは一席讀切の講釋であつたらうと思はれる。

　又、それだけでも充分に面白く聽けた筈だ。

　それに就いて、伯圓に師事した、故松林伯知が筆者に語つたことがある。

「雲霧の講釋は、はじめは短いものだつたさうだが、だん／＼長いものになり、師匠(伯圓)が、あれだけに、まとめあげたものです、他にも、さうしたものは澤山あります」

　然らば、何故に一席の讀切に近い短篇が、百回にもわたる大長篇にまで發展したか。

　誰が何時頃から、だん／＼と引き伸ばして行つたか。

　雲霧の場合は、伯知老の談話に俟つまでもなく、現在の形に於て物語の筋を分解してみれば當然最初から大きな構想を以て組立てられたものでないことは分る。といふのは、百回にもわたる長物語のうち、大岡越前守の出て來る場面、もしくは大岡に連關のある場面は、發端の一二席と、最終の一二席だけなのである。數十席にわたり、大部分の筋は、大岡との連關は勿論、主役の雲霧とさへ何等の連關もなく立派に獨立出來る物語でさへあるのだ。今の形に於ては大岡政談とは名のみである。從つて「享保白浪五人男」といふ別外題も生れた譯で、どつちかと云へば、分類上「政談物」に屬するよりは「世話物」の部類に屬すべきであるにもかゝはらず依然として「大岡政談」と頭註をつけてゐるのは、そも／＼の初演が大岡政談であつたからといふ理由に過ぎない。

　それは同じく大岡政談に屬する「白子屋お熊」にしても「村井長庵」にしても、略々同樣のことを云へるのだが、同じ世話物化してしまつたとは云へ、村井長庵などの場合には、一貫した筋が通つてゐる。世話物の味で聽衆を惹きつけてゐても、探索的興味と、大岡の裁斷に對する興味が物語の重要なる要素となつてゐたのだ。

「雲霧仁左衞門」の場合は獨立した物語の寄せ集めだとも云へる。

　なぜ、かういふ講釋が生れたか。それには種々の原因を擧げることが出來るが、最大の原因は寄席の興行方法の變化である。

　はじめて寄席が興行として成立するに到つた時代に於ては、長い續き物で客を呼ぶなどゝいふことは出來なかつた。定連といつたものが出來て、毎日同じ顏ぶれに連續して聽かせるといふやうになつたのは、恐らく寛政以後に屬する。

　勿論、太平記にしろ、三河風土記にしろ、それ自體は一連の連續した讀物ではあるけれども、筋の魅力で「あとは、明晩のおたのしみ」と、客を釣る程のものではない。又、演者の方でも、同一の客を明日も亦呼び込まうといふ目的もなく、初期に於ては通りすがりの客に對してのものであつたに相違なかつた。

　それが、太平、日ひさしくして、江戸の人々、特に町人の生活に餘裕が出來、十日、二十日つゞけて寄席の客席におさまる餘裕が出來、藝そのものを、しみ／＼と味ふことも出來得る社會情勢になり市内にも夥しく寄席も出來て、一ヶ月二ヶ月といふ長期の興行が可能になるに從つて、讀み物も、續き物を以て客を惹きつける必要も

生じてきた譯で、自然、短篇の講釋も、だん〳〵長く引きのばされ長篇講談全盛の時代を現出する。引きのばすと云つても、客の興味を失はず、あとを引く魅力を持たせる爲には、いろ〳〵な工夫努力が費された。その最も簡單な方法としては、副主人公の物語が、詳しく述べられ面白く脚色されて本筋と不即不離の關係で、登場することである。それと共に今迄はエピソートとして僅かに織り込まれてゐた物語が、これも獨立した大きな物語となつて演じられることである。それから、新しい登場人物が加はること、例へば主人公の兄弟とか、その父や祖父まで現れて、しかも、なが〳〵とその經歴なり逸話なりが語られる。又、筋とは全然關係のない傍語が長々と述べられ、しかも、それが聽手にひどく歡迎され、その傍話の方がむしろ、その演者の得意となつて、何某の講釋は面白いといつたことにさへなつた。例へば南叟の「野狐三次」の講釋に、三次が火消になる條で、江戸火消が大岡越前守によつて創始されたことから、いろは四十八組の成立、その各々の氣質といつたものが詳しく述べられて、三次の講釋のうち、三回にも五回にもわたつて火消談義がつゞく。しかも、それに非常に博學であり面白かつたので、三次の講釋をきゝに行きながら、全然三次の出て來ない別の話を聽いて客も滿足して歸る。そして、さうした傍話が講釋の「味」をふかめ、演者の個性を物語に深く付加して行つたことを見逃すことは出來ない。かうして初期の短篇講談が雪だるまの如く、多くの人々の口から語られる毎にふとり、磨かれ更に整理されて何十倍の長さを持つ長篇講談へと組立てられて行つた。古代の傳說は別として、比較的近代の藝術として、かゝる多くの協力者によつて組立てられたものは、寄席藝術以外に何があるであらうか。さうした所に講談の特質があり、從つて原作者を探すことの困難さも存する譯で、甚しきものに至つては、題名だけは、原の形で、內容は、全く變つてしまつたものさへも存するのである。

「雲霧仁左衞門」の場合でも、はじめは、ほんの名前が出てゐる程度にしか語られなかつた木鼠吉五郎はじめ白浪五人男の銘々傳が加はり、この銘々傳も、ある演者は木鼠を、ある演者は洲走熊を、その得意として演じ、さうしたものが總合されて講釋が大きくなり長くなるに從つて、最初に主人公として出場した大岡越前守も、副主人公の雲霧も、講釋を組立てる一要素たるに止ることになり、大岡樣が、僅かに最初と最後に顏を出すことによつて「大岡政談」の形を殘してゐるに過ぎない始末である。

更に面白いことは、今度は逆に、一たん組立てられた長篇講談から分離して別個の講談に出來て行つたことである。

雲霧から分離して「山猫三次」「木鼠吉五郎」といつた獨立した講釋が生れた。そして、題名さへも變つたものも出來てゐる。山猫三次の如きは、雲霧が一萬二千兩を分配して後に越後に逃れるのだがその後日話が「死次第の權三郎」といふ講釋になつてゐる。これは三次が越後へ行つて、博徒の親分死次第の權十郎の二代目になり、非人殺しの罪狀で召捕れて江戸送りになる、それを、五人男の一人洲走熊五郎がトウマル籠を破つて救ひ出す、こゝ迄は雲霧の講釋にもあるのだが、これと同一の場面を持つ「死次第の權三郎」といふ

講談は、これに初代の權十郎（權三郎と改められてゐるが）の物語が付加され非常に面白く作られて一篇の長篇となつてゐるのである。即ち、「大岡政談」から「雲霧五人男」それから分離されて「死次第の權三郎」といふ風に、一ッの講釋が幼芽から大木となりその枝から又一ッの獨立したものが生れて行く。成長、擴大、分離、これは數多くの名人達の藝の綜合でもあつた。

さうした成立過程を吟味してゆくと、この部分は誰の手で、この部分は誰がどこから持つてきて付加したかといふことが、ある程度わからないこともないのだが、いち〳〵適確に指定することは殆んど不可能に近い。

私は、日本の獨自の藝術である所の講談といふものは、明治時代に至つて、はじめて完成されたとの說を持するものであるが、明治期に創作された講釋の作者は、殆んど明かにされてゐるけれども、それ以前のもの德川期の講釋は、以上のやうな理由で、その作者を索めることは至難のことに屬すると思つてゐる。（この項つゞく）

◇南方だより◇

○北町一郎氏より次ぎの如き通信があつた。『御健勝と存じます。出發の折はいろいろありがたうございました。お禮申上げます。○○にゐます。元氣にやつてゐます。文學建設はどうですか。皆さんの書いたものを讀みたい。隨分昔別れたやうな氣がします。いつも原稿をさぼつてゐるうちに遠くへ來てしまひましたが何か書かうといふ氣持は變らぬものの、うつかりしたものを文建に書けぬといふ氣持がさきに立ちます。そのうちにはお送りします。といふことだけを約束させて下さい○○の海音寺氏よりもよろしく。』

尙、同氏のアドレスは、**南方派遣富第八九九一部隊九、會田毅**、また海音寺潮五郎氏は**南方派遣富第八九九一部隊（セ司）末富東作**である。

○最近同方面より一時歸還した作家よりのニュースに依れば、北町氏は四月末マラリヤのため入院されたが、間もなく退院、目下元氣に活躍中。

○海音寺氏はデング病に冒されたが、得意の頑張りで見事に克服された由である。デング病は內地の痲疹と同じやうな症狀の由で、烏犀角を用ひたところ忽ち發疹して、快癒されたとのことである。寫眞は同氏の颯爽たる近影である。

小木の譜

緑川玄三

海を割る城山

娘の名は壽美と云つた。二十二三の眼鏡をかけた勝氣らしい娘で、豊かな躰の曲線や、スンナリと延びた四肢は、牝鹿のやうに溌溂としてゐた。

この娘の案内で、城山へ行くことに、井出三郎は、仄かな心のときめきを感じてゐるのであつた。

初夏のまぶしい陽射しの中を、黒づくめの洋装で、赤い駒下駄を穿いた壽美と鼠色の背廣に無帽の三郎は、並んで、默つたまゝ歩いて行つた。

町は、眠つたやうに靜かだつた。

周圍五十三里の、佐渡ケ島の南端に位する小木の港町の午後——。

「壽美さんは、時々城山へ行きますか？」

開拓町から、本町通りへ出るダラ〳〵坂を登りながら、三郎は、始めて口を開

いた。

「いゝえ、めつたに參りません。さうねえ……」

壽美は、一寸考へるやうに間をおいてから、

「ひと月振りでせうか」

さう答へ、チラと横から三郎を見上げて、

「城山は、町の公園といふことになつてるんですけど、それはほんの名許りで、資金がないために荒れるに任せてあるんです。たゞ紅葉山人の句碑と四阿があるだけの山ですわ」

と云つた。

それを見に三郎は行くのである。

井出三郎は、N市の市立圖書館に勤めてゐた。民俗學に趣味を持つ彼は、勤めの傍熱心に郷土の史料や傳說を探査してゐて、縣の郷土雜誌「高志路」へも時々寄稿してゐた。三日續いた休暇を利用して、前々から懸案の佐渡へ渡つたのも、そこの豐富な史蹟と傳說を知らんがためであつた。だが、類ひ稀な風光に彩られた山や海は、三郎に、さうした學徒的な觀察の眼を、稍もすれば忘れさせるのだつた。

兩津から相川へ廻り、最終旅程の小木へ昨夕着いて、古びた權座屋といふ宿へ泊つた。

偶然にも、彼の部屋は、紅葉の間と呼ばれ、明治の昔、文豪尾崎紅葉が泊つたその同じ部屋であつた。尤も、その後、一度燒けたけれども、すべて原形のまゝに造り直したさうである。

三郎ならずとも、小木の名妓小糸と紅葉のローマンスぐらゐは、知らぬ者はない。

小糸は、當時貸座敷だつた權座屋の抱へ藝妓で、紅葉歿後小木近くの阿佛坊といふ寺の梵妻になつたが、直きに良人に死に別れ、その後は、町の櫻屋といふ質屋の後妻に納つて、今だに達者でゐるといふことであつた。

夕食の給仕に出た壽美との間に、さうした話がはずんだ。

壽美は、東京に五年近く住つてゐて、去年郷里へ歸つたといふ宿の娘で、齒切れのいゝ言葉使ひで、いろいろと小木のことを話して呉れたのである。

すみといふ語韻が、三郎は好きであつた。

「いゝ名前ですねえ」

と、褒めると、壽美は、

「厭ッ、大嫌ひだわ！　死んだ親父、とても舊式のくせに、何氣を出してこんな女給みたいな名前をつけたのかしら」

と、眉を顰めて、さも嫌惡に堪えないやうに云つた。

「さう卑下するもんぢやない。しかし、誰しも自分の名前となるとイヤな感じがするもんだ。僕は長岡の產で井出三郎というふがやはり厭だね」

「井出三郎、いゝわ、とてもいゝわ！」

「なーに、いやで候ぢやないか」

三郎の駄洒落に壽美は聲を立てゝ笑つた。

片笑靨も可愛いかつたし、不揃ひの齒並びに愛嬌がこぼれて、わりに大人びて見えるこの娘を、急にあどけないものに見せた。

三郎は、その時のことを想ひ出しながら、若い娘を見ると直ぐに何か花に喩へたくなる自分の甘い癖で、この娘は花にすれば何であらうかなどと、窃かに考へてゐた。

本町通りへ出、左に折れると、前面に本間對島守の城址だといふ城山が、新綠の裝ひを凝らして、あをい空の中にハッと目の覺めるやうに泛かんでゐた。

一町ばかり歩くと、人家が切れて寂れた小木の港が姿を現した。

慶長の昔から明治の末期にかけて、盛んな頃は金鑛を積出す千石船が、日に四百艘も出入したと云はれるこの港の棧橋には、今は一隻の船の影さへなくて、宿の丹前を着た三、四人の遊び客がそゞろに歩いてゐるだけだつた。

刺子を着、手拭で鉢卷をした漁師が二人、後から來かゝつたが、一人が、

「こんにちは、えゝお天氣さんで――」

と、壽美へ挨拶した。

「おや、平どん、ごせいが出ますの、これから烏賊釣りだかいな？」

「あゝ――壽美ちやんはどちらへ？」

「お客樣を案内して城山まで……いゝお天氣で漁もいゝあんばいだつちやなア」

「大きに――」

平どんと呼ばれた漁師は、三郎の方を見て胡麻鹽の頭をこくんと下げてから、

「城山はきれげだろ、甘草の盛りだつけえ」

さう云ふと、手拭を頬かむりに直しながら、先へ歩いて行く漁師の後を追つて、磯の方へスタ〳〵下りて行つた。

背中に擔いでゐる小さい馬籠の中には、わりご辨當や酒の一升壜などが入つてゐた。

「あの人達は、今頃から沖へ出て、あしたの朝まで夜通し烏賊を釣るんですのよ」

「ほゝう、それで寒さ凌ぎにあの壜の中のをチビ〳〵やる譯だね」

「まあ、ほゝゝ、あれは水だわよ」

「なーんだ、酒ぢやないのかい」

「ほッほゝゝ」

二人は、暫らく後を見送つてゐた。

壽美が、土地の者と話する時だけ、鮮かな土地言葉になるのが、三郎には奥床しく思はれた。

「壽美さんは、僕にも今のやうな土地言葉で相手になつてくんないかねえ」

三郎が笑ひながら云ふと、

「だつて……」

すみはポッと面を染めた。

潮の香りのするすゞ風が、彼女のウェーブした髪のおくれ毛を、しきりとなぶつてゐる。

城山は海中へ瘤のやうに突き出てゐて、日本海を左右に割つてゐた。左の方が外の潤、右の方が内の潤と云ふのである。

西へ廻つた橙色の陽が、境内の松林の間から内の潤の面にキラ〳〵照つてゐるし、外の潤の水平線上には、彌彥山が箱庭の山のやうに小さく霞んでゐた。枇杷と竹林が多い小木の町に、如何にも相應しい、長閑な女性的な風景である。

城山の麓には、この町の產土神である木崎神社があつた。

華表をくゞり、古びてはゐるが清潔な拜殿に、二人はお參りした。からからと鰐口を鳴らし終つた壽美は、急に、につこりしながら、

「あたし、每朝こゝへ兄さんの武運長久をお祈りに來ますのよ」

と、云つた。

彼女のたつた一人の兄は一等水兵で、二年前から海南島の守備に任じてゐるのだといふ。

「小木の町からも澤山兵隊が出てますけど、これまでに怪我人はあつても、戰死した人は一人もないんです!」

「木崎神社の御守護があるからなんだね」

「えゝ」

壽美は大きく頷いた。心からそれを信じてゐる容子だつた。

城山は、境内の裏手から登るやうになつてゐる。石ころ道の急坂を、馴れてゐるのか駒下駄の壽美は、三郎よりは足早にどん〳〵登つて行つた。

けやき鳥が五葉松の梢で、しーん、しーんと啼いてゐた。その啼聲は、風のはためいてゐる樹間を透して、見え隱れする內の潤の面へ、ひつそりと染みてゆくやうに三郎には思はれた。

粽

城山の頂上はたゞつ廣く、殆んど道らしい道がなかつた。雜草が一ぱい蔓つてゐる中に、漁師が云つたやうに百合に似

た紅黄色の甘草が點々と咲いてゐて、強烈なその花の香りも四邊に漂つてゐた。

紅葉山人の句碑は、低い臺石の上に立つた卵形の大きな天然石がそれだつた。

短册の文字を引延ばしたのだと壽美が語る碑面の文字は、難し過ぎて三郎には讀めない。

月すゞし橋かけたやとうたひつゝ
と壽美は、一字々々讀んで聞かせた。句の下方に、外の澗の月をめでて、十千万堂、とある。

「向うよ、紅葉亭は」

壽美の指差す方を見ると、そこから三十間ばかり離れた場所に、風雅な四阿が立つてゐた。眞ツ赤な山躑躅の群落を兩側にした細い道を、彼女は先に立つて歩いて行つたが、

「紅葉亭」と自然木の板額ある正面へ廻ると、

「あら！」

と、驚いたやうに小さく叫んだ。

亭の中には、銀緣の眼鏡をかけた眼の涼しい小柄な老婆が一人靜かに腰を下してゐたからである。

「お婆さん、いつ來たの？」

知合ひと見えて、壽美は親しさうに直ぐ聲をかけた。

「さきほど……」

老婆は、さうゆつくりと答へて、につこりした。前齒が幾本かもげてゐる。そばに濃い綠色の洋傘が置いてあつた。

「よく倦きないで來るわねえ。何か用でもあつて來たの？」

壽美の不遠慮な問ひに、

「用事はないども、年寄りにはこゝへ來るのが丁度えゝうんどうになるもんで……」

老婆は、少しきまり惡さうに答へた。

「今日はあたし、お客樣を案內して來たのよ」

さう云ふと、壽美は、三郎の方をふり向いて、

「あの、この人、うちと仲好しの櫻屋のお婆さん」

「――？」

「お糸さんよ」

アツと思つた。全然豫期してゐなかつた人であつた。しかし、紅葉亭で紅葉山人の愛人に會ふといふことは、あり得べきことだと思はれた。さう云へば、紫茶のセルの羽織を着た姿は、何處となく垢拔けがしてゐるし、殊にきちりと合つた襟元の水色の半襟がよくうつツて、もうかなりの年輩と思はれるに、少しも不調和を感じさせなかつた。

兎に角いゝ機會に巡り合せたと三郎は思ひ、簡單に自己紹介をした。

「八木いと、と申します。もうめいどが隣りになつた人間だ

つちや」

お糸さんは、初對面の青年にも些かの隔てを見せず、冗談口をきいて一人で笑つた。

「さあ、二人ともおかけなさんせ」

さう云つて、中央の席を立つて、三郎にすゝめた。

二人が腰を下すと、

「あつちの句碑は見られましたか？」

見て來たと答へると、

「素人の方にはな、あの臺石が低過るといふ方もありますけれど、墓でなうて句碑だから、あれで丁度えゝのだといふことですつちや」

辯解するやうに云ひ、尙、紅葉亭の屋根は檜の皮を幾重に敷いたのだとか、句碑と亭は明治神宮を設計した東京の本鄕博士が、一昨々年來島して建てたのだとか、兩方で千五百圓かゝつたのだとか、誇らし氣にいろ〳〵と話した。

三郎は、この紅葉亭と句碑が人工の公園に立つよりは、かうした繁るに任せた自然の山に立つことの相應しさを想つてゐた。地下の紅葉山人も、きつとその方を喜ぶであらう。

三人は、暫らくの間默つて、風の鳴る音を聽いてゐた。

「佐渡へは御見物ですか？」

「光」を取出した三郎に、お糸さんは訊ねた。

「はあ、見物旁々土俗風俗や傳說など調べに來たんですが、あんまり佐渡がいゝもんで、その方は忘れてしまひました」

「さうどすか、そんげに佐渡が氣に入りましたかいな」

「氣に入りましたね。とても氣に入りました」

三郎が力を强めて繰返したので、お糸さんも壽美も一緒になつて笑つた。

この老婆の言葉尻にかすかに京訛りの交じるのを、三郎は最初から聽きのがさず、不思議に感じて、

「失禮ですが、あなたの言葉には京都訛りがあるやうですが……」

「さうどすか、それがよう分りますね……これはね、わし共ばかしでなう小木の人達には皆なあることなんどす。だども、年寄りには一層きついかも知れんやねえ、どう？ 壽美ちや」

「年寄りは特にさうだけど、その中でも特にお婆さんにはきつい京訛りがあるのよ」

「おやおや、さうか知らん」

「そりや、どうしてなんです？」

「それはね。むかし小木の港が繁昌してた頃に、京大阪の商人衆がいつぱい這入つて來たんどす。その人達の言葉づかえが、いつしか自然と土地の人達の間に流れ込んだんやろ」

「はゝあ成程――しかし、實にいゝですな。佐渡の中でも殊に小木の人達は人情がこまかいと云ふが、言葉遣ひにそれがようく現れてゐますよ」

「でも、こゝは昔とちごて、いかい寂れてしもうて……」

「いや、それだけに、昔の面影が方々に殘つてゐるんで、僕等のやうな旅びとを強く牽きつけますよ。佗しさと云ひますか、靜けさと云ひますか、何となく昔語りが聽きたくなるやうなものが小木にはあります。兩津や相川などのやうに半ば都會化されて行つてゐる町には、昔からの奥床しい風物や人情がだんだん失くなつてしまつて――それは、毎日入り込む夥しい遊覽客の故もあるでせうがねえ。島が發展することはいゝですが、それが爲に大切な島の情緒や傳統が次第に失はれてゆくことは、大變に惜しい淋しいことだと思ひますね」

三郎は、三日間に於ける僞りのない佐渡觀を述べた。

「井出さんは、なかなか詩人ね」

壽美が、褒めたのか揶揄したのか解らんことを云つた。

「何か、何か小説の方でも……」

お糸さんも、壽美につられて問ひかけたので、三郎は苦笑と一緒に、

「御見立は有難いですが、僕みたいな奴は、さういふ方面には全然緣がありません」

と、手を顔の前に振つた。

「でも、藝術家らしい風貌をしていらつしやるわよ」

壽美はニヤ〳〵し乍ら、尙追擊して來る。お糸さんといふ味方を得て俄に辛辣になりをつたナ、と三郎はにらんだ。

「文學青年といふ者は、髮を長くした色の蒼白いもんにきまつてる。ところが、僕はかくも坊主頭だし、色は眞ツ黑いし……」

「うそよ！　近頃の文學青年にはあなたのやうな型が流行るのよ」

「まあ〳〵、何とでも云ひなさい。壽美さんは東京に修行して來ただけあつて、僕なんどより、口の惡いのは一枚うは手だ。適はんです。ひどい！」

「まあッ、ひどい！」

二人の應酬を、お糸さんは面白さうに見てゐたが、

「こんなもんが、あるんだども……」

と、云ひながら、側に置いてあつた小さな風呂敷包みの中から、あを〳〵とした笹ダンゴを取出した。

「おひとつ、どうだつか？」

「まあ！　粽ね」

「大阪に嫁入つてる娘が、甘いもんがないから云ふんで、送つてやらう思うて今朝こさへたのだつちや。こゝで喰べやう

かと思うて持つて來たんだども……井出さんとやらは、甘いもんはお嫌ひどすか？」

「いや、大好きです」

「ぢや、お上んなされ。壽美さやも喰べれちや。ババアがこさへたんではうまうもないけど……」

「いたゞきますわ。遠慮なしに――」

「三つさかないすけ、三人で一つづつ……」

さう云ひながら一個づゝを手渡した。

新鮮な笹の香りがプンとした。巧妙に結んである琉球をほどいて皮をむく。ゴボーの葉を交ぜた綠色をしたダンゴだつた。粽は端午の節句に作る越後の名物である。

あんぐり一口頬張ると、餅みたいに柔かな齒觸りで、漉した餡の甘さが舌の上で溶けるやうだつた。

「ほう、こりや美味い！」

「ほんとね！ とてもおいしい粽よ。お砂糖がないのによくこんなに出來たわねえ」

「うちぢや、わし共とお爺さんだけで、砂糖なんぞ平素儉約してゐるさかい、こんな時だけはなア……」

お糸さんは、少しく得意げにさう云ひながら、萎びた三本の指で笹の一方をつまんで、前齒のない口を開けて粽をゆつくりと喰べてゐる。

三郎は、ふと、何かに突き當つた思ひだつた、あの坂道を老の身で登つて、こゝまでわざ〳〵粽を喰べに來るこの人の胸の中には、一體何があるのであらう？ 紅葉亭を心の憩ひ場所として、遠い青春の昔を、今は亡き紅葉山人の面影を、心密かに偲んでゐるのではなからうか？

さう考へると、急にこの老婆の姿が、なんとなく哀れなものに思はれて來るのであつた。

追憶

そこは外の凋の望める山の端だつた。

お糸さんと三郎と壽美の三人は、並んで立つてゐた。

お糸さんは、手に持つてゐたビール壜のかけらを海へ向つて投げた。キラッと陽に光つた硝子の破片は、懸崖の松の根もとに一度ひつかゝり、跳反つて、端麗な外の凋へ眞ツ直ぐに落ちて行つた。

それは、紅葉亭を出る時に、お糸さんが拾ひ上げだものだつた。恐らく心ない醉客が、そこで飲んで割つて行つたものであらう。

「こんなもん、海へ捨てればえゝのに……」

と、お糸さんは、その時低く呟いた。そして、わざ〳〵此處まで持つて來たのである。

「お婆さんは、大層あの紅葉亭を愛してをられるやうですねえ」

近くのベンチに、お糸さんを中にして三人が腰を下した時三郎は云つた。

「はあ……」

かすかな羞らひに似たものが、痩せた頬へのぼつたやうだつたが、

「先生が小木へ來なつてから今年で丁度四十年になりますけんど、わし共には、すべてが昨日のことのやうに思はれてなりまへん……月を眺めることが大そうお好きで、毎晩のやうにわし共を連れて、濱へ出ていかれたもんどした。あそこに……」

と、手を擧げて、外の澗の渚を指差しながら、

「漁船が見えるでせうが……あの邊りをようく歩かれたもんどした。先生は、立派なお方どしたなア……今の歌人や今の文士なんども、よくこの小木へ來て、わし共が案内をしてやつたこともありますけんど、短册や色紙にものを書いてもねそれをばなんでもかでも錢にしようとするんでイヤですつちや。昔とは世の中も違し、それが稼業だとすりや、無理もないでせうがなア。先生なんか、幾十枚書かうが、俺はそんなもん稼業ぢやないからと云ふて、禮さへも貰はうとはなさりませなんだ。ほんに、今の人達とは、違たもんだとおもて、ホツホツホツ」

お糸さんは、とう〳〵紅葉山人のことを云ひ出したのである。最後の笑ひは、嘲りの罩つた淋しげな笑ひだつた。

三郎は、かうした飾り氣のない話にいたく心搏たれるものを感じて、壽美は？　と、ちらと見ると、彼女も至極眞面目な顔をしてじつと頸垂れてゐた。

「さうなるのも、みんな時世でせうねえ」

三郎が感慨をこめて云ふと、

「さう〳〵、時世ですつちや。そこへいくと、昔はウソみたいにのんびりしてましたの。わし共がお座敷へ行つても、氣に入らん客だと入口からさつさと歸つてしもたもんでしたすけなア。小木の藝者衆も、先生のお出でになつた頃は、百二十人からゐましたが、今は十何人に減つてしもて――時世が藝者なんかもだん〳〵要らなくしますつちや。えゝこんどす。あんなもんは、たゞの女子泣かせで、戰爭をしてゐるお國のためにやちつともなりやしまへん。ない方がほんとうだつちや……」

「まあー、お婆さんもなか〳〵新體制だわねえ」

壽美が、微笑みながら口をはさんだ。

「婆アかて、毎日の新聞ぐらゐは見てゐますつちや。ホツホ

ツホ」

「ほゝほゝゝ」二人は笑ひ合つたが、三郎は心の裡で、この老婆の思ひもよらない思慮深さに感心してゐた。

何本目かの煙草を出して吸ひ始めると、

「あなたも、大そうタバコがお好きどすな」

「はあ、酒は餘りいけぬ口ですが、煙草だけはどうも……」

「先生とおんなじだつちや。先生もお酒はあまり上りませなんだが、お茶と煙草だけは大好きどしてな。煙草はちつとの間も手元から離されず喫んでゐられましたが、小木ではホーリなど云ふえゝ紙巻に黴が生えたりしてゐるんで、困つてしもれてなア……」

「それで、どうなさいました？」

「恰度この町の中川といふお人から、葉巻を一凾贈られたもんで、先生は、それをえらうお喜びなさつて、大事にして吸うてをられましただけ」

よく覺えてゐるものだと、三郎は驚かざるを得なかつた。

「先生は、いつ頃こちらへお出でになつたんです？」

「明治三十二年の七月の十九日にお出でになり、廿九日にはもうお歸りどした…井出さん、あなたお歳はいくつどす？」

「三十二です」

「ほーそりや又、先生も三十二どしたよ。さう云へば、井出さんの頭は丸刈りだし、髭もないから一寸分んないども、お顔はどつか先生に似てるところがありますつちや」

「うわア——こりやどうも」

三郎が頭へ手をやると、壽美が、

「まあ！　井出さん、何か奢つて下さいな」

「奢りませう！　さあて？……と」

三郎が、おどけて財布を探るしぐさをしたので、二人は又一緒になつて笑つた。

「先生は、幾歳で亡くなられたんです？」

「たつた三十七でねえ……胃癌にかゝられたといふのも、タバコが過ぎたからでせうかなア。井出さんも、タバコをあんまりおのみなさんなや」

「さうですな。紅葉山人のやうに僕も胃癌になつちやたまらんから、今日限り禁煙しませうかねえ」

胃を時々悪くする三郎は、苦笑と共に云つた。どうせ出來ない相談であることは分り切つてゐたが……。

「その方がえゝつちや。タバコほど胃に悪いもんはないさかい……人間も、三十臺で死んぢやつまりまへん。せめて、先生をもう十年がとこ生かしてをきたうござんたがねえ。ほしたら、佐渡のことだつて、煙霞療養ばかしでなう、小説も書

いてくられたでせうに――」

「今生きていらつしやると、先生は七十」

「二ですちや。早いもんどすなア。わし共もあの頃は二十五どしたが、いつの間にやらこんげな婆さんになつてしもて……。けんど、もうお弟子さんだつて、みんな死なれて、今は徳田秋聲さんお一人ぐらゐのもんでせう――」

さう沁々と云つたが、

「おや、婆アが飛んだ愚痴話を長々としてしもて……。わし共はもう歸らないでは――、あんた達は、もつといらつしやい。井出さんは明日お歸りどすか？」

「はあ、そのつもりです」

「そんぢや、もう少しこゝから外の澗の景色を眺めていらつしやい。ほんとにえゝ景色ですちや……」

「全く――」

「あした、お歸りまでにはお暇があつたらば、わし共の家へも寄つて下されや」

「はあ、有難うございます」

「んぢや……壽美さやも、あんまりおそなつて母ちやに心配かけんとな」

「その方は大丈夫よ。それよりお婆さん、あの坂道一人で歸れる？」

「大丈夫〱、この洋傘一本あればね。あんげな坂ぐらゐ…まだ〱、そんげにもうろくしてをらんつもりだつちや。ホヽヽ……んぢや、さよなら」

「さよなら」

洋傘を杖にしたお糸さんは、黄緑の緒の付いたフェルト草履を運んで、スタ〱と遠ざかつて行つた。白髮交りの髮を小さく後へ束ね、その根に細い櫛を挿してゐた。

そのうしろ姿を見送りながら、

「あの人はいくつです？」

「今年六十五ですわ」

「ほう――元氣なもんだねえ。十年位若く見える」

「その筈よ。今だに紅葉山人の面影を慕つてゐるんだもの」

「成程、そのせいかな」

「あたしねえ、先刻からさう思つてたんだけど、お糸さん、あの粽を紅葉山人の句碑の前に供へたんぢやないかつて…」

「まさかね」

「いゝえ、さういふ人なのよ。あの人――常々先生のことは一日だつて忘れたことがないつて云つてるんだもの――今の話だつて、あたし何べん聽かされたか分りやしないわ」

「へーえ、そんなものかねえ。しかし、そこまで純情一途を

保つてゐるつていふことは、なか〳〵どうしてえらいこつてすよ」

「えらいわ。とてもえらいわ。戀愛はすべからくあゝでなくちや駄目ね。あたし、あのお婆さんにはとても感心してんのよ」

「ぢや、壽美さんも、お糸さんのやうな戀愛をすりやいゝぢやないか」

「駄目、あたしには――第一、紅葉山人みたいな男がゐないわよ」

「成程――僕ぢや駄目かな？」

「先づ――ね」

「落第の方だな」

「うふつ……」

「いやあ、こりあ、さつきの奢る話は帳消しだぞ！」

「ホツホツホツ」

「ハツハツハ」

「お糸さんと紅葉山人との話、もつと精しくして上げませうか？」

「あゝ――しかし、遲くならないかね？」

壽美は、腕時計を覗いて、

「まだ四時だもの、大丈夫よ――」

斷　章

ひと筆しめせまいらせそろ
先生には今夜のかん迎會にこのいとだけを何故におよび下さらぬのでしようか、おうらみに存じそろ　いとはほかの若い人たちとは違うてきれろも悪きをんななれど、先生をお慕へもうす心だけは、誰びとにもゆめおとらじと思ひをりそろ
ゆうべお會ひ申せしばかりの先生に、かうした手紙を差上る失禮は萬々ぞんじをり候へども、どうにいたしても淋しくつたなき筆を走らせもうしそうろ
いとはたゞ一人にて、旭屋のひと間に悲しろ綿屋のにぎはひを思ひをりそろ　かしく

いとより

尾崎先生さままいる

……………………………


十二時過ぎ、紅葉は、酒に醉つて旭樓へ來た。

いとは、遲くとも必ずゆくからといふ紅葉の返事に、酒肴の用意をして、今か〳〵と待ち焦れてゐた。

「やあ、大分待たせたな」

にこ〳〵し乍ら這入つて來るなり、紅葉は、

「酒はもう澤山だ。茶を呉れ」

と云つた。

どつか、と、床柱を背に胡坐をかくと、

「なか〳〵うまい手紙を書くぢやないか、見直したぞ」

さういつて、から〳〵と笑つた。

夜のしらじら明けるまで、殆んど眠らずに、いとは身の上話を紅葉にした。

月がとても明るく窓の下にはもう蟋蟀の啼聲がしてゐた。


…………………………………


權座屋の一室である。

「先生、ゆうべはお樂しみどしたな」

「何のことだ？」

紅葉は、前々日依賴して、この日出來上つたばかりの、白地に紺の浴衣を着てゐた。

「そんげに知らばくれたつてなにもかも知つてゐるつちや」

「なら云うてみなさい」

「大隅屋のおもよちや……」

「はゝあ、もう露見したか」

「おもよちやはわし共などよりいく倍も綺麗ですもんねえ」

「そんな皮肉を云ふな。ゆふべたけはどうしても拔けられなかつたのだ。それといふのも俺が餘りにお前とのことを惚氣たからさ。金子、葛西、風間などの連中が、わざとお前を招ばす、人形みたいなおもよを無理に押しつけたのだ。まあ一晩ぐらゐかんべんせい」

妬いたのが恥かしく、いとは赧く面を染めた。

「惡うござりました……」

「謝らんでもいゝよ。だが、本當のことを云ふと、お前は連中から、漢文お糸とか、高慢ちきだとか云はれて餘りよく思はれてをらんな。しかし、この尾崎だけは、誰が何と云はうとお前が好きだ。皆の前にもさう廣言したし、藝者だつて學問はこれから大いに必要だと說いてやつた。學問を鼻にかけることはよくないがなア」

「…………」

紅葉の親切が身に沁み、泪が出て來た。

「今夜もいゝ月だなアー」

紅葉は、明け放した窓外を見遣つた。潮の香をふくんだ、涼しい風が吹き込んで來る。火桶の中から立昇つてゐる細い蚊遣りの煙りが、ランプのホヤにからまり仄白く天井へとける。

「おや？ 泣いてゐるのか、馬鹿だな、何も泣くことなんかない。お前が高慢ちきだなどとは俺は思つてやせん。藝妓の多い小木だが、俺の話相手、戀人はお前だけだよ」

さういつて、紅葉は、女のやうな華奢な手で、そつといとの手を把つた。

「先生……」

いとが涙の顔を上げて、凝平と紅葉を見返した時、廊下に人の來る跫音がして、

「尾崎先生、開けてもいゝですか？」

と、いふ聲がした。

「あ、お這入り下さい」

明けた障子の外には、羽茂村の物好き連、葛西、風間の兩人が立つてゐた。

「先生、お待ちしてゐたのですが、今夜は大隅屋へは來て下さいませんのですか？」

「有難いが、毎夜の歡待攻めが疲れましたよ」

と、云ふと、紅葉は、いとの膝を枕にころりと横になり、

「おもよは昨夜で澤山です。これにな、今叱られてをつたところです」

「いやあ――、これは又手放しで……」

二人は這入りもならず、きまり惡さうに頭へ手をやつた。

「はゝはゝは」

紅葉は、默つて微笑んでゐるいとの顔を、アゴで見上げながら、大きく笑つた。


「それぢや、又……」

二人が去つて、暫らくしてから、紅葉は、つと身を起すと、

「そこの三味線を寄越しなさい。一筆書いてやらう」

「はい」

怡々と愛用の三味線をとつてやると、一閑張りの卓上に置いてあつた硯凾の蓋を刎ね、墨を磨つてから、三味線を膝にして、嚙んだ筆の先へたつぷりと墨をふくませ、さらさらと一氣に表胴へ筆を走らせた。

佐渡おけさの文句だつた。

七月二十三日、と、日附も右下へ小さく書き加へてから、

「來いちや來いちやで二度だまされたまたも來いちやでだますのか――纒綿たる佐渡の人情に惹かれる旅人の氣持をうたつたものだな。おけさの中でもこれは秀逸だ」

筆を擱いた紅葉は、白皙の面をやゝ傾け、じつと三味線を見詰めてゐた。


……………………………


午前の二時頃だつた。

二人は、相携へて外の澗の濱へ出た。

木崎の社殿の眞上にかゝつた十六夜の月が晝のやうで、天の川が遙か本土の空へけむりのやうに棚引いてゐる。波も眠つたのか靜かで、城山がうす紫にぼーつと染つてゐた。

眞ツ暗な沖に、早出の漁船の灯が五ツ六ツ、物の怪のやうにまたゝいてゐる。

「月涼し橋かけたやとうたひつゝ——か、小木の濱は全くいゝな。俺は旅愁をなくしたよ」

と、紅葉は云つた。

引上げられた砂上の漁船に、いとはいつもの習慣でしめて來た山繭縮緬の前垂を敷いた。

その上に腰を下した丹前着の紅葉は、懐ろから大切にしてゐた葉卷の一本を取出し、火を點けてやつたいとの顔を見上げながら、

「いと」

と、優しく呼びかけた。

「はい」

「東京へ歸つたら、佐渡のことを書かうかな」

「どうぞ、お願ひします」

「お前をモデルにし、小木の自然美を背景にした素晴しい小說が、俺は書きたくなつて來たよ」

さう云つて、月に向つて、心地よげに葉卷の煙りをふーッと吐いた。

……………………　…………

見送りは、いとと、權座屋の主人と、風間、中川の四人だつた。

村山までの一里餘を、座敷着の兩褄をとり藁草履を穿いたいとは、笑ひ興じ乍らゆく四人の後から、默つたまゝ歩いて行つた。

暑い日だつた。

三階屋といふ宿屋の店先に休んで、持つて行つた辨當を皆で食べた。

赤い花をいつぱいに付けた合歡の大木が、家のわきに在り木蔭を造つてゐた。

いとが淹れて出す澁茶を、ゴクリと一口飮んだ紅葉は、

「假そめの緣で、お前にもいろいろと厄介になつたが、お前とのことだけでも、僕は佐渡へ來た甲斐があつたと思つてゐる。今後いつになるか分らないが、俺はもう一度佐渡へ來たい。その時は、願へることなら、お前が立派に人の妻となり人の母となつてゐる姿が見たい——これが、僕のお前への心からの贐けの言葉だ」

「はい……」

ほろり、と一滴、膝の上に落とした切り。後は言葉もないいとだつた。

權座屋の主人も、そばで貰ひ泣きをしてゐた。

越後縮の細かい紺絣、絹紬の兵子帶、麥藁帽、白足袋に草

履穿きの紅葉だつた。

紅葉の手荷物だつた、藤編みのバスケツトや、土地の人達から贈られた樣々な土産物の風呂敷包みを、裂織の肩掛けの上から繩連じやくで背負つた荷持の女一人を連れて、

「遠い所までお見送り有難う。ではこの邊で別れませう」

と、紅葉は、皆に向つて言つた。

其處は、大きな松の木が一本立つてゐる村山の坂の上だつた。

それぞれに別れの挨拶を交した後、紅葉の姿が三十間ばかり先の曲り道へかゝり、森蔭へ隱れやうとする時、皆は一齊に手を擧げて、

「お達者で——」

「御機嫌よう——」

と、叫んだ。

振向いて、ニツコリ笑つた紅葉の齒が白かつた。

一旦隱れた姿が、遠い密林の切れ間に、再び見えた時、送る者と送られる者は、弓の兩端に立つた形になつた。

いとは、兩の手を高く擧げ、

「先生ーツ、また來て下さいようー」

と、勢一杯の聲を張り上げて叫んだ。

その聲がとゞいたのか、紅葉は立停つてこちらを向いた。

そして帽子を脱ぐと、暫しの間頭上に打振つてゐたが、最早いとの兩眼は、押し出して來る泪のために、その姿を、はつきりと見ることが出來ないのであつた。

胡弓轉生

城山のベンチで、壽美が物語つたお糸と紅葉の話は、文學青年ならぬ三郎にとつても、興味深いものだつた。

彼は、夕食後のひと時を、物干場へ籐椅子を持出して、夏の日の昏れるにおそい外の潤を望みながら、淡い旅愁に浸つてゐた。

黑い水脈を長く曳いて、たゞ一艘、今日始めて此處へ入港して來た汽船が、ボオーツ、ボオーツ、とつゞけさまに汽笛を鳴らし、それが城山の堂へ物悲しく反響を呼んで、如何にも落魄の港といつた感じだつた。

「まあ、こんな所にいらしたの」

臺所の仕事も片附いたらしく、さつぱりした和服姿で上つて來た壽美は、

「これ、上げませうか」

と云つて、手にしてゐた五六枚の繪端書を差出した。それは、權座屋の名入りで、今は表皮だけしか現存してゐない「來いちや」の三味線の、寫眞を刷つた綺麗な繪端書だつた。

「ほう、こりや素適だ！郷里の友人達にいゝ土産が出來た。どうも有難う」と、三郎は喜んだ。

「たいそう、默然としていらしたやうねえ。何を考へてたの？」

「お糸さんのことさ」

「お糸さんの、どんなこと？」

壽美は、甘えるやうに擦り寄つた。湯上りに、うつすらと化粧をして來たらしく、湯の香と白粉の匂ひが、つーんと、三郎の鼻孔を刺戟した。彼は、新しく「光」に火を點じて、大きく一度けむりを吸ひ込んでから、

「さつき城山の歸りに、君の案内で、あの人の家の前まで行つた時、僕は、そこにお糸さんの象徴を見たやうに感じたのだ。質屋とはいへ、カフェや菓子屋などあたりの近代的な店の間に、硝子の一枚も嵌つてゐない古風な格子戸の家が、たゞ一つポツンと挾つてゐた。奇妙な何とも云へない淋しい感じがしたが、一方、落魄の港町小木に如何にも相應しい住ゐだとも思つた……」

壽美は、手すりへ歩み寄つてそこへ輕く背を凭せながら、じつと三郎の云ふことを聽いてゐる。

「小木の港とお糸さん、これほど自然と人が見事にマツチしたニつながらの物のあはれを、僕は未だ嘗つて見たことがない。今だに四十年前を追うてゐるあの人は、現在の緊迫した世相から見たら、古いどうにもならない思想や型の人として若い連中など問題にしないかも知れない。しかし、それだからといつて、輕蔑することは、僕は間違つてると思ふな。朽ちゆく老婆が青春の日の幻影を追うてゐる樣子は、哀れであり、それの美しさも所詮沈む夕陽の儚い美しさであらうが、現代人は徒らに目前の損益利害にばかり走つて、かうした貴い純粹性に、餘りにも遠ざかつてしまつた弊があるのではないかね」一息ついて、煙草を吸つてから、

「僕はさう思ふな。だから、亡き紅葉を偲ぶあの人の眞情やあんたの話にも大變打たれたんだが、一面、退いて批判の目で見るとなると、やはりこれは、女の未練や感傷といふことになるだらう。しかし、お糸さんは敎養もあるし、年齡から云つても、最早女として完成された人だ。紅葉山人への追慕を、單なる未練や感傷を遙かに乘り超えた信仰――にまで高めてゐるやうに思はれる。だがねえ、惜しいかな、さういふ人の崇高な美も、生活も、破壞建設の急テンポな今の時代には、所詮亡びゆく胡弓の役割しか演じてない。あの人は時代に取殘され、忘れられてゆく寂びた胡弓の音に似てゐるよ」

三郎の言葉が終ると、壽美は、不意にニコリとして、

「さうすると、あたしもその胡弓かしら？」

と、可愛く首をかしげた。

「君が?」「えゝ……」

「どうして?」

「あたしのは、一寸お糸さんとは違ふでせうけれど……」

少し考へるやうにしてゐたが、思ひ切つたやうに、

「あたし、東京から去年郷里へ歸つたのは、東京の埃つぽい生活がイヤになつたからなんです。銀座なんか歩いてみて、いつも感じるんですけど、一體あそこに何の用事もなくぶらついてゐる人達の中に、しんから時局つてものを認識してゐる人が幾たりゐるかと思ふと——男の人達のことは、分んないから言つてるんぢやないわ。おしやれをした若い女達のことを云つてるのよ。それが、東京生れの人達ばかしでなく、田舍出の娘達がずゐぶんとあの中にゐるんです。娘達が都會の生活に憧れ、郷里を飛出すつてことの賴りなさが、あたしには、日本を損ふ大きな罪惡のやうに思はれて來たんです。」

と云つて、あたしだつてあんまり生意氣な口はきけない。去年まではその中の一人でしたもの……」「成程……」

「でも、兄の應召からこつち、故郷つてものを愛する心が、強く強く目覺めて來たんですわ。あたしは去年、思ひ切つて東京の生活を捨てゝ小木へ歸つて、ほんとにいゝ事をしたと思ひました。今ではもう、あたし、この佗しい小木と共に老ひ、小木の海を朝夕この眼で眺め、その盛衰を共に喜び悲しんで、母さんと一緒に故郷の土の上に死んでゆくつてことのしあはせを、沁々と感じてゐるのよ——」

黄昏の海へ美しい眼を放つたまゝ、語つてゐる壽美の頰はほんのりと紅をさしてゐる。この女は、ピンクのカーネーシヨンだ、と、始めて三郎は午後からの宿題を解いた。

「壽美さんはえらいな。一度東京の生活をして來た人間は、東京がどうしても忘れられないと云ふが——」

「あら、あたし、つひあなたにつり込まれて、えらさうなこと喋つちまつたわねえ」

「大いに共鳴したよ」「いやだわ。そんなお世辭……」

「お世辭ぢやないさ」

「でも、あたしも、やつぱり胡弓でせう?」

「胡弓ではないが、新舊一脈相通ずる郷土觀とでも云ふかな。お糸さんとは共通した點もたしかにあるね」

「だから、二人は仲好しなのよ。きつと、ホゝホゝホ」

暮色は次第に濃くなり、遠い防波堤の先の、電柱の灯が、ポツンと一つ、夕靄のなかに赤く見える。

ぼお——つ……と不意に棧橋の船から、港を流浪ふ郷愁にも似た汽笛が高く鳴り渡つた。それは城山へ大きく谺し、暮れかゝつた空へ、潤全體へ、びびび……と沁みてゆく。

「毎日聞いてるけど、厭な音ね……」

と、壽美は、呟くやうに云つた。

「あれ第二佐渡丸よ。あしたの朝早く小木を立つんだわ」

三郎は、あれで歸らなければ、と思ひつゝも、猶去り難いものを感ずるのだつた。

浴衣の懷ろから、貰つた繪端書を出して見ながら、

「お糸さんは、明日來いと云つたが、この來いちやの三味線でも見に行かうかねえ」と、壽美の顏を見上げると、

「お生憎さま、その三味線の皮は、もうひと月程前に、あの人賣つちまつたわよ」と、壽美は、切り返すやうに云つた。

「えツ、賣つた?!」

三郎は、おどろいて、「ほう、あの人とも思へないねえ。三味線は、お糸さんにとつて、大切な品ぢやないのかね?」

「大切な品よ。命よりも大切な品よ。あの人ばかしでなく、今ぢや小木の祕寶とまで云はれてゐる三味線だわ」

「それを賣つたといふのはどうしたんだね? まさか、金が欲しかつたからでもないんだらう?」

「勿論よ! それが證據に、賣つた八百圓のお金全部で國債を買つてるんだもの」

「ほう!、國債をね」

「老先の短い自分は、いつ死ぬかも分らない。その時に、若し粗末になるやうなことがあつたら、先生に申譯がない。それより、買主である新潟一等の料亭鍋茶屋へやれば、粗末にもならないし、廣く、世間の人達にもお見せすることが出來る。それは、亡き先生への供養にもなるといふのよ」

「成程――」

「ところが、本當の買主は鍋茶屋ではなく別の人で、骨董屋に騙されたことが後になつて判つたのよ」

「へ――え」

「だけど、お糸さんは、騙した人が惡いんで、騙された自分には、ちつとも責任がないつて、諦めよく苦笑してゐたわ」

「あの人は、櫻屋へは二度目の後妻で、今の良人は變屈家で吝嗇坊だし、子供もなくて、とても淋しい境涯なんです…」

「いや、娘はあるやうに云つてたよ。粽を送つたとか――」

「あれは、先妻の娘なのよ。本當の子供は一人もないの。女にとつて、一生母になれないつてことほど、生き甲斐のないことはないつて、あの人、紅葉山人と別れの時のが身に沁みてるか、ときどきあたしに訓戒するわ」

「ふゝゝ」

「笑ひ事ぢやないわよ――それだけにあの三味線は、子供のやうに大切にしてゐて、これまで幾百度他人に懇望されても死ぬ迄絶對に手放さないと云つてたんですわ。その唯一の生

き甲斐を、今度は思ひ切つて手放したの。自分にはお國へ捧げる子もないし、老の身では何もやれない。せめて、これだけが、自分に出來るたつた一つの御奉公だといつて――」

「えらいもんだねえ」

「全くえらいと思ふわ。賣つた當座は、その事をデカ〳〵と新聞には書かれるし、町の人達からは、やれ金に目が晦んだの、小木の寶を他國へ渡したのと、さんざん蔭口をたゝかれて、少し憂欝だつたけど、自分は立派な行ひをしたと信じてゐる――他人が何と云はうと、地下の先生だけは、いとの本當の氣持を理解して下さるに違ひないつて……いとに下すつた三味線の筆跡が、多少なりともお國のお役に立つたと思召されゝば、きつと喜んで下さるに相違ないつて……毅然としてゐたわ」

「ふーむ、流石に、紅葉山人が選んだ愛人だけあるねえ」

三郎は、今は、深い〳〵尊敬を、あの老婆の上に感ぜずにはをられなくなつた。時代に取殘されてゆく胡弓だと云つた彼の說は、根底から覆つてしまつたのだ。亡びゆく胡弓は、立派に、時代に順應してゐたのである。

「壽美さん、僕のさつきの胡弓論は、取消しだよ」

「まあ!」壽美は、につこり笑つた。

二人とも、和やかな、明るい氣持だつた。

（完）

會報

同人總會

五月二十八日午後六時から、神田基督教青年會館にて同人總會を開催、滿二ケ年に亘つて會計事務を擔當、最近に交替した由布川幹事に對して、岡戸氏が一同を代表して感謝の辭を述べ、これに對して由布川氏の謝辭があつた後、中澤幹事から會計報告があり、晩餐を共にしながら　文建今後の活動方針などについて懇談して、九時散會した。

當日の出席者

○佐野孝○岡戸武平○鹿島孝二○瀬木二郎○東野村章○大慈宗一郎○鯱城一郎○村正治○由布川祝○中澤巠夫○戸伏太兵○村松駿吉○村雨退二郎○土屋光司

除名取消

前號に發表したもののうち　野母崎正氏の除名を取消します。

◇同人消息◇

田中幾太郎氏　四月下旬に長男を喪はる。謹しんで哀悼の意を捧ぐ。

鯱城一郎氏　作品集『春風列車』を、ユーモア文庫として、東成社より刊行された。

土屋光司氏　六月限りで英語教師を辭任した。

新刊紹介

若き日の眞實（戸川靜子）　かつて本誌同人であつた作者の短篇集である。この表題となつてゐる一篇は、本誌に發表された處女作とも云ふべきもので、批評家に推賞された問題の作品である。他の七つの短篇も、いづれも作者の文學的情熱がうかがはれて賴母しい。近來異色ある作品集である。

（四谷區坂町一九　大都書房　定價一圓七十錢）

彦九郎京日記

大隈三好

一

つぶし銀のやうなにぶい雪洞の灯に、半身を泛出させて、大村永全はひとり寂然と端坐してゐる。

新築の茶室の内である。

曉にはまだ程遠いし、と言つて宵はもうとうに更けきつてゐる時刻である。いくら早起の者にしても餘りに早過ぎるし、夜更しにしても亦餘りに更かし過ぎてゐる。こんな時調子も無い時刻に、彼は、今、起きたらしい氣配も見せず、もう寢に就かうそぶりも無く、靜乎と坐込んだまゝいつかな身動きもしない。

さうした姿相が――

天井も低く、内は狹く、用材も總て單調な直線的なものばかり使用して、壁など殊更らに荒壁のまゝ、淡く、澁く、すべてに侘びた、幽玄の情趣を深めること

にばかり凝りて造られた茶室の雰圍氣に溶け込んで、妙に俗氣離れのした陰に罩つて見えるのであつた。

外は師走の凍つた夜である。

更夜の風は沈んで、月も落ちてゐたが、星は萬天にきらめいてゐた。利休好の風爐先の連子窓から忍込んで來る夜氣はわづかに爐にかけられた湯釜の松風に和らげられてはゐるものゝ、ぶるつと腹の芯までこたへてくる寒さはどうすることも出來ない。それでも永仝は、感覺も神經も失つたものゝやうに何んの感じもないらしい。

此の大村永仝は、白木屋第二祖になる人物だ。通稱彦太郎と稱して、白木屋孫兵衞がその商號であつた。

初代大村彦太郎が、後の陽明學者三輪執齋と共に、京都北野の天滿宮に祈念して、終身の決着をみくじで決め、江戸に上つて、一代にして巨萬の財を作つた。日本橋通りの店鋪は江戸名所繪圖にまで所載される繁昌ぶり、永仝は初代の跡を繼いで二代目に坐つたが、初代が尋常一様の商人で無かつたやうに彼も亦普通の商估と違つてゐた。幼時から文の友人である執齋等に就て學問を修めたことに因るであらうが、彼は世の中の商人達が、算盤玉の動きばかりを命にして、他に顧る何者も持たない商人根性に大きな不滿を抱いたのである。殊に天明年間の物情騷然たる世相に際して、藏前商人や札差藏元の新興商人達が、世の怨嗟の的となつたことが、その不滿に拍車をかけて、

『父は日本一の店鋪を築上げた。自分は日本の商人として恥かしくない人間となつて、日本の商人道を造り上げねばならぬ。』

と言ふ、商人道確立の誓願を起したのであつた。

道の出發は常に學問にある。忽忙多端の中にも求道修學の暇を惜まなかつた。かくして永仝は年と倶に商人道に目覺め日本商人の道は、皇國商人の道であらねばならぬことに自覺して來たのである。

三代目彦太郎が成人すると、彼は間もなく、店を讓つて京都に隱退した。京都は祖先墳墓の鄕土である。がそれよりも現在の永仝には、數千年間、民族の聖なる尊崇の念を聚めて來た王城の地であることが何よりも嬉しかつた。

何時からとも無く、彼の北野の新邸には、同じ皇國民としての大義に目覺めた儒者や浪人達が出入りするやうになつて永仝の名前は、尊皇商人として、これ等同志の間に隱れないものになつてゐた。

さて、筆は前に返して——、

微かに露次を踏む人の跫音がする。今まで塑像のやうに微動だにしなかつた永仝の影が心持ち搖らいで、

「久兵衛か。」

低い聲で呼んだ。

「はい。」

應へる聲も四圍を憚るやうに低かつた。

「はいれ！」

音も無く低い遣戸を開けて、入つて來たのは十七八の青年である。青年は爐を隔てゝ默つて坐つた。永全はその男の幽かに白く浮んだ面を凝つと瞶めて、

「まだ、お寢になる御容子も見えぬか。」

「はい、まだ燈火が點つて居りまする。」

青年は伏目勝ちに答へた。

「もう寅刻にも間もあるまいに、それに今夜で恰度七夜目、此の寒さに一睡もなされず、お體に障らねばよいが……」

永全は氣遣はしげに呟いた。氣の故かその眉の邊りに、一抹の憂色が漂ふてゐるやうにも思へる。

「……先生も左樣で御座居ますが……」

と青年が顏を上げた。

「その間、一夜も欠かさず、かうしてお伽をなされてゐます旦那樣のお體も案ぜられてなりませぬ。」

永全は徐ろに首をふつて、

「儂はよい、儂の體はどうなつても一向構はぬが、高山殿のお體は、今の日本の國にはなくてはならぬ貴い體ぢや……」

獨言の樣に言つて、そつと瞼を閉ぢた。

久兵衛は何か言はうとしたが、永全の深い思念に陥ちて行くらしい樣子に、そのまゝ口を噤んでしまつた。

裏の竹籔にばさりと小笹の鳴る音がする。何かに夢を破られた雀の羽擊である。つゞいてくくつと一聲啼聲を立てたが、夜はまたすぐもとの靜寂に沈んだ。

「久兵衛、高山殿がお濟みになる頃を待つて、何時もの通り此處で茶粥の用意を致して、お待ち申上げて居りますと、お傳へ申せ。」

「はい、心得て居ります。」

「そして、四圍によく氣を配つて、警戒も怠らぬやうに…」

と永全が言つてゐるときであつた。

突然、外の靜まつた夜氣を荒々しく搖ぶつて、たゞならぬ人の跫音が、茶室のすぐ軒下を掠めて飛んで行つた。

二人はつと緊張の色を走らせて立上つた。久兵衛は急いで茶室を出て行つた。

二

茶室と庭園を隔てた離室で、仲綱高山彥九郎は、文机に向つて、何か一心に認めてゐる。とき〲面をあげて、凝つと

空間を凝視する瞳が、らん〳〵と光つてゐる。

餘程、重大な書きものであるらしい。

一字一劃、襟を正して、精魂を彫みつけて行く樣な眞劍な態度である。

跫音を殺して、庭先まで忍寄つた久兵衞が、緣側に身を屈めて、暫らく內部の樣子を窺つてゐたが、何も變つた氣配も感ぜられなかつたので、幾らか安堵の胸を撫下したと言つた風で、また跫音を忍ばせて、底木の闇の中に姿を消した。

そんな事、彥九郞、知つてか知らずか、一本の毛筆に全我を傾けてゐる。

高山彥九郞が、突然、此の屋敷に訪れて來たのは旬日前の事である。

彼と永全の交遊は、昨今のものではない。永全が江戶に居るときからの心契の友であつたので、京に來て彥九郞が、永全を訪ねるのに何んの不審もないわけだが、此處兩三年、祖母おりんの死に會つた彼は、その服喪のために鄕里上州に歸鄕して、つい最近、大祥忌の喪を終へたので、年來の宿志である東北巡遊の旅に就いたから、東北から北陸を廻つて京でお會ひ出來る日は、歲も明けて來年の五六月頃になるだらう……と言ふ彥九郞の逆旅からの通信を、永全は受取つてゐたばかりの際だつたので、今度の不意の來訪は、永全には全く思ひがけぬことであつた。だが、其處は心と心の通ふ知友の間がらだけに、彼はすぐ此の唐突の上京の理由を察知することが出來たのであつた。

そのとき、京都では、尊號事件が、朝幕の間に尖銳化してゐたのである。

「今頃、貴方には東北の雪中をお廻りの事とばかり思つて居りました。」

永全は久しぶり見る友の顏に、年甲斐もなく歡喜の胸を彈ませると、

「いや、その雪を蹴散らして馳せつけて參りました。何時も乍ら不敬至極な幕府の態度、唯々悲憤の外はありませぬ。松平定信、愈々馬脚をあらはして來ましたぞ。」

草鞋も脫がず慷慨の聲を顫はせる彥九郞の、變らぬ純忠一筋の烈しさに永全は胸も打たれ、感激の念も湧上つて來るのであつた。

「何はともあれ、お上りなされては。」

「思ふ仔細があつて、此度は何處の邸にも立寄らず、眞直ぐお宅にお伺致しました。旬日餘り御厄介になり度いと思ひまするが……」

「旬日は一年一生でも、お氣の向くまゝ御逗留下さい。永全の背後には、江戶の白木屋が附いてゐる。差上ぐるものに決

して御不自由はさせませぬよ……」

餘り彦九郎の生眞面目が可笑しくなつて笑ひだすと、

「忝けない、お言葉にあまへて、それではなるべく人目につかぬ部屋をお貸し下さい」

永全は皆までききかず、心得て、庭の木立に包まれた此の離室に案內した。ときおり、在京の有志達の秘集の會合にも提供したことのある離室であつた。

彦九郎は早速此の離室で、彼が日頃念願する討幕義軍結成建白の起稿に取りかゝつたのだ。

當時、京都を中心とする尊皇運動の狀態は、先年竹內式部一派の企圖した寶曆事件に、或る程度の行動化を見せたが、それも側近公卿達の內訌から失敗に終り、續いて山縣大貳、藤井右門の明和事件も、その具體的計畫に入る以前に發覺して、彼等は雄圖空しく刑場の露と化した。しかも此の二つの事件は、幕府をして必然的に、朝廷に對し奉つては從來の陰險老獪の政策を更らに强化して、一方、尊皇論者に對しては警戒彈壓の手を極力嚴重にする政策に至らしめたのである。

その代辯的事件は、安永事件となつて、すぐ表面にあらはれた。

稱して禁裡賄方不正事件とも言ふ。

その顚末は、御所の賄方役人高屋遠江守、田村越後守等、御所出入り商人と結托して、竊に不正を働いてゐると言ふことから、檢擧の端を發して、果は禁中、仙洞、女院、女御等に奉仕してゐる多數の官人達にまで及んだ。

その間、主上、女院に於かせられては、永らく召使つてゐるものゝ檢擧に、色々と憐愍をかけさせられて、殊に女院はその年、櫻町天皇の御年忌にも當つてゐるので、特に、憐れみを加へるやう再三幕府へ思召もあつたが、それにもかゝはらず幕府は、終始、嚴罰主義に臨んで、重きは斬首、流刑、追放とそれぞ〱何等假借する處がなかつたのである。

受刑者、實に九百有餘人、我國史上特筆すべき大疑獄事件であつた。

しかして、かくも聖慮に抗し奉り、峻烈餘す處なく糺彈した事件の當事者は、誰あらう收賄政治の代表人物田沼意次であつたのだ。此の皮肉さからしても、幕府の魂膽の存する處が奈邊にあるか窺はれるが、要は收賄不正に名を籍りて、朝廷に對する明和寶曆事件の報復、朝威の失墜を企つる權謀、尊皇一派の徹底的檢擧に外ならなかつたのである。

しかし表面、幕府の企圖する處は成功したかのやうに見えた。しかし實際に於ては裏切られてゐたのであつた。公卿諸司は勿論、民間有志、京都市民のこれに對する憤激は、反動的に汪洋として湧上り、反幕氣運を募らせたのだ。

田沼の後をうけて首席老中となつた松平定信は、早くも此の氣運を見てとつた。彼は今までの幕府執政者にかつて無い尊崇の態度を侍して京都に對し奉ると共に、尊皇論者に對しては、彈壓から懷柔へと態度を改めた。

東夷にしては珍らしき男——

人氣は一躍よんだ。効が奏したのだ。

今まで反幕的であつた京阪の儒者達は、彼の招聘に應じて續々と江戸に下るし、かつての强硬な倒幕論者も、次第に微溫的な公武合體論に軟化したのである。

純一無雜

尊皇斥覇の大信念に生くる彦九郎が、此の文士儒生の軟弱さに、痛慣慷慨の大地を蹴つたことは言ふ迄もない。

「今に松平定信、馬脚をあらはす秋が來る、その機を逸せず廣く義徒を團結させ、一氣に討幕の擧に出づるより他にない。」

彼はその機の到來を期して待つた。

それが遂に今度の尊號問題となつて到來したのだ。

光格天皇、

御生父閑院宮一品親王に對する深い御孝心から、太上天皇の尊號宣下の御内慮を、所司代へ御沙汰あらせられたのは、去年——寛政元年二月である。

それに對して幕府の回答は、遷延に遷延を重ねて、漸く今年の春に至つて、

『御生父御崇敬のために、太上天皇尊號宣下の儀は絶對に不可なり』

とする理由書を、關白鷹司輔平公に內密に進覽して、以て主上の御孝道を妨げ奉らんの態度に出でたのである。これをきつかけに、朝幕の間に又しても大きな葛藤が生じて、日の經つに從つて、事態は益々激化するばかりであつた。

彦九郎は此の事件の悪化を、東北巡遊の途上で聞いた。急遽、京に引返す彼が、途中、上州新田郡の鄕里に立寄つて、妻子五人の身の處置をつけて來たのも、此度の上京に、今までと違つた並々ならぬ深い覺悟を決めてゐたからだつた。

何處かで、もう一番雞が啼いてゐる。

彦九郎は筆を置いて、此處七夜、綴り來つた筆の跡に見入る。

『寶曆明和の討幕計畫が、雄圖空しく中途で挫折したのも、その中心勢力となるべきものを持たなかつたがためである。前車の轍は再び踏んではならぬ。それには朝廷と特種關係にある薩南の雄藩島津を說いて、薩摩を中心に、廣く天下に散在する尊皇の義徒を翕合して　聖駕を九州の地に迎へ、大號令一下、堂々義軍を發して、一擧に王政復古の實を擧ぐべき

である……』

　櫛風沐雨二十年、東馳西奔、終始した尊皇遊說のうちに、練りに練つた、彼の大信念、彥九郞は此の大信念を、夜々行水に身を淨めて、精進潔齋の中に書き續けて來たのである。

「先生、お濟みになりましたで御座居ませうか。」

　ひかへ目な聲が、雨戶の隙間から洩込んでくる。彼はその聲が久兵衞であることを、そしてその用向きも分つてゐるのであつた。

「久兵衞殿か。」

「はい、お濟みになりましたら、旦那樣が茶室の方でお待ち申し上げて居りますとの事で御座居まする……」

「何時も乍ら何んとも……」

　彥九郞の言業はふと杜切れて、

「只今、お邪魔に上りますとお傳へ下されい。」

　早晨の風が立つて、木立にからむ曉闇が動くともなく動き初めてゐた。

三

　芳ばしい煎茶の香が、立上る白い湯氣に溶けて、茶室一杯に匂つてゐる。

「何はともあれ、熱いうちに召上り下さい。私も御相伴致します……」

　永全はほどよく煮へた自炊の茶粥を、手づから盛つて、彥九郞にすゝめる。

「頂戴致します……」

　終夜、何一つ口にするでなく、火の物絕つて、夜を徹してゐる彥九郞には、かうして喫する明け方の茶粥の甜さも風味もさることと乍ら、それよりも彼の胸に烈しく應へるものは、永全の溫い眞情であつた。

　彼は、それが無性に嬉しかつた。

「永全殿、かうして頂く茶粥の味こそ、彥九郞、何處で死んでも忘れませぬぞ……」

「何事かと思へば、死ぬるなどゝ、御緣起でもない……」

　二人は湯氣のからんだ顏見合せて微笑んだが、永全はふと彥九郞の眉宇に、强く胸を衝くものが漂ふてゐるのを認めてぎくりとした。

　死を決し、死と共に生きてゐる人間のみ持つ、烈しい氣魄の一瞬の形相である。

『高山殿は死を決してゐる……』

　永全は、瞬間心中に叫んで、心が急に波立つて來る。

「御遠慮なく召上り下さい。」

　すゝめる聲がふるへてゐた。

「何んで御遠慮など致しませう……」

彦九郎は美味さうに舌鼓を打ちつゝ、幾杯も重ねた。

茶粥が終ると、

「久しぶりにお茶でもお點て致しませう。」

永仝は、自分の亂れ勝ちな心を靜めたかつたのであらう。

立上つて、道庫の中から茶器を持ち出して來るのだつた。

外は次第に明けてくるらしく、何處ともなく瑞々しい草昧の氣が流れはじめる。雀の聲は軒下にまで及んでゐた。

「明けて來たやうですな——」

永仝が茶具を收め終るのを待つて、彦九郎は窓を見上げて呟く。

「如何でせう。これから暫らくお寢みなされては、毎夜の事ですから、餘り御無理なさつては、お體に障ります……」

「いや〳〵お氣遣ひ下さいますな、私よりも却つて貴方こそ久兵衞殿より聞き申しました。御辭退申上げても無駄かと思ひ、默つて御好意に甘へて居りますが。」

彦九郎は永仝の毎夜の伽のことを言つてゐるのであらう。

感激に顫へる言葉を續けやうとするのを、

「歳の故です。夜はなか〳〵寢付かれず、その代り、晝はぐつすり眠れます。お氣にされては却つて恐縮します。」

永仝は遮る。


彦九郎はそれきり何も云はなかつた。どちらからともなく閑談の繼穗を失つたやうに、無言に落ちたが、その無言の中にも、共に友を想ふ溫いものは、言葉以上に、お互の胸に囁きかけてゐるのを二人は感じ合つてゐるのだ。

やがて、永仝が、思出したやうに、

「高山殿、どうやら警戒の目が、當家まで延びたやうで御座居ますが……」

心持ち不安の面を曇らせる彦九郎は、もうそれに氣付いてゐる態度で、

「こちらから申上げようと思つて居ました。それ故ばかりではありませんが、今朝、御當家をお暇申上げたいと思つて居ります。」

「…………」

永仝は、無言で彦九郎の瞳を見詰める。

「實は、御當家を拜借して、成し度いと思つてゐた事、今宵で漸く完りましたし、それに今後の所存もありますれば…」

永仝は、彦九郎がそれと明確に言はなかつたが、今まで彼が自分の屋敷に籠居して成してゐることが、どんなものであるか、ほゞ見當がついてゐた。

「完りましたか、何よりの事です、お止めは申しませぬ。此の上は、唯御成功を祈るだけです。」

熱意の籠つた聲である。

「机上の方策なら誰しも出來る。要はその遂行成就如何にあります。彦九郎、今こそ祖父累大の君恩に報ずるため、生命奉還の決意を堅めて居ります……」

永仝は深々と頷いて、

「そして直ぐ九州へ！」

彦九郎は首をふつた。

『出來ることなら一日も早く下り度いと思ひます。しかしさう簡單にも參りますまい。こちらで成して置かねばならぬ準備も澤山あります。それに何よりも、私の方策に對して、恐れ多き事ながら、畏き邊の、御意嚮の片鱗でも、お伺ひ致し度いと存じて居りますれば……」

彦九郎は襟を正して、容を改めるのであつた。

――畏き邊の御意嚮――

永仝は此の一言に思はず胸を衝かれた。意外な言葉だつたのだ。彼は、彦九郎が精魂傾けてゐるものに見當はついてゐると言つても、そしてその重大性も推察は出來てゐたがそれは彦九郎が、日頃、念願し抱懐する、討幕運動の具體的方策に關する重大な書類であると云ふに止まつてゐたのだ。

建白！

其處までも及びもつかぬことであつた。

永仝の腦裏に、今初めて此の二字が、くつきりと認みつけられて來た。

容易ならざることである。

彼は胸中に強く叫んだ。

如何にその建白の內容が、彦九郎の尊皇絶對の大信念より出たものにしても、結局は、野に叫ぶ草莽野人の聲である。野の聲の達するには、雲上は餘りに隔り過ぎてゐるのだ。

然し彦九郎には、京に幾多の有力なる知友がゐる。それ等の協力によつて、よしそれが、如何なる方法によりてか、闕下に達し得るにしても、さうした希望は、無官の地下の民草にして許さるべきことであらうか。

餘りに恐れ多き事である。

餘りに恐懼の至りである。

凝つと考込んだ永仝の五體が、そのときわなく\と顫へて來た。他人事とは思へぬ永仝であつた。

彦九郎も永仝のその氣持を感得したらしく、

「永仝殿、私も其の一事に、今日までどれ程苦惱して來たかお察し下さい。然し永仝殿、神明に誓つて彦九郎の心中、一點の私心も持ちませぬ。ひたすら大君のため、君國のため……

……」

彼はさう云ふと、そのまゝ堅く口を閉ぢ、唇を嚙んだ。ら

んと輝く双眸に、鋭く動いてゐるものは、大なる苦惱の試練を乘越へて、漸くにして到着した必死の覺悟の焰であつた。

永全はその鋭さに打たれると、今までの腦中の混亂が一時にあと方もなく燒盡された思ひで深く頷いた。

何をか云はんやである。

永全ばつと立上つて、無言で茶室を出た。ひやりと不眠の面を撫でる早旦の風を胸一杯に吸込んで、

心外無法――

永全の唇にそんな言葉が、我知らず泛上つて來た。

「高山殿、只今、日の出ですぞ。」

外から、永全の聲がする。彦九郎も立上つて外に出る。霜は雪のやうに白かつた。

眞紅の日輪である。

それが今、雪を着た東山の肩から離れようとしてゐる。

彦九郎は懸樋の水で、口を濯ぎ、手を清めた。そして永全と並んで東天に向つた。

柏手を鳴らして、瞑目する。

何を念じ、何を祈つてゐるか、二人の遙拜は長かつた。

四

岩倉三位具選卿の邸は、洛外、愛宕の岩倉村にある。俗に北岩倉と稱せられる處で、八瀨、鞍馬と連つて、都の朔北に接してゐる土地である。

由來、京都のよさは四圍の山水によるものだと言はれてゐる。都大路を往き通ふ大宮人の優美さもさることながら、これら郊外の作る山と水との美しさは、一種不思議な魅力をさへ持つてゐるのである。その魅力が、地方から出てくる荒くれ男どもを、忽ちにして優雅な京風に同化してしまふ。武士平氏が平家の公達に化したのも、木曾の山猿義仲が平家擊滅の功を一簣に虧いだのも、此の魅力に魅せられたゝめであつた。

が、此の魅力の發祥地に住んでゐて、岩倉三位卿は、これは又どうしたわけか、堂上でも有名な武骨者である。これはツと思へば、相手が關白であらうと大納言であらうと、そんな事お構もなく喰つてもかゝるし、吹鳴り散らしもする。てんで迎合とか讓歩とかと言ふものは生れる時に忘れて來たやうな、直情一逕の持主で、その代りあとは光風霽月何んの蟠りも知らない。

性格がさうであるから風采まで公卿らしくない。色は黑いし腕は節くれ立つてゐるし、圖體はずば拔けて大きい。衣冠を脫がせて、羊羹色の着流しにでもしたら、そのまゝ何んの修飾もなく、主人と喧嘩して飛出して來た浪人者である。

彦九郎は、此の岩倉卿に、年來非常な知遇を蒙つてゐた。魁偉脱俗、天下の野人醜男子を以て自ら任ずる彦九郎と、公家らしくない武骨者の岩倉卿が、性格的に結ばれたであらうこともさることと乍ら、その根本をなす紐帶は、お互の胸中深く抱懷する、絶對的尊王斥覇の大精神であつた。それだけに二人の交情は、地位や身分を超越した並々ならぬものであつた。

大村永至の邸を出た彦九郎が、何んの迷ひも躊躇もなく、此の館に足を向けたは、今、自分の企圖する大事を取次いで吳れるものは、卿を置いて他にないと信じたゝめであつた。

館の門をくゞると、庭の落葉を淸めてゐた侍の田中志津馬が、目ざとく彼の姿を認めて走り寄つて來た。そして挨拶もそこ〳〵にして、

「御前樣は、毎日、貴方のおいでをお待兼ねになつてゐました。」

と言ふ。

彦九郎は、不意にかうして訪ねて、嘸、吃驚されるだらうと思ひ乍らやつて來たので、

「どうして私の來る事が分つてゐたでせう。」

意外な顔で訊ねた。

「さあ、それは存じませんが、十日ばかり前、高山が來るかも、來たら今度も邸に起居するであらうから部屋の掃除をして置けと仰せられて、それから毎日お待兼で御座居ました。」

いよ〳〵不審である。だが田中に追求しても分る筈もないので、彦九郎も首を傾げ乍らそれきり穿鑿はしなかつた。

岩倉卿は未だ歸館になつてゐない。

部屋に案内して貰つて旅裝を解いた。この前在京の折も半歲近く起居した部屋である。その後誰も使用しなかつたと田中は言ふ。綺麗に掃除してあるが、部屋の隅々に四年前の自分の體臭が殘つてゐるやうで、久しぶりに自分の部屋に歸つたやうな、懷しさと落付きが湧く。

彦九郎は、衣服を改めると、取敢ず、御內子に挨拶に行つた。息女道子姬が暫らく見ぬ間にまぶしい程美しく成人されてゐるのに瞳を瞠つた。

「暫らく逗留なさるなら、とき折姬の和歌でも見て下さい」

御內子に云はれて恐縮した。そのとき御所より賜つた御羊羹と言つて茶菓子に出されたが、彼は戴くのが勿體なくて、懷紙に包んで部屋に持歸ると床の間に供へて置いた。

岩倉卿は、思つたより早く歸館になつた。彦九郎も家人と一緒に出迎へに出る。乘物を降りた卿は、つか〳〵と彼の傍に近づいて來て、

「來たな、待つてゐたぞ、久しぶりに一盞傾けつゝ、今宵は

大いに語らう……」

肩をたゝかんばかりの襟情である。

「當分お館にお邪魔致す所存で御座居まする。一盞は何れ後日頂くことにして、今宵は……」

と彦九郎は卿の面を凝乎と瞶めた。

「素面で語り度いか、よからう、後で參れ」

三位卿は頷いて、奥に消える。

彼は部屋に戻つて、夕餐を濟して、心待ちに奥からの沙汰を待つた。

「奥書院でお待ちで御座居ます。」

勝手知つた邸である。案內も不必要だし、長い廊下を獨り渡つて行く彦九郎の胸は、遉に緊張に膨らんでゐた。

大雲寺の入相の鐘が、寒空に長い餘韻を顫はして流れて來る。

書院には、もう灯が入つてゐた。ほの白い短檠の燈火の中に、三位卿は火鉢を前にして待つてゐた。

彦九郎が這入ると、卿は開口一番、

「京に着いてからもう十日にもなる筈だが、今日まで一體何處を彷つて居たのぢや、」

眼は微笑してゐるが、口はなか〳〵荒つぽい。

「大村永全の宅に逗留して居りました。」

「大方、左樣であらうと推察はしてゐたが……」

「然し、御前樣には、それを、どうして御存じで御座居ませう。彦九郎、先刻から不審でたまりませぬ。」

「地獄耳ぢやよ。世の大抵の事なら、何處からともなく、此の耳に達して參る。」

「………………」

だが、三位卿は何時までも人に思はせぶりして、隱して置くことの出來ぬ人間である。傍の手文庫の中から一通の書信を取出して、

「種はこれぢや。」

とさつぱりと種明しにかゝる。

それは、武藏の叔父劍持長藏（彦九郎と共に祖母の墓側に服喪した人物）から京の同志高芙蓉に宛てたものであつた。高芙蓉、此處に說明する必要もあるまいが、書畫篆刻、殊に彼の篆刻に至つては、筆法雄勁、風韻高雅、絶代の印聖の名は今日まで嘖々と高い。長藏も篆刻に深い趣味を持つてゐた關係から、二人は同好の風流人としての親交を、早くから續けてゐたのである。彦九郎は長藏によつて芙蓉を知つた。そして彦九郎を、岩倉伏原兩卿に紹介したのは、此の芙蓉であつた。

芙蓉は最近彦九郎の動靜を案じて、長藏に訊ねてやつた。

それが彦九郎の今度の出郷直後であつたらしく、折返し長藏からの返辭には、彼の出郷の模樣など委しく認めてあつた。

「彦九郎、此度の上京は妻子も離別して參つたさうぢや喃」

三位卿の聲が、急にしんみりとなつた。

「…………」

「此の書簡を讀んだとき、思はず涙を催したぞ、芙蓉も泣き乍ら讀んでゐた。」

「…………」

「儂はそなたが可愛さうだとは思はぬ。立派に夫を持つてゐて、立派に父を持つてゐて、その愛情に別れ、慈愛に別れ、行く先永いこれからを寂しく生きて行かねばならぬ、そなたの妻子を偲ぶと可愛さうでならなかつたぞ！」

「勿體無いお言葉で御座居まする。」

「だが、もう云ふまい、彦九郎、それまでの決心をして出て參つたそなたが、館にも參らず、永全の邸で何を致して居たか、儂にはよく分つてゐる。」

「…………」

「出して見い、拜見するぞ。」

三位卿には、彦九郎の一切がすでに分つてゐるのだ。

以心傳心と云ふ言葉がある。

拈華微笑と云ふ公案がある。

文字ではない、言葉ではない、心と心の交流なのだ。傳心法要に言ふ、無始よりこのかた一切の限量、名記、蹤跡、對待を超越して、天皇に歸一し奉らん尊皇絕對の心と心の交流であつた。

卿は彦九郎の差出した建白書を、たじろぎもせず熟讀してゐたが、

「そなた一人の聲では無い、天の聲ぢや、恐多き事乍ら、明朝、參內して、密奏申上げるぞ。」

彦九郎はひれ伏したまゝ動かなかつた。

『昨夜寢る、事ありてすぐに起きて、早朝行水し、廁上下になりて謹しみて鎭得靈神を拜し奉り、七萬九千九百六十拜に至れり…早朝より夜に入るまで座せるまゝ動かず云々』

翌日の彼の日記である。

斷食齋戒、謹しんで三位卿の歸館を待つたのだ。

五

伏原二位宣條卿は程よく溫められた書院で、赤木の文机に向つて、何か一心に書見してゐる。一句讀んでは吟味し、一行讀んでは瞑想し、と言つた眞劍さである。

傍の香臺から沈香の烟が一本、細く長く無心に立上つてゐる。

静かな正月の午後である。

宣條卿は、もう六十を越した老人である。が、顔は公卿の嗜みで、歳相應の化粧を施し、自然に備る氣品は、何處となく犯し難い威嚴と高尙さを示してゐる。

此の伏原卿は、寶暦事件當時、桃園帝の侍講であつた。早くより竹內式部內下にあつて闇齊學を極めた卿が、事件の理論的、實際的指導者であつたことは云ふ迄も無い。が事件も遂に失敗に終り、運盟公卿達の處斷になつたとき、奇怪にも卿の名前だけ、その斷罪書の中から洩れてゐた。

しかも、式部が所司代に喚問されたとき、所司代はそれとなく、

「堂上の中に返り忠なされた方もあり、殊に伏原殿には、其方の學問に不審を抱かれてゐられる樣子。」

など、恰も卿が內通者であるかの樣な口吻を洩らした。

幕府の老獪な一派疎隔の好策であることは言ふまでも無い。

當然、卿に對して同志公卿や民間有志の疑惑の目は集つたが、深慮周密な卿は特に戒愼して、その渦中を遠去かり、新しき陣容の再建に今日までひそかな努力を盡して來たのである。

書見は終つたらしく、卿は暫らく目を瞑ぢて、深い思念を集めてゐるやうであつたが、やがて硯の蓋をとつて、一通の書狀を認め、文箱に收めると、手を打つて、侍臣を呼んだ。

「急いでこれを岩倉三位殿に屆け、乘物の用意を致せ。」

と命じた。

間もなく卿の乘物は、館を出る。

都大路は遉に正月の氣分が橫溢してゐる。

一昨年天明八年正月晦日であつた。團栗の辻から發火した火が二十萬の民家を烏有に歸し、內裏及び仙洞御所まで炎上させた。幸ひ內裏と仙洞御所は、松平定信の努力によつて、昨年の冬に造營を竣つたが、民間の復興は容易に進捗しなかつた。もう滿二年の歲月を經過してゐても、建物の無い燒跡が、目貫きの場所にさへ、いくつも赫黑い表土を曝してゐる。京童子達は其處に集つて、羽根をついたり、凧を上げたりしてゐた。

宣條卿は、乘物の中から、さうした京の町を眺めるともなく眺めてゐた。

「これが王城の地か。」

何か知ら憂愁に似たものが、こみ上げてくる。

禁裡の御領、僅かに二萬九千石、仙洞院宮は一萬五千石、その他御內跡から女中方尼御所、諸役人達の合力米まで合せて、京は僅に十二萬石に過ぎない。此の一大名にも及ばない

財源が、禁裡一切の御費用に充てられてゐるのである。その恩惠を蒙つてのみ生活してゐる京の市民達の暗欝な逼迫を、卿は行き過ぎる町々に、まざ〳〵と見るのであつた。

默然と深い想念に耽つてゐた卿が、ふと、何を發見したのか、急に御簾を上げて、顔を突出すやうにして、双眸を光らせたのである。

驚いて駕籠側が

「何か……」

と訊ねた。

「見い、あそこに佇んでゐる男を、珍らしい服裝致してゐるではないか。」

其處も亦燒跡の蕭條とした冬草の中であつた。成る程今頃には珍らしい烏帽子直垂に、箒太刀を佩いた男が、ひとり佇んでゐるのである。

「萬歳師とも思へませぬ。世の中には滑稽好奇の仁もあるもので御座居ます。何を眺めてゐるので御座居ませう。」

駕籠側の口邊に微笑が泛んでゐた。

卿の面は無表情のまゝ、その男から離れない。男もそのまゝ靜乎と動きさうもないのである。

「はてな……」

卿は訝しげに小首を傾けた。途端に、はつと胸を突上げて來るものを感じた。その男は、正しく御所に對つて、佇立したまゝ動かずにゐるのである。乘物は路の彎曲に從つて、男の姿を卿の視野から奪つて行く。

「風が冷う御座居まする、お閉め致しませうか。」

伏原卿はかすかに頷いて、靜乎と瞼をとぢる。とぢた瞼の裏に、今の男の古風の姿がくつきりと映じてゐた。

六

伏原岩倉兩卿は、額を寄せて、何事か長いこと密談に耽つてゐる。暮れ易い冬の陽射しに、もう黄昏の色が濃かつた。

「高山、その由承まはりますれば、嘸かし感涙に咽ぶで御座居ませう。」

「高山、歸邸致せば自分からよく傳へ度いが、餘り遲くなつてはと存ずる故、代つて貴方から傳へ下されい。」

伏原卿はそつと庭の陽射に目を落す。そこへ、

「高山殿が御歸りになりました。」と侍臣が報じて來る。

「早速此處に參るやう傳へたであらう喃」

「申しました處、衣服改め伺候致すと申されまして御座居まする。」

すると伏原卿が横から、

「心急いでゐる故、そのまゝにて苦ふないと申して吳れ。」

岩倉卿はふつと口邊に微笑を見せて、

「如何に高山とても、あのまゝの服裝にては、御前に出られますまい、暫らく御猶餘お願致しまする……」

伏原卿は思ひ當るものを感じて、

「何か變つた服裝でも……」

「舊臘、高山、邸に參りまして、烏帽子直垂等貸して吳れと懇望致しまする故、貸與へました處、此の新年は、それを着用致し年始廻りなど致して居りまする。月下に笛でも持たせたら、王朝の古さながらであるぞと大笑ひ致して居りますが本人一向に平氣なもので御座居ます……」

三位卿の言葉は半にして笑聲に變つたが、伏原卿の面は至極眞面目であつた。そして卿は途中でその姿を見たことも口に出さなかつた。

「高山が初めて儂を尋ねて參つたのは、二十年前の事であつた。その後今日までに幾多の儒者文人達が志を變へて東に買はれて行つた、だが彼だけは、その當時の志そのまゝを今日まで燃し續けて、一途に王朝の昔を慕ひ續けてゐる。聖火を相傳する者、嘸かしその服裝は高山に似合ふであらう。」

伏原卿の心からなる述懷である。

彥九郎が伺候した。敷居の外に兩手を着からうとするのに、

「ずつと近く寄れ、大事な事を申し傳へねばならぬ、近く寄れ。」膝元近く呼寄せて、兩卿は容を正した。

「高山、此度三位殿を通じて、御前に密奏申上げた其の方の建白、忝けなくも叡覽遊されましたぞ。」

彥九郎はその場に平伏した。感動とも感激とも形容のつかぬ暴風が、全身から湧起つて來る氣持だつた。

「主上には今日、その建白書を、ひそかに儂にお下渡し遊された……」

彥九郎は今一度平伏して、伏原卿の次の言葉を待つた。だが卿の唇は結ばれたきり、何時までも開かなかつた。

彥九郎は、はつと胸を衝かれた。怖しい衝動であつた。彥九郎は急に面を上げて、伏原卿の口許を瞶めた。氣の故か卿の唇が石のやうに堅く見えた。遂に彼は我を忘れて一膝にじり寄つて、

「恐れ乍ら、それに就て何事か畏き御沙汰でも御座居ましたら、何卒御聞かせ下さいませ。」と言つて叉平伏した。

「何事も御沙汰なかつた、唯御無言の中に……」

彥九郎の面は見る〳〵うちに、血の氣を失つて死色に變つた。全身がぶる〳〵と顫へて來た。

逆鱗に觸れ奉つたのだ。

如何に尊皇絕對の大信念から出でたるものにしても、草莽野人の身で…。大村永全もそればかりを恐懼し奉つたのだ。

──至誠神に通ず──餘りに思上つた氣持ちであつた。正しく罪は萬死に値するが自分は死によつて不敬の大罪を地下に射すとも、累は岩倉卿にも及ぶに相違ない。

彦九郎はそつと岩倉卿の面を偷見た。白い障子に反映する黃昏の淡い陽光をうけて、卿の面は水のやうに靜かだつた。

伏原鄕はやつと堅い唇を緩めた。

「高山、建白に就ては何んの御沙汰もあらせなかつたが、明後日の白馬の御節會を、高山とやらにも拜觀させてやれとの有難い御言葉を戴いたぞ。」

「は……あの……」彦九郎はぐつとこみ上つて來た激情に言葉は喉元で塞がれて、そのまゝひれ伏してしまつた。肩が波打つて來た。全身の戰きは止めやうにも止らなかつた。嗚咽の聲さへ洩れて來る。

「高山、多くは言はぬ、此の廣大無邊の御皇恩に報ゆるの道は唯一つ、滅死報國、進んで死處に赴くの覺悟を更らに深めるより他にないぞ。」

伏原卿の言葉は嚴かに、彦九郎の耳朶に響いて來た。

正月七日、彦九郎光榮の日の感激を、次の樣にその日誌に認めてゐる。

狩衣を着して朱の唐櫃に從いて、日の御內を入る。岩倉三位殿、平松三位殿と予を尋ねらる。亥刻斗に舞妓二人、處上を經て高舞臺の上にて舞ひ音樂あり、夜半に及んで白馬の御節會濟む、恐れ敬みて

御帳臺を拜し奉る、淸殿京上尊くぞありける。

此の時、主上も彦九郎にお目を止めさせられたことは、三月十六日の記事に、

泰安語るに、

あるとき高山彦九郎といへる者しれるやとお尋ねありける名おば久しく承まはりぬれども相識にはあらぬ由勅答申上げれば、聖護院の人となりて、舞樂拜見せしにや、佐々木備後守と並びて拜見せし、氣質は色々のものなり、など委しく知召してぞ有りけると語る……云々

寬政三年三月十五日恐れ畏み謹みてよめる

われをわれとしろしめすかや　皇の玉の御聲のかゝる嬉しさ

伏原、岩倉卿を中心に、薩摩遊說の準備は、尊號事件の推移と睨合せて進められた。

かくて彦九郎が、在京同志の大きな期待をその身に負ふてひそかに西國に旅立つたのは、寬政三年七月であつた。

此宿にいく日なれにしたび人や

今日の別れのさしもうからん

岩倉卿息女道子姬の離別を惜む送歌である。

編輯後記

◇同人諸兄の活躍目醒ましく、着々新文學の建設の具體的成績を示されることは心强い限りである。文建誌も、近來愈々充實し小說作品に、文學理論に、研究隨想に、健筆をふるはれ、編輯委員は大助り。この勢で原稿を送つて貰ひたい。

◇來月號に村雨退二郎君が「鹿島孝二論」を發表する豫定である。歷史文學の鬪將村雨君が、ユーモア作家鹿島君を論ずる作家論は期待して貰ひたい。

◇國民徵用によつて、戰線に活躍することになつた海音寺、北町、岩崎三君は〇〇にて大活躍をされ、北町君の南方通信は、婦女界、寫眞週報等に掲載されてゐるが、いづれ三君からの戰線だよりが、本誌上を賑はすことにならう。北町、海音寺兩君の所在地は本誌掲載の通りである。どしどし手紙を送つて欲しい。

◇本號には、會友蔭山東光氏の研究『國民文學としての歷史小說』を推薦原稿として掲載することにした。今後とも、熱心なる會友諸氏から研究、作品等がどし〳〵と寄せられることを希望するものである。

◇いつかも書いたことであるが、本誌の發行が次第に遲れてきた。これには種々の理由もあるが、しかし原稿が〆切日までに來ないのが大きな理由になつてゐる。〆切日の二十五日を絕對に嚴守して頂けると、二十六日に編輯して、すぐ印刷所へ廻すことが出來、餘分の手數も省けるので、是非とも二十五日を嚴守して頂きたいと思ふ。

◇本誌は、文學建設社の機關誌であると共に、文學界に於ける公器としての意識を以て編輯し、來月からは、本社調査委員の手によつて、每月の雜誌に發表された小說文學一覽表を發表する豫定である。

◇六月號は、恰度校正中に、編輯委員兩名が餘儀ない事情のために、旅行をしたりして、誤植が非常に多かつた。くれぐれもお詫びすると同時に、今後尙一層の注意を拂ふことにする。

文學建設 七月號（定價三十錢　送料壹錢）

昭和十五年五月六日第三種郵便物認可
昭和十七年六月二十五日印刷納本
昭和十七年七月一日發行
（每月一回一日發行）

東京市小石川區白山御殿町一一四
編輯兼發行人　岡戸武平
東京市芝區愛宕町二丁目九九番地
印刷人（東東二六九）黑部武男
東京市芝區愛宕町二丁目九九番地
印刷所　昭文堂印刷所

日本出版文化協會會員
（會員番號一二八五二五）
東京市麴町區平河町二ノ一
發行所　**文學建設社**
電話九段(33)三四一〇
振替東京一五六五九八

東京市神田區淡路町二丁目九番地
配給元　日本出版配給株式會社

定價　三十錢（送料壹錢）
半年　一圓八十錢（送料共）
一年　三圓五十錢（送料共）
送金は振替を御利用下さい切手代用の場合は一割增のこと

文學建設十月號（昭和十五年五月六日第三種郵便物認可）昭和十七年六月廿五日印刷納本（第四卷第七號通卷四十二冊）

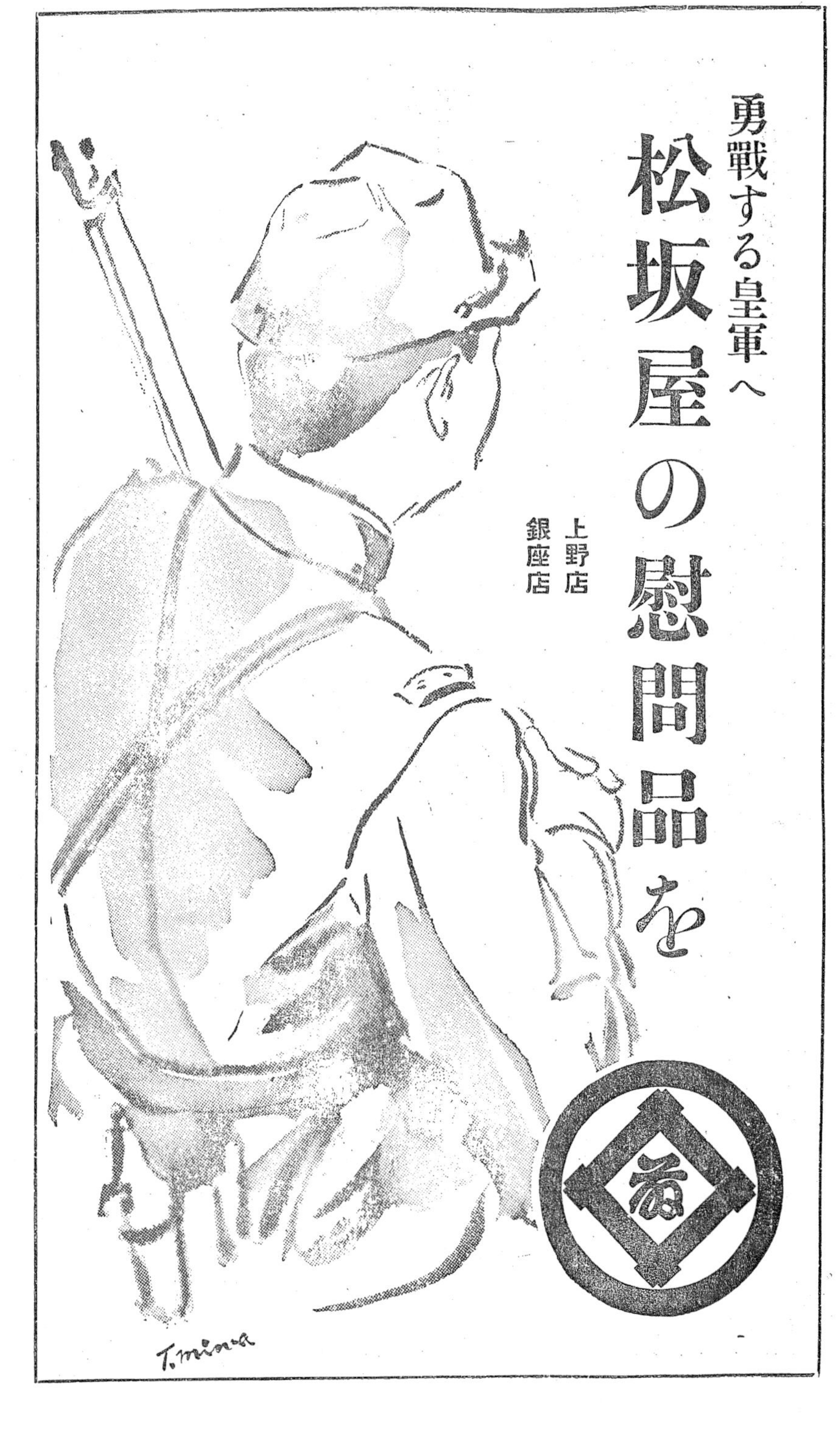

八月號

第四巻第八號

上野山内　戸伏太兵

花の歯車　鯱城一郎

（昭和十五年五月六日第三種郵便物認可）昭和十七年七月廿五日印刷納本　昭和十七年八月一日發行　文學建設　八月號

文学建設

第四巻 第八號

目次 【通巻第四十三號】

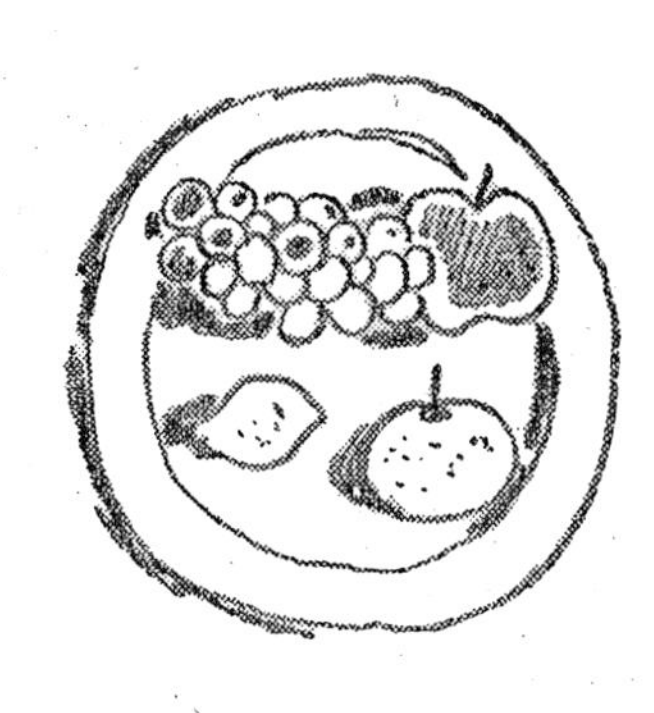

現代作家研究 7

木村荘十論

東野村章

1

ひところ、國策小說といふことが屢々言はれ、その肩書を掲げて登場した小說が幾つかあつた。決して、今日では國策小說といふ肩書がなくなつたといふのではないが、その當時に比べてあまり言はれなくなつたやうである。或は、われわれの眼に、そんなにも刺激的に觸れなくなつたからかも知れない。少くとも、雜誌の新聞廣告が都會の一流紙だけでも一定の小さなスペースの中に制限させられるやうになり、その小さなスペースの中では掲載の小說を誇大に宣傳することが出來なくなつたことだけでも、われ／＼の眼に觸れなくなつたのであらう。

だから、肩書小說が少くなつたと言はうとするのではない。むしろ、かうした狀態のうちにこそ危險なものを孕むでゐるのではないかとさへ思へるのである。

肩書小說の肩書は、大衆雜誌の場合、多くは宣傳のために雜誌社の宣傳部あたりがつけるのではないだらうか。一冊のうちの各々の小說、讀物の特異さを强調し、時代的色彩と興味、魅力とを結びつけ、內容を誇大に紛飾しようためにつけるのではないだらうか。ただ、內容を單的に明示しようと言ふなら、「時代小說」と「現代小說」と「探偵小說」の三ツぐらひに分けるだけでい丶筈である。

現在でさへ、大衆雜誌に載る小說を嚴正に批判する雜誌として「文學建設」以外にどんな雜誌があるか。ないのだ——。

ないから、さうした小説は無批判のまゝに過されてきたのである。批判のないところに進歩のあらう筈がない、まして、さうした小説には、宣傳の力による誇大な『評判』がついて廻つたのである。評判がよかつたといふことは、決して讀者の聲によるものではなくて、宣傳の力に躍らされた讀者の表面的な動きであつたのである。「いゝ」から評判になるのではなくて、「いゝかも知れぬ」期待を宣傳の力によつて持たせられたから評判になつたのである。さうした無批判と、誇大な宣傳に毒された作家の慢心と無反省が、どんな結果を招いたか。既に、御承知のやうに、さうした小説の衰徴と、さうした作家の轉落があつたのである。

考へてみれば、肩書の如何に恐ろしいかゞ判るのである。一度、轉落して了つたものが再び起ち上ることはない。あの期を境として、大衆雜誌の小説は變貌した。更に、最近になつて、重なる脱皮の相を窺ふことが出來るのである。

宣傳によつて『評判』をつくることが出來なくなつた現在、讀者の眞實の聲が、『評判』に誤魔化されることが少くなつた。また、讀者が、かつてのやうに無智ではなくなつた。無批判ではなくなつた。大東亞戰爭の包含する智性は、正しく美しいものを追究する。まだ、指導される批判ではなくとも、少くとも粉飾のない生地をもつて接することが多少でも出來たゞけで、喜んでいゝことゝ思ふ。このとき尤も、きびしい立場になつて、大衆雜誌の小説（あへて大衆文學とは言はない）を見、批判し、讀者も共に、大日本帝國の國民文學への創造に努力しなければならないのである。

さて、さうしたやうに、國策小説に限らずあらゆる雜多な肩書が少くなつたことはいゝのであるが、肩書としてゞはなく、內容としての、（つまり宣傳のために勝手につけたものではなく）國策小説といふものに思考を進めつゝ本論にはいつてゆきたいと思ふ。

2

「現在の東亞共榮圏內の民族の生活資材（中略）及文化財の供給は、從來米英國から行はれてゐたことは疑ひない所である。これ等の民族に今まで與へられてゐた生活資材、文化財は、今後は我々日本が賄はなければならないのである。……フイリツピンに、マレーに、泰にそれぞれ與へられてゐた文化は米英文化である。米英の小説、米英の映畫である。我々は一日も早くこの米英文化を凌駕する日本の小説、日本の映畫を與へなければならないのである」（戰爭の後に行くもの中澤巠夫）ところの將來の義務と同時に、現在の問題として「大東亞戰爭以來の飛躍的な國運の發展、驚異的な戰果の進

展は、文學にもまた一大飛躍を促してゐるのだ。象牙の塔にかくれて銀の笛を吹いてゐるやうな、獨善的な孤高な態度が許されないのは勿論、一切の個人的な立場、個人的な倫理觀を揚棄して、敢然、筆を抛つて蹶起することを我々は今、國家の名に於て要請されてゐる。否、我々のうちにあるもの、日本人としての血が內部から爾く我々の心を搖り動かして來たのである。この時代に生きて、この國家の動向と連繫しないやうな作品を恬として發表してゐるやうな作家は、文學者として無價値であるのみならず、皇民として漂泊兒であるといひ得る。自我的に固定した思想の殼を負つて、國難に殉ずることの出來ないやうな人間は今日の日本に於て生存價値がいのだ。而かも文學者の場合には、皇民としての自覺、國家目的へ協力する熱情の上に國防の一翼を擔當する一員として文筆奉公するといふ至誠と、自己の特技に依て大東亞建設に參畫するといふ矜持を以て作品してこそ、初めて文學者としての臣道を行く者と稱し得るのである。」(國民文學を文學の廣場に　村正治)ことが考へられるのである。其處で、更に突つ込んで言へば「皇民としての自覺、國家目的へ協力する熱情の上に國防の一翼を擔當する一員として文筆奉公するといふ」作家の心構へ、その精神は如何なる作品として現れなければならないであらうか。

銃を握る氣で、ペンを握るだけではならないのである。同時に『文學』として世界に誇るものでなければならないのである。文學は現在だけのものではない。發表當時の讀者の心に何かを與へようとするだけのものではなく、作者がペンを置いてから永久に殘るべきものでありたいと思ふ。發表當時も讀者の心を搖すつた。更に百年後、何百年後の讀者の心をも搖するものでありたいではないか。

國家目的へ協力する熱情と共に、文學の熱情がなければならないのだ。武器である銃を作る者が、細心の注意をもつて、より正確な銃をつくることが奉公であるやうに、文學者がペンをもつてよりよき文學をつくることが奉公ではないだらうか。無論、そのなかに國家目的に協力することは含まれてゐる。全部の作家達がその精神で努力してゐる筈だからあらたまつて『國家小說』といふものを特に一ツの『型』のやうにしなくてもいゝと思へるのであるが、小說の範圍の廣さが、さうした一ツの『型』をつくらせたのであらうか。

國策小說といふのは、國策を描いた小說として此處では考へたい。

小說家が、その技術をもつて國策に協力するといふことと、文學者が文學をもつて國策に協力するといふことは違ふのである。このことを考へるときに僕は、木村莊十といふ作

家と作品を幾度か頭の中に浮べないではゐられなかつた。

3

昭和十七年に這入つて今日までの木村莊十の六ツの作品のどれをとつても、そのことを考へないではゐられないのである。

「沙漠の聖火」―「大空に捧ぐ」―「スコール」―「友情」―「大星港」―「海戰」の六ツは、慥に國策小說なのである。作者は、そのあらん限りの空想力を驅使し、美しい言葉を拾ひ、その技術に血をしぼつて、面白く讀ませよう、感動させようと努力し、それらを溶け合はせ、結び合つたところに何を描かうとしたか。

大衆雜誌の小說家達は、創作に對して語る機會もなく、その舞臺も與へられてゐない。默々として、たゞ作品を發表することしか出來ない。だから、木村莊十が、この六ツの作品に對してどういふ意圖があるのか聞くことが出來ないのである。僕は、だから、作品を通じて感じたところを書くより方法がないのである。

「沙漠の聖火」は『東に大戈壁の沙漠を横たへ、西にソ聯の中央アジア地方と境を接してゐる新疆省の[illegible]都、迪化府の冬』に物語ははじまる。『沙漠の暑熱と、大陸性の[illegible]寒とに、皺へあげられた赤銅色の皮膚――厚い防寒外套の上からも察しられるほど頑丈な骨格をもつた著者が、ふと通りかゝつた家畜の市で亂暴をして支那人の將校を、見事完全に伸ばして了つて娘を救つてやる。或る阿片窟で、再びその娘とめぐり合ひ、二人は名をつげ合ふ。若者は『吾々が今、密かに同志の者と、總ゆる條件に就て豫備調査をしてゐる、中央亞細亞横斷鐵道の計畫が實現して、北京、包頭、甘州から、この新疆吐魯蕃の曠野に鐵輪を轟かせ、アフガニスタンを越え、イランを貫きイラクのバグダッドに鐵路が通じてトルコからベルリンにまで連絡』せんとする熱情に燃へ、娘は『今から千餘年前、この地下に埋つてしまつたといふ大宛國の吐魯蕃族の子孫』であつた。若者は、娘『一族が發堀した秘密の場所』に案內されて、その精緻な美しさに呆然とする。そして城壁の眞下に石油を發見したことから岩山の中腹にある窟の中で、聖者といはれる老人とあひ、この老人は入露のまゝ行衞不明を傳へられてゐた大陸の先覺者で、二十五年間、心血を注いで踏查見聞した調査を若者に與へる。

御都合よく物語は、偶然の連がりのうちに進展し、その中で金鑛や砂金、大油田、成吉斯汗と興味的な挿話を巧みにとり入れ、時局的な感興をもりあげる。

この中で、特に注意を惹いたのは次の一文である。『一體

眞の文化人といふ名は、誰に與へられるものなんだらう。……他人の創り上げた文化を消費するだけで、この世に何一つ作り出さず、あの氣の利いた生活といふやつに醉つて、一生を空しく終る人間のものなのか。あるひは又、逞しい意志と力で、荒野や、工場や、書齋に、生みの苦難と闘ひながら新しい文化を「造しようとする人間のものなのか……』と、いふ作者の文化に對する言葉が『?』に終つてゐるやうに、この熱血的な小説が文學であるかどうかは、矢張り『?』で終るのである。

「大空に捧ぐ」は、上海を舞臺に支那人の女アナウンサーが抗日團の巣を報せて死んでゆく物語。

「スコール」は、泰の國境近く、ビルマ油田が伸びてゐるといふムアンフアンの町から十キロ南、米國人の技師のからくりを一新聞記者が勇敢に探査してあばき出すまで。

「大星港」は、皇軍進擊下のシンガポールに、逮捕を遁れた一邦人がマレー人の女と知り合つたことから、その女の一族のうちに入ることゝなり『米英人約一億八千萬人、吾々アジア人は約十億五千萬人ゐるが、米英人は六分の一の人口で地球の大半を占領してゐるのに、十億餘萬のアジア人は、その一割の六百萬平方哩あまりの土地しか持つてゐないのだ。しかも最も大きく、最も貪慾に諸君の土地を奪つたのが英國なんだ。いま彼と闘はなければ何時の日に闘ふ時があるか……諸君の各々が、一身一族の安居ばかりを願つてゐる隙に、マレー人全體は刻々と亡びつゝある』と叱咤。ジョホール橋爆破と共に進擊の日本軍のもとへマレー人のタラパン（先の女の兄）と行動をともにして進み、日本軍に英軍の配備や地圖を報せる。熱血と冒險の物語。

「友情」は、いまゝでの四ツの作品とは、すつかり趣きを異にして、ハワイ空襲の少年航空兵と同期の息子をもつ指物師は、息子が訓練中に殉職したのを殘念がつて、仕事もせずに酒を飲んでゐたのが、息子の僚友が、ハワイ空襲の際、息子の寫眞をもつて行つて呉れたといふことに感激、申譯なかつたと改心する。

「海戰」はニュース小説と銘うつたものである。鈴鹿中尉は驅逐艦航海長に任命され晴の出征の途中、列車事故のため乘艦遲刻をして了ふ。出航までに二日の餘裕をみてゐたのが緊急出航のためである。妻はその報せの轉電をしなかつた責任を感じて自殺するが、未遂に終る。僚友の計らひで漸く許され出發の命令が下る。××の根據地を出港して四日目、亞熱帶の海で、敵驅逐艦に遭遇、壯烈な戰鬪が開始され、敵艦を擊沈、欣びのうちにニュースを聞くといふ物語。

4

昭和十七年に入つて、矢つぎ早やにこれらの作品を發表してゐる木村莊十の精力的な仕事振りには感嘆せずには居られない。極く簡單にではあるがそのテーマを述べたやうに、この六ツの各々の作品とも共通に感じられることは、時局的興味を巧みに盛り合はせつゝ國策的な（常識的であるが）感情をかき立てる結末へと筆を運んでゆくことである。正義の感激、愛國の感激は、廻轉するスリルを潜つて、炎の舌のやうに躍るのだ。

移りゆくフイルムを眺めるやうな、テンポの早い描寫と、判つたやうな氣のする理論とが、めまぐるしく交錯する。此處では、次へ次へと移るスリルの流れのために、ゆつくりと味つてゐる暇はない。かうなるだらうと、物語の先が判り、たとへさうなつても不滿を感じさせないのである。作者の筆は、縱横に讀者を引曳り廻すのである。その技術は、素晴らしいものである。

もし、小説家に與へられた現今の使命が、その技術をもつて國策に協力することであるなら、これらの作品は、そのよきこゝろみとなるのではないだらうかと思ふ。

しかし、小説家が職人や職工でない限り、技術だけが小説家の小説に對する全部ではない。そして、小説に於ける興味は巧みな手品師の魔術のやうな興味だけではない筈だ。

大衆を相手とする雜誌の小説が、分りよく興味的でなければならぬとする主張は、決してわれ〳〵も反對するものではない。むしろさうなければならぬとは思つてゐる。が、興味そのものゝ性質が、考究されてこそ進歩が望まれるのであつて、魔術やスリルの興味だけが興味ではないのである。

小説が文學の香氣をもたねばならぬと共に、小説家は、文學の世界に於てその本分を盡すべきではないだらうか。

「彼の描いた人物において、形は、われ〳〵人間の場合と同じく、いろんな思想感情、つまり廣やかな詩趣を表現するための手段だ。彼の描いた人物は、それ〴〵一つの世界だ。それ〴〵一つの肖像だ。そのモデルは、ある崇高なまぼろしのなかで、光り耀いて彼の眼の前に現れたのだ。內心の聲がモデルを名指し、天上の指がその覆ひを取り去つて、モデルの過去の一生中に表現の種々の據り處の存することを指さして教へたのだ。君達は、君達の描く女に美しい肉じしをおき、美しい髮の毛をまとはせる。だが、靜けさや情熱を生む血はどこにある？　特殊な効果を惹き起す血はどこを流れてるのか？　君の聖女はもともと栗色の髮の毛の女だ。ところで、

この繪ぢや、ボルビュス君、ブロンドの女になつてゐるぢやないか！　だからいふのだよ、君達の描く人物ときたら、色を塗つた影の薄い幽靈で、そいつを君達はわれ〳〵の眼の前へさまよはせてみせる。しかも君達はそれを繪と呼び、藝術と稱するのだ！　つくりあげたものが、家の恰好よりはまだしも女の恰好に似てるといふ、ただそれだけの理由で、君達は自的を達したと思ひ込んでしまふ。そして、君達の繪のわきへ、もはやむかしの畫家のやうに、クルスヴエヌツスとかブルケルホーモとか書き入れるには及ばないといふので、すつかり有頂天になつてしまつて、俺は實に驚嘆すべき藝術家だなど〳〵自惚れるのさ！　ああ！　ああ！　君達はまだ〳〵よ。そこまで行くには、クレイヨンもうんと使ひへらし、カンヴスも思ふさま塗り潰さなくてはならないのだ！　さうだ、女といふものは首をこんな恰好にかしげることもある、スカートもこんな風にして持つこともある。眼ざしもそのやうなへりくだつた優しさと融け合つて、やはらいでることもある。睫毛のこまかく顫へる蔭も、そんな風に頰に映つてることもある！　全くその通りだよ！　それでいゝ。しかも、それでは駄目なのぢや。何が缺けてゐるのか？　なんでもないものが缺けてゐる。が、このなんでもないものが實はすべてだ。君達は生命の外觀だけは捉へる。けれど、溢れ出る生命の過剩を現すことはできない。多分は魂であつて、外觀のうへに雲のやうにたゞよつてる、なんともわからないもの、――一口にいへば、チチアノとラフアヱロが摑まへた生命のあの花、それが君達には現せないのぢや。君達が到達した極點から出發すれば、素敵な繪ができるだらうて。だが君達はあまりに早く厭きすぎる。俗人は喝采するだらう。しかし、本當に眼のきく人は笑ふばかしだ。」（知られざる傑作、バルザツク）

西暦一八三一年頃のこの言葉は、いまでは理解出來ぬ言葉になつてゐるであらうか。

5

木村莊十とバルザツクを並べて、どうから言ふなんてことは出來る筈のものではない。先に抜き書きしたのは（なんでもないものが實はすべてだ）の言葉を書きたかつたからに他ならない。

この作家論は、たゞ、木村莊十の作品を紹介しこの作家の描く世界を檢討しようとするだけが目的ではないのだ。今日ほど日本の文學といふことを眞劍に考へられたことが嘗つてあつたらうか。さうなのだ。今までのものに、眞の日本文學の價値あるものとして誇ることが出來ない作品が多いから、

なんとかしなければならないといふやうな、そんな生やさしいことではなく、理想を實際へと近づけるための彈丸の一部としてありたいために、その研究對照としてこの作家をもつてきたのである。

木村莊十の作家としての心構へ、更にこの作家の作品がもつ精神が、問題となつてくるのは仕方のないことであらう。

この作家は、『雲南守備兵』をもつて直木賞を得た。こゝろみにこの時の直木賞銓衡委員の意見をみると、吉川英治が大體纏つた意見をのべてゐる。「……漸く木村君のもつてゐる空想力とかなり骨の太い構成的手腕が搏脈を示して來たやうに思はれる。いはゆる纖細な味や香氣には乏しいが、それは他作家に讓つても、この作家のつらぬく道はいまこの人自身拓き始めたといつてよい。これは一種の暴露的小説ともいへるものだが、その取材と効果の目標を、敵國又は敵性國家に置く場合は、ひとつの國策小説として、現下の民衆に作用し得るといふことも、文學協力上おもしろい問題の一つかと思ふ。もちろんこれは直木賞への推薦理由とは別問題としてである。私は雲南守備兵その他、この作家に囑目する所以はすでに一度大衆文學の素材域としては古くもなり荒されもして顧みられなくなつた所から新しい傳奇小説が單なる傳奇にとゞまらず時潮的意義を併せ持つて、しかも讀者のロマンチシズムの欲求も充してゆけるであらうといふ期待にある」

もし、直木賞が、芥川賞とともに一雜誌社の宣傳的機關としてゞなく、嚴正に今日の日本の文學を讃め、今後の文學への指導的立場にあるとするなら、(さう信じてゐる一人であるが)この推薦理由をそのまゝ受けいれることができるであらうか。決して、木村莊十が直木賞に價するとか、しないとかを今更らもちだしてみる氣は毛頭ないのであるが、この委員の期待を檢討してみる必要はないであらうかといふ疑念をもつてゐる。

「雲南守備兵」は、この作者のもつ技術を最高度にまで發揮してゐるかと思はれるほど磨かれた作品であつた。この作品には、これまでの作品に感じられぬ味はひが一定の濕度をもつて最後のピリオドにまで失はれないでゐる。孫軍曹と弟との肉親の血の交流は、憎いまでに描かれてゐる、慥にいゝ作品と言へることが出來るのである。たゞ、もう少し文學的香氣といつたものが欲しかつた。

新しい傳奇小説が時潮的意義をもつことに今日これほど眞劍に考へられてゐる日本の文學の、たとへその一分野にあるとしても、期待すべき何かゞあるであらうか。

僕が感じた良さに對しては、誰も觸れてはゐないで、國策

に協力したとか、傳奇小説がどうとかといふことしか問題にされてゐないのは何としても殘念である。

再び言はう。作家が文學をもつて國家に盡くすといふことゝ、作家がその技術で國策を啓蒙することゝは違ふのだ。

6

「安全な日本の都會に住み、銀座の有樣などを見てゐては、自分の生命財産が、今何人によつて護られてゐるか、切實にそれを感じることさへ、誰にも鳥渡難しいでせう。とは云へ自分達の環境を、正しく自覺せずに生活してゐることは、何と言つても全き生き方ではないでせう。かう云ふ問題になれば、作家にも發言權はありさうです。私は、その意味において、この物語の興味の中で、諸君の眼を數分間でも海外に生きる同邦の上に轉じさせようと試みました。(中略)平穩な起居の間では、到底應じられない、あるものを、多少でも讀者に印象づけることが出來ればと」彼は、「雲南山派」—「倫敦」——「上海」—「樂土哀史」—「軍服なき兵隊」—「裏街の戰友」—「戰慄の夜」—「蒙古包の夜」—「南京の小姐」—「赤道海流」—を書いてゐる。「裏街の戰友」が少し他の作品とは變つてゐる。サンデー毎日、オールの入選から作家へのまだ本當の未完の時代の彼のものがこの作品を最後にして現在のものへ移り來たとみることが出來ないだらうか。

これらの作品のどれもが面白い小説であつた。物語りとするための、或は解決と、經緯のための『偶然』をさへ辛抱すれば。

もう何年か以前に『偶然』の自然、不自然に就いて論議されたことがあつた。『偶然』を避けたことから『事實は小説よりも奇なり』といつた名句も作られたやうに思ふ。『偶然』は慥にあり得べきことなのだ。現にわれ〳〵は日常、たへず經驗してゐるところのものである。

そして小説からそして小説から偶然をとることは、日常の生活から偶然を失くすることが出來ない限り出來ないことである。が、しかし、小説の場合には、その『偶然』も自然らしさをもつてこそ生きてくるのである。

いま、あげた作品を通讀し、しば〳〵の『偶然』に、作者が作品を面白くするための手段としてこればかりを據りどころとしてゐることをみるのである。併し、それは作者にとつて小さな問題でしかないやうである。「平穩な起居の間では、到底感じられぬ」ものを描くためには、さうしなければならぬのであらう。

「あるものを、多少でも讀者に印象づける」といふ、そのあ

るものとは何か、そのあるものを、映畫のフィルムのやうにキラ〳〵と廻轉させ、やがて消えて了ふところの興味の中に盛りあげることによつて、滿足してゐていゝであらうか。頁をふせると共に忘れられるあるものであつていゝであらうか。

作者の意圖するところは、先に轉記したやうに「物語の興味の中で、諸君の眼を數分間でも海外に生きる同邦の上に轉じさせよう」とするのであつて、その點では、そんなに失敗してゐる作品はないのであるが、數分間でもいゝといふ作者の意圖が、作家としての意圖として決して最高のものではないことに心づかれることゝ思ふ。あるものが日本人として大切なものであればある程、數分間ではなく永久に讀者の腦裡に殘るものであつて欲しいではないか。

そして、それが出來るのは『文學』の力でなくて何であらう。

僕は、此の作者が、さうした數分間の作品しか書いてない作家だと言はうとするのではない。この作家には、まだ未來があるのだ。これからの仕事に期待することだつて出來るのである。

しかし、僕の場合は（傳奇小說）云々の期待ではない。國民文學をめざして、われ〳〵は熱情をもつて進まねばならないのだ。何故、國民文學でなければならないか。いまゝでの小說が、めざす國民文學と、どの點で異ならなければならないか。それは、いまゝで述べて來たところで、その一部を大體、具體的に說明してきた心算である。

木村莊十を論じ、木村莊十を對照として、考へてきた國民文學は、いまゝであげたこの作家のどの作品とも近いものではなかつた。國策を描き、軍人精神を說き（高鳴る太平洋―講談倶樂部六月號）敵國の弱點を突く彼の作品が、しかも、國民文學と言ふことの出來ぬ理由は何であつたらうか。

だが、期待できるものがある。といふのは「成瀨一等兵曹」といふ作品は彼はもつてゐるからである。だからこそ、此處に彼の論を書く理由もあると思つたのである。

「成瀨一等兵曹」の良さは、『これだ、今の日本に必要なものは、この力だ。犧牲と、共同と、狂ひのない、がつしりとした組織と……』航海長の心の中の叫びが、沁み沁みと胸をうつてくるだけの迫力が、決して、芝居氣たつぷりのセリフになつてゐないことであると思ふ。（終）

文學建設

×

新らしい大亞細亞の建設が、有終の美をおさめるか、おさめないかは、わが文化人による文化戰爭の勝敗如何にかゝつてゐる。今こそ、日本の全文化人を動員し、亞細亞的規模に於て、雄渾なる文化戰爭の開始が宣言されなければならない。

×

日本文壇を中心として、東亞の文學者を結集し、大亞細亞建設の文化戰爭に動員せよとは、我々が常に主張してきたところであるが、此度日本文學報國會が、東京に大東亞文學者會議を開催することとなつたのは、實に近來の會心事である。

×

希くは、會議を、單なる一時の催しに終らしめず、恒常的な相互關係を形成する一つの獎機として活用し、諸民族の文學の交換、亞細亞的文壇の結成といふところまで推進するやうに指導して欲しい。

×

文化程度の低い諸民族へ、即座に日本の文學を輸出することができないと云つて悲觀することはない。文學者の仕事は、第一義的な文學を持つて行くことばかりではない。先づ當面、諸民族の實狀に應じた仕事によつて大亞細亞の建設に協力すべきである。

×

南方には、カナモジが、日本語と共に非常な勢で普及してゐる。カナモジの面白い本を送れといふ現地の要求に對して、作家歌人、俳人、詩人は、日本民族の、精神、生活及日本の自然ならびに社會を傳へる平易な本を作つて、これに答へたい。かういふ仕事は、繩張爭ひをすべきことではないから、良いと思つたら、直ぐに實行して欲しい。

×

「興味性」の一點を最後の牙城として、野卑低劣な舊大衆文學が、必死の抵抗を試みてゐる。舊思滔が、隱微の中に、いかに人心を蠱毒してゐるかといふ點には思ひを到さず、ただ「興味性」の濃淡のみに目を奪はれる商業主義的出版業者が、これを支持してゐる。出版界のインフレ的傾向が、盲目的な無名作家登庸が、更にこの舊文學の支柱となつてゐる。

×

既成作家が、悉く古く、新人が例外なく新らしいといふ考へ方は、あまりに單純に過ぎる。老ひて倍々新らしき作家があり、新人にして舊文學の亞流にすぎない作家もある。要は、文壇經歷の多少、年齡の長幼によるのではなく、その箇々の作家によるのである。

×

時代小説――歷史文學の作家が缺乏してゐるといふことは、歷史文學に對する需要の旺盛な現狀に照らして云はれることである。和田芳惠君が曾て、歷史文學の衰滅を

豫言警告したことは、ある意味では外れ、他の意味では的中した。

×

作家の缺乏は、歴史文學創作の條件がむつかしくなつて來たからである。以前のやうに易々と手輕に書けなくなつて來たからである。さういふ風潮を作つたのは文學建設だよ――と戯れに云ふ人がある。我々も亦、笑つて答へる。然り！ と。

×

救ひがたく低級な在來の大衆文學を文學の大道に復歸せしめるために、文建運動は興つたのだ。文建運動は、際限もなく墮落しつゝあつた大衆文學の濁流に抗して起つた必然の運動である。歴史文學が手輕に書けないものになるのは、文學の水準が高くなつたことであつて、決して悲むべきことではないと確信する。

×

同じ作品を、異つた形式で、二度も三度も出版することが問題になづてゐるやうだが、これは簡單なやうで簡單でない問題だと思ふ。

×

岩波文庫のやうな形式で、品切になればすぐ重版するといふ風になつてゐるものは異つた單行本で出版しない方がいゝやうにも思はれる。しかし一度單行本で出たものでも、發行所が重版せず、品切になつても放つてをくやうな場合は、別な所から發行しても差支へない筈だと思ふ。殊に、雜誌、新聞等の定期刊行物に掲載された作品を單行本にして出すことは決して制限されるべきでない。定期刊行物は、文字通りある一定の時期、新聞なら、部分的にはただ一日、全體としても五六ケ月しか、その作品に觸れる機會は無いし、雜誌なら一ケ月しか無い。それでその小説の役目は終つたといふ考へ方は、文學を藝術と見ないで、宣傳ポスターやニユースと同一視するものである。

×

良書惡書の選擇は、別な方法で行はれるのだから、公刊を許されてゐるものは一應良書乃至準良書と見ていゝと思ふが、讀者は、讀みたい小説を容易に購讀することが出來る、その代り現在他から刊行されてゐるのに、同一内容の（乃至は甲と乙の内容を取替へたやうなもの）單行本を二種も三種も出さないといふ具合であつたら理想的ではないかと思ふ。もつとも全集については別に考慮しなければならない。

×

良い裝幀を奬勵する意味で、裝幀者にも印税を支拂ふやうにしたいものである。さしあたり文協などの仕事だが、印税制度が急に實現困難なら、せめて文協による優良裝幀の表彰だけでも實現して欲しい。

×

小説のルビ廢止は、既に綜合雜誌、文藝雜誌以外に於ても實現してゐる。大衆雜誌一般にこれが徹底する日も遠くはあるまい。ルビ廢止に伴ふ小説文體の變革といふことが、文壇の課題として採上げられる日もこれまた遠くはあるまい。敢て先見の明を誇るに非ず、ただ現前の實狀を傳ふるのみ。

史傳と歷史小說

―客觀と主觀の問題―

村　正　治

A　固苦しい題を出したが、暑い際だ、寢ころんでも讀んで貰へるやうに、こつちも浴衣がけの寛いだ對談でやつて行つては？

B　よからう、それぢや、先づ史傳小說と歷史小說の違ひといつたやうなところから、御高說を伺ふかな。

A　それだよ、一體、史傳小說なんて誰が云ひ出したんだい。史傳小說なんて小說があるか、あゝいふ一類の作品？を小說といひ得るか何うか？　といふことが先づ問題になる譯で、この間、K社の編輯當局とうちの歷史文學作家とが集まつた席でもネ、大分、議論に花が咲いちやつてネ、僕など大いに勉强になつたんだ、それで、今日は一つ其の受賣りをやつて、君を啓發してやらうとおもつてネ。

B　それで僕を態々呼出したつて譯か、太郎冠者あるか、御前に候てつな、有難くない役だが……何事も勉强だと拜聽するかな、それで、いまの史傳小說と歷史小說の差異つてのか、M氏など何ういふ意見だ？

A　さあ、それが一杯きこし召し乍らの頗る和かな會でネ酒が出るビールが出るといふ豪華版でいさゝか意識が朦朧としてゐたので、M氏が斯う、N氏が斯う云つたとハツキリ記憶してゐないんだ。第一、僕自身何んなことをしやべつたのか、おもひ出せない程だからネ。まあ、皆の云つたこと、僕の考へてゐたこと――考へてゐた位だから酒の加勢もあつて、滔々と辯じ立てたのぢやないかと恐縮してゐるんだが、まあ、そのカクテルだともおもつて聞いて貰ふかな。

先づ、史傳小說といふ小說が在り得るか何うかといふ問題だが、これは、一應、史傳といふものと小說といふものを切離して、その各々の性格を研究して見ると、案外早く解決の鍵が摑めるのぢやないかなア。

B　それぢや、史傳とは貴殿の意見之れ如何と行くかな。

A　之を一言にして云へばだネ、歷史上の事實、或は人物の忠實なる、再現、とでも云ふか、之れは誰が定義したつて先づ動かないだらうなア、唯、少しも主觀を混へない忠實なる再現であるが、その方法がネ、表現の構成なり手法が小說的で、現實感を强め印象を新鮮に、讀者の感銘を深くしてゐるやうな場合、それだけのことが加味されただけで、史傳が小說に飛躍し得るか、何うかといふことだね。

B　史傳とは何ぞや、といふことはそれで判つたやうだ。すると、史傳が小說たり得るかといふことは、後の小說とは何ぞやといふ問題を解決すれば、自然に解決するといふ譯か。

A　さうだ、それを解決すれば、自然、史傳が……何だ、洒落のつもりだつたんかい。小說とは何ぞやといふことを檢討して、先刻云つた史傳の定義と睨み合せれば自ら解決が着くのぢやないかネ、然し、それぢや、小說とは、と開き直られると、この暑いのに少々うんざりさされるからネ、一足飛びに歷史小說とは、これ如何と片附けて行くことにするよ、ええと、之を定義的に云へばだな、史實たる現象を素材に拉し來つて作者の主觀を盛り、其の意圖する主題を活かすために史實を驅使した小說、とでも云ふかな。

B　大分ごた〳〵するな、史傳の場合のやうに、一言にしてといふ譯には行かないのか、

A　そこが何しろカクテルだからネ、判り易くいふと、材を史實に求めながら、作者の主觀に依つて、史家的解釋とは異つた獨自の解釋を以て歷史的現象に新しい生命を賦與するとでも云ふかな、史實の再現ぢやない。史實を素材としての人生觀なり世界觀なりの創造だネ、史傳の場合は何んなに巧く書かれてゐても讀者の受ける感銘は、まるで現前に見るやうに鮮かに書かれてゐるとか、詳しく頭腦に入り易く書かれてゐるとかといふ限界に止まるのだ。それが歷史小說の場合では、成程、斯ういふ觀方もあるなアとか、成程、これが眞實の人間の姿だとか、人間心理の探求發見に感銘を受けるのだ。

B　少し頭に入り難いが、斯ういふ風に云へないかなア、史傳はいくら巧く書いてあつても、歷史といふタネを食はせるために、ころもを美味しくした天麩羅に過ぎない、歷史小說は逆に、歷史といふころもで作者の主觀を揚げた天麩羅だ

とネ。

A　成程、頭腦に入り難い奴には口から入り易くするかなア、然し、主觀客觀といふことになると、之れがまた限界のハツキリしない問題があつてネ、仲々難しいことになるんだ。例へば、先刻、史傳を少しも主觀を混へない忠實なる再現、といつたが、絕對的な客觀なんて果して有り得るかネ。

B　鷗外の前期の作品など、『創作のなかに自己告白をしない。告白したい自己を有してゐないから遊びの文藝だ。情熱のない作品だ』と非難されてゐて、先刻の定義で律すると史傳の方に入れられなければならぬ純客觀的な立場で扱つてゐる作品が少ないネ、例へば堺事件など何うだネ。

A　鷗外の前期作品への非難に對しては正宗白鳥氏等は鷗外の全作品を通覽すると、その一生の自己が、自己告白を目標とした作家の作品に劣らないほどに現れてゐる』と辯護してゐる。それに鷗外自身の所謂沒想小說を評した言葉の中で『沒想小說とは想の至大なるもの、想なきもの想なきもの、想なきにあらず想に充てるものなりと云ふ。われより見れば是れ眞の小說なり』と云つてゐるんだ。樗牛の『表面、想なき如くにして而もそこに博大な道義的觀念を盛つたものが沒想小說だ』と云つたのに、我が意を得たりと應じた言葉のやうだが、斯ういふ鷗外の言葉を意識して見ると、堺事件にしても、あの史實その物が人間の宿命を考へさす——籤をして切腹する者が不幸か、生き殘る者が幸福か、といふ主題を示すものとして採り上げられたのぢやないかと考へされるの。だ。阿部一族にしても殉死に對する作者の批判がないやうで、その實、殉死が惹起したトラブルを書いてゐること、それ自體が大きな批判だとも考へられるのだネ。

B　成程、さういふ筆法で行くと純客觀的小說なんてものは存在しないといふことになるなア。

A　さうだネ、忠實に正しくあつたがまゝに書くといふことは、その本人自身でない限り絕對に書けない。本人自身にしたつて、時を隔て心の動きを經てから表現するのぢや、旣に絕對的のものぢやなくなるからなア。

B　さうなると——絕對的の客觀なんてものはないといふことになるとだネ、逆說的に行くと、史傳も亦小說なりといふことになるのではないかね、主觀が入つて來るといふ點でネ。

A　それは史傳にしても、現象の全部を盡く無秩序に羅列しただけでは體を成さないのだから、現象を選擇し、之れを配列構成するといふ史料の整理過程に於て筆者の主觀が加はる。それに第一、例へば原田甲斐を書く場合、之れを忠臣として書くか奸臣として書くか、正說異說二つに岐れてゐるや

うな場合何れに即して採り上げるかといふ點に、大きな主觀が下される譯だ。然し、史傳の場合は初めに云つたやうに、正說異說何れを採るにしても史料に表れてゐる現象を離れないで書かれる。といふことが第一條件になるんだネ。

B　さうなると、歷史小說の場合は史料に表れてゐる現象からの飛躍を許される、といふことになるのか？

A　いや、史實からの飛躍は歷史小說と雖も許されないネ、歷史小說が歷史から浮き上がつた場合、それは歷史小說とは云へなくなる、菊池寛氏が、讀者のファンタージーを破らない程度になら史實から足を踏み外してゐてもいゝ、といふ意味のことを云つてゐられたが、あれは時代小說になら兎も角、歷史小說に對する言葉ぢやないとおもふネ。だから、あの人の歷史的作品には時代小說ではあるが、歷史小說ではないものが相當あるネ。斯ういふ觀方が許されるかと、讀者を驚かすやうな新しい、異つた觀方で歷史的現象を扱つてゐる場合でも、それを證據づける史料なり考證の用意されてゐる事が歷史小說の場合には必要だネ。

B　さうすると、初めに云つた史實を驅使するといふのも其の限界內に於てのみ許されるのだネ。

A　さうだ、史實を創造するんぢやないんだからネ、史實として確認されてゐる現象、或ひは確認せしめ得る新しい史料に據つて、作者の意圖する主題を盛る——それが歷史小說としての正しい態度だとおもふな。

B　結局、主題の有無といふ點に歸着するのかネ、それぢや、其の主題とは？

A　川端康成氏は斯ういつてゐるネ、『何か自分の性質に深く發するものが環境とぶつかつて音を立てたやうになる。この音こそ作品の主題と言はれていゝものなのである』と、歷史小說の場合、この環境といふのが史實といふ言葉に代置される譯だネ。

B　然し、逆に作者が現在の環境に依つて得た主題を史實といふ衣裳を裝はさして表現するといふ行き方もあるネ。

A　龍之介の作品などにはさういふのが多いネ、然し、今の實作家の行き方を觀ると、史實の中から自分の性質に觸れて深く音を發するものを發見して行く、といふ方法に據つてゐるのが多いネ、中には深く音を發する、といふのぢやなくこれは面白いぞ、といふ現象への興味だけで飛びついて行くのがあるのだ。だから、同じネタが何人かの作家に依て、何の變り映えもない作品として現れるやうな結果になるのだ、あの作者の書いたものよりこの方が味がある、文章が光つてゐるといふ程度の違ひで、落語の鰻屋を文樂が演るか、柳橋が演るかといふだけの違ひに過ぎないんだ。

B　さうだネ、小說として、主題の採り上げに何の新味もない。唯、文章の味や筋の組立の變化だけで、同じ史實の上を堂々廻りしてゐるやうな作品が簇出するので、史傳小說といふやうな曖昧な稱呼が頭を擡げて來たんだネ。

A　ジヤナリストの側からは、讀者を動かす感激が盛られてゐれば採り上げてよいぢやないかといふ意嚮があるんだが、これはM氏もハツキリ云つてゐるやうに、現象そのものから受ける感激と、小說として現されたものから受ける感動とは區別してかゝらねばならないネ。

B　さういふ區別の混亂した間隙を行く感激的な譚が、小說的なところもで揚げられたものを史傳小說と呼ぶことは許されないかなア。

A　何だ、また元へ戻るのか、君には何うも、矢張り、小說とは何ぞやといふところから啓蒙して行く必要があるネ。小說もわかりもしない者に歷史文學の話をしても仕方がない。ヤレヤレ、無駄をしたぞ。ならば、今度、頭腦のいゝ時に小說の話をよく話してやるかな。

B　さうだ、頭腦のいゝ時に、但し、君のだよ――改めて承ることにしようぢやないか。それまでに、君の方でもよく調べておいてもらふことにしよう。（完）

「講談社新小說叢書」

執筆についての抱負

文學の眞實

今井達夫

一時純文學と大衆文學の比較論がしきりだつた時代があつたが それは、結局、冗な議論であつた。なぜならば、純文學には純文學の役割があり、大衆文學は大衆文學としての役割を持つてゐたからである。しかし、純文學乃至大衆文學の役割についてはこゝでくりかへし觸れるのを避けるが、大衆文學を純文學に近づけねばならぬといふ聲は、それまでの大衆文學からさまざまな邪魔な挾雜物を除くことについては大變役に立つたといふことができるだらう。敢て過去の大衆文學を論じようといふのではないが、過去の大衆文學の陷りやすかつた最も大きな弱點は、大衆的であらうとするための奔走に身心を疲らせ、心にもないことにまで筆をすべらしたことであつた。全部が全部さうであつたとは斷言できないまでも、大衆文學といふものがなんとなく劣等感を訴へたのは、そのやうな印象が支配してゐたからにちがひない。

そして、そのやうな舞文曲筆が、たとひそれがほんの部分的なものであつたにせよ、讀者の信用を落したことも否めない事實であつて、その事實に氣づいた方面から、大衆文學を純文學に近づけねばならぬといふ聲が起つたのも當然である。

しかし、大衆文學を純文學に近づけねばならぬといふいひ方は、大變幼稚な表現であつて、多くの誤解をまねく危險がある。大衆文學を純文學と並べて何か差別待遇を與へるかのごとき印象は、この場合すでに問題として取り上げる必要をみとめないが、題材の切りとり方や表現技術の面で、大衆文學に一種の混亂を招來したのは、この誤解の最も大きな例であつた。大衆文學を純文學に近づけるといふいひ方は、もちろん幼稚で不用意な表現にはちがひないが、しかし、その言葉がいはれなければならなかつた意味は、實は、大衆文學の前述のごとき弱點を修正するのに大きな役割を果したのであつた。といふのは、つまり、畸形的に發展した大衆文學を文學の本質と結びつけようとする慾望のあらはれであつたからである。

文學の本質とは、今さらいふまでもなく、眞實をつかみ出して、それを提出する以外のなにものでもない。純文學に於ても大衆文學に於ても、この本質に關する限り、まつたく區別がないのである。

だが、このやうなことは、もはや、くりかへして說く必要のないところまで、大衆文學は、その發足を固めたと思ふ。この發足點から一直線に走り出すことが、これからの大衆文學作家の責任であつて、現在は、最も希望を持ち得る狀態であると同時に、だから、最

も愼重な決意をかためねばならぬ時期といはねばならない。

「日本海流」に就いて

山田克郎

中村君が新らしい書おろし長編の企畫をたづさへて私の家へ訪ねてこられた時、話を聞きながら私はひどく嬉しかつた。

それは、舊來の大衆文學を揚棄して新たなる國民文學の建設をと云ふ中村君の要求は、私が抱懷する文學理論と寸分の相違のないものであつたし、またその新らしい文學を生みだす爲には損をも省みぬといふ講談社の決意のほども有難かつた。

私は國民文學といふことについては私なりの意見を持つてゐる。以前から私は本誌に長編を書くことを約してゐたが、それは出版社との契約で書く長編はやはり何と云つても向ふの意を測擇し、損をかけては濟まないと思つたりで、まる裸になつて書くことはできないので、私はまる裸になつて自分がこれこそ自分の信ずる國民文學であるといふ作品を本誌に連載しようと企てゝゐた。

その思ひは旺んなものであつたが、さて、――とふりかへると、今の私ではまだとても自分の考へてゐるだけのことを書表す技量のないことに氣づかされ、その度に暗黑へつき墜されるやうな氣になつてゐた。そして約束をのばすばかりでいつまで經つても書けなかつた。

その怖ぢた氣持は、今でも失くなつてゐるのではなく、競々として胸にうづくまつてゐるのだが……、中村君は、私に云ふ。

「本當に良い文學を生んで貰ひたいといふ希ひだけで、初めつから算盤は彈いてゐないのだし、また第一回から素晴らしいものが生れようとは思はない。たゞからした意圖から、次第に良い作品を育てあげてゆければ結構だと思つてゐる……」と。

私はそれを聞いて、稚筆を驅る時が來たのだと思つた。

そして私は、いま書いてゐる。――未熟な私は、書いてゐる時にはその良否は判らない。

たゞ私は自分の思ふまゝに書いてゐる。丸裸になつて、天空濶達と云つていゝほど何ものにもとらはれず。だからひどく氣持がいゝ。こんなにいゝ氣持で書いていゝのかしら、と思ふばかりである。

が、何しろ初めての長編なので、まるで宏壯な邸宅へでも迷ひこんだやうに、……出口がどつちにあるのやら、厠がどこにあるのやら、屢々戸惑ひさせられる。

五十枚の短篇ですら書いてゐる時はその良否が判らない位なのだから、三百枚となるといゝのか惡いのか少しも判らない。書いてゐる途中て色んなことを考へると、途方もなくつまらないものに思へてきたりする。………で、餘りあれやこれやは考へず、たゞ一本道に全力を傾けてゐる。

初めての長編なので、辛い代りに獲る所も多く、色々と勉强になつたのは何よりも有難かつた。

「阿波山嶽武士」に就いて

中澤巠夫

明治維新の原動力である勤皇精神は、吉野朝五十七年の盡忠義烈の先人の精神の傳統である。

我が崇高なる國民精神の本體は、現在の國民精神の靜的な觀察のみによつて把握し得ない。この現在の我々の抱懷する國民精神を生成せしめた三千年來の歷史的發展を見ることによつて、その實體に觸れることが出來るのである。

明治維新の革新は、建武中興の理想の發現であり、建武中興は、承久の御計畫の實現であり、後鳥羽天皇の御理想は、延喜元曆の御代の御恢復であり、延喜の御代は、律令政治の振作更張であり、律令政治は、大化改新の理想の紹述である。又、大化の改新は、聖德太子の憲法十七ヶ條に示された理念の擴充であり、神武創業の復古精神の顯現である。

明治維新の理想とかゝげられた神武創業への復古とは、かゝる歷史的段階を總稱されてのことであつた。現に昭和維新が叫ばれ、肇國精神が說かれてゐるのも、實にこの本源歸一の思想に外ならない。

このやうに國史に於ける政治的革新は、常に皇室歸一の精神によつて始められてゐるのである。私は、こゝに、日本の社會發展の特殊法則を見出すのである。

これ等の政治的革新期に於て、發現される勤皇精神、即、皇運扶翼の實踐的精神は、實に國民の精神の根幹である。

私は、阿波に於ける山嶽武士の吉野朝時代に於ける勤皇事蹟の中に、神武天皇の御代以來、脈々とつゞいてゐる勤王精神の傳統を發見した。

深山で、俗界と交渉が薄かつた地理的環境にもよるのであらうが、皇室に捧げまつる純粹な本源歸一の精神が、世俗的な榮枯盛衰から超越して、この山の民の中に保持され、吉野朝五十七年の哀史を貫いて、燦然たる光輝を放つに至つた姿を見て、私の心はふるへた。

この山の民が、强大な權力や武力に對して、どのやうに苦鬪したか、歷史の上には、全然記述されてゐない所である。僅かに、深く秘められて殘された古文書、傳說及傍證的記述等から推測しただけでも、强い感銘を受けるのである。德島縣大政翼贊會組織部長一宮松次氏の山嶽武士の研究、久保忠男氏の麻殖郡鄕土法、小杉溫邨博士の阿波國徵古雜抄等の諸書を拜讀し、眼を開くことが出來た。近日再び阿波に赴き、劍山の嵐氣にひたり、山の民の精神を描き出す爲に努力するつもりであるが、微力果して、烈々たる山嶽武士の精神を描破出來るかどうかいさゝか顧みて忸怩たるものがある。

然し、全力を傾けて、やりがひのある仕事であることだけは確く信じてゐる。

幽默豪語

鹿島孝二

これまでの大衆小說は、言ひたいことを殆んど言はなかつた小說である。小說には作者の人生觀、世界觀が表現せらるべきであるのに、敢て表現しない小說が今迄の大衆小說であつたやうだ。今迄の大衆作家はあたかも人生に對して何も意見を持してゐないかのやうであつた。その尤なるものがユーモア作家だつたやうである。只、面白可笑しいことのみ狙つて書いてゐた。今迄のユーモア小說を讀

んで、一體この作者は人生に對してどういふ考へを持つてゐるだらうかと詮索して見るとこの間の事情がよく分る。

餘りにも今迄の大衆小説は白痴的だつた。白痴的な興味を讀者に敎へて來たその罪は吾も人も共に恐れ入らねばならぬ。

今や作家は永い惰眠から醒めて、祖國を見直し、祖國に於ける自己の任務を强く意識し先づ自分が愛國の熱情に燃えて火となり、讀者の胸にその火を燃えうつらさねばならぬ時である。

僕等は言ひたいことを山程持つてゐる。國民が今にして醒めずんば祖國危しの感を感ずるが故に警鐘を亂打したいし、聲を大にして叫びたい。僕等は作家なるが故にその熱情を小説に表現する。

僕等の小説は技巧的に拙なからうとも、言ひたいことは存分言ふが故に、賣文的ユーモア小説とは全然類を異にすることを、大言に似てゐるが、豪語したい。その意氣込みで僕は今後仕事をすることをこゝに宣言する。長篇短篇の區別がそこにある譯はない。

只、今度の長篇に於いては、日本精神と科學との關聯について、いさゝか、言ひたいことを言つて見たいと思つてゐる。背景は機械工業、殊に小企業の鍛道會社をとる。中小工業は日本の工業形態の特徴である。これを描くことによつて日本の工業と、從業員とを象徵せしめられることゝ信じてゐる。工場を書くが故に少年工の問題も出ようし、從業員雇入れの日本的特種事情（緣故關係）に對する批判もする。かういふユーモア小説は今迄無かつたのではないかと、これを書くことに僕は大いなる喜びを感じてゐる。獨自なユーモア小説を作つてやらうと誠に意氣軒昂たるものがある。甚だ大言壯語したが、かうも公言したら石に嚙ぢりついても傑作を書かねばならぬ氣持に自分を追込むが爲なのであることを、賢明な諸兄は悟つて下さるだらう。

小泉八雲

岡戸武平

小泉八雲の一生を小説にしてみたいと思つたのは、講談社から話があつて、急に考へついたことではない。去年だつたか、文學論を讀んだのをきつかけに、怪談を讀み、知られぬ日本の面影を讀み――つまり、八雲の作品を手あたりしだい、まんぜんと讀んでゐるうちに、いつかとりこになつてしまつて、やがて、そんな野望を抱くことになつたのである。

ところがさて筆を下ろさうとすると、いろ〳〵な難關が現れることは、これは何も八雲に限つたことではないが、とくにこの素材のせんたくには困つた。それはあまりにそのまゝ小説になりさうな事實がありすぎるからである。うれしいやうな困つたやうな、妙な心理であれこれ取捨撰擇をして、やうやく照準をきめた。

それは松江に於ける一年三ケ月を限つて書かうと決心したことである。これにはいろいろ理由があるが、一言でつくせば、松江時代が彼の一ばん幸福のときであり、彼の數十種にわたる日本紹介の書物は、その地で得た經驗が基礎となつて、その思想となり信仰となつてゐるからである。わけても日本禮讃の言葉は、殆ど出雲地方を一歩も出てゐない。

事實、神の國出雲はいゝところだ。といふことは、結局、日本はいゝ國だといふことに

なる。日本の美しいのは、べつに八雲が禮讃しなくとも、美しさは變りがない。いゝ國であることは、二千六百年來のことである。しかし、數多い國民の中には(歐風文化に眼がくらんで)八雲の逆輸入で、はじめて日本のいゝ國であることを氣づいた人がないとは云はれない。

　小泉八雲は日本の婦人をめとり、四人の子をもち、日本に歸化して、日本で死んだ。それは日本がどこよりもいゝ國であることを、八雲自身が身をもつて證據立てゝゐることである。八雲はギリシャで生れて、英國で育ち北南米國、西印度に長く生活して、いふところのボヘミアンだ。その世界的放浪詩人が、日本の土と化するのは、よく／＼日本はいゝ國と思はねばならぬ。

　私の小説は、べつにむつかしい理論はない。八雲といふ偉大な文學者の日本に於ける生活を描きつゝ、八雲といふ西洋人を通じて、日本及び日本人の良さを書いてみたいと思ふのである。

　大正四年、聖恩枯骨におよんで、小泉八雲は贈從四位の光榮に浴した。なにをか云ふべきである。

「日本の小説」のために

村雨退二郎

　觀念的な愛國小説を國民文學と云ふのではない。文學としては低級だし、さりとて論文としては缺陥だらけだといふやうなものに、むやみに國民文學の名を付けることは、此頃の流行とは、云ふものの、あまり感心できない流行である。

　國民文學の立場に立つ作家のものが、愛國的な色彩を帶びてゐるのは當然であるが、愛國主義即國民文學といふわけではない。從つて何でも愛國的な附燒刄をした小説を、國民文學だと早合點することは、甚だ困つたことである。

　國民文學運動は、いつも云ふやうに、文學創作の國民的原理を確立する運動であつて、換言すれば、「日本の小説」の建設運動である。「國民文學」といふ新らしい小説を一種類殖やす運動ではなく、日本小説道を確立する運動である。

　從て、國民文學運動が成功した曉に、國民文學といふ肩書の付く特殊な小説は存在しない筈である。總ての作家が、小説文學の本道に歸り、文學創作の國民的原理が確立すれば小説はただ「小説」と呼ばれる。

　そこには、純文學も大衆文學も、文壇文學も通俗文學も、種別としては存在しなくなる一つの雜誌に「創作」と「小説」と「大衆小説」とを別々な待遇で併載するといふやうなことも無くなる。

　個々の作品の優劣、高級低級、通俗非通俗の別は、作家各人の禀質の問題であつて、小説文學の原理を左右する問題ではない。小説文學の本道は、唯一つである。國民文學運動は、機械的分業生産の弊に惱んでゐる日本の作家が、日本小説文學の唯一原理に立歸る運動である。

　何が國民文學か？　といふ質問を提出することは適當でない。なぜかといふと、相手方に充分な用意が無い場合、屢々字句だけの解釋で片付けられ易いからである。「國民文學

とは、非國民文學の反對だらう」とか「國際主義文學の反對だらう」とか國民文學即愛國主義といふやうな淺薄な解釋がこれである。

國民文學運動の本質は、「日本小說文學」の探究である。從てそれは、何が日本の小說本道か、といふ質問に置換へられなければならない。

徒らに聲を大にして、觀念的な便乘小說を國民文學呼はりすることをやめなければならぬ。舊態依然たる大衆文學的作品に、國民文學の名稱を附けて恬然としてゐるやうなことでは困る。所謂純文學作家も、所謂大衆作家も、文學二元の誤つた觀念を一擲して、唯一つの小說本道に歸ることである。純文學もやめる、大衆文學もやめる。國民文學なぞといふ名稱も使はない。唯「小說」の二字に歸るといふことが、國民文學運動の窮極目的である。

今度の、講談社の書下し小說叢書が、さういふ趣旨の下に刊行されるのは非常に嬉しいことで、大衆文學的な注文なぞ附けず、執筆者の文學良心に信賴し、各力倆を自由に充分發揮させ、さうして、五卷十卷で中止せず、半永久的に繼續刊行すれば、必ず日本文學史に特筆すべき功績を遺すことであらうと確信してゐる次第である。

私自身の作品については、今別に言ひたいことも無い。持論の正しさを、實踐的に證明することが、苦しくとも我々文建同人の義務である。

最後に、叢書第一次の協同者である大庭卓、岩倉政治、牧野吉晴氏等に敬意を表し、併せてその御奮鬪を祈る。

（六月十五日松原町にて）

新文學の擡頭を希望する

牧野吉晴

かねがね私は、庶民主義を語り、庶民文學を說いて來たが、その點、講談社の今度の書下し長篇の企畫を面白いものと思つてゐる。つまり純文學と所謂大衆文學との垣がとれるくさびとなればと思ふからである。

だいたい、純文學と大衆文學の比較といふものがへんなものである。庶民の文學觀は一律のものであつて、決してそのやうに區分されるわけのものではない。これは西歐から來た一種の高踏思想の變型であつて、極論すれば衒學的な貴族嗜味以外の何物でもないとも言へる。

自分たちの鄕土の文學を忘れて、西歐文學に深醉した結果から、個人主義文學の發達となり、私小說の氾濫となつた。私小說に就いては別に議論もあり、決してこれに反對するものではないが、自然主義以來、日本の文學者の多くが步いた私小說の體をなす溫床を私は全く嫌惡する。又、所謂主題小說の主人公も多く、個人尊重の獨善を脫せぬものが多く、その形式は獨自の文章形體を取つたとは言へ、その內容に於いては西歐思想の移入にほかならないものが多かつたのである。

七月號の文藝春秋の菊池寬氏が、今日の日本文學に於いては英米的な影響は少かつたと言つて、一時代に於けるロシヤ文學渇仰の一面を說いてゐるが、現象面の流行のみ語つて、その內在性に就いて觸れてゐないのはおかしいし、純文學上に於ける英米的文化形式

による自由主義的見解の影響に就いて觸れてゐないのはどうしたわけだらう。何れにせよそんな詮議はどうでも好いとして、鄕土を忘れた文學、換言すれば國家の母體である國民衆庶を忘れた文學といふものを權威づけることは全く過つた槪念だ。もつともその一端の罪は、大衆文學の諸君も充分に責任を感じて貰はなければならないが、今日尙、純文學及大衆文學の言葉が殘存するに至つては、如何に旣成文壇の人々が未だに迷夢の中にあるといふ好適例であらう。此處からは決して、眞の國民文學は生れて來る筈もないと思はれるのも、あながち暴言とばかりは言ひ切れぬ。

以上まことに舌つたらずな槪論であるが、一應はいつてみたい言葉である。さて、このやうな時、講談社の書下し長篇の企畫は、まことに當を得たものと思ふ。その人選の面白さは、必然に純文學と大衆文學の垣を除去する役目を果してくれさうだ、私はひとりで喜んでゐる。作品に對する抱負なぞといふものは、さうした希望にひきくらべると全く小さなもので、それよりも執筆者諸君の作品の發表を樂しみ待つ方の側である。（終）

近頃讀んだものなど

土屋光司

鯱城一郎君から、作品集『春風列車』を贈られた。雜誌で拜見したものもあるので一氣に讀み終つた。ユーモア小說として、新しい境地を開いてゐるとはいはないが、いづれも輕快で、明るい好短篇で、作者の人品を窺はせる、微笑ましい作品である。

この境地から、更に一步進んで、ユーモア文學に新しい生氣を吹込ますやう、著者の御精進を祈る。

我國造船技術界の大御所であるといふ和辻春樹博士の續『船』を讀んだ。前著である『船』から、いろいろのことを敎へられて樂しかつたので、續篇が出ると直ぐに取寄せたのだが、これはそれ程にいいものとは思へない。かういふ專門的な隨筆でも、小說でも、續篇となると、面白味が少くなるのはどういふわけであらうか。いろいろな理由が敎へられるであらうが、いつの間にか出來てしまつた型から拔けられなくなるのではないだらうか。

しかし、專門的な學問をその素養のないものにもわかるやうに、隨筆風に書いてある點は有難い。たゞ、この續篇には、それが比較的少く、現世的な問題についての著者の意見が、あまりに鼻につき過ぎてゐる點が惜しまれるわけである。

次ぎに、若園淸太郎氏の『バルザックの歷史』といふ傳記を讀んだ。フランス革命の餘波がまだ搖り返してゐる多端な時代に貧苦と戰ひながら、すべての精力を小說に打込んだ人間バルザックが、浮出てゐる。時代と作家、生活と作品等の問題で、いろいろと敎へられ、考へさせられる所が多かつた。これについては、今讀みかけてゐる『木菟黨』と、『純愛』とを讀んでしまつてから、なにか纏まつたことがいへたらと思つてゐる。

以上餘白が出來たので、埋草代りとして書かせて頂いた。（七月十五日）

【湖水随筆】

宍道湖

岡戸武平

一

　島根縣の縣廳の所在地である、松江市には市内電車がない。――さう云つたゞけで、おほよそ市街の規模が想像されると思ふが、もう一つ説明を加へるならば、自動車に乗るよりむしろ人力車に乗つた方が、調和しさうな街並である。

　私は驛から（それは、意外に近いところであつた）山陰合同銀行まで人力車の厄介になることにした。その車上から見る、松江の驛前の通りはさくばくとした商店街で、近代的な装飾窓がつらなつてゐるものゝ、眼を轉じて屋根を見ると、古色蒼然とした大きな瓦屋根がつゞいてゐる。

　そして、なんとなく活氣のない街――これから伸びやうとする潑溂たるものはみぢんもなく、どこか灰色にくすんだ「保守」の香が相當強く感じられた。

　これはあながち松江ばかりでなく、工業都市として再生しない城下町には、どこでもみるところで別に珍しい現象ではない。そのかはり、どことなく、おつとりしてゐて、奥床しさと歴史がぷんとする。

「山陰の京都ですね」

　と、合同銀行の應接室で、かねて村正治兄から紹介してをいて貰つた、歌人であり、かつ郷土文化の先達である森脇善夫氏に云つたら、

「さうです。鳥取が山陰の大阪ですよ」

　と云はれた。

　もし、京都からあの琵琶湖をのぞむことができたら、一層似てゐるであらうが、惜しいことに京都は湖水をもたない。それにひきかへ、松江は宍道湖といふ自然に惠まれてゐる。それはまたとない神樣からの授かりものだつた。

　私はすぐ森脇氏の案内で大橋橋畔の富田屋といふ旅館に落ついた。これは明治二十三年、ラフカヂオ・ヘルンがはじめてこの地に來て旅裝を解いたところで、私のこんどの旅行目的には是非一泊しなければならぬところであつた。もつとも、先年大火のためにヘルン時代の建物とは變つてゐるが、二階からの宍道湖の眺望には何等變化はない。

　私は部屋へ通されると、廊下の籐椅子によつて、はじめて宍道湖を見渡した。

　古風な擬寶珠のついた大橋を近景に、やゝ彼方の水面に嫁ヶ島が浮いたやうに見えその視線をさゞ波立つ水面に添つて遙かに延長すると、國寄の柱となつたといふ三瓶山が、柔い稜線を描いて、そこで中國山脈は終つてゐる。

　その三瓶山の左には、山また山の中國山脈が、長い長い屛風の如くつらなり、「山陰」といふ言葉を、なるほどとうなづかせる。その山脈の尾根について、顎を殆ど

左の肩にのせるやうにしたところ——山と山との間に、富士山そつくりの山頂が見える。これがいはゆる出雲富士（伯耆の人は伯耆富士といふ）の稱ある大山（だいせん）である。この山は汽車の窓から見て來ても伯耆で見るより出雲側から見た方がはるかに富士型をしてゐる。しかし、持主は伯耆の國である。

「いゝ景氣ですが、どこか女性的ですね」

森脇氏にさう云つてから、私は言葉をついだ。

「だから、八雲があんなに讃美したぢやないでせうか。八雲といふ詩人は、私は女性的な人だと思ひます」

それに對する森脇氏の返事も同意であつたやうだ。

それから私は鞄を宿に置いて、森脇氏の案内で、千鳥城、小泉八雲の舊居、當時敎鞭とつた中學校や師範學校、不昧公の愛した茶席菅田庵などを見學して、夕ぐれ宿にかへつた。

これらについても書くべき多くのことを持つてゐるが、今こゝで吐きだしてしまつては、折角の小說をかくとき感興をそがれるやうな氣がするので（それは小說が出たら讀んでもらふとして）こゝでは宍道湖のみを書くことゝする。編輯者の命令も湖の特輯にするんだからといふ話だから——

三

その夕景、風呂から上つて、しづかに暮れて行く宍道湖の眺めを私はほしいまゝにした。美しいといふより、どこか女性から受ける感情的な景色である。松江の女はきつと美しいにちがひない。フト、そんなことを思つた。

その晩、話上手な森脇氏から、いろ／＼出雲のこと、松江のこと、八雲のことを敎へられて、床についたのは十二時近くだつた。あすは美保の關へ行く豫定を立てゝゐたので、女中に汽船の時間に間にあふやう朝食をたのんで、

「もし寢過すとたいへんだから、時間が來たら起して下さい」

と、つけ加へた。

しかし、朝、眼をさまして枕もとに置いた腕時計を見ると、まだ五時であつた。汽船は六時半に出て、その乘場は大橋を越した川向ふで、五分とかゝらないところである。私はもう一とねむりしやうと思つて枕についたが、さう器用に眠られるものでもなく、すぐ起きて洗面をした。

そして、障子をあけて廊下に出て、ヴエランダまがひの廊下の硝子戸もあけ放した。東の方を見るとまだ湖水は眠つたやうに靄がかゝつて、その濃い朝靄の中に、眞赤の太陽がのぼりかけてゐた。それを見たとき、私は朝月ではないかと思つた。が、時間から云つても、赤さを見ても、月ではなく紛ひもなく日の出である。こんな赤い太陽を私はかつて見たことがない。靄の中に眞赤な不透明な玉が浮き出してゐる感じである。光線が靄のためにさへぎられて、大橋の上の街燈が白光の中に、冴え冴えとした光りをまだ放つてゐる。それほど太陽の光線は靄に吸收されてゐるのだ。

（神代の日の出！）

なにか原始的な美しさを私は感じた。

しばらくその太陽ののぼるのを見つゝ、私は八雲の書いた「神國の首都、松江」の麗筆に思ひを寄せた。その一節を引いて、私の杜撰な觀察を補ふことゝする。

——私は二階の障子を開け、河畔の庭から伸びた春の若葉の軟かな綠の雲越しに、朝景色を眺めやる。大橋川の幅廣い、鏡のやうな

河口が、遠くの方では、わなゝくやうに萬象を映寫して、微かに光つてゐる。この川は宍道湖に向つて口を開け、湖は右手へ擴がつて、杳乎たる連丘に包まれてゐる。私のすぐ對岸には、青く目塗りしてある日本の家屋は、みな戸が閉つてゐるので、ちやうど箱を閉ぢたやうだ。夜は明けたが、まだ日は出ないから。

幽靈のやうに捕捉し難く、戀愛のやうに深い早朝の色が、睡眠の如くふんわりした水煙に浸つてゐたのが抜け出て、明かに蒸氣となつて騰つて行く奇觀絶景！　遥かに見渡すと、薄色の靄が湖水の盡る果に長く渡つてゐる。それは星雲狀の長帶だ。山といふ山の裾を、この靄が蔽うてゐる。そして高い峯のいろ〳〵の高さの處で、涯知れぬ長さの紗のやうに横に延びてゐる（この妙な有様を日本人は棚引くと名づける）だから、湖水は實際よりも遥かに大きく見え、而して眞の湖でなく、昧爽の空と同じ色で、且つ空と入り交つた、美しい幻の海となつて見える。山々の嶺は、霧に浮んだ島嶼となり、夢のやうな一帶の丘陵は、果しない堤道かと怪しまれる――巧妙優美の混沌界だ。霧が立ち上がるにつれて、絶間なくその趣きはゆる〳〵變幻を極める。旭日の黄色な縁が見えてくると、今までのよりは更に強く細やかな光線――分水鏡の紫と青貝色――が水面を射す。梢の上は弱い光を受ける。水のかなたにある、ペンキを塗らぬ高い建物の正面は、その木地の色が、美しい靄の色のために、蒸氣の立つ黄金色へと變る。

朝日の方へ向くと、澤山橋杭が並ぶ木造の橋のかなた、長い大橋川の方に、高い後甲板のある一艘の船が、今しも帆を揚げやうとしてゐる。私はこんな奇異の恰好で、美しい船を見た例がない。正にこれは蓬來の夢だ。霞のために何とも云へなく醇化されてゐる。船の精だ。が、この幽靈は雲と同樣に光線を受けてゐるので、一見半透明な、黄色の霧で出來た一個の實體となつて、薄青い光の中に懸つてゐる。――

三

美保の關通ひの船は、一番が六時半で、一日に四回出るさうである。四十噸のポン〳〵蒸汽で、客席は疊敷で割りにきれいになつてゐる。はじめはすいてゐたが、發船間際にドヤ〳〵と人が乘つたり、小學生の遠足の一團が乘つたりして、チン〳〵といふ發船のベルが鳴り、ぐわツと船尾で水の泡が立つ頃には、殆ど滿員の狀態となつた。

私ののつた二等席も、大體一ぱいで半分は美保の關へ、半分は大根島の牡丹見物の客らしかつた。

船が廻つて、大橋川を下りかけた。右は小造船所がたちならび、左は青草の繁つた堤である。進む船の水脈が、兩岸にとゞくほどの廣さで、進むにしたがつて、右岸の家屋も切れ切れとなり、やがて、兩岸ともひろびろとして、杜があつたり、鳥居が見えたり、麥畑がつゞいたりして、平和な水郷風景である。右のかなたには、大山がきぜんとして聳え立ち、左の遥かには島根半島の山脈が横つてゐる。潮來などと違つて、變化に富む大水郷地帶だ。「あの山がむかし山中幸盛がこもつて、安藝の毛利勢に對抗した眞山城趾のあるところですよ」

私を旅行者とみて、小學校の校長さんが敎へてくれる。

「さうだ。校長先生に聞けば、なんでも御存じだ」

と、ハタの人が云つたので、校

長さんであることが分つたのである。それから私はいろ〳〵な質問をした。

さうしてゐる間に、校長さんと顔知りの老夫婦が、船尾のコンロにかけてあつた眞黑になつたやかんを持つて來て、薄茶をたてだした。その手まへは無造作ながら、法式にかなつたもので、これがこの附近ではやる雲州流といふのであらうかと思つた。

茶が立つと、先づ校長先生へ、それからもう一人の同伴の者へ、それから、私に、

「いかゞですか」

と吳れた。思はぬ御相伴に、このときばかりは、吉野山で熟柿にあつたときほどうれしかつた。

「いたゞきます」

「菓子はありませんが、こゝに砂糖がありますから」

さう云つて、紙袋の中へ茶匙を入れてくれた。私はそれを二すくひ掌に受けて、しばらく舌の上で溶かしてからお茶をいたゞいた。

そして、茶碗を拜見してゐると主人が

「見ていたゞくやうなものぢやありません」

と、けんそんした。それは樂山燒の新らしいものであつた。さすがにお茶どころだなと感心した。かうした簡素な風流こそ、いかなる時代であらうとも、捨てゝはならないものであることを痛感した。この一服のお茶に、私は出雲の悠久なる歷史を身をもつて感じた。出雲はいゝ、日本はいゝ、———さう人々に云ひたい氣持ちだつた。

船はやがてひろびろとした中海（さういふ名稱）に出た。

潮の香が强くなり、波立つ模樣も湖水とはちがつてゐるやうに見えた。

これで、宍道湖からこゝへ通ずる大橋川とも別れて、日本海の荒波に一帶してゐる海へ出たわけである。

もうこゝは完全に、宍道湖の繩張りではない。

船は依然としてポンポンと進んが、私の筆はこの邊でとめるのが至當のやうだ。

所載のスケッチは、これより一時間ほど行つたところの船中から、大山と船上山を見たもので手前の燈臺は、境港の防波堤の突ッ先にある御臺場の鼻の燈臺である。この岬から弓ケ濱にのぞんでゐる松原のつゞく長い長い海岸を大町桂月は大天橋（大きい天ノ橋立の意味）とよんで絕讃してゐる。

（六月一日紀行。一七・六・三〇記）

猪苗代湖

佐藤利雄

猪苗代湖——といふと、誰でも知つてゐるのは、この湖が古來

會津磐梯山は寶の山よ
笹に黃金がなりさがる

の磐梯山とゝもに會津山水の代表であり、風光明媚、湖岸に高貴の御別邸がある事などであらう。また翁島（おきなじま）に野口博士記念會館がある事なども、誰しも聯想するところであらう。物の本によると、猪苗代湖は「磐梯山の南麓に滿々と碧水を湛へる堰塞湖」であり「四周概ね山を繞らし、北方の磐梯山はその雄姿を湖水に映して」ゐるので南方からの眺めが素晴らしい、とある。

北岸に長濱の勝景があり、近くに白い洋館の御別邸がある。東岸

の上戸濱・天神濱一帯は白砂青松の地で、有名な小平潟天満宮がある。南岸、福良濱には青松濱（大正天皇御命名）があり、また舟津濱には舟津公園がある。こゝからは湖を隔てゝ磐梯の雄姿を望み、水中の倒影もあざやかに、風光の雄大・秀絶、言語に絶するものがある。更に西岸には、赤崎の奇勝があり、湖中第一の勝景と謂はれてゐる。傳説で名高い材木岩もある。

猪苗代湖は、かうした雄大・壯麗な風致に富んでゐるが、更に重要な問題は、この湖水が如何に人類に寄與してゐるかといふ事である。水運や漁業はもちろん、この水が安積疏水となり、日橋川となつて、安積平野ならびに會津平野を潤し、地方の米産額を數倍にしてゐる事實を知らなければならない。また數ケ所發電事業にも用ひられ、現にわれ〳〵市民（東京）が電車に乘られるのも、電燈をつけて仕事が出來るのも、皆そのお蔭なのである。

猪苗代湖について何か書けとの事なので、以上、簡單に彼女（磐梯山が男性なら、猪苗代湖は女性であらう）の美しい横顔を描いて見たが、實はちやうど手許にあつた資料――地圖と寫眞と書物によつたので、僕はまだ猪苗代湖を見た事がないのである。いや、見た事がない。と云ふのも當らない。車窓から眺めたからだ。

僕は磐越西線に三度乘つた事があるから、往復六回、猪苗代湖の近くを通つた譯だ。歸りは何時も夜だつたが、行く時（郡山から若松方面に）は朝だつた。この間――忘れもしない四月十八日（あの小癪な空襲の日）の朝も車窓から湖面を眺めた。

「東北地方」といふ小册子を見ると、猪苗代湖は上戸驛から六百米といふ事になつてゐる。では上戸驛は何時頃通つたのだつたらうと思つて、旅行案内を調べて見たら、六時一寸過。上戸・關都・川桁・猪苗代・翁島の諸驛を通つたのだが、一番どの邊からよく見えたか、これもハツキリした記憶がない。たゞ、爽やかな朝の光りのなかに瀲灔とかがやいてゐた湖水の青さが今もあざやかに網膜に殘つてゐる。車窓の右手に巍然として屹立、しかも裾野の流れが美しい磐梯山を眺め、左手に瀲灔と光り輝く猪苗代湖を眺める、あの磐越西線の風景は實にいゝ。四月十八日だと云ふのに、沿線にはまだところ〴〵に雪が殘つてゐた。しかも今年は案外早かつたとかで、櫻花が六、七分の咲だつた。線路に近い土手に何處までも咲續いた老樹――あの爛漫たる櫻花の見事な美しさを忘れる事が出來ない。

猪苗代湖はどんな大きさか？と思つて何の氣なしに「當用大鑑」の「大湖沼」を見ると、琵琶湖・霞ケ浦・濱名湖……の順で、猪苗代湖は何と十四位になつてゐる。こんな筈はなかつたがと思つて「朝日年鑑」の「本邦の主な湖沼」を見ると、琵琶湖・八郎潟・霞ケ浦……の順で、これは五位になつてゐる。試みに二、三年前の「國民年鑑」を見ると、これも「理科年表」によつた五位「會津略史」を見ると、これには「本邦第三の大湖」とする。「會津讀本」では「我が國第四の大きな湖」となつてをり、旅行協會の小册子では、これまた「本邦第四位の大湖」となつてゐる。會津名所遊覧案内には「本邦第三位の大湖」とあり、かうしてどれを見ても大きさが區々なのでうんざりしたが、周圍・東西・南北・面積等の粁數や水深などにいたつては、諸書あまりの逕庭に啞然としてしまつた。

然し僕は今、こゝで猪苗代湖の

大きさだとか深さや高さ(「福島縣郷土誌」によると「湖面の高さ海拔五百十四米、本邦に稀に見る高地の湖水」とある)などを調査してゐる譯ではないから「猪苗代湖は第四位、或は五位、本邦屈指の大湖」といふ事にして納得した。——況して、區々になつてゐるのは「人間」のせゐで、決して「猪苗代湖」のせゐではないのである。

僕は一度、猪苗代の湖岸を一人で歩いて見たいと思つてゐる。鏡のやうな水面に投映した磐梯の雄姿は、どんなに美しいであらう。更に、出來るならば湖面に舟を泛べてみたい。神祕と幽邃と蠱惑と湖水の夕映えも見たい。雨の情趣も味はひたい。雪の風景も賞したい。もつと慾を云へば、春・夏・秋・冬、湖岸で少しでもいゝから暮してみたい。四月十八日、沿線附近に雪があつた程だから、湖面の氷が溶けるのは何時頃だらう？赤彦のあの有名な

みづうみの氷はとけてなほ寒し
三日月のかげ波にうつらふ

の情景は、また猪苗代湖の早春にも見られる現實の、幽玄の世界であると思ふ。

前記のやうに、四月十八日の朝僕は車窓から湖を眺めた。そして廣田驛(若松の一つ手前)で下車した。驛にトランクを頂けて、さて日橋(にっぱし)の第二國民學校(僕は先づ會津藩黌日新館教育の研究者として知られてゐる山口先生を訪ねた)はどの邊だらうと、ちやうど驛前のポストを明けてゐた配達夫さんに訊くと、日橋第二はこの驛に下車しないで、大寺驛の方が半分道だつたといふ。僕は車內で地方の人に聞いて下車したのだつたが、後の祭。こゝから約四粁(配達夫さんはもちろん一里と云つたが)との事なので、たまには田舍道を歩くのも却つていゝと思つて歩き出した。山道に差掛つた頃、道は二つに岐れてゐた。道しるべを見ると、右、戸の口原とある。日橋第二は左の道だつたが、僕は山道を歩きながら、猪苗代湖が見えるのではないかと思つて絶えず注意した。

峠に出るまでのこの道は實によかつた。もうこの邊には少しの殘雪もなかつた。うらゝかな天氣だつた。山の匂ひがぷうんと鼻をうつた。それは堪らない鄕愁をそゝる匂ひだつた。山道を通りぬけると、また民家がかたまつてゐたりした。大きな水車が藁屋根を背景にごつとん／＼呑氣さうに廻つてゐた。水車の上には、見事な梅の老木がちやうど滿開で、靑空にぷんぷん芳香を放つてゐた。水車にすれ／＼の花もあつた。更に近くに見事な櫻樹がこれまた滿開で、梅と櫻が妍を競つてゐる圖などは流石に會津路だなあと僕は暫く佇んで眺めてゐた。それに山では櫻が滿開だつた。幾百千本とない山櫻、それもちやうど僕の背丈位の櫻が雜木林にいちめん何處までも咲續いてゐるのには驚いた。僕はゆつくり小便をしながら眺めたり顏を花にくつゝけて見たりした。

峠に立つて、僕は猪苗代湖を探したが、何處も山波ばかり、つひに見る事が出來ないのでがつかりした。先刻戸の口原とあつたのですぐに湖水を聯想したのだつた。何ぜなら、湖尻の日橋川となるところには十六橋があり、白虎隊が始めて戰つた有名な舊戰場が戸の口原だからだ。(會津軍が退却に際して十六橋の破壞に成功してゐたら、西軍は到底あんなに早く城下に侵入する事は出來なかつた)

あまりに取止めない事ばかり書いてしまつた。實はこれだけなら僕は猪苗代湖について書く事を棄權したであらう。たゞ僕は今、猪

苗代の見禰山（みねやま）に祀つてある土津（はにつ）靈神——、保科正之の思想について考へてゐるのである。正之に最も强く學問的・思想的影響を與へた人物は、周知のやうに山崎闇齋であり吉川惟足（きつかはこれたる）であつた。闇齋の撰になる土津靈神の碑文を讀むと。

(「松平家譜」による)文中

靈神性剛正而和淳。自幼讀書。不惑年始讀小學。知大學之基。焚句前所讀老佛之書。專攻濂洛關閩之書。用力於敬。功夫日新也。其言曰。主一無適。則存得未發之氣象。動亦定。聖人無情而彼之者其庶幾乎。

とあつて、その學問的な展開の過程がよく、わかる。更に

日本神代卷。中臣祓者我道傳授之書也。靈神學之。得吉田家之傳。遡五十鈴川之流。神武向日之畏。應神祕道敬。奉持而著之心胸之間。實弓兵政所崇道盡敬天皇以後一人耳。

ともあつて、正之が神道を學び遂に舍人親王以後第一人者となつた——と稱へてある。「福島縣碑文集」によると、この碑（土津神社境內）は高さ一丈八尺、幅六尺、厚さ五尺で稀に見る巨碑であるといふ。成程、寫眞で見ると、臺石の龜趺も立派なものだし、碑石の蔀覆も堂々たるものである。

僕は、はじめ會津の維新史に興味をもつたが、調べてゐるうちに會津精神といふものは遠く、且つ深く、少くも藩祖（松平藩祖）保科正之の思想にまで遡らなければ何ものもつかめない事を知つた。しかも、正之の思想を究めることは、日本精神の本體に觸れる事でもある、と宮地博士らに敎へられ大いに蒙を啓かれた次第である。

僕は先刻、猪苗代湖の夕映えを見たい。雨の情趣も味はひたい。雪の風景も賞したい。などと云つたが、この非常時局に何の寢言を……と頭から叱られさうである。が、待つて貰ひたい。實は僕はまだ猪苗代の土津神社に參拜した事がない今まで眞つ直に若松まで行つてしまつて、肝腎要の猪苗代に下車した事がない。この前會津へ行つた時は參拜する考だつたが、これまた空襲の事などがあつて豫定よりも早く歸京してしまつた。

こんな譯で、僕は猪苗代湖への强いあこがれを感じてゐる。神社からは、湖水がよく見えるといふ。僕は湖に舟を泛べ、もしそれが出來なければ湖岸を歩きながら一人靜かに、正之の、闇齋の、惟足の思想について考へて見たい。少くも、寬文十年八月、日本紀竟宴に際して、正之が

あしかびの蘆原國のはじめより
天照らしますすめ神のみち

と歌つた、あの高い精神に觸れてみたい。

◇同人消息◇

○**村雨退二郎氏**　作品集『愁風嶺』（三邦出版社）『火術深祕錄』（國文社）『木曾川』（錦城出版社）『今小路大藏卿』（東光堂）をいづれも近刊。

○**戸伏　太兵氏**　短篇集『八幡大菩薩』（木下大擁氏裝幀挿繪）を國文社より、『アラスカ探險記』を聖紀書房より、いづれも八月刊行。

○**從二　一郎氏**　七月上旬島根縣方面へ旅行された。

○**安藤　信氏**　福島縣安達高等女學校長に就任された。

○**中澤　巠夫氏**　七月中旬、作品資料調査のため德島縣下へ旅行。

○**齋藤　豐吉氏**　一身上の御都合に依り、退會された。

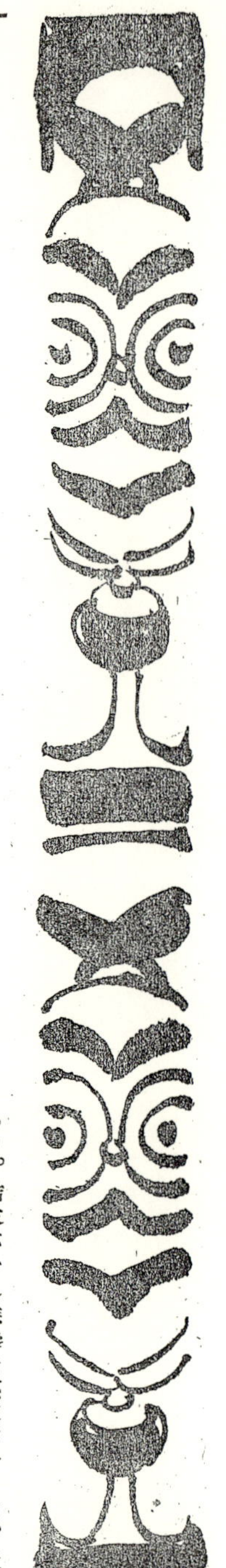

月例評壇

講談倶樂部六月號

村 正 治

町の兵隊さん　牧野吉晴

評判通り今月號での壓卷だらう。靜かで平和だつた漁村が軍需工場地帶化して、風紀が紊れ人情が荒んで來るのを叙した長いプロローグも、作者の熱情が盛りあがつてゐるので退屈せず讀める。熱情的な小學訓導と、小犬を抱いて漂泊つて來た白痴の兵隊好きな青年との結びつきも自然に描かれてゐる。それからのプロットの發展にも無理がないが、難を云へば、青年の行動を通じて登場人物外の松本大尉の性格を强調し――さうすることに依つて、白痴としては不自然な節々の目立つ青年の行動を合理化しようとしてゐるかに、觀られる點に稍々無理がある。

時計も持つてゐない青年が、起床や消燈喇叭を毎日時間違えず吹奏する、といふ點などもリアルに感じられない。國旗事件の挿入も筋を面白く活かすのには効果してゐるが、ならず者が、紙の日の丸の國旗を引きちぎつた原因が弱い。日本人の行爲としては合點し難い。

難點を拾つては見たが、最近での佳作で、殊に出征將士になど歡んで讀まれるだらう。結末が少し悲慘な感じがするが、近松訓導の碑銘の詩で美しく結んでゐるので後味は惡くない。

豚　深山純

應募入選作だが、豚養育係當番兵山田一等兵の飼育日記風な好讀物。奥地の荒涼たる軍陣生活に、慰問舞踊隊の乘込みや凶匪の出現を配し、これらの出來事に豚を絡ませ、ユーモアとペーソスを盛つてゐる。ラストの治郞作豚の戰死を、白樺の墓標が立てられ、悼句が捧げられるといふしんみりした情景で結んでゐるのは、街の兵隊さんのラストと同巧異曲のやうで、惡い偶然でこの作の方が大分損をしてゐる。豚の名の治郞作が途中から次郞に變名してしまつたのも不注意だ。

高鳴る太平洋　木村莊十

熱情的な海軍の青年將校が主人公で、小

學校訓導である美枝子との戀に、軍縮會議の廢艦擊沈事件が絡む。軍縮會議の經緯と廢艦擊沈を繞る史實的な描寫に過半の頁を埋めてゐて、回顧的史料として面白くは讀める。が小說としては物足りない。軍縮問題で奮起し、量の劣勢を質の改善で補ふために退職し、新兵器の發明に沒頭した名取中尉の考案兵器が、ハワイ奇襲に寄與してゐる――といふ。この所何年相經ち申候式の結びけ唐突の感を抱かされる。軍人として皇國の危救に殉じようとする責任感と戀愛への嚴しい反省から拒けてゐた美枝子を南洋へ武器工場を建てるために空路出立するといふラストシーンで、諾つて發つといふ結びもお手輕である。

秦山とお婉　田岡典夫

土佐の野中兼山の遺族の蟄居生活を中心に、兼山の三子希四郎と神谷秦山との交遊を叙し、希四郎、貞四郎と歿して男系の絕えた野中家に殘つた女大夫お婉と秦山との修學のための文通上の交情が戀情にまで進展して行くのを、ほのぼのと描いてゐる。奔放不覊な酒客、宮田甲藏を點出したり一應退屈せずに讀めるが、六十五歲で歿するまで、眉を落さず齒を染めず、振袖の處女姿でゐたといふお婉の心理を、もつと深く掘り下げて貰ひたかつた。秦山の星空を仰いでお婉をおもふ感懷も弱く切實に迫るものがない。

原田甲斐　眞山青果

第一幕だけだが、第一場で、自分も忘れ名も忘れて、ただ投げ出した一人の男として、世間知らずの生娘のやうな、妾のお露と生命の活躍をする人間甲斐を描いてゐる。そして、第二場で大老酒井忠淸と一騎討ちの虛々實々の、大芝居を打つ傑物甲斐を描いて、對照の妙を示してゐる。相變らず演說澤山で第二場など俳優としても演じ難く、動きが少いので觀客の見た眼にも物足りないだらうが、讀んで動かされる點、僕などには第二場の方に魅力を感じる。欲には、二幕程度のものなら分載せずに一氣に讀ましていたゞけないかとおもふ。

明神緣起　海音寺潮五郎

內輪同士なので故ら眼を閉つてゐる、とおもはれるのは嫌だから、云つて置くが、この作品のネタは旣に何人かの作者に依て書かれてゐる。併もそれが、何れも同じやうな扱ひ方で書かれてゐるのだ。流石に文章は光つてゐるが、今頃同じやうな扱ひ方で採り上げたのは海音寺氏ともおもへない。恐らく、餘程以前に書いてあつたものが、氏の應召不在中に何んかの機勢で出て來たのではないかとおもふ。玆で考へさせられるのは、歷史小說とネタといふ問題で、最近、史實その儘を、或ひは過去に誰かが先鞭をつけてゐる材料を、その作者の扱ひ方から一歩も出ないやうな扱ひ方で書いてゐるやうな、歷史小說の目につくことだ。史實から足を離してはならないが、史實に立脚して併も天に指さし新しい何物かを讀者に示してゐる小說をこそ、僕は歷史小說と呼びたいのだが、この問題に就ては他日改めて書くことにしたい。外に、城の顏証文、大倉桃郎と連載物の春待つ國、大佛次郎があるが、何れも時代物で小說七篇戲曲一篇の中、現代物は入選作の豚と特別三大讀物長篇と銘打つた三篇の中の二篇、町の兵隊さんと高鳴る太平洋だけだ。今日的な

生命を持つた作品で併も、この雜誌の性質として一般的に面白く讀め、後味も惡くないやうな現代小說が、每號二つ三つは讀ませして欲しいものだ。

山田克郎・淺野武男兩氏の近作

村松駿吉

◇山田克郎氏の海洋物はますます磨かれて來て、實にいきいきとして讀者の腦裡へ海洋を想はせてくれる。大衆文藝六月號の「帆裝」の一、二頁の邊りの描寫は小氣味いゝほどにうまいものだ。

この作者の初期――と云つても三四年前までの作品には、海洋物ではあつても事件を追つて行くことに奔命になつてゐるやうな傾向があつたやうに記憶するが、近來の作品は落着いて來て、しつかりと地に足を踏みつけた態度で描かれてある。

「帆裝」や、文學建設五月號の「歸化人部落」などに、それがよく現はれてゐる。

ところが、それだけにまた、事件の組立が少くなつたやうに思はれる。たとへば「帆裝」の如きは、商船學校の練習生の一航海のある期間だけの記錄と云つたやうなもので、最初主人公らしい能崎と云ふ學生が、藝者を買つたと云ふことが一ツの事件に發展して行くかと思へばさうではなく、友人の苗村との間の友情で發展して行くかと思へばさうでもなく、颱風に遭つた時の劇的場面が二人によつて繰り擴げられるが、これも大して讀者には小說の筋としては受けられない。この小說は、要するに練習船內の生活や航海中に起り易い事件を、起伏をつけて書いてあるにすぎないものゝやうに思ふ。主人公の能崎も、また苗村もさうはつきりと描かれてはゐない。

しかし、それでゐて面白くないかと云へば、相當に面白く終りまで讀ませられて行く。それは小說の筋や、人物の面白さではなく、海洋と云ふものゝ持つ魅力を、巧みにとりあげて、特にこの作者の得意な洗練された海洋の描寫で終始してゐるからだ。

かうした筋の無い小說、構成のない小說があながち惡いと云ふものではない。しかし、全然構成はなくとも、中に描いてある一ツの人物の人間としての姿を、うんと突こんで書いてあつたら讀後に何かもつと深く殘るものがあるのではないかしら。「天の產聲」は、オール讀物六月號の同じ作者のものだ。これは一ツの成功美談だが、南洋の委任統治領を日本が領有した當時の開發の狀態を描いて、舞臺が舞臺ではあるし時局的に興味深く讀ませられる。

モデルは松江春次氏（南洋興發の）なのだが、恐らくこの作中に出て來る事件は、松江氏の身邊に起つた、當時の逸話をそのまゝとつてあることだらう。

かうした實在の人物を小說に扱ふと云ふことには、非常にむづかしさが伴なふと思ふ。餘りに事實にのみ即しては、小說的の面白さがなくなるし、と云つて事實を曲げて、でなくとも、あまりに作り事を多くしてしまつては眞實感が稀薄になるし、ともすると文學の域を脫した傳記小說の類になつてしまひ勝ちではあるし――

この作品の場合は、さうした單なる傳記

讀物の域を出でゝ、立派な小說として構成されてゐる。南洋の描寫も、それらしく肯かれる。だが、强いて慾を云へば、作に現はれて來る事件――たとへば、技師が海中へ落したミル・ローラーを引あげるのに苦心をしてゐることや、主人公の松井が船長から「專務よく聞け……」の唄を聞かせられるところや、南洋長官が突然に現はれて來るところなどが、この小說の筋の運びに必然的なものではなく、むしろ小說構成の上から云つては、不自然にさへ思はせられるところがある。これは作者が、この材料を小說とするに、未だ充分に咀嚼し、消化しきつてゐなかつたせいだらうと思ふ。むしろ、最初に出て來る良介（松井の甥）と松井とを、もつと表面へぐツと押し出して、効果的に活躍させた方がよかつたのではないかと思ふ。小說には、事實にのみ忠實である必要はないのだから。

だが、この小說には、噓だとか、作り事だとか思はせられるところが全く無い。これは事實の持つ力强さだ。よし、材料を幾分不自然に使つてあつたとしても、そのために小說的の面白さはそがれても、眞實感の持つ迫力は、充分に讀者を引つぱつて行く。

あとに評する淺野武雄氏の作品とは、この點全く對蹠的なものがある。

部分的に氣のついたところを云へば、靑々と茂つた甘蔗が、火をつけると一時にもえだすだらうか、と云ふことだ。もしさうだとしても、內地のわれ〳〵には、一寸說明をつけてなければ分らぬと思ふ。最後の頁の燒けてある夜空を眺め乍らの、松井と今見昇の會話の前後が、餘りに筆の調子に乘りすぎて、美しく描かれすぎてゐはすまいか。もつと押へて書いてあれば、この大切なラストシーンを、もつと眞に迫るものにしたのではなからうか。

◇淺野武男氏の大衆文藝六月號の「坐像」と、文學建設六月號の「寢棺」は、何れもこの作者の獨自の行き方である。何かを摑まへたら、執拗に、粘り强く、しやにむに突込んで行くと云ふ、ある種の凝り方で描いてある。

「坐像」の方はそれほどでもないが、「寢棺」の方には、多分にその傾向が濃くて、ぐんぐんと引づられて讀ませられながらもまたかと、一寸胸につかへて來るやうな氣がする。しかし、これがこの作者の獨特の境地であつて、この作家の作品が、成功するも失敗するも、この作風の使ひ方一つにあるのだ。曾てオール讀物に發表された「蜘蛛」そのほかの一聯の作品は、皆この作風が濃厚である。

さて「寢棺」に就て云へば、この葬儀社と云ふ、ちよつと他の作家では、こんな材料をとりあげかねるであらうと思ふやうなものを、よくこの事業の推移や、經營方法、その他細事に至るまでも調べあげて描いてある。主人公のお谷も、その良人の惣三郞も、周圍の者ひとりひとりの性格もよく出てゐる。あの、自分のことしか何事も考へなかつたお谷が、良人が腦溢血で倒れると同時に、急に氣が變る邊りも讀者にはよく分る。たゞ、お谷に寢棺を作つてその中へはいつて寢させるところへまで行くのは、少し行きすぎぢやないかしら。こゝまで書かねば面白くないかもしれぬが、それでは

餘りに嘘のやうな話になりはせぬかしら。ちよつとはいつてみる程度でよくはないかしら。もうひとつ慾を云へば、長男の欣二が自覺して家業に精出すやうになる狀態と動機を、もう少しはつきりと肯けるやうに描いてほしかつた。

とにかくこの作品は、可なり整つた佳作である。

「坐像」は、銅像獻納の話なのだが、宮子刀自が亡夫の銅像を獻納しようと云ふ氣持になる、その心理の推移よりも、過去の宮子刀自と亡夫との結婚ローマンスの方が讀んでゐて面白く、これの方に實があるので主題の方が忘れられ勝になる恐れがある。過去にこれだけの事件を疊みこむならば、現在にも、今少しの面白い話を盛り込んだらどうであつたらうか。

しかし、全篇として讀んでは面白さにも欠けてはゐないし、作者のねらひどころもよく出てゐるし、佳作には違ひない。

以上、二作を通じて考へてみるに、何れもその克明な描寫と、粘り強い事件の追及に讀者は面白く讀ませられはするが、どこか一點、眞實感に欠けたところが感じられはせぬだらうか？――これは、私だけの感じであらうか？

『運命』を瞶める

―村雨退二郎著「富士の歌」を讀んで―

東野村　章

人間を描き、人間を瞶めるところから文學は生れてくる。そして、文學の感動は、その中から微妙な音色でもつて流れてくるものではなからうか。美も、醜も、苦も、悲哀も、歡喜も、微妙な音色は、さまざまな姿態でわれわれの胸の奧を突いてくる。共感――さうだ。そんな感動の仕方もあつた。だが、もつともつと奧の、深い、衝激を受ける感動だつてある。――僕は文學に就いて考へながら、何時か、そんなことに思考の糸を縺れさせてゐるのであつた。

中河與一が國民文學に就いて「……今日眞に現はれねばならぬものは大東亞戰爭を象徵する雄渾の文學でなければならぬ。それは題材の如何や便乘によつて決定せられるものでなく、精神の高潮として描かれ、決意の壯烈に於て發想せられねばならぬところのものである」と述べてゐるが、此の描像的な言ひ方を、文學の實際の面まで引き戻してみるなら、「精神の高潮」も「決意の壯烈」（これらはまだ一部に過ぎぬが）も、讀むもの丶胸にぢかにそれらの感動を齎すものでなければならないのである。それは單に技術だけの問題ではない。

「富士の歌」の著者がその序文で「文學としての面白さをもつた小說」と言つてゐるのは何か。「文學としての」感動が、同時に「文學としての面白さ」をもつものを言ふのであると信じる。そして、その感動が「精神の高潮」や「決意の壯烈」といつたことだけでなく、人間のもつ深さ、その深奧を搖るがす感動を指してゐることを考へたい。

「富士の歌」四百數十頁を一氣に讀みすゝみ、最後の頁を伏せるのも忘れて、暫くは凝ッと瞶めてゐた。もう活字ではなかつた。眼前には、人間の謎のやうな生命が深

夜の波のやうにうねつてゐるのだつた。やがてその中から深い音律(リズム)が流れてくる。音律と共に静かな明るさが、一瞬、サッと瞳を瞠かせるのであつた。――この著者は、運命を讀める作家のやうに言はれてゐる。慥に運命を讀める作家であるかも知れないが、運命だけを讀める作家であらうか。

萩の東郊土原の農家おとせの一人子の半六が、長州少年鼓笛隊の隊長として突撃の太鼓を叩き鳴らしながら壮烈な戦死をとげるまでの、短いが數奇な人生は、運命にのみ飜弄された姿であらうか。辰之助と共に旅立つた半六は、江戸で丁半の見張りをやるとは想像も出來なかつたやうに、彼のゆくてには次から次へと思ひがけぬ渦があつた。それは運命の流れに乗つた笹小舟のやうであつた。が、流れに乗りながら、流れの中にすべてを委かせてはゐなかつた。半六の小さな胸に燃えた大きな意志の火が流れにたへず反逆するのだつた。意志――それは、人間の一つの強さでなくてなんであらう。辰之助の墮落も、どうにもならぬ運命の一つの縮圖であるかも知れないが、最後にその中から飛び出させたのも意志の力ではなかつたらうか。

作者は、運命を凝ッと讀め、更にそれに對して一つの批判を加へてゐるのだ。どうにもならぬ運命も、此處では意志の力で開かれてゆく――。

これまで、われわれは、運命の悲劇を、どんなにか多く讀ませられてきたであらうか。それらの多くは運命の中に溺れる人形の姿であつた。が、此處では運命の悲劇を拓かうとする力が、奔流のやうに讀者の胸に迫つてくるのである。そこに、これまでの文學に對する作者の鋭いメスがあることを思ふのである。

「いや、あの女は、死なしてやつた方が、あの女のために仕合せだつたのです……生きてゐれば、罪と一緒に歩かずにはゐられない女……生きるためには、どんなことでも恥と思はない女だつたのです。あの女には、人間はどんな風に生きて行かねばならぬかといふ考へはなかつたのです」自墮落な生活から『死』をもつてしか抜け出すことの出來なかつたお露に對して、これは作者の批判の言葉でもあつた。また、お露の性格を通して女性の一つの面への批判でもあつた。何故なら「(それは、私の身にも當嵌るのではあるまいか?)と」省りみるお梨枝は、その複雑な心の流れを通して、女性にとつての『愛情』の悶えを感じたからだと思ふのだ。「人間はどんな風に生きて行かねばならぬかといふことが考へられなかつたのは、女は本當の愛情を求めて、それを土臺にしなければ、生きる道も考へられないことを感じるからではないだらうか。

この一篇を通じて人間を描く――このことの眞の意味と、眞劍にとり組み、ほり下げやうとしてゐる努力が、非常に強く感じられる。(坂本龍馬)より遙にその點では、生ま生ましく、作者の努力の跡を窺ふことが出來るのである。「富士の歌」の良さは、みんな、此處からきてゐるのであると思ふ。嵐の通り過ぎたあとの、乳色の空間を思はせる感動も、そこからであると指摘し得られると思ふ。

だが、ともすれば、それらを、『運命』的なものに結びつけて考へられる危險のあ

るのは如何してなのだらうか。人間の尤も激しい感動を盛りあげようとするには、悲しき運命的な流れをともなはなければならないのであらうか。

「富士の歌」によつて、作者が飛躍せんとするところはそこにあるのではないだらうか。

「國民主義の立場に立つて、國民生活と結びついた新らしい現實的理想主義文學を打ち樹て」んと意欲する作者の、尊い努力の第一彈を、此處に見ることを、心から祝福し、益々御健筆を祈る。

「勤王屆出」讀後感

中澤巠夫

丹羽文雄氏の歴史小説を初めて讀んで見た。前半の晦澁さは、實に讀み難いが、やつと辛抱して讀んだ。後半は、やゝ樂に讀めた。

この作品は、安政末から、明治二十年頃までの事の松前藩の勤王志士、下國東七郎の維新の動亂期を生きぬいて行く姿を描いたもので作者は「勤王の仕事は陛下の臣としての務めを果したまでであたりまへのことで、自分を救ふ爲に自分の船を救ふやうなのです」と東七郎の言葉を借りて表現してゐる所を意圖したものであらう。それ故に、この作品は、從來の王政復古の大業に直接參加した勤王志士の行動とは異なつて松前藩が時勢の進行に遲れないやうに、勤王を單に時勢の力としてしか考へてゐない所がある。松前藩と云ふ特殊な藩では、この程度でも勤王であつたかも知れないが、しかし、讀者には、この人達の何が勤王なのか、王事につくしたといふ感激は少しも感じられない。「自分を救ふ爲に自分の船を救ふ」と云ふ點、即ち、動搖する時の流れのまゝに搖動かされる小藩の運命を守ることに一心不亂になつてゐる東七郎は感じられる。動搖する改革期の世相と、松前藩への影響は、流石に、長い間、修練された丹羽氏の風俗作品的手腕が、光つてゐる。岩上順一氏が「維新の動亂を松前藩と云ふ小藩の側から描いた佳品である」と賞讚してゐるのは、この手腕を云ふのではなからうか。しかしこれだけではこの作品の價値は定らないと思ふ。

この作品は、碎身粉骨して王事に盡す人間を描くことを主題とせず、同じ勤王は勤王でも、その地域的立場から、勤王運動の中心から外れた所にゐる人物を描かうとしてゐるのである。若し、このやうな立場にゐる人物を、中心的地位にゐた人物同樣に解釋するとしたら、史實を歪めることになるから、作者はあくまでの史實に忠實ならんとして、平凡なる行動の中に、その苦衷を描かうとしてのである。

然し、丹羽氏は、歴史の事實に蔽はれすぎて、事實の奥にある眞實を把握してゐない。明治維新の歴史事實の底にあるものを摑んでゐない。これを摑むのには、作家が確固たる日本史觀をもつて、歴史の事實を凝視することによつて初めて可能なのである。

この作品に、それがあつたら、丹羽氏の圓熟した技術と相まつて、立派な國民文學となつたであらうし、歴史文學の一進歩にもなつたであらうと思ふのである。

この作品は、その思想の根底をなしてゐる所が、多分に唯物史觀的なものを含んでゐるやうに思はれる。下國東七郎の精神の發展について、主として外面的、環境的影響をとり上げ、內面的な發展を見おとしてゐる點がそれを物語る。それ故に、下國東七郎が勤王を叫んでも、その勤王の精神が更に人をうつ所がないのである。

作者は、動搖する時代の中に、一つの信念をもつて生き拔いて行く人間の世を描くことを意圖したとしても、明治維新と云ふ時代に於ける一人物、而も、地域的に、特殊な地位にある、勤王精神の萠芽すらもないやうな小藩に、忽然と燃え上つた炎である以上、當然に、下國東七郎の精神的發展が、この作の重要な要示でなければならなかつた筈である。

東七郎に思想的影響を與へたと書いてある三上起順が、全然、描き出されてゐないし、その與へられた影響なるものも、單に、日本の國際的地位に關する程度のもののやうであるのも、そうである。

これは、作者が、下國東七郎の勤王精神への解剖が足らなかつたからである。作者が、それを見通さなかつたのである。

社會環境の影響と、環境を理解する東七郎の叡智、それだけでは、維新における小藩の運命を、有利に導かうと努力してゐると云ふことだけで、有利へ導くことが、王事に勤むることになると云ふ結論にはならないのである。

この批評の冒頭に引いた「陛下につくすことは當然である」と云ふ東七郎の信念が更に感じられないのもこの史觀の缺乏からである。

この點に反省されたら、この作品の一つの缺點である前半部の晦澁さも、解決するのではなからうか。

作者は、歷史上の事實を故意に歪めてゐる。何故にこのやうな歪め方をしなければならなかつた了解に苦しむ點が多い。

中外新聞に關する點などは、恐らく作者は、維新時代の新聞に關する知識が皆無なのではないかとさへ思はせられる。

世事探訪に出かけるのを、非常にのんきごとと解してゐたり、世事探訪の任務を持つたものが、慶應四年二月末日前後に、江戶を通りすぎ乍ら、將軍慶喜の東歸や、伏見鳥羽の戰を知らなかつたり、又、中外新聞を讀んでゐ乍ら、堺事件に憤慨してゐて、肝心の倒幕の風雲を見のがしたりしてゐるのは、どう云ふわけなのか、判斷に苦しむ作爲である。

ちなみに、慶應四年二月二十四日の中外新聞（道中で手に入れた）には何よりも堺事件なるものが大きく扱はれてゐた（三十二頁）とあるが、實は、この中外新聞の創刊號（それまでは、寫本で閱覽してゐたがこの號から出版したのであつた）この二月二十四日の中外新聞は、堺事件はのせてない。大きく扱はれてゐるのは、征討軍の出發の風聞と、東北諸藩の動靜に關するものであり、特に「一栢は只恭順謹愼にして敢て戰を好まず。一栢とは即ち大君の事なり」と云ふ重要な記事である。このやうな重大なる記事を態々五月頃の新聞記事として、之を全文轉載してゐるのは、實に奇怪なことと云はなければならない。（四五頁）

歷史小說は、歷史上の事實が、正確であ

ることゝき絶對條件とはしない。太平記は、歴史上の事實と相違點が多いので、吉野朝時代の一等史料にはならないが、それが歴史小説文學の白眉たるの價値に於ては、微動もしない。これは我々の持論である。然し、こゝに歴史小説の重要な問題がある。これが許されるのは歴史上の事實が、作品の重要な要素となつてゐない場合に限るので、丹羽氏のこの作品では、歴史上の事實の推移が、非常に重大な役割を持つてゐるのであるから、このやうに、作家の勝手に事實を歪めてはならない。

このやうな探索掛のつとめ振りをしてゐる鈴木重載と云ふ男は、なんと云ふ取るに足らぬ馬鹿者であらうと云ふより他にしかたがない。鈴木重載の性格や人間を物語る重要な問題であるから、作家は、この新聞の取扱方に、もつと愼重でなければならない筈である。

單に中外新聞を時勢の推移を物語る手段に使用したとするならこのやうな扱ひ方は又許されない。

「歴史の足は旅人の足より急速であり、激越である」(三八頁)と云つてゐるが、實は重載が、眞に、政治の動向に情熱を持つてゐる男なら、このやうな事は起らないのである。鈴木は、京都へ登りながら、何を考へたか少しも書かれてゐない。唯、新聞の切拔やら雜報やらを持ちかへつてゐるだけであるのも、はなはだうなづけないことであつた。

このやうな歴史上の事實の歪曲が、前半部を愈々混亂に陷入れてゐるのである。第二に、この小説の全體の形式の讀憎さの問題である。何故にこのやうに判り憎い文體をとらなければならないのか、諒解に苦しむのである。文體は、出來るだけ平明に、判りよくして貰はなければ困る。特に、このやうな文體を使ふのは、「所謂純文學作家」のよくやる晦澁な文章が高級であるかのやうなポーズの一つではないかと反感さへ感ずる。

要するに「勤王屆出」は、いろいろの瑕はあるにしても風俗作家丹羽文雄氏の力量相當の佳品である。丹羽氏の歴史小説に初めて接した私として、この作品が丹羽氏の力量以下の作品でないことに大きな喜びを受けると共に、正しい日本史觀を把握し、平明なる文體を以て、國民の精神を鼓舞し國民の生活に侵潤する偉大なる歴史小説の次作が生まれることを希んでやまない。

村正治君の「林檎譚第二話」

土屋光司

作品に、論説に、批評に、このところ村君の精進ぶりには、刮目すべきものがある。が、ここでは、本誌六月號の『林檎食はれる』を中心にして、少しいはせて頂くことにする。

林檎譚は、同君から話で聞いたところでは、既に體系をなしてゐる。そして、この第二譚は、その體系のうちにはあるが、一寸傍道へそれたといふ感じを與へるものである。といつても、それは小説としての正道を外れたといふ意味ではない。第一譚で、その片鱗だけを示したユーモア味が强調されてゐる點が目立つてゐるといふ意味であ

る。

元來が、探偵小說とユーモア小說とから出發し、人だけに、ストーリイの構成、人物の出し入れ等には、いささかのソツもない。これは、同君の强味でもあるが、あるひは、弱味ともなるかも知れない。探偵小說が影をひそめるに至つた理由は、いろいろ考へられるかも知れないが、ストーリイだけに力點がおかれて、そこで扱はれる人間が生きてゐなかつたこと、そして、それを小說にまで高めることが出來なかつたことにもあるのではなからうか。

もう一つ、同君の將棋を見てゐると、初盤のうちに、飛車と角、特に、角をナマの儘で働かせ、相手のスキを狙つて、奇勝を博する。（私はその手でやられたので、くやしくていふわけではないが）この角の動かし方には、ユーモラスな味と共に、一種の巧味がある。しかし、この戰法には、危險も伴ふわけである。

この『林檎食はれる』は、この戰法ではないかと思ふのである。しかし、ここでは角の動かし方のやうな危つかしさが出なかつた。これがこの作品に、樂しい味を添へてゐる。

次ぎに、現代小說には、一つの型が出來てしまつてゐる。所謂賣物になる小說は、その型から外れられなくなつたのではないかといふ感じがする。定型固定である。安易な道である。この時代に相應はしい作品を殘すためには、この型を破らなければならないといふことは、われわれがつねに口にしてゐるところである。

この作品には、その型を破らうとした努力が見えてゐる。同君自身の許へ、未知の人から、『この時代に、かういふ樂しい作品を初めて拜見しました』といふ意味の禮狀がきたといふことは、それを物語るものであらう。これは、この作者の强味であると思ふ。

歌人としての同君は、既に立派に完成してゐる。戶伏君がいつたやうに、作家としても、同君にその氣さへあれば、疾うに完成してゐた筈である。が、既にその再スタートは切られた。決勝線は見えてゐる。そしてこの作品は、勝者たるべき同君の走法を示したところに、意味をもつてゐるといへるであらう。豫定が變更になつて、急に私がこの批評を受持つたので、的を外れたかも知れないが、お許しをねがひたい。

◇受贈雜誌御禮◇

○ユーモアクラブ（七月號）
○講談倶樂部（七月號）
○講談雜誌（七月號）
○大衆文藝（七月號）
○愛の日本（七月號）
○傳記（九卷五號）
○ふるさと（六月號）
○漁村（六月號）
○開拓（七月號）
○文藝情報（六月下旬七月上旬號）
○メトロ時代（七月號）
○女性日本（六月上・下旬號）

講談覺え書（一）

佐　野　孝

源平盛衰記等々戰記、軍談の類は辯ぜざるなく、學識共に具はる一かどの人物であつた。恐らく諸侯家へ仕官しようと思へば相當の錄を以て抱へられたであらうし何も敢て辻に立つて舌耕しなくてもよかつたらうに、敢て大道に立つて世人に呼びかけた所以のものは、そこに何物かゞなくてはならない。

思ふに淸左衞門は、勤皇義烈の士であつて、ひそかに德川の幕府を憎み、世人にわが國體を說き勤皇の同志を求むべく、又、史を講ずるに事よせて、幕府を批判し排擊する、さういつた人物であつたかも知れない。

少くも彼は德川幕府の反對者であつた。その事は、彼が好んで豐臣大閤記を讀み、德川の處置を暗に難じたりして、役人に睨まれることなどは何とも思はなかつたらしく、終には、大衆の面前で家康を狸阿爺と罵倒するや、否や群集にまぎれてそのまゝ行方をくらましてしまつたといふ。即ち淸左衞門の如きは講談の裏にかくれて幕府排擊を企てたものとも見るべく、彼の太平記は政治講談的意圖のもとに讀まれたものとすると甚だ面白いのである。

更に後藤又兵衞といつた豪傑が、大阪に於て深編笠をかぶり天滿境內に立つて軍談を讀んだ目的は奈邊にあつたか。これとても衣食の爲と云はんよりは、むしろ黑田家へ對する批判を、抗議を、天下に訴へんとする政治的意圖からであつたとしたならば、講談といふものは、その初期に於ても旣に政治講談的色彩を多分に持つてゐたものといへるのである。

又、寶曆八年十二月、淺草で獄門にかけられた馬場文耕も、講談

政治講談について

政治講談については、伊藤痴遊、柳田泉、木村毅三氏の研究につくされてゐるので、何も書くことはない譯だが、私は、明治以前に於ても『政治講談』が、盛んに流行してゐたと考へるのである。

三氏の研究は政治講談といふものを、民權講談のシノニムとしての研究であるが、そも〳〵講談は、その發生の初期に於て、旣に多分に政治講談的意義を持つてゐたものらしく思はれてゐる。

といふのは、「太平記讀み」と呼ばれた辻講釋の時代に於ける講釋師の悉くが、單に糊口の術としてのみ太平記を讀んだかどうかといふことである。

講釋師の元祖の如く云はれてゐる名和淸左衞門が、太平記の理盡抄を講ずるに當つて、自ら南朝の忠臣名和氏の後裔と稱してゐたのは、單に宣傳的な意味からだけであつたらうか。

彼は容貌優秀、辯說流暢、太平記ばかりか信長記、三河風土記、

の中で峻烈に徳川の批政を攻撃したものであつた。

公に政治をあげつらふことの出來ぬ立場にゐた人間が、講談に事よせ、講談にかくれて時の政府に抗議する。史を講ずるといふことは既に一種の批評であり啓蒙である。

講は正史に通ずるの意味、談はその正史を平易に語るの意味、明治期の政治講談は、自由民權論者が、政府に彈壓された結果、窮餘の策として思ひついた政談演説の變形なのだが、江戸の昔から講談にはさうした性質が多分にあつたものと云へよう。

× ×

所謂『政治講談』は、自由黨の志士が、政治思想宣傳のために行つたもので、その最初の人は、柳田氏は坂崎紫瀾だとする。坂崎は板垣退助の參謀格の男で、相當の學者であり、文人であり『汗血千里駒』によつて、歴史小說の一體を開いた才人で、明治十四年、板垣が高知縣下で政談禁止の厄にあふや、彼は政治思想宣傳の具として講談を利用することを思ひついた。

則ち友人同志を以て、東洋一派民權講釋なる一座を組織し、自分は馬鹿林鈍翁と名のり、明治十五年一月二十一日、高知市の玉水新地、廣榮座で初興行の旗を揚げた。一座の中には本物の講釋師も若干加つてゐた。

これが政治講談の最初で、高座で演じたとは云ひ條、政談演說に類するものであつたさうだ。

しかし、筆者が、松林伯知の口から聽くところによれば、必ずしも、これが政治講談の最初なのではなく、その前、東京に於て、馬場辰猪が政治講談をやつてゐるといふことであつた。そして伯知の師匠松林伯圓が一緒に出たのだが、おかしかつたのは、伯圓の講談がすむと、聽衆がゾロゾロ歸つてしまつて、さすがの馬場さんもいやな顔をされた。といふ話であつた。それは明治八年頃の話だといふ。

さうすると、馬場辰猪が政治講談の元祖といふことになる譯だが、殘念なことには、筆者が、伯知老と親しくしたのは、老の晩年のことで、彼は耳が遠く、筆者の質問に對して充分に答へてくれなかつたこと、筆者も亦政治講談の研究といつたことは當時、敢て考へてゐなかつたので深く追求することなしに終つたので、適確な證明がつかない。

恐らく柳田氏の研究は間違ひのないところで、馬場辰猪の件は、伯知老の思ひちがひか筆者の聞きちがひとは思ふけれど、一應記しておく次第である。

× ×

自由黨の連中が、東京で政治講談をやつたのは、神田末廣町の千代田亭のそれが最初であつた。明治十六年七月六日の夜である。奥宮健之が「經國美談」と「自由の凱歌」を演じ、之に本職の講釋師旭堂南慶、松林伯知、松林右圓等が出てゐる。

どうして講釋師が、かうした席に出てゐるのかといふと、この時分の政治講談は、高知に於けるが如く、政談演說が禁止されたから演藝會の形式で大衆に呼びかけたといふのではなく、政治思想の普及を目的としたものであつた。明治十五・六年と云へば民權論のか

まひすしかつた時代で、時代の空氣がさうであれば藝人といへども、敏感なものはそれを反影して時代の空氣に迎合しようとするのは當然のことだし、又、時代人として講釋師といへども民權論に同意し共鳴したものがあつたのにちがひない。

伯知の如きは　新物讀みの伯圓の門下にあつて新聞講談を讀物にしてゐた時代であり、師匠の伯圓がテーブル講談をやり、洋服を着て、コツプに水、さて諸君などとやつたくらゐだから、彼とても自由黨の連中と一緒に出ることは望むところであつたらうし、大體伯知といふ人は新しい試なら何でもやつてみるといつた傾向があつた。南慶、右圓などは賴まれたから出たといつた程度のもので、彼らが自由民權論者であつたといふ話は聞いてゐない。

この最初の催は大入をつゞけたので、ひきつゞき數回催され、宮崎夢柳、小勝俊吉、奥宮健吉等々が口演し、講釋師では前記の他、伊東燕巣等が出てゐる。

演題は「經國美談」等の他に、自由の爲に戰つた人々の傳記物が多かつたが、目的が目的故言辭生硬、大して面白いものではなく、客は新物好み、珍しいもの好きで、新聞の宣傳によつて詰めかけた人達が大部分であつたことは、當時の講釋通が、伯知をイカモノ好きと罵倒してゐることによつても想像できることだ。

そのうち奥宮健之が舌禍にひつかゝり入獄の憂き目にあふやうなこともあつたが、出獄すると、彼自身講釋師の鑑札を受けて高座に出るといつた勢で同志と共に、迫害に屈せず奮闘したが、政府ではこれを彈壓せんとして、講釋師の頭取、南龍、貞山等を呼んで、講釋師が政談がましいことをせぬやうにと申渡すと共に、席亭にも、さうした會合にはなるべく寄席を貸さぬやうにと注意した。

それで東京ではだん〳〵下火になつたが、地方に於ては盛んに行はれ、名古屋の村上佐一郎、信州上田の龍野周一郎、渡邊作成、松本佐吉、高知の坂崎紫瀾、川島稔等は、最も知られてゐる。その後東京に於ても盛衰があつたが、所謂政治講談なるものは明治十八年頃まで行はれてゐた。が、何時とはなしに消えてしまつたとは、之も伯知の話である。

その詳細なことは、柳田泉氏の著について讀まれるといゝ。ただ筆者の注意あるところは、この政治講談なるものが、本筋の講釋、寄席藝術としての講釋に如何なる影響を與へたかといふことである。

×　　　×

講談が、その初期に於て既に政治講談的性質を多分に持つてゐたとは前述の通りであるが、講談が太平記讀みから離れ寄席藝術として一通り完成されたのは、純粋に藝として磨かれてからであつた。演者が何ら政治的目的を持たず專ら藝としての完成を目ざして精進し一ツの型を拵へ上げた。講談は大衆に高いところから呼びかけるものではない、飽くまで『話す』のであるところに特質が存する。話術であつて演說ではない。それだけに、政治講談といつたものが成功すれば効果は大きい譯だが、自由黨の政治講談は成功したものとはいへなかつた。

そのことは現在流行してゐるところの、大衆小說の形をとつた政

治的意圖を持つた、所謂「國策小說」と頗る類似の點が多い。作中でいくら演說をしても大衆は動かされない。

講談の形式を借りた政談、小說の形を借りた國策小說、それが、ほんとうに講談になりきり、小說になり切つたところに大きな効果が存するのであつて借り物である間は、一時はともかく永い生命を持つことは出來ないのである。

政治講談として「經國美談」「全世界一大奇書」「愛國眞意」「西海血潮小暴風」「東洋義人傳」「自由乃凱歌」等々當時演じられたもので、今日迄殘つてゐるものが何一つないといふことは、荒木又右衞門や大岡政談やその他講談が、何千何萬回と演じられても飽かれることがないのと比較してみるがいゝ。

當時、政治講談の會は、頗る人氣に投じ大入滿員をつゞけたことはあつても、それは講談を聽く客ではなく、新奇なものが時好に投じたといふ、別種の客ダネであつたとも考へ得られるし、恐らく、政府の彈壓がなくとも早晩ほろぶべき種のものであつたらうと思はれる。でなければ數多くの演目のうち一つや二つは講談として今日迄ひきつがれてゐる筈だと思ふ。

それから、本職の講談師が、當時の記錄によるとしばしば出演してゐるが、これとても、心から自由民權論に打ち込んで進んで出たものではなく、一種の看板として客よせの道具として賴まれた人氣者といつた方が當つてゐる場合も多かつたと考へられる。

前述の馬場辰猪の政談演說會の伯圓の話もあるし、更に佐田介石が茅場町の藥師寺などにも、三遊亭圓朝が出てゐるけれども、聽衆は圓朝の話をきくと皆歸つてしまつて、一人も殘らぬ爲に、翌日は圓朝を最後に出した。すると、聽衆は時間を見はからつて介石の話のすんだ時分にやつてきたといふ。

そんな譯だから、一時は、盛大だつた政治講談も寄席藝術としての講談に與へたところの影響は甚だ少い。一時はテーブルを前にして伯圓や伯知などは大いに新しい形式をとり入れたつもりでやつてはみたものゝ、何時の間にやら釋臺に歸つてしまつたし、題目としても、後々まで殘つたものもないし、僅かに伊藤痴遊氏が政治講談師として特殊の存在をつゞけたけれども、これも寄席藝術としての講談とは別種のものと筆者は考へてゐる。

結局、政治講談は、それだけのもので講談の本流には何ものも附加しなかつた。

それどころか、その末路にあたつては、逆に、堂々たる政治講談の大先生の一人が講釋師の前座となつて寄席に出る始末。

大衆は默つてゐても本ものと、にせ物の區判には敏感である。國策小說も本ものでなければ、亡びてしまふ運命を持つてゐることを痛感する次第である。

上野山内

戸伏太兵

一

緩漫な潮流に乘つて、あてもなく海に漂ふ木片が、やがていつとはなく砂上に打ちあげられるやうに、おもむろに、斷れ〴〵の印象が、意識の中に蘇つて來た……。

一抹の薄光があり、モヤ〳〵とした陰影がグラ〳〵と交錯する……。

―頽れた砂嚢、炸裂した木砲、木の葉の吹ッ飛んでしまつた立ち樹、泥土を詰めた矢玉凌ぎの丸太……。

あゝ、そしてあの時の、異樣な笑ひ聲は、いつたい誰の立てた聲なのであらう?――それは、いま考へては、本當にあつたこととは思へなかつた。然し……冷靜に考へてみると、やはり實際にあつたことなのだ。

さうだ……自分はその時、雨あられと飛んで來る敵の銃丸を木柵の根敷に避けながら、隙を見て斬り込まうと身構へてゐたのを思ひ出す……。雨あがりの草む

らがグッショリと濡れて、足の草鞋が氣持ちの惡いほどに重たかつた……。

だが……その後のことは、はつきり思ひ浮かべることが出來ない。突然、非常な高さにまで自分の身體が持ち上げられ、それから……下の方へ、落ち込むやうに落下して行くのを感じた。

そして、すべては、空虚であつた。

いや、先づその空虚の前に、激しい閃光があつたやうにも思ふ……。それだけだ、そのほかのことは何も思ひ出すことが出來ない……。

――寒い。

急に、寒さが感じられた。

その寒さは、未だ嘗て感じたことのないやうな種類の寒さであつた。瞑府とかいふ、あの世の寒さは、これではなからうかと、さう思つた
ふと、子供の頃の、遠い〳〵追憶の斷片が、脈絡もなく、茫漠とした意識の上に浮かび上つて、疲れた神經がそれらの追憶の斷れぎれを纒めてどういふ意味かを考へぬうちに、水泡がフッと壞れるやうに、急にそれを見失つてしまつたりする……。

さういつた斷れ〴〵の印象は、一度でなく二度三度と浮かび上つて、お堀の上に舞ふ鳶の鳥影のやうに、サツと集まつたかと思へば、早や散り〴〵に消えてしまふやうに思はれれた。

何事かゞ、自分の身の上に起つたのだ――それは確かである、と思ふ。

斯うしては居れぬ――さういつた焦燥のやうなものが、或る傷ましい感覺となつて立ちあがつて來た。

よみがへらうとする理性は、犬が棒を銜へて振りまはす時のやうに、この取りとめのない印象の綱に摑まつて、あれこれと振りまはして見るのだが、それも何等の理解に役立たうとはしない。

そこで、漠然ながら、かう結論した。――時間の無いあの世で、自分がウロ〳〵してゐる間に、この世では時間が經つてしまつたのだ、と。

この結論から、急に、一つの具體的な事實を思ひ出すことが出來た。

さうだ、自分は、大砲で撃たれたのだ！

――この事實は、人の魂をよろけさせるほどな失望を伴つてゐた。

さうだ、自分は大砲に擊たれたのだ。大砲に擊たれ……

幾度も〳〵、それらの言葉を繰りかへした。

自分は、戰場で倒れて死んでゐる……。こゝは上野の山內にちがひない……。

ほんとに、自分は死んでゐるのであらうか？　まさか――死んでゐる者に此の種の意識があるものだらうか？

はゝはゝ、印象といふものは何と馬鹿げたものだらう……。

が、かう考へた時、急にめり込むやうな失望が、再び襲つて來た。

――あゝ匂ひが無い！　自分の呼吸する空氣は、奇妙にも香りのないもので、胸の底までぢかに、深く、泌みこむやうに思はれた。

この發見が、彼を愕かせた。

彼は、靜かに泣いた。

…………。

二

涙が收まるにつれて、彼は或る聞き馴れた物音のしてゐるのに氣付いた。

その音は、一見遠くのはうから聞えるやうに思はれたが、しばらく聞耳を立てゝゐるうちに、それが何んであるかゞわかつて來た。

それは、土を掃く竹箒の音であつた……。

――注意ぶかく、耳をそばだてる。

さうだ！　本當に、それは竹箒の音である。

再び……熱い涙が彼の目にこみあげて來た。

あゝ、自分は……たしかに生きてゐる……！　歡喜の潮が彼のこゝろを壓倒した。

あゝ、あの足音……竹箒で掃いてゐる人の足音……、あの世の孤獨と沈默の後に、この寂かな足音をさせる人間が存してゐる……。

『あゝ君――君！』

彼はその足音に向かつて叫んだ。

『あゝ君――君！』

彼が立てたつもりの聲は、自分自身にも聞き取れない。胸に大きな風穴が明いてゐて、そこから呼吸が洩れてしまふやうに思はれた。

『あゝ君……』

唇は動いても、出る聲はただスウ〱と低い空鳴りを立てるばかり……。あせつてゐるうちに、その足音は段々遠くの方へ歩いてゆくやうに思はれた。

彼は恐怖で一杯になつた。若しもその人が、この自分一人を此處に殘したまゝ行つてしまつたら、自分は一體どうなるのだらう？

『おーい！　おーい！　君々！』

ほとんど超人的の努力で、前よりも一層大きな聲で呼んでみた。

それはまるで破れ鞴（ふいご）のやうな響きを胸の底で立てただけで、やはり聲にはならなかつた。

そして胸から背中へかけての一面が、急にひどい疼痛となつて燃え上つた。

あゝ、自分は、胸部貫通の重傷を受けてゐる――といふことが、この時はツきりと判つて來た。

彼は確かに生きてゐた！　傷の痛みがその事實を雄辯に語つてゐる。彼にはそのことが、本當に今まで確かではなかつたのである。あゝ、生きてゐる……胸に穴を明けたまゝ生きてゐる……何んと滑稽なことであらう！

さう思ふと、自分が今まで、何といふことなしに眼をつぶつてゐるのに氣付いた。

――そして恐は〳〵目を明けた。

すべての事物が汚い斑點であつた。それがやがて褐色の僧衣の一部分となり、それから隨分ひまどつてから、白い顎髯を生やした顔になつて、その顔が、憐憫の表情を以てしげしげと自分を見下ろしてゐるのを見たのである。

『おゝ……氣が付いたかの？』

老僧の厚い唇がパク〳〵と動いた。

彼は不思議さうに眼を瞬いた。何度見直しても、相手の顔は平たくて陰影を持たなかつた。

あゝ不思議ではないのだ――自分は一眼だけで相手を見てゐる……。

この事實は、大きな失望の後では、不思議に意味の無いことでしかなかつた。

何んと奇妙なことであらう、と彼のこゝろは考へつゞける――。

何んと奇妙なこと――この自分が、たつた一眼しか持つてゐないなんて。

彼はその片眼を、右や左にまはしてみた。ギラ〳〵として苦しくなつたので、直ぐに閉じた。

まあ〳〵、片目だつても、惡くはないさ。然し、此目だけつぶれた、といふのであらうか？　自分は大砲に吹ッとばされたのだ。確かに、もつとひどい怪我を受けたに違ひない………。

目を明けると、老僧の顔は、まだ其處にあつた。

『どうぢやな。具合は少しはよいかな？』

彼は些ツとうなづいた。然し、笑顔を作らうとしても、笑へなかつた。そして、つぶれた目のはうの頰が、ヅキ〳〵と

痛み出した。

執拗に笑はうと努力してゐる間に、彼は片頰が煙硝に吹かれて燒けただれてゐるのだといふことを覺つた。

――彼は、もう一度なみだを流しはじめた。傷のための悲しみではなかつた。こんな狀態で生き殘つたといふことの口惜しさだつた……。

彼の身體は、破れた寺院の庭の片隅に、他の死骸と並べて筵をかぶせられてゐるのである。

……………………。

三

『とても痛むかの？』

老僧は、また訊ねる。

然し、彼は答へない。

――涙は收まつたが、だん〳〵腹が立つて來た。

『痛むであらうな……。氣の毒に、よほどの傷ぢやもの……』

その質問は、馬鹿らしく思へた。

痛みといふのは、どんな痛みを指して云ふのであらう？ 身體の痛みなどは、この際、大したことではないのだ。

あゝ自分は、彰義隊の一員として敗れたのだ！ 痛みといふのは、寧ろその心の痛みをいふのだ……。


――死んでゐたのなら、それで好かつた！ 然し、自分は戰さの奇妙なまぐれ當りの一つに依つて生きてゐる！

だが、一たいこれで、果して生きてゐると云へるのだらうか？ 仲間はどうしてゐるのであらう？上野の山はひツそりとしてゐる。今は砲聲ひとつ聞えはしない。

『あんた、わしの言ふことがわかるか』

老僧の問に、彼は目をまたゝいて返事をした。

『昨夜から、一日たつ――。山內へは、怪我人や死人を探す身寄りの人たちが入り込んでゐる。この子院にも、引取り手のない死骸がこのやうに澤山置かれてゐるのぢや……』

彼は不安になつた。

――こんなみじめな姿で、もし知るべの者にでも見付けられたら？

『わしが知らせてあげる。あんたの身についた門鑑によつて、浩氣隊の人ぢやといふことがわかつてゐる。いゝか――わしが浩氣隊の名簿を讀みあげるに依つて、あんた、うなづいて返事をするんぢやぞ』

庫裡から名簿を持つて來た老僧は、低い聲でその連名を讀みはじめた。一つ讀んでは相手を見、次を讀んでは相手の眼の動きをうかゞつた。

その一人づゝの名前には、それ〴〵懷かしい記憶がからん

でゐる。

――彼の目の前で鐵砲に擊たれた同志の名もあつた。

――四五日前の夕暮に、一緒に池の端まで游弋して、錦切れを斬つた時の同志の名もあつた。

――そして、その中にも、『佐橋東作』といふ自分の名前を聞いた時には、背筋をツーンと走るやうな痛ましい感傷が感じられた。

然し彼は、あくまでも聞えない振りをしてゐた。そして又、そく／＼として迫る狂ほしい焦燥で、ひツきりなしに熱い涙が流れて來るのであつた。

老僧は、不思議さうに彼を眺めた。

『ね、あんた――おわかりだらうな。わしの訊ねることがおわかりだらうね？』

彼は、うなづいた。

『では、返事をしてもらへないか喃？』

彼は、思ひ切つて、顏を橫に振つた。

『ほウ……』

老僧は、溜息をついた。

『――駄目か喃？　答へないか喃……？』

老僧は、もう一度覗き込むやうに顏を近づけ、嚙んで含めるやうに言つた。

彼の唇が、何かを求めるやうにパク／＼と動いた。

『ほ、何か言ひたいのか――』

老僧は、相手の口もとを見つめ、その言葉を讀みとらうとした。

――それは短かく、たつた三字の言葉である。

然し、老僧には、その三字の口形を讀みとることが出來ない。
カ、タ、ナ……カ、タ、ナ……刀！
刀を持たせてくれと云ふのである。指は震へて空中にあがいた。

――死ぬんだ！　腹を切るんだ！
カ、タ、ナ……カ、タ、ナ……刀！
彼は叫んでゐた。

老僧は當惑したやうに、相手の口もとを見つめて立ちすくんだ……。
カ、タ、ナ……カ、タ、ナ……刀！
カ、タ、ナ……刀！
こまかい陰雨が、また降り出して來た……。

…………………………。

花の齒車

鱵城一郎

一

多分、小綺麗な洋館などの並んだ通りに、その事務所はあるのだらう——。

市電を降りた橋田裕子は、紙切れに書いた番地と照し合せながら、そんなことを考へて歩いた。と、番地の通りは、段々電車通りとかなり離れた狹い裏通りになつて來たので、おやつと思つた。

質屋、古道具屋、それに夜になると甦りさうなおでん屋だの、自轉車屋、家具屋などが軒を並べた裏通り、それも一方は病院の塀になつてゐて、通りは片側町で南北に延びてゐる。既に三時を廻つたその通りは、西に傾いた陽をうけて、家並みは通りの三分の二まで蔭つてゐて、妙に陰氣な印象をあたへるのだつた。

その家並みに添つて歩いて來た裕子は、番地を見てこの邊だなと思つた。一番一番と番地が近くなつて、行き當つたところは、日蔭に窓を開いた青白い三階建ての洋館の前だつた。

洋館は舊式の木造に石造を模した建て方で、地方の郡役所みたいに、がらんとした玄關が口を開けてゐて、中を覗くとほの暗かつたが、その玄關の兩側に、中の事務所名を書いた木札が三四枚、生氣なくぶら下つてゐる。

　その中の一枚に「新興工業研究所」と云ふ木札を發見した裕子は、

『あ、これだ』と思つた。

　そして、そのだだつ廣い玄關の前に、暫く呆然と佇んだ。次の瞬間、なあんだ、こんなところか、と輕い失望を感じた。

　女學校を出たばかりで、まるで世の中を知らない裕子は、こゝへ來る迄に、その事務所に樣々な夢を描いてゐた。小瀟(さつ)洒(ぱり)した明るい事務所(オフィス)、きちんとした洋服を着た事務員、たとへ小さくても如何にも有望な活氣のある會社、それに女の同僚なども相當にゐて、定めし賑やかなところだらう、そんな風に空想して來た裕子は、先づその事務所の外貌を見て、輕い失望を感じた。然し、今更引返す程の氣にもなれなかつた。

『御免ください』

　裕子は下宿屋の玄關みたいな、變に白ちやけた玄關の靴脱ぎに立つてから云つた。その玄關には青や赤のスリツパが四・五足亂雜に脱ぎ捨てゝあるばかりで、聞えないのか、誰も出て來る氣配がなかつた。

『御免下さい』

　もう一度呼んでみると、その時、左側の硝子戸を四角に切拔いた小窓が開いて、男の顏がぬつと出た。

『何處へ御用ですか……』

『あの、新興工業研究所の方なんですが……』

　裕子が笑ひながら云ふと、

『あ、それぢやあこつちの方だ……』

　男はさう云つて玄關に出て來た。眼のきよとんとした顏の淺黑い、早口でものを云ふその男は、裕子の洋裝姿を見ると、多少周章て氣味で、

『何の御用ですか』

　と訊いた。

『あの、新聞廣告を見てやつて來ましたの』

　裕子がさう云ふと男は愈々周章てゝ、

『あ、そのことで……一寸待つて下さいよ、ええと……』

　男は小走りに硝子戸の向ふへ入つたが、又にやにや笑ひながら出て來て、

『それでしたらどうぞ……』

　と揉み手をしながら云つた。

『はあ、では一寸失禮します』

　と裕子はハイヒールの靴の止め金をはづしにかゝつた。

『そこにあるスリツパを穿いて下さい、そしてこちらに……』

男についてドアを開けて入ると、裕子は大きな眼を見張つて部屋の中を眺めた。

二

部屋は日本間にしたら八疊と十疊の二間位で、床は疊敷きその上に四つばかり袖つきの事務机が並び、その奥に應接用の長椅子と安樂椅子が配置されてゐる、日本式の床の間、違ひ棚まであり、まるで明治初年のお役所へ行つたみたいな不可思議な部屋であつた。

『さあ、どうぞこちらへ……』

奥のその安樂椅子に五十五六の半白の頭をした洋眼の男が居て、かう云つて裕子を招いた。

『はあ』

『さあ、どうぞ、そこへお掛けなさい』

男は實に應接に巧みな樣子で、裕子を向ひ合つた椅子に腰かけさせた。

『新聞でみて來たんですか』

『えゝ……』

男は裕子の若々しい明るい顏をじろじろ眺めながら、煙草に火をつけた。

『履歴書を持つて來ましたか、一寸見せて下さい』

『はあ、これですが』

裕子はハンドバツクの中から、四つ折にした履歴書をとり出して、卓子の上に置いた。

男はとりあげて、眉と眉の間に皺を寄せて眺めてゐたが、

『學校を出て二年目ですか、御兩親は……』

『國の方に居ますが……』

『こちらでは……』

『伯父さんのところに置いて貰つてゐます。毎日ぶらぶらしてゐるのも何ですから、働らいてみたくなりました』

『結構ですね、ぢや、やつてみたらどう、仕事は簡單でね、寧ろ退屈しはしないかとその方が心配なんだが……名簿の整理と、謄寫版を刷つて貰ふことと……、あとは雜用、まあ、そんな事位でね、給料は三十五まで上げませう。私が社長の澤田です。他に社員が三人、こゝにゐる人間と、貴方を入れて五人だけの世帶でね、君、こんな呑氣なところはないよ、どうです、明日から來てみるかね……』

『はあ……』

裕子はさう答へながら、餘りに閑散な事務所の樣子にお可笑しくさへなつた。

『他の方はいらつしやるのですか』

『え〻、今出てゐるのでね、朝皆こ〻へ集ると、それからは皆それ〲外出することになつてゐるのでね……』

『お仕事はどんなことなのでせう……』

『極めて國策的なことです。つまり戰時下に新らしく起きた工業がありますね、それを本社で調べてその事業成績を報道するんでね、この世界ではたつた一つしかない大切な仕事になつてゐるわけなんだが……』

『と、新聞のやうなものでせうか』

『まあ、そんなものです。こちらのは月刊で、一行一句、この事業界の人達が讀まずに居られない、絶對無駄のない雜誌でねえ』

『新興工業研究所』とあるから、何か學者のやうな人が集つて、學術研究でもしてゐるところかと思つたら、雜誌を發行するところとは意外であつた。

『まあ、やつて御覽なさい。仕事さへきちんとやつて貰へれば、給料の方は段々上げますからね』

『では、明日から來てみませう』

『あんたの他にも三四人やつて來たが、今斷つたところで……、あんたならうちの社には向きさうだから……はは……どうも今迄男手ばかりでお茶も上げられないが……ぢや、今日はこれでお歸りなさい、明日から午前九時だからね、遲れないやうに……』

『では明日から……、どうぞよろしくお願ひいたします』

裕子はさう云つて立ち上つた。そして、先刻の男の居る卓子の方にも會釋したが、男はにや〲笑つて、あ〻と輕く頭を下げた。

社長と稱する男も、愛嬌のある顏立ちではあるが、眼に相當の鋭どさがあるのは見逃せない印象だつた。

『まあ、あんなところでもい〻わ、どうせ永く勤める氣はないんだし……』

裕子は微笑しながら、その部屋を出た。

三

古道具屋や自轉車屋、それに同じ並びの魚屋が起きて、店の前に打水がすむと、その裏通りは大分活き〲して來るのだが、その向ひの病院の石塀沿ひには、前夜の屋臺店の殘骸が居汚く並んで、まだ寢呆け眼でゐる。

病院の建物の後から陽が上つて、木立ちの間をすうつと朝の光が射して來ると、あの「新興工業研究所」のある灰色の建物の窓にも珍らしく陽が當る。その建物には、この「新興工業研究所」の他に、小さな事務所らしいものが二つ三つあつた。一つは廣告代理業、それにもう一つは何かブローカー

みたいなインチキ事務所らしかつた。

　裕子は九時に十分程前に出勤してみたが、玄關にはまだスリッパがきちんと並んでゐて誰も來てゐなかつた。仕方がないので氣を利かして部屋の中を探してみつけた藥鑵に茶を沸かし、後は部屋の中を呆然と眺めたり、窓の外を見たりした。陽は窓から一尺ばかり入つて卓子の上に射し込んでゐるが、明るいのはほんの窓際だけで、奥の部屋は朝だと云ふのに夕方のやうに暗かつた。

　窓の外を人が通るが、硝子戸の內側にゐる裕子は光線の具合で見えないとみえて、誰も裕子の顏を見てゆく人間はゐなかつた。

　やがて昨日會つた社長の澤田と云ふ男が、ステツキを振つて出勤して來た。

『お早うございます』

『いや、お早う……』

　澤田はもう今日からは雇人と社長との立場をはつきり分けた言葉の使ひ方をした。無理に威嚴を示さうとするその態度が何處か冷やかに見えたが、その樣子には一種の鬪志が漲つてゐて、瘦せた體は鬪鷄のやうに引緊つてゐた。

　續いて眼鏡をかけた恰服の良い男が出勤して來た。他には難のない男らしい顏つきだつたが、眼がいやに鋭く、暴力團みたいな凄さを持つた顏だつた。

　第三番目に出勤して來た男は昨日見ただらしのない眉毛の下つた滑稽じみた顏をしてゐた。恰服の良い男は藤井と云ひ、三番目に來た男は坂本と云ふ男だと、社長が教へてくれたが、藤井と云ふ男は、裕子が挨拶しても碌々顏さへ見ず、うんと肯いただけだつた。

　坂本は相變らずにや〳〵笑つてゐた。

　そこへ四人目の男が出勤して來た。この男は洋服もきちんと着た一見紳士風の小柄の男だつたが、妙におど〳〵したところがあつて、考へ込んでゐるやうな顏をしてゐた。

『お早やうございます』

　裕子が挨拶すると、

『あ、どうぞよろしく……、僕は森です』

　と云つて卓子の前に腰かけた。

『おい、森君、君は遲いぢやないか、時計を見給へ、今何時だと思つてゐるんだ』

　社長の澤田が大きな聲で怒鳴つた。丸い電氣時計が九時十五分を指してゐる。

『どうもすみません、つひ電車が混んでゐたものですから……

……』

『そんなことは君理由にならんよ、困るぢやないか、今が、

君の一番責任の重い時期だらう、そんな時にだらしなくして貰ふんぢやあ、僕は安心して君に委せておくことが出來んぢやないか』

『はあ、今後氣をつけます』

一座が一寸しんとした。裕子は皆にお茶を配つて歩いてから自分の席についた。

やがて、藤井が裕子の仕事を教へてくれ、荒々しい言葉で命令するやうに云ふと、あとは四人が應接用の椅子に腰かけて、その日の仕事を打合せ、皆それぞれに何處かへ出て行つてしまつた。

一人として部屋に殘つて仕事をする人間の居ないのが不思議であつた。

皆が居なくなつてしまふと、裕子は一人ぽつんと部屋に殘つて、何をしていゝのかに迷ふのだつた。初夏だと云ふのに、先刻窓に射し込んでゐた陽は、何時か部屋の外へ逃げてゐて、部屋は蒸し蒸しして、然かも暗かつた。だが、誰も居ないので、氣樂と云へば氣樂だつた。

裕子は自分に與へられた卓子の抽出しを開けて整理にかゝつた。抽出しの中には多分前にゐた女の人が使つたのだらう。油とり紙だの、ピン、前の人の筆蹟らしい封筒の書きくづしや、紙などが亂雜に入つてゐた。その紙には誰が書いたのか「青き部屋の憂鬱」などと云ふ文字が鉛筆で書いてあつた。

成程この部屋に獨りでじつとしてゐると、しん〳〵と不思議な靜けさが身に迫つて來て、ぶる〳〵つと身振ひしたいやうな氣になるのだつた。女學校時代、小說や映畫、それもロマンチツクなものや、朗らかで明るいものの好きだつた裕子は、こんな部屋は氣性に合はなかつたが、それでも何とかして自分の今の境遇や、こゝの人達のやつてゐる仕事をロマンチツクな眼でみやうとする氣持ちがあつた。

人氣のない、薄暗い部屋に並んでゐる茶色の安樂椅子、違ひ棚に光つてゐる金色の襖、暗い床の間にかけられてゐる萬年軸もの、そんな古風な奥の部屋と、今自分のゐる疊敷きの事務所と、その何處を見てもこの部屋には仕事以外の餘裕の殘されてゐるところはなかつた。額が一つあるぢやなし、草花が飾つてあるわけではなし、床の間や違ひ棚には事務用の品物が汚く積み重ねられ、部屋の掃除も行き屆いてはゐなかつた。

『一體この人達はどんな仕事をしてゐるのだらう』

裕子は不思議に思ひながら、せめて部屋のお掃除をし、床の間や卓上には花でも飾らうと、立ち上りかけた時、電話のベルがけたたましく鳴つた。それはこの建物の中の共同電

話で、その掛りは裕子の仕事の一つになつてゐた。

裕子は周章てて部屋の外へ出、柱に架けられてゐる電話の受話機をはづした。

『もし、もし、こちらは新興工業でございますが……』

裕子はつゝましく叮寧に云つた。

『さうか、こちらは日東化學だがね。澤田君はゐるかね』

電話の中の聲はさう云つた。

『あの、唯今お出かけになつてゐますが』

『困るね、どうも君のところは居たことがないんでね、社長先生が居なくちやあ仕事が出來やせんぢやないか、ぢやあね、澤田君が歸つて來たらから云つて傳へて欲しいんだが、今迄毎月あげてゐた廣告料は、今月は上げられませんからつてね、もし御用があつたら電話を下さいと云つてくれ給へ』

『はあ、承知しました。廣告料ですね』

『さうだよ、君んところの大事な財源さ、ははは……』

電話はそれでぷつりと切れた。裕子は部屋に歸つてメモに用件を書き記したが何だか馬鹿にされたやうな電話だつた。

裕子はハンドバツクの中から、そつと小型の小説本を出して讀みはじめたが、一二頁讀んだと思ふと又電話だつた。今度は女の聲で、

『澤田さんはいらつしやいますの……』

と氣取つた聲が聞えた。

『お出かけでございますが……』

『困るわねえ、何時も何時頃お歸りになるの……、一寸お會ひしたいんだけれど……』

『さあ、何時になりますか、多分、四時頃にはお歸りになると思ひますが……』

『ぢやあ澤田さんがお歸りになつたら、五時過ぎにそちらへお伺ひすると云つて頂戴、あんた誰方……』

『私ですか、今度御厄介になることになりましたものですわ』

『あ、さう、ぢや、間違ひなく傳へてね、お賴みしたわよ』

『はあ、承知いたしました、あ、あのお名前は何と仰有いますの』

『潮見波子と云へば分るわよ』

電話はそれで切れた。潮見波子なんてまるで女優みたいな名前だと裕子は思つた。

お晝になつた。裕子は一人でお辨當を擴げて淋しく食べた。時間の經つのが大變遲いやうに思はれた。事務所なんて皆がや〳〵と忙がしく働らくところだと思つたら、世の中にはこんなひつそり閑とした事務所もあるのか知ら……ぽつねんとお辨當を食べながら裕子はそんなことを考へた。

午後からは電話が二つかゝつて來たきりで別に變つたことはなかつた。裕子は部屋の掃除をし、近所の花屋からなるべく明るい綺麗な花を買つて來て、粗末な花立てを探して來て並べ、部屋の中を見違へるやうに飾り立てた。

四

『うへつ、えらく綺麗になつたもんだなあ』

時計が四時少し前になると瓢輕な顔をした坂本が一番先に歸つて來てから云つた。

『餘りお部屋が淋しかつたもんですから、お花を飾つてみましたの』

『矢つ張り女の人が來ると違つたもんだなあ。君みたいに綺麗な人はこんな事務所には勿體ないよ、今迄も女の人にやあ何回も逃げられてさんざんの體たらくさ、はは……、こゝの親爺は一寸刺激が强過ぎるからね……』

『あら……そんな方なんですの……』

『うん、餘り云ふとこれだからね』

坂本は掌で頸を切る眞似をして首を縮めた。

『電話があつたかい……』

『いいえ、あなたにはありませんでしたわ』

『さうか、仕樣がねえな、なかなかうまい鴨は引つかゝらねえもんだね』

坂本は椅子にかけて、ライターで火をつけながらにやにや笑つてゐた。そして裕子の顔をもの珍らしさうに眺めるのだつた。

そこへ森、藤井も歸つて來た。

『やつたねこれは……まるでお祝ひごとがあるみたいだ。成程からやるとこの社も景氣がよくみえるね』

藤井は珍らしく笑つて裕子の顔を見た。然し森は、微笑したきりで、卓子の抽出しをあけ、原稿紙のやうなものを出して何やら書きはじめた。藤井はその横の卓子で、請求書をこつこつと書きはじめた。みんな、僅かな時間でその日の仕事の締めくくりをしなければならないので默つてはゐるが、どの人間の顔にも隱し切れない微笑のかけらが浮んでゐるやうだつた。

その原因は……、この事務所に裕子のやうな女性が現れたこと、そして、その第一日に部屋に花が飾られたこと、たつたその二つに過ぎなかつたが、皆の顔には確かにほのかな明るさが見られたのである。

古ぼけた奥の床の間の違ひ棚には、バラの一輪が生けられ、澤田の事務机の上には、ゼラニウムの一鉢が置かれ、並べ合せた事務卓子の中央には空き瓶にスヰートピーが挿し込

まれてゐた。たつたそれだけだつたが、まるで海底のやうにうす暗く空氣のよどんだ部屋は、不思議に明るさと、甘さを加へた。それに、およそ、工業畑の、情趣を味はふ餘裕のない、しかもこのやうな職場の連中には、それがどんなに珍らしかつたか知れないのだ。

『てへつ、隨分綺麗になつたものだな、俺達や、花なんてものは、滅多にお眼にかゝる事がねえんだが、女の人つてものは違ふなあ、どうも野郎ばかりぢやあ、話にならねえや』

一番正直で、無學らしい坂本が、妙ににやにや笑ひながらちらりちらりと裕子の顏を眺めて云ふ。

『おい、おい、喧しいぢやねえか、餘りはしやぐなよ。君はいつでも廊下鳶みてえに、あつちこつちうろつきながら喋り廻るのが癖だぜ、見つともねえから止めろよ』

藤井が冗談まじりにたしなめた。

『だつて仕樣がねえぢやねえか。俺みてえな外交は社へ歸れば用がねえんだからな、まあ、姉さんの顏でも眺めてゐるさ』

『はは……呑氣なこと云つてやがらあ』

そんな會話をききながら、裕子は笑へて來た。この社へ來る迄は丸ビルあたりの大會社みたいなものを頭に浮べて來たのだつたが、來て見れば案外に柄の悪い、然し、罪のない男のゐる小會社で、自分のやうなものが、こんなところに勤めてゐてもいゝものかどうか、不安にさへなつて來るのであつた。

五

裕子の家庭は決して豊かではなかつた。しかし、暖かい家庭であつた。殊に母の愛情は彼女を幸福なものにした。だが現代のやうな時勢には、徒らに母の愛情に甘えて、家庭の中に引つ込んでゐるべきではない。兄も働らいてゐる。弟も働らいてゐる。自分ばかりが和やかな家庭の雰圍氣に醉つてゐるべきではない。何でもいいから働かして貰はう、そんな考へから職を求めて、この會社へ來たのだつた。だが、この小事務所に漲る空氣は、決して、裕子の家庭のやうなものではなかつた。何となく冷い、そして一種殺氣のやうなものが漲つてゐる。その眞劍なものに對して、裕子は唯、家庭と同じやうな氣持ちで、花を生け、草花の鉢を買つて來たのである。勿論、お世辭などでしたことではないのである。

裕子は無邪氣な眼をして室内を見廻した。このはげしい空氣には、餘りにも似つかはしくない裕子の眼である。つぶらな二重瞼、どちらかと云ふと淺黒い丸顏、それに黒の堅縞のブラウスに、スカートがとてもよく映る。

裕子が居るためにこの部屋が明るくなつたとさへ思へた。

しかし、當の裕子は、おどおどしたやうな恰好で名簿の整理をしてゐるのだつた。その時、入口のドアが開いて澤田が歸つて來た。

ドアを開けると、眞向ひに裕子の顏とかち合ふ。裕子はにつこり笑つて、

『お歸りなさいまし……』

とお辭儀をした。

『やあ……』

珍らしく澤田の顏がほころびた。次の瞬間、澤田は部屋を見廻して、

『ほう、これは、誰がやつたね』

と笑ひ出した。

裕子は默つて微笑した。

『あゝ、君か、これはいいね、こんな花などを飾つたりするゆとりは我々には久しくなかつたな』

澤田は煙草に火をつけて、疲れた體をどつかりと安樂椅子に横たへた。半白の髪の下に精悍な眼を輝かした澤田の顏が今日はゆつたりと和んで、たえず微笑をたたへてゐる。

何時も澤田から怒鳴られてゐる森や坂本なども、澤田のその顏を見ると、つひ和やかな氣持ちにならずにはゐられなかつた。

『あ、今日潮波見子さんと云ふ方からお電話がございました』

裕子は澤田に報告した。

『さうですか、いや有難う』

『それから日東化學から廣告のことで……』

『やつ張りね、廣告をやめるつて云ふでせう』

『はあ』

『まだ、この社について理解をしてゐない者がゐて困る。まあ、分らぬ奴は分らなくていい』

そんなことを云つてから、皆の報告を一通り訊き終ると、

『さあ、みんな歸らう。君も歸つていいですよ、もう五時ですから……』

と澤田が云つて、皆は卓子を立つた。

外に出ると、澤田と裕子とは並んで歩くやうな結果になつた。

『橋田さん、そこらでお茶でも喫もう』

澤田が誘つた。

『はい』

澤田は老紳士と云つた恰好でステッキを振りながらスマートに歩いた。

すぐ賑やかな電車通りへ出た。そして一軒のレストランに

入つた。

『夕食をやりませう』

澤田は料理とビールを注文してから話し出した。

『どうです。隨分不景氣な事務所だと思ふでせう。さう思はれるのが當然です。だが、これは大きな會社をつくる生みの苦しみでね。皆はこんなことでも、つまらぬ仕事と思はず奮闘してゐるんです。つまり日本の重工業、輕工業は今世界的な飛躍を遂げやうとしてゐるのです。我々はその尖兵となつて工業界を偵察し、工業界の先達をもつて任じてゐるのです。決して自ら顧みて恥かしい仕事とは思つてをりません。そして、飽く迄紳士的に、そして指導的に我々は進んで行かうと云ふのです。現在こそこの會社も小さいが、今に見てゐらつしやい。如何に小さくても、これが日本の工業界をリード出來ると私は自信してゐる次第です。それに、今迄我々に缺けてゐたものは皆に慰樂をあたへると云ふことです。今の仕事は味方もあるが敵もある。我々は每日少しの油斷もなく、丁度戰線にある兵士のやうに最少兵力で自分の領域を擴大することに全力を注いで來ました。しかし、これから、あなたのやうな家庭的な淑女が、私達の仕事に協力して下されば、私達は安心して仕事が出來ると云ふものです。どうです、やつてくれますか……』

澤田の精悍さは、かうした心構へで戰つてゐるからこそだと、裕子は思つた。この險しい人が本來ならば本當になつかしい好々爺なのかも知れない。何だか、お父さんのやうな氣がすると裕子は思つた。

『ええ、働らいてみますわ』

と裕子は答へた。

『それに、僕はかう見えても必ずしも幸福ではないのです。家庭生活にはちつとも惠まれませんでした。僕は一旦仕事に熱中すると、家庭も妻も顧みない惡い癖があるのです。それは決して妻を愛しないわけではないのです。妻のことは分り過ぎる位分つてゐながら、私は妻を本當に幸福にするには自分が事業に沒頭することだと信じ、ひたすらに仕事の爲に夢中になるのです。その爲に心ない妻は私を冷淡な男のやうに思ふのです。ほら今日電話がかかつて來たでせう。あの細見波子と云ふ女、あれは今、映畫の女優として働らいてゐますが、あれは昔の私の妻だつたのです。そして、自分の傍を離れてからも、あゝして未練がましく私に電話をかけて來ますが、私はあの女が自分には結局何の理解ももつてゐない女であることを知つてゐます。ですから、電話が來たら何時でも突つ放してやつて下さい。はは……、あ、料理が來ました。さあ、食べませう。あなたのやうに暖かい心をもつた女性が

私のために協力して下さることは、どんなに嬉しいことでせう』

『まあ、お話をうかがつて、何だか私のやうなものでも何か大變お役に立つやうに考へられますけど』

　裕子は、單調な今迄の生活に、一つの人間としての生甲斐を認識したやうにさへ思つた。

『あなたは本當に無邪氣で素直ほな性格ですね。仕事に夢中になつてゐる私を見たら怖いやうな氣がするかも知れません。しかし本來の私は決してそんな男ぢやありません』

　澤田はビールを空けながら、しみじみと云ふのだつた。

『私も何も出來ませんが、出來るだけのお力になりたいと思ひます。どうぞよろしくお願ひいたします』

　裕子は頰を赤らめて云つたが、その言葉の中には、他の女性には見られない若々しさと、熱意とが見られた。

『どうか、もうしばらく辛抱して下さい。あなたの御兩親に對しても決して惡いやうには致しません』

　澤井の言葉にも、強い男の決意がうかがはれた。内には裕子などの知らない、惡辣な世界を藏してゐるやうに思はれるこの仕事の中に、裕子と云ふ女性の注いだ一滴の清涼劑が、この事務所の將來にどんな明るさを加へることであらう。

編輯後記

○今度講談社から『新小説叢書』として國民文學樹立を目指した叢書が出ることになつたので、その參加者の抱負を述べてもらふことにした。全部の方に執筆をお願ひしたのであるが、締切までに間に合はなかつたことは殘念である。特に、今井達夫、牧野吉晴兩氏から玉稿を頂いたことに對して厚く御禮申上げます。

○近頃、鋏と糊とで出來たと思はれるやうな讀物——小説とはいへない——ばかり見せられる。讀者の興味がそれに集中されてゐるからといへば、それまでの話かも知れないが、しかし一方では、現代の作品として、後世永遠に殘る作品がないことは、現代作家の怠慢でもあり、恥辱でもある。その意味で、今度の『新小説叢書』執筆家諸氏が、眞の國民文學樹立のために健闘されることを祈ると同時に、その成果を期待したい。

○同人並に會友諸氏から、續々と大作、力作が寄せられてゐる。この時代に、頁數を増加することが出來ず、折角寄せられた力作が、相次いで後廻しになつてしまふことは殘念である。御諒承ねがひたい。

○同人諸氏の活躍は、いよいよ目立つてくる。われわれは、大陸に、海洋に、目覺ましい戰果をあげてゐる皇軍將兵諸氏に、心からなる感謝を捧げ、その勞苦を偲ぶと共に、銃後の作家として、將兵諸氏に恥づかしくない努力を續けることを誓ふものである。

○日本文學報國會は、その陣容を整へて、所期の目的に向つて、邁進する由である。從來の文學運動や、團體のうちには、いつの間にか、有名無實の存在になり終つたものが少くないが、新しい日本の文學のために、最高の能力を發揮されんことを祈つてやまない。

○酷暑八月、今年は熱帶地方に活躍される皇軍を偲びつつ、同人、會友、誌友、讀者諸氏の御健康を祈る。

文學建設 八月號 (定價三十錢 送料壹錢)

昭和十五年五月六日第三種郵便物認可
昭和十七年七月二十五日印刷納本
昭和十七年八月一日發行 (毎月一回一日發行)

東京市小石川區白山御殿町一一四
編輯兼發行人 岡戸武平
東京市芝區愛宕町二丁目九九番地
印刷人(東東二六九)黑部武男
東京市芝區愛宕町二丁目九九番地
印刷所 昭文堂印刷所

日本出版文化協會會員
(會員番號一二八五二五)
東京市麴町區平河町二ノ一
發行所 文學建設社
電話九段(33)三四一〇
振替東京一五六五九八

配給元 東京市神田區淡路町二丁目九番地
日本出版配給株式會社

定價 三十錢 (送料壹錢)
半年 一圓八十錢 (送料共)
一年 三圓五十錢 (送料共)
送金は振替を御利用下さい切手代用の場合は一割増のこと

大東亞戰爭の第一線へ…

感謝をこめた慰問袋を！

戰線で喜ばれる日用雜貨類、食品類
娯樂用品等各種取揃へ御發送萬端の
御用命を承ります

皇軍慰問品賣場（地一階）

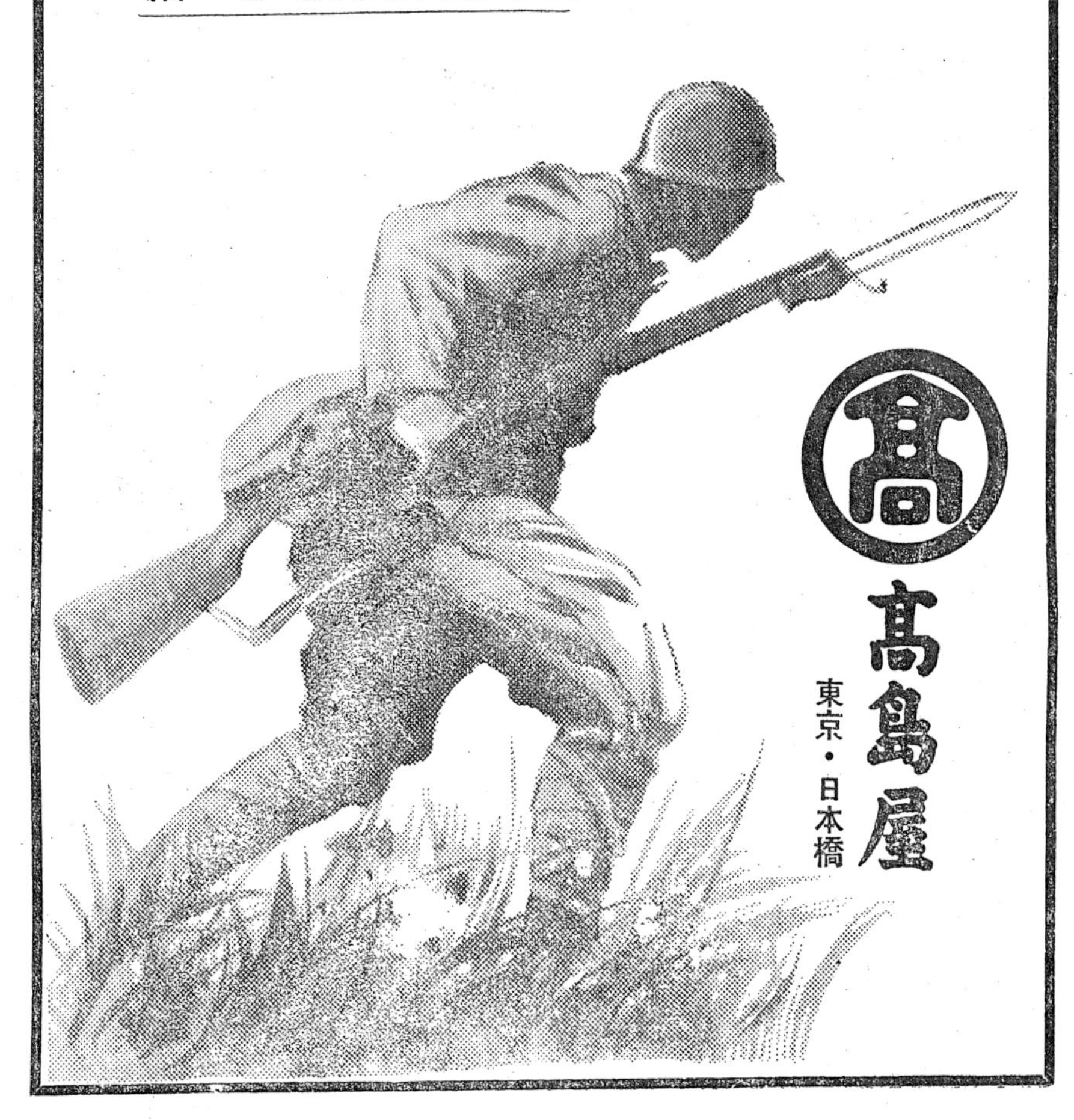

文學建設
九月號
同族の系圖　從　二一郎
文覺勸進帳　由布川　祝
第四卷第九號
（昭和十五年五月六日第三種郵便物認可）昭和十七年八月廿五日印刷納本　昭和十七年九月一日發行　文學建設　九月號

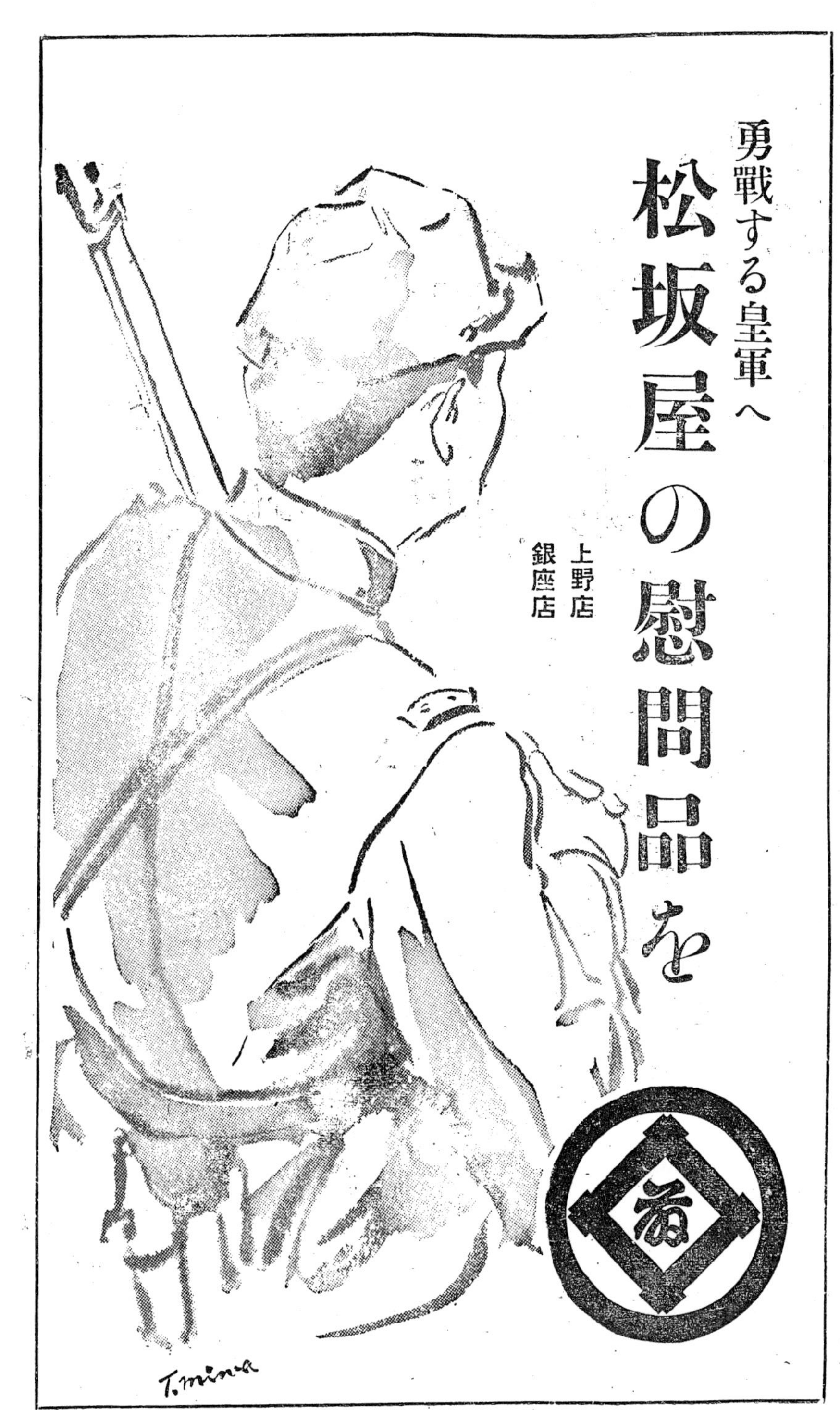
勇戦する皇軍へ
松坂屋の慰問品を
上野店
銀座店
T.mina

文學建設

第四卷第九號

目次【通卷第四十四號】

史實尊重の限界性

村　正治

七月號に會友蔭山東光君の「國民文學としての歴史小説」を讀んだ後で、岩上順一氏の「歴史文學論」を入手した。鷗外の作品を『史實尊重主義』とし、龍之介の作品を『主觀主義』として之の二つを對蹠せしめ、「建設途上に在る『國民文學としての歴史小説』は、鷗外の長を採り、芥川の短を捨てたものであらねばならない」と、いふのが蔭山君の結論であつた。

岩上氏は鷗外と龍之介の對比の上に、更に藤村を拉し來たつて、藤村の「夜明け前」を以て「客觀的には鷗外の方法と芥川の方法とのより進んだ地盤での統一に於て成立してゐるといふことである。そしてその限りでは、日本に於ける歴史小説は、一つのより高い水準に到達することができたのであるといふことだ」と、いつてゐる。また「鷗外の史實主義と龍之介の寓意主義を生み出した時代の底流そのものが合して、兩者のより高い綜合と統一とを成さしめた」と觀て、『夜明け前』を以て、鷗外、龍之介の作品を踏み超えて一つの新しい頂點に達した劃期的の歴史文學だと論斷してゐるのである。「歴史文學論」はその點に於て、これからの歴史文學は斯くあらねばならぬと「夜明け前」を推擧してゐるやうに受取れるのである。然し、聞くところに據ると岩上氏は「今日の歴史小説は一度鷗外にまで引返して再スタートせねばならぬ」と考へてゐられるさうである。さうすると、蔭山君が、「建設途上に在る『國民文學としての歴史小説』は、鷗外の長を塗り、芥川の短を捨てたものであらねばならない。即ち第一に史實を尊重することである」といつてゐるのとも一脈通ずるものがある。

この二人だけでなく『史實尊重』といふことが、今日の歴史小說に對する合言葉のやうにも唱へられてゐる。が、問題は歴史小說家としての『史實尊重』の態度である。創作たる歴史小說執筆に際しての『史實尊重』の限界が問題になるのである。徒らな『史實尊重論』が殃ひして『史實偏重』『史實偏倚』の不具的歴史小說が横行しつゝある現然の憂慮すべき現象に對し、以下『歴史小說に於ける史實尊重』の限界性に就て述べて見よう。但し、自分が歴史小說を書くならば……との前提に立つて、歴史文學のいろはから辿つて行つての私見に過ぎないことを豫め斷つて置く。

× × ×

先づ歴史小說の定義から入つて行かう。

『歴史上の人物乃至事實を素材として作られた小說で材料の上から分類した小說の一ジャンルである。即ち歴史上の記録を素材とし、これを作者自身の主觀によつて解釋し創造し、再生せしめたものであつて、必ずしも歴史的事實の如實な再現ではない。我々はそこに作者の人生觀、回顧趣味、現在に對する批判、皮肉などを見出す』

世界文藝大辭典に於て根津憲三氏が歴史小說に下してゐる定義で、この定義に遵ふと、同じ龍之介の作品でも『或日の大石內藏之助』や『袈裟と盛遠』は歴史小說であるが『羅生門』や『芋粥』は「歴史上の人物乃至事實を素材として作られた」ものでないから歴史小說ではないといふことになる。「作者自身の主觀によつて解釋し創造し、再生せしめたものであつて云々」といふ點に於て、鷗外の大部分の作品もこの定義の外に置かれることになる。

蔭山君の「國民文學としての歴史小說」にも岩上氏の「歴史文學論」にも全文を引用されてゐるので玆には煩を避け、結論だけを引用するが「所謂歴史小說とはどんな意味に於ても『昔』の再現を目的にしてゐないといふ點で區別を立てることが出來るかも知れない」と自ら云つてゐる龍之介の作品は、この定義に據るまでもなく、寓意的といふ帽子を忘れては歴史小說として獨り歩きは出來ない。

斯かる寓意的作品は、鷗外の『歴史其儘』『歴史離れ』といふ言葉に倣ふならば『歴史借用』とでもいふべく、現代的主題を歴史といふ舞臺を借つて活かしたのに過ぎない。歴史は主題に基いて物語を發展せしめる目的を以て拉し來られ、登場人物また主題を都合よく活かすための傀儡たるに過ぎない。龍之介や寛の歴史小說は、因襲的な倫理觀を現代思想を以て再認識し、歴史的事實に現代的呼吸を與へて再現するといふ行き方の作品よりも、現代のインテリゲンチヤの警拔な着想であり、智的遊戲であり、心理的假設たる倫理觀の曲藝

や、公衆の正鵠を失せる批判への鋭い諷刺を盛る器として『歴史借用』をした作品に、世の喝采を博したものが多いのである。龍之介は冷徹な觀察と鋭い諷刺で、寛は時代の青年心理を摑んだ清新警拔な科白で、讀者の拍手を浴びたのであるが、共に、當面する時代の問題を間接的に過去の歴史化して表現することに依て、より効果的に活かし得るといふ主題に、多く歴史の衣裳をまとはしめてゐるのである。

龍之介は「そのテエマを藝術に最も力强く表現するためには、或異常な事件が必要になるとする。その場合、その異常な事件なるものは、異常なだけそれだけ、今日この日本に起つた事として書きこなし悪い」と舞臺を昔に求めた理由を説明してゐるが、さういふ事の外にも現代のことを現代のこととして表現し難い場合、この國のことをこの國のこととして表現し難い場合等、モデルへの顧慮や政治的の掣肘から、舞臺を昔に採らねばならぬやうな場合も考へられる。

さういふ意味に於ても歴史小説の正統たるものではないが寓意的歴史小説といふジヤンルに於て、龍之介、寛の作品は獨自の存在性を主張し得る小説である。而して、此の類の小説に於ける史實(時代的背景)尊重は、主題をつゝむ衣裳としての必要な限界に止まつてゐても、非難するには當らない。龍之介の「異常なだけそれだけ、今日この日本に起つた事として書きこなし悪い」といつてゐるやうな素材には普通の小説の場合以上にリアリチイを、迫眞力を賦與することが工夫されなければならないとも云へるが、一般的には昔あつた事或はあり得べき事として、讀者のフアンタージーを破らないだけの用意があれば足りるのである。考證的にも讀者を、變だぞと躓かせないだけの注意が届いてをればよいのだ。考證的恐怖症に陷つては斯の種の作品は(正統歴史小説作家以外の寧ろ現代小説作家に執筆されることが多いだらうとおもはれるだけに)作者への重い負擔となる。然し、リアリチイの重んぜられる小説に於て、嘘と眞實との縫目に破綻があるやうな安易な作品であつてはならないのはいふまでもなく、いくら寓意が主目的であるにしても、時代的生命の通つてゐない死骸に黴臭く昔がにほふやうな衣裳が着せられてゐるやうな小説では僻易せざるを得ないのである。

以上述べたやうに、寓意的歴史小説に在ては、歴史小説としては寓意的といふ帽子を冠らない限り獨り歩きが出來ないといふだけの事で、小説として立派に存在權を持つてゐるのであるが、『史實絶對尊重』の作品に在つては、其の歴史小説たり得るやといふことより、先づ小説たるや否やすらが問題になる場合がある。

單なる一私人の日常生活の記録でも、貧弱な空想で捏ち上

げられた小說よりは心に響いて來るものがある。謂んや歷史的事件を背景とし歷史的人物を主人公としてゐる場合、史實その儘であつたとしても讀むには耐へる。と岩上氏は云つてゐるが、鷗外の作品に小說でないものゝあることを認めるとしても、尙、その作品の凡俗な小說以上に面白く讀めることは否み難い。學究的な考證が主になり、文献の羅列に終り、客觀的な史實にのみ忠實に作者としての主觀批判を加へない――「日記、書簡、遺稿、談語等限られた史實の範圍內に思考考察を限局された」史傳が無味乾燥なものに墮し易いのを、鷗外の作品に在ては、冷靜明徹な觀察と天稟的詩情と氣品、加ふるに晌確明快な文章が救つてゐるのである。「『有りのまゝ』の世界を見極めるだけに滿足して、人智で分りもしない世界に步を進めやうとはしなかつた」が、史實を的確に記述して自らに時代と人との面目を浮上らせる書き振りに依て、小說以上に面白く讀めるのである。が、蔭山君も論じてゐるやうに、小說の最大要素たるテーマを欠如してゐるといふ點に於て、小說とするに同じ難い作品があることを否み得ないのである。例之、「興津彌五衞門の遺書」の如き、あの遺書が作者の創作でない限り僕は之を小說と呼ぶことを躊躇せざるを得ないのであるが、假に一步を讓つて小說であり得るとしても、歷史小說たる名に値ひしないことは、それが「作者自身の主觀によつて解釋し創造し、再生せしめたものでない」限りに於て明白である。

是等は史傳或は歷史文學、若くは一步を讓つても、史傳小說と呼ぶべく、この部類の作品に在つては、文字通りの『史實尊重』が絕對條件であることは云ふまでもなからう。

次に、鷗外や龍之介の場合とも異る擬似歷史小說とでも呼ぶべき一群の作品がある。「次々に生起する現象に相應して過去のなかからそれに相似した場合をひろひあげる」また「現實生活の中に行爲し思索する際に抱く、また抱かざるを得ない觀念――『內心のやみがたきもの』を歷史小說の形を借りて表出する」といふ櫻田常久がゐる。

「材料を過去の歷史にとりつゝも現在或ひは未來にまで及ぶ一般通用性をもつた而も歷史的眞實よりも詩的眞實を追究する作品であるべきやうに思ふ。もちろんこれは甚だ困難な仕事ではあらうが、さういふ方向への努力は薦めらるべきだと思ふ。史實はもとより大切ではあらうが、しかし絕對的なものではない。古文書や史蹟や、有職故實的なものや風俗史的なものはすべて小道具であり、第二義的なものであらう。小道具に重きを置きすぎると歷史小說は骨董や繪卷物の趣味、回顧や考證や詮索の趣味に墮してしまひ、すなはち生命を失ふのだと私は思ふ。小道具は文學の本質とは何らの關係もな

い筈のものである。」と「歌と門の盾(タテ)」で後書してゐる高木卓がゐる。櫻田常久の「現實生活の中に云々」の説は、龍之介の『歴史借用』説と一味通ずるものがあり、卓の説も「材料を過去の歴史にとりつゝも現在或ひは未來にまで及ぶ一般通用性をもつた眞實を追究する作品であるべきだ」としてゐる點は、後述する如く、僕の觀る正統歴史小説論とも扞格するものでない。然し、古文書を小道具として史實に對ふ態度から書かれた「歌と門の盾」では、歴史から足の浮き上がつてゐる家持が書かれてゐるし、常久の「平賀源内」また作者の恣まに捏つち上げた觀念的な偶像として、歴史的血脈の通つてゐない人間になつてゐる。本誌六月號の「櫻田常久論」で、同志東野村章君は『歴史小説の形を借りた現代小説』――これは所詮、遊戯でしかないのではないか。と指彈してくるが、歴史的人物乃至事件を史實に據らず恣まな主觀を以て動かすのは歴史への冒瀆である。小説自體としての必然的要求に基くのでなく、今日の場合、歴史小説の形を借りた方が書き易く、受け易いといふやうな作家の商略的立場から、現代的素材に歴史的衣裳を纒はさしてゐるのだ、とすれば、僕は是等の作品に「歴史便乘」の稱呼を呈したいとおもふのである。

× × ×

以上三大別した作品の何れもが、正しい意味に於て歴史小説たる名に値ひしないものだとして、然らば、藤村の「夜明け前」は歴史小説と稱し得るか何うか？ 前に掲げた歴史小説の定義を以て臨んでも及第してゐるのである。「歴史上の人物乃至事實を素材として」といふと、一應、歴史的に著名な人物なり事件を扱はねばならぬやうに誤られるが、「夜明け前」は、「明治維新をその變革に於ける主要な役割の負擔者たる英雄的個性を通じて描く」といふ態度をとつてゐない。之れは例之、榊山潤の「歴史」にしても、一介の平凡人を主人公としてゐるが、維新といふ背景で歴史小説になつてゐるのであつて――藤村に於て初めて試みられたことではないが、英雄中心に、或は主人公を英雄化して書いてゐるのが大部分である、今日の歴史小説に於て、一つの進歩として歡迎すべき現象である。

鷗外にしても知名の人物のみを扱つてはゐない。若し鷗外が書かなかつたら、歴史の片隅に埋もれてしまふやうな人物を拾ひ上げてゐる。然し、その時代の歴史の構成要素たるに値ひする事件なり人物を書いてゐるのである。併も、醫者として學者として役人としての鷗外自身の生活と、その人間的内容に於て相似してゐる點の感じられる人物を、相似親近感に導かれて執筆してゐる場合が多い。これが、前述したやうな特長の外に史實尊重の鷗外の作品に小説的潤ひを加へてゐ

る一因でもあるが、「夜明け前」の主人公青山半藏は木曾街道馬籠本陣の庄屋である。そして、藤村の搖籃の地たる木曾街道を背景とし、父祖の家である本陣、庄屋を舞臺としてゐるのである。鷗外が自分の身に近い者として醫者や學者を採り上げたことは、醫者や學者が封建社會に於ける上層階級と下級社會の中間に位置する階級だつたといふ點でゝも、作品の社會的裏づけを深くするのに効果してゐる。それが「夜明け前」に於ては、作者自身の體驗記憶が絡む生れ故鄕を背景にし、封建末期に於ける庶民層の社會的代表たる庄屋、本陣問屋に舞臺を設定したのである。鷗外の場合より更に數段、作品のリアリチーが深められてゐるのは當然だ。「夜明け前」は、ヒロイツクな行爲と悲劇的な運命を通じて、歷史を描かうとしたのではなく、過去の或る平凡な一村落が維新といふ時代の激流に押し動かされる有樣を印象的に叙せんとした作品で、作中人物の個性を描くことに重きを置いてゐない。「平面的な繼續であり、立體的な結合でない。こゝに缺陷がひそんでゐる。嚴密な意味では發展小說ではない。然し社會生活の全構成部分を、その特殊性、全體性の關聯のもとにとらへ得た作品である」と、岩上氏は云つてゐるが傾聽すべき言である。

然し、僕は、例之、歷史を創造した英雄を立體的に書いた作品と歷史に動がされた庶民の姿を斷面的に描いた作品と二つあつた場合、後者により深い小說的意義を感じるのでもある。歷史的に折紙のついてゐる英雄に更に箔をつける文献を探し出して來るのに骨を折つてゐるやうな作品や、何等の新しい發見もなく定說の蒸し返しだけで、美しい感情や逞ましい生活を謳歌してゐる作品にはここのところ食傷の態で動かされることが少くなかつた。そんな作品からは讀後に往々、眞實だとはおもへないやうな割切れない感情の滓が殘るのである。反對に、日常市井の凡俗の徒を捉へ卑近な人間感情を描いてゐる作品に、却つて讀後美しい感動や淨められた倫理觀の殘るのを感じるのである。斯ういふ態度が歷史小說家として正しい態度であるか何うかは、異論のあるところだとおもふが、僕は小說はあらゆる場合に於て人間記錄たることを第一とせなければならない、といふ點からも、歷史小說家としても歷史を追究する場合、何より、庶民社會の歷史を基礎として歷史を追究すべきである、と斷じたいのである。英雄を描くにしても國民生活の基礎構造との關聯に於て理解するのでなければ眞の歷史は描けないとおもふのである。

歷史現象の構成要素を考察する時、政治、社會、經濟、宗敎、科學、藝術、技術等人間の所産であるものはすべて歷史現象の一部であると考へられる外に、天變地異等の自然現象

が考へられるが、是等の歴史現象を最も敏感に反映するのは何時の時代に在つても、庶民階級である。政治、經濟、文化等多角的な面に立つて、それらを綜合した時代の背景に裏打ちされてゐる作品を望むことは、スペースの少い短篇小説等の場合云ふべくして行ひ難い問題だが、時代背景の焦點たる庶民階級を描くことに依て時代的ニュアンスは或る程度まで捉へ得るのである。勿論、凡俗な風俗習慣を捉へただけでは歴史小説の背景たる要請を充し得ないが「夜明け前」は、前述した如く庶民層に反映した歴史現象を捉へて、庶民の「生活に投影する實體」をよく把握してゐる。文政九年から明治三年までおよそ四十年間に亘る街道生活の日記帳――大黑屋日記をテキストとし、庶民の社會的代表たる庄屋を主人公とし、作者の體驗の繋がる父祖の土地を舞臺としたことが、この成功を齎したのである。

藤村が「夜明け前」に於て採つたやうな、個々の風俗世態を描くのに止まらず、それらの風俗世態の背後に在つてその時代を支配し貫流してゐる社會性を追究する――庶民生活に投影する時代の實體を摑む、といふ態度で歴史小説に臨む時、歴史小説家の史實に對する態度も自らその要請に副はねばならぬ。

「過去をさぐればさぐる程、平素わたしたちが歴史上の智識と呼んで來たものも、その實はきわめて曖昧なものであつたことを知る。といふのは、兎角わたしたちは先入主となつた物の見方に支配され易いからである」と、藤村は「夜明け前覺書」で述べてゐるが、歴史は多く勝者が自己中心に書いてゐる。時の權力者のために書かれた所謂諛史、筆者の好惡感や視野の狹さに依て事實の歪曲されてゐる野史、興味本位に書かれた所謂實錄物、何れも絶對的に信を置ける史料ではない。それらの史料や日記、書簡、談話、遺稿等廣く文献を渉獵して、先入觀に支配されず科學的な態度にまで主人公の個性を探究し、あらゆる歴史現象を綜合してのその時代、社會性との關聯に於てその個性の發展を觀る――斯ういふ態度に於てのみ初めて、眞實が把握されるのではなからうか？　斯ういふ態度で、史實に臨んだ場合にのみ、今までに調べられ究められた歴史の上に新しい何物かをプラスし、または一皮剝いで、より眞實な姿を露呈せしめ、或は過去の定説を覆すやうな發見が齎されるのである。

斯うして捉へ得た歴史的眞實の上に、社會と個人の關聯を描き、運命と人間との葛藤を描いて、永遠を貫き恒久性を有する主題を盛つた人間記錄にして、初めて眞の歴史小説たる名に値ひするのである。鷗外は「澁江抽齊」や「伊澤蘭軒」の執筆態度に就て「一人の事蹟を叙してその死に至つて足れ

りとせず、その人の裔孫のいかになりゆくかを追究して現今に及ぶことが即ち是である」といつてゐるが、歴史小說は過去の歷史を描いて併も永遠に繫がる歷史的恒久性を有するものであつて欲しい。それには昨日の繼續である今日、明日への發展を孕んでゐる今日としての現象を捉へ、永遠にして併も恒常なる人間心理を摑むことが必要である。學究として新しい發見たる文献を探究するといふ努力の外に、作家としての歷史を小說化する伎倆が伴はなければ、この要請は果されない。小說化する伎倆はまた深い人生體驗を伴つてゐなければ萬全とは云へない。文献涉獵では當代隨一と云はれる靑果でも、女を描いては幹彥、潤一郎に及ばないのは體驗の世界が狹いからである。

小說ではないが、靑果はその戯曲に於て、現代的心理を歷史的人物の口を籍つて表白せしめてゐる例が多い。作者が作中主人公の口を籍つて、文明批評をやつたり社會批判を試みたりして自己の感情を欝散してゐるのである。龍馬を描いても雲右衞門を描いても、そこに聞かれるのは龍馬といふ、或は雲右衞門といふ姿につゝまれた作者の心の號びであるやうな場合が少くないのである。歷史小說に於ても斯ういふ例は見られるが、斯ういふ行き方も歷史小說の本道ではなからう。德川時代の歷史が謏史として後世を誤つたやうに、今日の歷史小說がまた後世を誤ることを戒心するのは、歷史小說家としての一つの義務であるとも云へる。

正しい歷史小說は前述したやうな態度で歷史的眞實に立脚して、史實を歪曲しない範圍內に於てのみ主觀の活躍を許すべきで、史實に現れてゐない架空的人物や想像的事件の點出の如きも、史實を傷づけずして主題を活かすに効果し、若くは小說的興味を强め得るといふ限界內に止むべきである。小道具一つ出すにしても史實を傷づけないといふ事が考慮されねばならぬのであるが、心理的假設に於ても、寓意的歷史小說の場合に擧げたやうな智識の遊戯化や倫理觀の曲藝を試みることは許されない。ギヤグとナンセンスで大向ふを笑はすことだけを狙つてゐた一頃のレビュー珍劇で、內匠頭がピストルで義央を擊つと觀客は笑ひ崩れたものだが、龍之介や寛の寓意的歷史小說には、歷史的人物に謂はゞ心理的ピストルを擊たさしてゐるやうな作品がある。小道具の上の時代錯誤だと笑ひ崩れて見、心理の上の時代錯誤だと深刻がつて讀む。玆に藝術表現の魔術が潛んでゐるのだ。

× × ×

少し脫線したやうでもあるが、脫線序に次のやうなジヤンルの小說を僕は書きたいとおもつてゐるのだが、之を何う稱すべきかといふ設問を以て、この不用意な一文を擱筆するこ

とにしよう。

現代的心理としても最も尖鋭奇警な心理的ピストルを以て歴史的人物を動かしてゐる龍之介や寛の寓意的歴史小説が(寓意的といふ帽子を忘れては獨り歩きは出來ないが)歴史小説の一部類たることは前述したところである。之れに對蹠するものとして、史實に據て科學的にも歸納立證し得る歴史的人物の人格、心理を現代的事件に關聯せしめる小説を書くのである。或は歴史的事件までを現代化して、昔の事を今日の事として再生せしめるところまで入つて行つてもよい。例之、内藏之助をして社長の短慮から破綻に瀕した會社の危機を處理せしめるといふ類の小説である。現代的心理を昔の衣裳でつつむ寓意的歴史小説に對し、之は現代の衣裳で時代的心理をつつむのであるが、逆說的に云へば、之も亦、何とか帽子を冠せると歴史小説の部類になるのではなからうか? 考證といふやうな煩はしいことの苦手な癖に、歴史小説に氣のある僕など、斯んな小説を書くことに依て、歴史小説を書いたといふことにして貰へると、樂になる譯だがと、安産となるか流産となるか、出生屆ならぬ妊娠屆をして置く次第で首尾よく生れましたならば、何とか命名を願ひたいものである。

新刊紹介

鹿島孝二氏著『青春突破』

國民新聞に連載された『青春突破』は鑛滓制輪子發明に沒頭した一檢車手が成功するまでの苦心談を、鹿島氏一流の輕快な筆致で描いたもの、調査も充分であり、背景をなす直江津附近の情景も極めて印象的で、氏の傑作のうちに數へられるべきものである。他に、各誌に發表されて好評を博した『太陽子供會』以下四篇が收められてゐる。裝幀は田中比佐良氏。(B6判三一五頁、一圓三十錢、麴町區永田町二ノ二九、興亞文化協會發行)

中澤巠夫氏著『本圀寺黨の人々』

嘗て「文學建設」に連載された作品に、後半二百五十枚を書き加へた長編小說に、講談倶樂部に發表された短篇「百姓彌平」を添えてある。元治元年に於ける京都の政治的動搖の雰圍氣が如實に描き出されてゐる。

元治禁門の變、天狗騷動と、大きな社會的事件が盛り込まれてゐながら、その事件にひきづられず、禁裡御守衛隊としての水戸藩士の苦衷が生々と感じられ、維新の黎明期に生きて行く人々の姿を、しみじみと見せる。裝幀は幕田延美氏。明るいゝ感じだ。(B6判三七二頁、一圓九十錢、神田區錦町一ノ十一奥川書房發行)

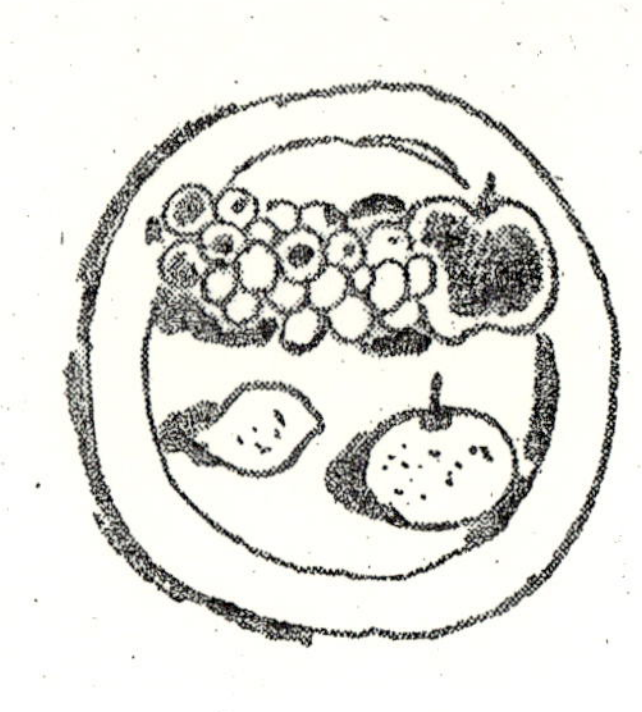

現代作家研究　8

山田克郎論

東野村章

1

近頃『素材』に就いて、もつと考へられていゝのではないかどいふ氣がする。都會から農村へ、作者の眼が移つて行つたのは、そんなに古いことではなかつた。が、それから今日まで、文化映畫的に、凡ゆる未知の世界へ眼は更に轉じて行つてゐる。文學が、單に作者の身邊を眺め廻すことのみによつて生れると考へられてゐた時代から見れば、この素材をもつてくる舞臺の擴がりは、誠に喜ばしいことであり、望ましいことであると思ふのであるが、併し、現在の多種多様の舞臺から生れた作品を見ながら、この傾向に對して今日のやうな作者の眼の向け方、文學への態度に眞に文學としての喜びや、希望をもつことが出來るであらうか。

　新しい世界――それは小説としてあつかはれる意味からの新しい世界ではあるが、其處に思索の鍬を入れることは、それだけでも慥に意義のあることであるかも知れない。が、それだけでは滿足してはならないのではないか。新しい世界に素材を求めるのは、今日新しく文學の方向として發見されたのではなくて、もともと、さうでなければならなかつたのが、かつての日本の文學は、作者の身邊を眺めるに終るといふ畸形的な習慣をつゞけ、文學の本體をまで歪めて見てゐたのではなかつたか。

　藤森成吉は、素材は『心の琴線』であると言つてゐる。「いくら豐かな事物（萬象）があつても、琴線に觸れなければ素

材とはならず、作品とはならない。たとへていへば、單なる現實または思考（思考は現實を反映したものであり、現實の一種である）は、いはゞ瓦礫である。それに『琴線』が觸れると、俄然、玉となつて光を發するのである。」

作者は素材の中から『心の琴線』に觸れるものを感じ、言はふとする何かを感じて、はじめて作品とならねばならないのだが、果して、みんなさうであらうか。素材の新しい面といふことは、文化映畫的興味だとか、その珍らしさだけに、賴つてゐるやうな作品がないであらうか。文學を作ることよりも、素材を説明する作品に終つてゐるのがないであらうか。

もし、小説が、今日さういふ興味から讀まれてゐるとすれば、これは、放つて置けない問題である。

山田克郞の最近の仕事ぶりをみながら、矢張りこの『素材』の問題を考へたのである。山田克郞も』素材』の廣さをもつ作家の一人である、と言へるやうに思ふ。しかし、この作家は、どんな『素材』をもつてきても、ひとつの獨特の空氣の中に嵌込んでしまふのである。櫻田常久のやうに「從軍タイピスト」から「靜かなる湖底」へのやうにまるで違つたものを違つたまゝに描く冒險の出來る作家ではないのだ。

2

「少年感化船」この作品は、山田克郞の性格を、露はにむき出しにした作品であるやうに思ふ。こゝにこの作家のいゝところも、惡いところもひとつにして押しこめたところの縮圖を見るのである。

「出帆である。曉闇。浦賀の町々の家並は、いま深い眠りから醒めつゝある。」といふ書出しにはじまる「少年感化船」は「日本では唯一の、少年囚のみを收容する船上刑務所」の附屬遠洋漁撈船が浦賀灣を出航、鰹を追ひ、船一杯に獲物を積んで歸航の途中、難波船の船頭を救助する才次と吾六の二人と、もう一人新一なる少年の、それぞれの環境からくる樣々の性格を描いた作品である。

さうだ。新一の漁村へ行かう。そして、あいつと一緒に働かう。その考へを天惠の妙案のやうに思ふのであるが、新一の顏をみると、今朝は、御免よ。とかけてくれる親切な言葉にも——ふざけてやがる。何だつて、行かないことにきめた？　何て云ひ草だ。このチンピラ青二歲奴！　とむかつ腹を立てる才次の、兩親のない孤獨の生活から歪むできた性格が浮彫されてゐる。不遇な環境を經た少年のかうした宿命的な複雜な心理を瞶めながら、作者は、その宿命的なものに、さうした少年達を生ましめる社會を、諦めきれぬ腹立たしさをもち、彼等の進まねばならぬ道を、彼等のために探し求め

ようとする。此處では信頼か、友情がひとつの眼醒への道であつた。

が、作者は、この作品の何處かで、かうした少年達に、甘い感傷を抱いてゐるやうな氣がする。かつて、新しい大衆文學が叫ばれ出して間もなく、サンデー毎日あたりの新人の作品に、丁度、かうした感傷が一種の流行的な形をとつたことがある。

山田克郎も、さうした空氣の中を潜つてきたのではあるまいか。「少年感化船」が社會的な問題に觸れながら、その問題が、たゞ一つの複線としてしか感じられないのは、その甘い感傷があるからではないであらうか。

しかし、それはこの作者の若さにあるとも思へるし、性格の一面であるとも思へるのだ。鳥渡、分明した記憶ではないのであるが、オール讀物にでた作品で「繪姿」? とかいふ作品かで、矢張り宿命的なものを背負つた少年を描いたのがあつた。それも慥か、讀んだときにそんな風なことを感じたやうに思つてゐる。

武田鱗太郎の『蚊㡡』を、「蚊㡡は純文學であらうか? 然り、純文學の傑作である。『蚊㡡』は大衆文學であらうか? 然り、大衆文學の傑作である。この『蚊㡡』に於ては純文學も大衆文學も無いのであつて、あるものはたゞ文學の大道のみである。私はこの小說を讀んで、怖ろしさを感じた。それはこの作家の對照を見る洞察力の深さと正確さ。長年たゝきこんできた手腕の『藝』に就いてである。武田氏は勿論今迄にも『蚊㡡』よりも良いものを幾多書かれてゐるが、『蚊㡡』を書かうとするには、やはり武田氏だけの作家的手腕が必要なのだと思ひ、文學のむづかしさに私はたゞ〳〵となつた」といふ山田克郎の文學への方向への叫びも、石川達三の「轉落の詩集」に對して「純文學の闘將と目されてゐる人がこんなものを書くんぢや日本の文學も地に墜ちた」と嘆くのも、判るやうな氣がするのである。

山田克郎の、激しい文學への熱情が叫ばしめるこれ等のことばを、耳を澄まして聞くとき、この作家の創作以前の心構へも自然點頭けるのであるまいか。

3

山田克郎は、熱情の作家である。餘り丈夫さうでない彼の肉體には、强靱な文學への熱情が火となつて燃えてゐる。

文學は激しい熱情の中から生れてくるのでなければならない。文學は技術だけではない。――技術だけを賣り物に、便乘的な調子のいゝ作品に、言ひ知れぬ噴怒を感じないではいられないやうに、熱情のこもつた作品には、言ひ知れぬ心良

さを感じるものである。山田克郎が、「少年感化船」に盛つたところの熱情、それが、讀者をしてそれ以後のこの作家の働きに期待をもたせたのであると思ふ。

「牧場日記」――「螺旋の道」――「北の海」――とつゞく昭和十五年に於ける彼の足跡も、矢張りその熱情に滿ちたものであつた。意識的か、それとも無意識的なのか、海に素材を拾ほふとする彼は、また海の描寫には獨特のウマサを感じるのである。最近、海を描いた作品が多く出るやうになつたが、その中でも、彼は一つのスタイルをもつてゐる。

「螺旋の道」も「北の海」も簡潔な描寫で海をまざまざと現してゐた。少年囚を描いた彼は、此處では燈臺の生活を、また、西暦一九一九年「ロシヤ全土は赤軍と白軍が勢力の角逐に、國をあげて戰鬪に寧日なき」當時、地球の北端に近いカムチヤツカの首都にラツコの毛皮を集める三人の日本人を描いてゐる。

此處で注意したいのは、「カムチヤツカの涯で、北の風にふかれながら慰み事もない。毎日船の張番だ。女といや毛色の違つた土人」だけの、さうした世界で、男のやうな女常子に惚れさせる人間の本能を「北の海」の作品で、この作者は突きながら、深く其處には突き込まないでゐることである。

「螺旋の道」でも、そのことが言へる。「文學建設」での彼の作品への批評に「讀後（中略）一種の索漠たる感じが伴ふのはどうしたわけであらう。僕は、いろ〳〵と考へた末、から考へてみた。これは、事件に對して、作中の人間に對して、また、その行爲に對しての、作者のきびしい批評が缺けてゐるためではなからうか」とあるやうに、批判から遁げやうとしてゐるからであると思ふ。もつと、突つ込むで呉れゝば、と思ふ。が、其處に、この作家の弱さを見、彼の性格の片鱗を見るやうに思へるのである。

「少年感化船」に於ける感傷――それが、この作家の『心の琴線』ではないかと考へることとすらある。無論、さうした感傷（と言ひきれない氣持なのだが）が『心の琴線』となる場合だつて考へられる。川端康成の「雪國」をその一つの例にとることが出來るやうに思ふ。しかし、これからの文學では、それだけではならないのではなからうか。

「現代小説は、現代を背景として、現在生きてゐる人々を描くだけでなく、現實の土臺の上に踏張つた理想がなければならないのではないだらうか」とは、櫻田常久論の中で述べたところたが、それが批判の形をとることも考へられていゝのではないかと思ふ。

恐らく、この作家は、「北の海」の場合の人間の本能の問題等々を、ひとつの批判すべき問題として、『心の琴線』に觸れ

と考へるのだ。

るものゝ一つとしてとりあげてゐることであるに違ひないのだ。たゞ、もつと强烈に突き込んで貰つていゝのではないか

×　×　×

十六年には、「新潮」――「木蔭の丘」――「繪姿」――「海晴れ」――「白馬の美少女」――が、主な發表作品であるやうである。中でも「新潮」は、長篇であり、讀みたいと思ひながら、その機會が得られなかつたのが殘念である。此處に「文學建設」に於ける「新潮」の批評を參考までに書き拔かう。

「主人公は自動車の運轉手で、弟を電機學校へ通はせてゐる。弟が拾つた財布を落し主の娘（彼女は東京水上生活者達の子供の保育園の保姆である）へ屆けにゆく所から話がはじまる。（中略）心理的には矛盾を感じさせられないが、表現はやゝ重苦しい。これは、この作家に固有な性格なのであらうが、しかし同じ作者の他の作品に比べると、可成りにのびのびしたスタイルであることに氣づく。恐らく作者は或る點妥協してのことであらうが、他の作品は無理に一つのスタイル押しこめたやうな感じがする。所謂長篇小說的な波瀾重疊といふ伏線はないが、その代りまじめである。但し保育園の描寫は、現實的に迫つてくるものが乏しい。」

此處でも述べられてゐるやうに眞面目な作者の態度が、素材の廣さの中にも一貫して流れてゐることを見落してはならない。

線の弱さ――を乘り越えて、眞面目さと、國民文學への熱情をひつ提げて、ひた押しに押し進む彼の努力は、その眞面目さの故に、雲霞のやうに群がる、不眞面目な、技術だけを、素材だけを、賣りものにしようとする作品に嚙みつくやうに吠えねばならなかつた。

「大體、大衆文學などゝいふ言葉が、いけない。現在の大衆文學の大半は文學では、無い。讀物なのだ、文學などゝは沙汰の限りだ。鳥が、私は色が白いのよ。と盛んに辯解して廻つてゐるやうな態だ。もつと文學に對して、敬虔な、峻嚴な態度を持つて望まなければならない。文學者は文學の眼を持たなければならない。小說家は、小說家の眼を持つてゐればこそ、常人よりは優れてゐるのだ。大衆作家の大半は、この小說家の眼を持つてゐるだらうか。彼らはたゞ頭で、でつちあげたことを、紙に寫すだけだ。その中には「眞實」は何ひとつない。自分でいゝやうに拵らへあげた、事件だけしかないのだ。小說家の眼を持たなくつて、小說家と云へるだらうか。畫家の眼を持たなくつて、畫家と云へるだらうか。繪を描くのは、幼兒だつて描くんだ。併し幼兒は畫家ではない。――繪を描くことを業ひとしてゐるから、畫家でないの

だ。畫家の眼を持つてゐるから畫家なのだ。小說家もその通りだ。大衆文學といふ以上、文學であつて欲しい。併し、私は何も、大衆文學が純文學にならなければならない、と云つてゐるのではない、あんな、自畫像ばかり書いてゐるやうな、純文學には、私はあき足らない。眞の文學とは、もつとスケールの大きいものだと思ふ。自分の尻の穴ばかりつゝいて、文學だ〳〵と云つてゐるのは、餘りに情ない。私は、これから日本で打樹てなければならぬ文學は「レ・ミゼラブル」のやうに筋を話しても、誰にでも判つて面白く、文章も、嘘つぱちではなく、作家の眼を持つて書かれた小說——かうしたものが、切り拓かれなければならないのだと、思ふ。」

4

純文學でもなく、大衆文學でもなく、新しく創造される文學——それが國民文學なのである。更に、具體的に現すには村雨退二郎の言ふ如く「國民主義の立場に立つて、國民生活と結びついた新らしい現實的理想主義文學を打ち樹てるといふことである」(富士の歌自序)

二千六百年の歷史をもつて築かれた日本民族の誇と、いまや全世界を壓する尊き祖國を愛し、日本人の血をもつて打ち樹てんとする日本の眞の文學への理想に燃え立つ作家の一人であるところの山田克郎の文學者としての意義に、われわれは多くの期待を惜しまないのである。

作家の良心といふやうな小さな問題ではなく、いま、作家は、作家たる眞の心構へをもつことが出來なくて、日本の文學を永遠の偉大なものとすることが出來やう筈がないとは、いままで、屢々言つてきたが、此處でも、それを痛感せずにはゐられない。

そして、聲高く一部の古い文學精神？　しか待合さぬ文學者？　が叫んだ「國民文學」と、いま、われわれが叫ぶ「國民文學」とを考へ比べてみるがいゝ。

遲々としてゞはあつたかも知れぬ。併し、次々にわれわれは「國民文學」を具體的に把握しつゝある。

決戰下に於ける保健婦の責務を描いた「レモンの海」と、「少年感化船」。この二ツの作品の違ひは、單に歲月の齎したものであらうか。「少年感化船」をこの作家が書いた當時と今日の「レモンの海」を書いたときとは大きな時代的隔たりがある。刻々と進む時代の激流は、全くその間に夥しい發展を重ねてゐる。ものゝ考へ方だつて變つてゐる。

が、さうしたもののみの違ひであるといつて片づけることが出來るであらうか。二ツの作品が、それだけの違ひだと言ひきれるだらうか。

技術の進歩もあらう。が、僕は嚙みつくやうに叫ばねばならなかつた彼の眞の文學への、國民文學への熱情をひつさげての（心構へ）の具體的な發展、精神の成果に多分かゝつてあるのではないかと思ふのである。

保健婦をあのやうに描いたことが、便乘的方法であるとは言へないのだ。何故なら、此處では、保健婦としての人間的な一面が、この作者のものでは比較的深く描かれてゐるからである。いや、保健婦だけではない。無智のために子供をヂフテリアで死なして了つた老婆の心を嚙みしめるやうに、砂糖も、黄粉もかけてない、蕎麥粉そのまゝの團子を嚙めしめる秋澤先生の舌には、生きなければならない人間の深さが味はれるのであつた。

「僕は死にたくないんだ。死にたくないんだよ！」

低い叫びで、兩肩を戰かせ、能崎の手を握りしめた。眼には、うすい涙がにぢんでゐる。

――馬鹿だなあ、そんなことを云つたつて仕様があるかい。俺だつて死にたくはないさ。

「僕のそばにゐてくれ給へ。僕は不安でしようがないんだ……

……」

左舷のヤードが海につき刺さるやうにぐいと、船は大きくゆすれて傾いた。

此處では、海の眞つたゞ中、波が船をひともみに押しつぶさうと喚呼する中で、飜弄される人間の生命を描いてゐる。が、同じ作品のうちで、この生きようとするあがきに作者は批判を與へるのである。

「苗村は自分の船室で暑いベッドに寢轉がつた。皆が死をもつて船を守つてゐる時、自分ひとりだけが、死にたくない！などと、叫んでゐたのだと、思ふと彼は羞かしさに、死んでしまひたい程であつた」と。

生きようとする足搔きでなく、死を賭した生き方でなければならないのか、今日のわれわれの生き方であるのだ。日本軍の强さは平出大佐が、ミドウェー沖海戰の發表のとき話された「身を切らして骨をとる」生き方、それはたゞ戰略ではなく日本人の生き方であることを、作者は、別の面から、この「帆裝」の一篇の中で言はふとしたのではあるまいか。

南洋産業社長、松井春二が「何百萬圓といふ金と人々の汗晶とが一朝にして、いまひと塊の土に消え去らうとして」躍る壯大な火焰、「西に東に海風に煽られ、星を焦がして燃え」る火焰を、凝と瞶めながら、その火よりも熱いものが、ぐつと胸を走るのを感じたのも、先の（生き方）に一脈通じるものではないであらうか。それを「天の産聲」と聽くのも同じ意味ではないであらうか。

5

いま、述べてきたやうに、山田克郎の最近の傾向が、非常に望ましい傾向にあることを喜びたい。

そして、それが廣い素材からくるものではなく、作家の、創作以前の意氣組み(心構へ)といつたものがそれらを生むだのであると言ひきれないだらうか。

山田克郎が、かうした方向に辿りつき、そこに、彼自身「天の産聲」を聽いてゐるやうに思へる。いまの作家にとつての「天の産聲」は方向へ具體的な『火焰』である。山田克郎は既に『火焰』に飛び入らうとしてゐるのだと言へる。

十七年に這入つては、「海のわかれ」――「艦長と一日本人」――「レモンの海」――「歸化部落」――「天の産聲」――「帆裝」と、昨年に比べて進歩ある仕事をなしつゝある。

われわれは、期待をもつて見守るのだ。

たゞ、彼は、もう一度脱皮しなければならないのを感じる。「歸化人部落」といふ作品が、それを感じさせるのである。

だからと言つて、歸化人部落」が、絆をとつて、氣樂に書き流した作品だといふのではない。むしろ、孤島に混血兒であるがために誤解される青年の苦腦を描かうといふ内的なものへ注視したこの作品は、恐らく、作者も相當苦しんだ作品ではないかとさへ考へられるのである。

キチンと組立て、面白く讀ませようとする構成――賑やかに盛る描寫――これは、この作家の長所であり、缺點であるが、此處では、そのために、混血兒の兄の方の心理的な流れが、反つて散漫になり、中心から離れて了つたのだと思ふのだ。

心理的追求の作品には、いまゝでのもつてゐる構成法を一應、突き破る勇氣がいるのではあるまいか。

が、とにかく、かうした作品へまで來たところの(「少年感化船」から「帆裝」まで)作者の努力の跡を、いま一度ふり返つてみるとき、熱情の作家、山田克郎の(道)が、彼のもつ熱情の叫びの實踐へ、急速度に進んできてゐるのが點頭けるのである。

その一筋の道が、山田克郎に期待する大きな波紋をもつて呼びかける。

冒頭に於て(素材)の問題を提出した。それは、廣い素材をもつこの作家が、素材の興味によつて讀ませようとしてゐるところがありはしないかと考へたからである。が、かうして、再讀し、仕事の跡を追つて思考をすゝめてゆくとき、それは、單なる危惧に過ぎなかつたことを喜ぶ。

こゝろみに（素材）の興味で讀ませようとする木村莊十の足跡を思ひ浮べてみるとい丶。木村莊十と山田克郎の違ひは、實に素材の點にあることを見るのである。

木村莊十の（心の琴線）と、山田克郎の（心の琴線）が違ふからである。「天の産聲」にしても、決して、南洋の一つの島に生命をかけて打ち樹てる一産業人を描かうとしたのではなく、（火焰）を蹟める一日本人の血を描かうとしてゐることを考へるとき、「帆裝」にしても「レモンの海」にしても、素材の廣がりは、飽迄、人間の一つの面を蹟めようとする眼があることを感じるのだ。

その眼が、彼の（心の琴線）なのだ。

彼が、「文學者は文學者の眼をもたねばならない」と主張するところの（眼）も、言葉こそ違へ（心の琴線）と何等、異なるところのものではないのだ。（了）

【新刊紹介】

『印度侵略悲史』（ラス・ビハリ・ボース氏 石井哲夫氏共著）

南方から印度への關心が高まつてゐるこの時代でも、この二人の著者位、この種の書物を書くのに相應はしい人は、一寸他にあるまい。ボース氏は、人も知る印度革命志士、今度いよいよ蹶起されたが、その烈々たる氣魄は、『革命の印度』『桎梏の印度』『インドの叫び』等に依つても充分に知ることが出來る。また、石井哲夫氏が印度の歷史に材をとつて、雄大なる小說を次ぎ次ぎに發表されてゐることも、よく人の知る所である。

本書は、第一章、英人來航以前の印度から、第十二章、執拗なる獨立運動に至るまで、暴虐飽くなき英國の侵略ぶりを、ごく平易な文章で物語風に書かれたものである。クライブやウオレン・ヘスチングズの話などに、私などもいろいろな機會に讀んでゐるが、英國の紳士道も、ここに至つては一言の辯解の餘地もない。それが、作家たる石井氏の麗筆に依つて、完膚なきまでに描かれつくされてゐることは嬉しい。

しかし、この上の慾をいへば、ベンガル政府の阿片專賣權樹立に依つて印度人初め、マレー人、支那人に阿片を賣りつけた東印度會社の暴虐ぶりや、英國政府が印度といふ足場を得て、東印度諸島から支那へ魔手をのばすに至つた徑路などに一言も觸れてゐないのは一寸殘念である。また、アムリッツア大虐殺事件は、ボース氏の前著『桎梏の印度』にあるためか、素描に終つてゐることも惜しい。石井氏の麗筆を以てすればあの事件などは、極めて印象深い一篇となると思ふのだ。

しかし、本書を廣くおすすめしたい理由は、印度問題に關する限り觀念的に取扱つた書物が多い中に、本書は印度史のうちから著者の作家魂に觸れたものだけを取上げて、誰にも容易に理解ができるやうに書かれてゐる點にある。この時代にかかる良書が生れたことを喜ぶと共に、劇務に携はりつつ、作品を次ぎ次ぎに發表される石井氏に敬意を表し、また、私も一面識あるボース氏の御成功を祈つてやまない。（B6判三四一頁、二圓五十錢、東京日々、大阪毎日新聞社發行）（土屋光司）

赤峰

飯田美稻

蒙古からの隊商は、駱駝の背に羊毛や皮革や鹽などを積んで、漢々たる草原をよぎり、興安嶺の裾を廻つて、漢人と交易する爲め熱河省には入つて來る。熱河省に這入ると地勢は急に平坦になつてやがて涯しなき薄鼠色の砂漠にさしかゝる、砂漠は、風の爲めに美しい漣を造つて、人や駱駝の通つた跡さへもない。所々に離々とした痩草が砂の間に枯れて見へるばかりである。然し、駱駝も人も全く無表情で、十數日前に蒙古の自分達の包(パオ)を立つた時と同じ歩調でこの砂の海の中へ乘り入れて來る。一列に長い足跡だけが後に續いてゐるが、やがて風が出たらば、それさへ儚く消へてしまふだらう。だが、駱駝も人も無表情でのろのろと南へ南へと砂の海を進むで來る。幾日かの後その砂漠の地平線の彼方にぽつつりと赤い山の峰が見へる。すると駱駝は長い首を高く擧げて首に吊した鈴をはためかすやうに鳴らす、人ば高らかに聲立てゝ後の者に話しかける、無表情な隊商の列が急に活き〳〵として歩調が輕く速くなつて來た。彼等の目的地が見へたのである。

赤峰と云ふ處は、かうした砂漠地帶の涯にある赤い小山の麓に出來た街で、蒙古と滿洲國との交易の地である。私達は承德へ行つて赤峰へ行く事を薦められた。其の時私達の遊心を誘惑したのは、この砂漠と駱駝の隊商とであつた。そこで以上のやうな夢を描いて、旅程には全然組み入れてなかつた赤峰行きを決意したのであつた。

承德から赤峰へは、まる一日汽車に乘らなければならない、其の日も空は嘘のやうに晴れて碧い、私達は、古都承德に限りなき感傷を殘して重疊たる山の中へ汽車を乘り入れるのだつた、車窓に見る風景は幹線の大陸旅行に見る一望十里の田園風景とは異つて、山裾を廻り川に沿つて行く內地の中央線を想はせる觀景である。だが山には木が少く岩も奧に行く程無くなつた。たゞ見る黃土の山塊である。然して其黃土の山に所々、深い襞(ひだ)が出來てゐる、それはたゞ見るなだらかな山に突然として深い何十丈の溪が出來てゐるのである。恐らく何年かの雨の爲めに出來たものであらう。丁度雪溪のクレパスと同じ形をしてゐる。かうして黃土が雨で流されて行くから大陸の河川は濁つてゐる、黃河の水は春などは六割もこの黃土が泥つてゐると云ふ。數日前遼河の鐵橋を渡つたが、其時氷と共に流れる『春水のひどい泥がたぎつて落ちるのをすさまじいと見た、まこと、山を削つたその泥土を押流してゐるのである。

ところが、今度の旅行では、吉林のダムを見に行つた時、氷の下を流れる水が碧く清いのを不思議に思つた。私は曾て青島でこうした清冽な水を見た事があるだけである、青島郊外に嶗山から流れて來る川があつて、近所の支那の女達が、その清流に洗濯をしてゐた。嶗山は東海の名山で、秦の始皇帝が幸したと云ふ傳說もあり、不老不死の仙藥を採らしたと云ふ云ひ

傳へもある靈山だから、水又淸いのだと聞かされた。然し、吉林の水は下つて松花江となる河である。泥水でなければならない筈なのにと思つて工事場の人に聞いて見たら、冬の間だけは淸いが、春から夏にかけては矢張り濁つてゐるとの事だつた。なるほど雨が降らないから泥を流すこともなく、大興安嶺の森林に凍つた水の少しづゝが僻けて集まるのだから淸いのであらう。まこと、この水にこそ纓を洗ふべきである。百年待つても淸くならぬ揚子江や黃河に育まれる支那と、一年に一度は淸くなる松花江の滿洲國とは、こゝにも相違のある事を、私は黃土の山の襞に想ふのであつた。

二

赤峰へ着いたのは夜の八時頃だつた。私達は闇の中を、旗公署から差廻はされた自動車で都ホテルに案內された。玄關に立つと藁の冷飯草履がづらりと並んでゐる、この冷飯草履が廊下の上草履なのだから都ホテルの如何かを想像が出來ると思ふ。兎に角私達は障子のある室の疊の上に繼ぎだらけの丹前を着て座つた。そうしてお互にみすぼらしい姿を見合つて笑つた。然し宿と云へばこゝ一軒しか無いのだから贅澤は申されない。

やがて、遲い夕飯の膳が運ばれて來た。見ると鮪の刺身がついてゐる。向ふには牡蠣の酢も付いてゐるではないか。此處は是滿洲國とは云へ蒙古の邊境、內地を離れて幾山河の赤峰で、鮪を喰ひ、牡蠣をすゝらうとは思はなかつた。なる程日本宿で、破れては居るが障子の嵌まつた、汚れては居れ共疊の上に、繼いではあるが丹前を着て座つてゐるのだから、鮪でも牡蠣でも不思議はないけれども、

さすがに誰も箸を付けるものが無かつた。

翌日、私達は旗公署に行つた。若い日系の官吏は烈々たる氣魄を眉宇に現はして、赤峰の政治と經濟に就いて語るのであつた。此處で私達は赤峰の概念を得た、大きな滿洲國のあらゆる問題が壓縮されてこゝにも有つた。若い官吏はこれ等の問題に全身全靈をぶつつけて仕事をしてゐるのを尊く思つた。やがて城內の視察をするトラツクが差廻されることになつたが私達に話をして吳れた官吏は、急に用事が出來て、旗公署の玄關に繋いであつた馬に跨がつて、

「鳥渡あの山の先の〇〇隊まで行つて參ります、案內は別の者が致しますから、失禮」

と云ひさま、馬に一鞭あてゝ砂煙を揚げて馳せ走つた。丁度、昔見た映畫の西部劇の一齣を見るやうな情景だつた。

旗公署は都心から少し離れてゐて、この邊一帶に黃土の土塀が築かれてゐるのは、どこの農村とも變りはないが、聞いて見ると、これ等が全部芥子畑だとの事だつた阿片は赤峰邊が一等澤山採れる所で、夏は北の邊が全部美しい花で埋まるのだと云ふことだつた。

赤峰は、阿片の他に絨氈が有名だ。先年滿洲國皇帝陛下御來朝の砌り我　皇室へ御持ちになつたのも赤峰の絨氈であつたと云ふ。然し今は、蒙古から來る羊毛も民需に廻らない爲めに絨氈は織る事が出來なくなつて、たゞ技術を保存する意味から、旗公署直轄の工藝指導所があつて、其處で僅かに織つてゐる。私達が行くと、藍の鮮かな絨氈が半ば出來上つて、若い徒弟たちが龍の鱗を織つてゐた。こうして、甘草の工場や、支那酒の釀造場や、質屋などを見て廻つた、働いてゐる者は蒙古人だか、漢人だかは判らないが、どこでも皆人のよささうに笑顏で案內をし

て呉れた。阿片の吸煙所には一人しか阿片を吸つてゐる者が居なかつた、この男も吃驚して急に立上つたりしたが、やがて安心したやうに汗をかきながらヂウ〳〵吸ひ始めた、廣東などで見た阿片窟より清潔で、阿片が持つ惡德とか犯罪とかの陰影を感じる事が無いのが、却つて旅行者にはつまらない位だつた。

トラックは、やがて、或舊教の寺院の前に止まつた、建物としては、何と云つても赤峰一の建物だらう。高い尖塔が聳えてゐる鼠色の煉瓦造りで、日曜ではないから表が閉つてゐるのを開けさせて這入つた。滿洲國の基督教は、矢張り二百年くらひの歷史がある。然も何處の國でもあつたやうに、この國の布教も凄慘な迫害の歷史である。果して赤峰に迫害があつたかは聞かなかつたが、佛蘭西の宣教師は各所で殉教してゐる。布教時代には佛人が多かつたが、近年は米國人が多いと云ふ事を聞いてゐた。この赤峰の教會も神父は米國人で、大東亞戰爭が初まると同時に、彼は某所へ移されて保護される事になつた爲め、今は主の居ない教會室になつてゐる。

私達がは入つて行くと、留守番がおど〳〵しながら、神父の室の扉を明けた。役人が調べにでも來たと思つたのだらう。深く敬つてゐた神父の引かれてゐつた時の驚きが、まだ消えないと云つた風だつた、私達は、づか〳〵と其の居間に這入つた。すると眞中に大きな卓があつて、今まで其處の主が居たが、鳥渡席を外したと云つた風に亂雜に書類が机の上に擴げられ買物の釣錢でゞもあらうか、紙幣を取混ぜた小錢が載せてありパイプも今まで吸つてゐたと思はれるやうに、黑い灰が埋まつてゐた。

次の間には、洋書が壁にきちんと並んでゐる。米國からの往復の文書なども狀差に差したまゝであつた。一體にひどく簡素な生活である事は窺はれるが、然し相當高い教養のある人で、何となく年もまださう老人ではない樣に思はれた。主の居ない室に何時までも居るのも工合が惡いので、出ようとして、ふと氣がついた事だつたが、机に先刻のパイプが置いてあつて其の傍に刻みの煙草が、粗末なボール箱に乾いて居た。其の煙草だが、彼がパイプに詰めてゐるのは支那の最も低い階級の吸ふ煙草で上葉を其まゝ揉んだものだつた、以前ダラハムと云ふ米國の安煙草があつた。あのダラハムに似た煙草だが、何しろ上葉を乾かして揉んだゞけのものだから味も香りも有つたものではない。其の苦力と同じ煙草を神父は英國製のパイプに詰めて吸つてゐるのである。ほんとうに土地に慣れきつて、土民と同じ生活をしなくては、此の煙草は吸ひ得ない。私は此の一塊の乾いた煙草に米國の恐るべき浸潤力を認めない譯にはいかなかつた。殊に昨夜喰べさせられた鮪の刺身と對蹠的に考へさせられ、一概にそれを是とし、これを非とするのではないが確かにこれも問題の一つだと思はれた。

三

トラックは、橋の無い川を渡つて砂漠地帶に這入つた、只見る漠々たる砂原は、所々に出來てゐる砂丘にさへぎられて、そんなに曠いとは思はれなかつたが、然し何處が隣の部落だかは見當のつけようもない。幸雨三日風が無いとかで、車の轍も跡があり、駱駝か驢馬か足跡もづつと數條ついてゐた。實は赤峰の名物は阿片でも甘草でもなくて埃だとの事だ、一度風が吹き出したら四邊の砂漠の砂が舞ひ立つて目も口も開いてゐら

れず、海上でガスに逢つたやうに一間先が見へなくなると云ふ、なる程この砂漠の砂は、日本の海岸などに見る白い砂とは異ふ、薄鼠色の細かな灰のやうな砂である。それが美くしい漣を造つて、無數の砂丘を起伏させてゐる、砂丘は一夜にして出來る。泥柳の木の先だけが少し見へてゐる、砂丘もある。又少しも動かぬ砂丘もあると見へる、名も知れぬ枯草が上の方に生へてゐるのがある、一群の馬を連れた隊商が、砂丘の蔭から出て砂丘の蔭に消へて行くのが見へる。私達はトラックを下りて砂丘に新らしい足跡をつけるのを樂しみながら砂丘に登つて煙草を吸つた。靜かな春晝の午後である。然し私達には、また視察の順序が殘つてゐる。あまり此處でロマンチツクな空想を恣まゝにする事を許されない。砂漠の入口を見たゞけで私達はもと來た道を引返した。

街の入口には廟があつて、其處は歡樂境である、其の廟の後の小高い丘の上に、精巧な鳥籠を澤山並べて、折柄の斜陽を浴びながら煙草を吸つてゐるひと群の男があつた。雲雀を鳴き合はせてゐるのだらう、其の下には汚い着物に毒々しく化粧をした苦力相手の賣春婦が氣味の惡い笑顏を造つてゐるのに出會はしぞつとして逃出したり、ざわ〳〵と喧騷を極める歡樂街を抜けて私達は駱駝宿を暮ぬ間に見ようと急いだ。

駱駝宿は、旗公署の近くにあつて黃色い土塀を廻した中に、三四十頭の駱駝が立つたり坐つたりしてゐた。庭の眞中に井戸があつて此の水が長い桶に通じ、一時に十數頭に水飼ふ事が出來るやうになつてゐる蒙古の奥地からはる〳〵やつて來て、こゝで漢人との交易をし、數片の銀は、此の街で種々な物に換へられて又駱駝の背に積まれて奥地へ歸つて行くのである。駱駝は其の取引の間をこゝに立つたり坐つたりして乾草を喰つて待つてゐる宿だ。

折柄日も暮れようと云ふのに、一隊の駱駝は、のそりのそりと立上つて、十數頭列をなして引かれて行つた。割合に毛並も美しいし鳥渡赤い綱などに飾られ、中には首に鈴を下げてゐるのもあつて、よく見てゐると、あの顏にも親み易い可愛らしさがある　これが今夜又夜通し砂漠地帶を通るのかと思ふと、可愛想な氣もするのだつた。

其晩、私達は赤峰一流と云ふ支那料理屋へ行つて夜を更かして、藁草履の都ホテルまでを歩いて歸つた。丁度月が朧に低くあつて、街は暗い、所々の街頭も薄暗く、早く閉す習慣か商店も起きてゐるのは少ない。しんと靜かな街である、何か唄ふやうに云つていゝ音のする鉦を鳴らして通るものもゐる、ボアーンと響く銅羅を鳴らして、これも又何とか唄ふ樣な聲を出すものも居る。物賣りか大道藝人の類であらう。私は銅羅の音に突然聲色屋を想ひ出した。然して見ると、此の街一たいが、明治時代の東京を思はせる何かゞある。此の暗さも、私が子供の時分の東京の街の暗さである、片側の下水もさうらしい、舗裝してない道路、所々の街燈、低い家並に落ちかゝる片割れ月の朧なるも、どれもが昔東京の何處かで見た景色を其儘であつた。赤峰の文化が丁度明治四十年代の東京の文化と同じくらひだからかも知れない。

もし、私に赤峰での一等强い印象はと人に聞かれたら、萬里の異域の街に、ゆくりなくも子供時分の東京を想ひ出させて吳れた此の夜を忘れ得ないであらう。と答へたい。

作品批評座談會

出席者

土屋光司
戸伏太兵
東野村章
中澤巠夫
村雨退二郎
村正治

速記　池田達雄

土屋　今月は暑いから、肌ぬぎになつて、風を入れながら、批評をしようといふ趣向で、座談會といふ事にしたのですが、どうです。オール讀物あたりから始めては。

連作小説について

東野村　今月のオールは感心したものはなかつた。

戸伏　オールといふのはよく純文學作家を起用するね。

東野村　僕は舟橋聖一氏には一寸いひたいな。舟橋氏の小説でこれといふ物はないい「男」といふ日日新聞の連載がありましたね。あれなんか一部の女の子なんかに盛んに讀まれてゐたらしいんですが。最初の書方は何といふか、純文學的調子といふか、さういふものを持つてゐたんですよ。ところが途中でもつて、それぢや讀者がついて來ないといふので、もつとくだけてやつてくれと記者からいはれたらしいんでね、途中から非常に變つて來てゐるんですよ。文章から何から味を無くして、通俗の寫實主義になり、筋だけが波瀾萬丈なんですよ。芹澤光治郎氏なんかに較べると非常に落ちるやう思ひます。唯時流に乘つて盛んに書いてゐるといふだけで、それが何か純文學に對する態度といふものと、それから大衆文學――といつてはいけないかな――からいふ雜誌に書く態度には非常に距りがあるんですよ。からいふ雜誌に書くには昔の通俗小説の氣分が多分にあるですね。この中の「波」なんかもね。

戸伏　讀んだ後何も殘らないんだね。

土屋　この芹澤氏の「旅のあと」といふ作品は『山邊先生に關する連作の一つである』といふことになつてゐるから、山邊先生に關する長篇を書くつもりかも知れないが……。

中澤　併し連作なら、それ自身獨立して纒つてなければいけないんだ。短篇がいくつか纒つて長篇になるので、最初から短篇小説ぢやないといつてゐるのは卑怯だと思ふ。村雨退二郎君の「坂本龍馬」等も一種の連作長篇小説だらうけれども、三部できちんと纒つてゐる。これは各一篇のテーマは勿論一篇の小説の形式を備へてゐる。然も全部を通してみてそこにまた別の一つの何か別のものが出て來る、といふところに連作小説の意味があるので、連作ならば短篇小説の中途半端でいゝといふ譯には行かない。

村　獨立したものが全部集つて綜合した効果を擧げるものが連作だね。

戸伏　一體小説の連作といふのは何時頃出て來たのだらう。歌ぢや古いね。君や僕がやつた時分盛んにあつたね。一連の纒め方に兎や角の議論が起つたのは、僕が十六七の時分かね。併しね、連作の場合でも、例へばコナンドイルの場合でもさうだが、讀者に分つたものは省略して行くといふことは必要だね。

中澤　それは必要だ。分つたものは省略して行くけれども、小説のテーマとか、その小説の構成とかいふことは、讀者が分つてゐるゐないの問題ぢやないと思ふ。

村　バルザックの小説はある意味で連作といふものがあるね。

東野村　「人間喜劇」といふのは、あれは殆んどさういつた形ですね、一聯の……。

戸伏　娯樂雜誌でよく連續短篇といふものをやるね。あれと外國の非常に大衆に受けてゐる大作家だね、それの連作といふものとは一寸違ふね。

中澤　例へば野村胡堂の「錢形平次」

戸伏　あれは「地下鐵サム」の行き方と同じだ。バルザックは俳諧の連句の行方だね。連句といふのは一寸おかしいが、何かもつと深いものからつながつてゐる。彼方の方から切つてみたり、この方から切つてみたり、對角的に一つのある角を切つて見せて、また今度は此方から見せるといふやうにして進歩して行く組立に見えるね。ぽつん／＼と金魚のうんこ式の小説といふものとは違ふね。

東野村　さうかといつて堤千代がやつてゐるでせう。家の中といふ、毎月短篇で出て來る。家の中に材料を求めてゐるが、だけれども小さいね。求め方がネ、バルザックの「人間喜劇」を見ると……。

戸伏　それは纒めて出さうといふ連作の場合は小さい連作もあるし、大きな意味の連作で、自由自在なものぢやないかね。

中澤　それはさうだらう。藝術としてはある意味では藝術家の始めから死ぬまで連作だと思ふね。これは大まかないひ方だが處女作から死ぬまでが連作だと思ふ。その人が連作だと思ふ。

東野村　思索の流れが繋がつて行くんだからね。

史實小説と逸話小説

村　講談倶樂部の「内藏助の妻」といふ當選作は書翰を五つ六つ配列して、後說明だけだか……。

中澤　僕はこの當選作に就ては少し疑問がある。

村　手紙を連ねてゐるだけで、作者の主觀といふものは丸きり感じられない。それに、刀でもつて圓を書くといふことは、武士の妻としてそれではどうかと思ふのだ。今ならばチョークでやるんでせうが、刀で圓を書いて、圓から外に出たらいけないといふ。大體この作品自體が、一人の媼の話になつてゐるでせう。或る媼の話してゐるその中に手紙が何通か出て來るのは何うでせう。

中澤　形式として、リアリテイがない。それから惡い意味の史傳の影響がね、さういふものを感ずるのだ。

村雨　大體、最近の投書家たちの歷史文學にさういふ傾向が非常に强いのぢやないか。

中澤　それが僕らが度々警戒すべきものと言つてゐる史實尊重主義の歪められた流行、これに盡きるのぢやないかと思ふ。それから結局かういふことをやつてゐると、歷史文學は易しいといふことになるのだ。

村雨　結局さういふ行き方が落ち着く先は美談小說になるのだ。逸話小說になるのだ。

中澤　それになるんだ。史實の研究は作家の敎養である。作家の小說以前のものであるといふことを、强調して來ると、今度慌てゝそれを蔭に隱す爲にそれを飜譯するだけに止まる、同じことになるんだよ。史實小說の陷穽といふか、罠のいふか、さういふものが非常に危險に感じられて來るんだね。

東野村　それは最近出てゐる文藝とか、中央公論とかいふ綜合雜誌に出て來る。德永直氏の作品とか、それから井上友一郎氏の作品を見ますと、昔の文獻みたいなものが、澤山出て來るですね。特に德永氏の所謂「活版事業」なんか非常に酷いですよ。さうした點で作者の一人よがりといふものが感じられるのです。

中澤　鷗外の史傳文學が歷史小說として、一般に高く評價されてゐる。これはしかし非常に危險なものだと思ふんだよ。我々は鷗外を乘り越えなければいけないし、芥川を乘り越えなければいけない。又藤村を乘り越えなければいけない。そして最後に今の歷史小說を作らなければいけないんだ。處がまご／＼すれば今將に鷗外以前、鷗外以下になりつゝあるんだね。どうもそんな感じがするがどうだらう？　これは、岩上順一氏の「歷史文學論」などにも、このやうな考へ方を見出せるのだ。

村雨　それはね、僕は岩上氏に會つて話を聽いたんだが、岩上氏の結論は結局現在の歷史文學は一度鷗外まで還らなければならない、といふことをいつてゐる。それを僕はネ以來——一ケ月程前の話なんだけれども——考へて、これは本當だと思つた。鷗外まで還つて鷗外から出直すといふこと、そのことには非常に深い意味があると思ふ。それはテーマ主義の歷史文學と關係してくる問題だが、テーマ主義が日本の歷史文學の一つの流れとして起つて以來、純文學の方の歷史文學も、大衆文學の方の歷

史文學もこのテーマ主義に誤まられてゐはしないか。さうするとテーマ主義以前の純粋なものを求めれば、結局鷗外に還らなければ仕様がない。唯鷗外に還るといふことが非常に誤解し易い。稍もすれば今東野村君の話に出たやうに、唯文献を羅列したり、唯丹念に史實を調べて通俗史談のやうなものを作り上げるといふことを以つて足れりとする、さういふ考へ方に陥り易い。ところが鷗外とそれとには非常に距りがありはしないか。これはよく歴史文學作家が共同に研究してみなければいけない問題ぢやないかといふことを考へてゐる。色々考へて、考へが纒つたら、これを纒めて僕は聽いてみたいと思つてゐるんだがね。

中澤　相當重大な問題だと思ふが。

東野村　橋本英吉氏の「王道」といふのを讀んだのですが、どつちも何かさういふところで突つかかつてゐるんですね。そして小説としての面白味――小説としての面白味といふか、或は文學の面白味といふか、さうしたものがそのために非常に殺がれるんですね。

戸伏　これは脱線だね。この頃新聞の月評、文藝時評といふか、あゝいふものゝ論調を見ると、やつてゐる連中はとにかく歴史文學といふものを全然知らない人がやつてゐると見えて『この頃の歴史文學の氾濫はいかに文學が貧困になつたかゞ分る』とか、それから『この頃の歴史文學は讀むに堪へない。歴史を讀む方が面白い』といふやうに實に單純なる議論を振廻すんだけれども、この人達の讀んでゐる歴史文學は、橋本英吉氏であり、丹羽文雄氏であり、德永直氏であるところに原因があると思ふ――。

東野村　さうなんだ。とにかく時評に取上げるといふのは、曾つて純文學の經歴があるといふ。それだけで非常に騷ぎ立てるんだな。これはもつと廣い眼をもつて時評をやらなければいけないと思ひます。

村雨　僕は勿論、歴史文學がこの頃盛んになつてゐるといふことは文學の貧困だ、といふ人があれば、全く反對だといひたい。歴史文學が今日まで立派なものとして完成されてゐないにしても、從來のその視野の狭い文學者が、とにかく歴史といふ廣大無邊な領域に眼を向けて來たといふことは、新しい文學の發展の上に非常なる貢獻を齎たらすのぢやないか。だから僕は歴史文學が盛んになつてきたといふことは、文學がこれから豐になるといふことだ。

東野村　またそれでなければならないでせう。

戸伏　一般の從來の私小説を書いてきた人が月評をした場合、歴史小説を認めない。だから現代のことが書けなくなつて歴史小説を書いてゐる。かういふ觀方をしてゐるんです。

村雨　さういふ誤解があるね。

戸伏　今もさう考へてゐる者が、中央公論、改造に出たこけ脅しの小説で、こなれた歴史小説でない、どちらかといふと偏寄つた文献みたいなものを讀んでゐるんですよ。此間偶然金田一博士の處に行つて色々話したら、金田一氏が推奬おく能はざる歴史小説がある、といはれた。それは折口信夫氏が中將姫を書いたものださうだ。三回で、日本評論に書いたさうだ。どういふ小

説を書いたか知らないが、あの時代の研究者で、歌人で、あの時代を創作化するといふのには非常に適當な人だな。また非常な學者であり、歴史家でありながら非常に個性の强い人だらう。だから何かの意味で本當の物だらうと思ふ。

村　まあ、それは改めて讀んでからといふことにして、「内藏助の妻」にある手紙は珍しいものぢやないでせう？

村雨　そんなものぢやないでせう。

村　これは手紙を五本や六本見附けただけで小說が出來てしまつたんだが、かういふ原稿が歴史小說だといふことは大變なことだらうと思ふ。

土屋　歴史文學でいふ。材料を集めて作つた小說と、東野村君がこの前いつた木村莊十氏のニユースばかりの小說、これは雨方共同じもので、例へば今の小說の貧困といふやうなことね、それもさういふやうなことからいはれてゐるんぢやないかね。

東野村　それだけぢやないと思ふね。

村雨　まあ、僕はかういふ形式の小說も面白いと思ふ。小說はどういふ形式でなければならないといふことはないから、面白いと思ふが、餘程かういふものは文體を考へなければいけないんぢやないかと思ふ。例へば此處に理玖の亡くなつた時の樣子を書いてゐるんだが、『夫内藏助樣の許に妻としての御報告を申上げに……』

かういふことがあるね。かういふものは矢張りあまり現代譯され過ぎてゐやしないか。『御報告』などといふことが白々しく見える。かういふものを書くには文體を考へなければいけない。現代人に通じて然も時代の雰圍氣が感じられるといふやうな、特殊な文體にしなければいけないのぢやないかと思ふね。

村　この點は實に酷いね。媼といふから五十六十の老女が話したんでせうが。

土屋　矢張り形式の上からいつてもさういふ形式を執らなければならない。といふことは何等かの必然がなければいけないでせうね。單に目先きを變へるために……。

戸伏　必然といふまでは要らないよ。

村雨　そこまで嚴しいものではない。

戸伏　作家の意向に最も適合したものがいゝので、この形式が面白いからこれでいつてやらう、といふのぢやいけないよ。これは自分の意向に對して構成力の變化は無限にあるのであるから、どれが一番効果があるかといふところだけで纏つてくるんだからね、併し歴史小說に外國文めいたものは氣になるね、今の『報告』といふことは言葉の問題になるけれども、一體文體といふか、文脈といふか、外國語脈のものが多くなつてきてゐるね。或程度までわれ〳〵自身、慣習で馴れて見逃してしまふことがあるけれども、あまりにも外國語脈で書いてゐるといふことね。

東野村　飜譯の影響だね。

戸伏　飜譯の影響かね。

村雨　僕はその點で意見をもつてゐるんだ。これは大衆文學に一つの大衆文學的文體といふものが、今迄出來てゐたね。それを打壞するために相當さういふものが入つてもいゝ、當分は……。だがしかし、これも限度の問題だ。作者の語る部分、要するに地の文では相當これは自由に使つていゝ。併し、作中の歴史的人物にせよ。架空の人

物にせよ。昔の人が語る會話等にはそれを無暗に使つては困る。僕はさういふ考へ方だね。

戸伏　それは言葉の問題で一番覿面に困るのは會話の部分だ。實際……。

中澤　それでは「ガンジス河の海賊」石井哲夫君のね。

土屋　石井君のものとしては可もなし、不可もなし、といふのぢやないか。

技巧の問題

村　海野氏の「魂鬪」は困るね。「炭礦の愛情」はどうですか。講談倶樂部はこれだけだと思ふが。

村雨　これはサンデー入選者の阪西富士郎君ださうだ。

村　淡白なものだけれども、これは讀めましたね。

土屋　これは一寸いゝ。この雜誌では一番よかつた。

東野村　標題は山の愛情だけれど、母親の以前の愛情を書かうとしたんだ。これだけでわざ〳〵山をもつてくるのは如何にも時局的といふか。

村　愛情といふのは母親のぢやない。横闘主任の愛情を書いてゐるんだ。男の愛情、それが中心になつてます。横闘主任の靑年に對する愛情。母親への追憶を通じてのそれを書いてゐる。

東野村　さうだとすると、山の、鑛山にをる主任としての、何かかうもつと特殊な感情といふか、さうしたものが出てきてもいゝと思ひます。横闘主任の昔の女性に對する、女に對する感情といふものは何か都會人的なものがある。所謂鑛山の主任を長年してゐた男の感じといふものは感じられないですが。

土屋　そこの處は作つてあるかも知れない。

村　これは横闘をインテリにしてゐるからですね。鑛夫上がりにしてゐない。然し落磐の時は敢然、靑年を救ける。

村雨　山の生活を長くしてゐる人ぢやないのか。さうだとすれば東野村君の言ひ方が成立つと思ふ。

東野村　大衆文藝の「血の記錄」は感心したですよ。なぜ感心したかといふと、これと較べると、これは炭鑛に、主人公の横闘主任が炭鑛の中に入り込んでゐないですよ。ところが「血の記錄」は女醫がね。女醫としての生活の中に入つてゐるんですよ。そしてその中でもつて、その生活の中で苦しみ、愛情なんかも非常に書かれてゐるんですよ。その愛情なんかも女醫としての生活から滲み出てゐるのです。それを感じられるのです。その點で僕は此方を買ひたくないのです。これならば愛情のテーマに唯山といふ背景をもつてきたに過ぎない。

村　「炭鑛の愛情」は極くあわ〳〵しい子供の時分學校でクラスメートだつた。片つ方は生き死の問題にまで行つてゐる。そこに差違があるが、ただ子供が横闘に對して不滿を感じる。不滿な感情が顏に出てくるといふ條ネ、あそこで日誌を見てゐるといふことを作者は書いてゐないのは、ずるいと思ふ。最後に行つて、日誌を見てゐましたといふのは。

東野村　『君は勤勞報國隊として炭鑛に

來たことに就てもう一つ重大な理由を忘れてゐるよ。國家のために』と横關がいふ。さうすると青年は、これだけ母が想つてゐるのに主任は考へてくれないとおもふ。其處に不自然なものがあると思ひます。これだけのことでは……。

土屋　全體としてね。

東野村　非常に作つたといふ感じがするんだ。

中澤　大庭さち子氏の「血の記錄」は傑作だ。由布川君の「大庭さち子論」での期待に背かない。併しこの作者の身についた大衆文學的技巧、これが災ひをなすと思ふ。殊更に自分の血を自分の戀人であつた者の妻に注ぎ入れる、といふところね。そして自分が醫者であるからには自分の軀が保つか、保たんかといふことは分つてゐる筈なんだ。さういふ感情を少しも始めには出してゐない。かういふトリックはだね。大衆小說的トリックは小酒井不木氏の「戀愛曲線」が極致だ。あれを越へるものはないね。非常に大きな問題にガッチリと取組んでゐながら、小手先の器用で傷めるのは、大庭氏にとつて惜しい。そして死ぬことが必要でない。死なくてもいゝんだらう。

東野村　さうですね。

中澤　小手先のトリックは考へなければいかん、といふんだ。僕は結局もう一遍先刻村雨君がいつた鷗外のリアリテイに戻る、といふ言葉を反芻すべきだと思ふ。惡くいへば面白がらせるといふ、小手先の技術をもう一遍揚棄すべきだよ。これだけの大きなものにこれだけガッチリと組んでゐるのに……。僕はこの人の作品を澤山讀んでゐないが、長篇小說の「妻の花々」を讀んでみたが、これは全篇悉く大衆小說の凝り固りで構成された小說だ。無頼漢が出て石を打突けて怪我をしたとかね。その大衆小說的技巧が災ひしてゐる。

東野村　非常にむらがありますね。

中澤　むらがあるので面白いのは山手樹一郎君だ。山手樹一郎君の赤穗義士の一聯の作品がある。「師走十六日」以來「彌生十三日」今度の大衆文學の「赤穗日記」これは一聯の連作なんだが、これと新青年の「薩摩武士」と較べると實に器用に書き分けるものだと思ふね。この「薩摩武士」といふのは純然たる講談だね。大衆文學の方は史學小說的なものなんだ。

戸伏　あの人の赤穗義士物といふか、僕は二三讀んだが、さうですね、史實的に調べた小說的恰好で行つてゐるんですよ。そして割合に上手いんです。割合に……。

中澤　文體なり、構成なり、全部違ふ。ぴたッと書分けるんだ。むらがあるといふんぢやないだらう。二つの型があるんだね。

村　發表誌に依つて使ひ分けしてゐるといふのぢやないですか。

中澤　どつちも商品だが、この雜誌にはこれ、これにはこれと。

村　讀者層を考へてネ。

中澤　分けるといふことは上手いと思ふ。

村　僕は血の記錄を讀んで、「炭礦の愛情」で山の感情が出てゐないのと反對に、大庭さち子のには、書かなくてもいゝと思ふ記錄なんかゞ出て來るでせう。あれぢやペダンチックになつてしまつて、それより

本文の方に短いものに壓縮してしまつた方がいいね。……讀んでゐて邪魔にはならないですが、先月の大衆文學の山に登る、鈴木彦次郎の、あれは大學の山岳部の報告書を基礎にしてゐるが……今度の大庭さち子には教へられた。しかし過剩過ぎると思ふ。彼處は書かなくてもいゝと思ふ。作品としてね。それで片つ方は書足りないし、片つ方は書過ぎてゐると思ふ。

東野村　しかし彼處まで書いてもいゝと思ふね。

中澤　彼處まで書いても邪魔にならなければいゝと思ひます。

東野村　彼處まで書いたから味が出て來たのだと思ひます。

中澤　ねつこくね、あれだけ書いたから科學者のねつこさのアトモスフイアが出たと思ふな。

村　O型はどうとか。

中澤　それは科學性さ。小説ぢやないよ小説としてはもう少し大衆小説的意識をやめなければ駄目だよ。あれは女流作家として非常に買ふんだが、今迄女流作家として取上げるものはきまつてゐる。さういふものを乘越へて來る逞しさを買ふんだね。それから蘭君の「琉裝」といふのがあるね。これは前半はいゝが、後半の科學的音樂作曲が出て來て零だ。これは全然正反對の現象だ。あれは不必要だと思ひます。琉球といふものゝ雰圍氣――僕は風俗小説だと思ふが、雰圍氣小説といふか――それが非常によく出てゐるが、そこに科學的作曲といふものが出て來る。あれは蘭君が生來身についてゐる科學小説癖が出て來て、これは大庭さち子の大衆小説癖と一脈相通ずると思ふ。自分の癖を隱すやうにしなければいけないと思ふな。

東野村　彼處で沖繩の雰圍氣が丸つぶれになつてゐるですね。

中澤　會話でバタ〳〵と科學的作曲、論説、科學的大論説をぶちまけるんだ。木に竹を繼いだんぢやない。木に金を繼いだよりもつと酷いからね。

土屋　その意味で蘭君の科學小説は、科學の專門を隱さうとしないんだね。

中澤　專門を隱さなくてもいゝけれども一體この小説は何を書かうとしたのか。風俗ならば風俗、科學ならば科學、どつちかにポイントがあるんだ。その意味で大庭さち子の「血の記錄」は科學小説かも知れない。科學智識を隱さない、聞いたものだけは全部書いたかも知れないよ。併しこれはこの作品のテーマの中に必要な部分だ。若し作品のテーマに科學的作曲が必要だつたら、琉球の雰圍氣とそれとが必然に聯絡がなければならない。琉球に古くから殘されてゐる歌を取る爲めに其處に新しい樂器をもつて來たつて、その樂器に就てこま〴〵と說かなくてもいゝよ。

實話の興味

土屋　長谷川幸延氏のは……。

村　これは作品としては大したことはなかつたが、昔の歌に贈答歌といふのがあつたでせう。誰かゞ死んで贈るとか、誰かゞ結婚して贈るとかいふもので、ある友人が死んだことを知らなかつた、後から聞いたが、といふので……。

中澤　小說とは云へないね。

土屋　丁度新青年の八月號の竹田敏彥氏の「M司政長官」がそれですよ。その類の小說なんだネ。小說とはいふものの私の身內にかういふ人があつて、これは交合つてなかつたが、此間一寸發表を見たら司政長官になつてゐた、といふ小說ですが。

村　同じものでも尾崎一雄氏の「中尉への手紙」あれはプライベートのことを書いてゐるが、一つの小說的面白さがあつたね。ユーモアなんか面白いですね。兵隊に傘を持つて歸れ、とか。

中澤　尾崎一雄といふ人は變な持昧だね

村　奧さんはあゝいふ人らしいね。「暢氣眼鏡」に出てくる奧さんらしいね。これなら兵隊に傘を出す筈だ。

中澤　文建の「小木の譜」はどうですか。

村　題材的面白さはあつたですね。實話的面白さはあつたね。

戸伏　誰でも知つてゐるね。

中澤　有名な話だ。三味線を賣つたのは餘程前のことだ。國債を買つたと云ふ方が新しいんだ。

村　あれは國債を買ふのと三味線を賣つたのと同時になつてゐるぢやないですか。

中澤　あの三味線を鍋茶屋に賣つたのは相當古いんだ。それを、賣つた金で國債を買ひましたといつてゐる所が面白いよ。

東野村　面白く讀めたけれども、それだけでは何か足りない。

中澤　この前の綠川君の「白魔」あれは非常に枚數が短くてきちつと締まつてゐただらう。そして立派に小說的構成をもつてゐただらう。これは此間の隨筆の「とんだ聽き役」ね。あれに類するね。あの程度だよ。この點綠川君は氣をつけなければいけないね。

文學建設の大隈君、力作だが、少し褌を締め過ぎたね。矢張り「彥九郎殿の內方」の方がいゝね。大隈君はこの方が非常にいゝと、自分では自信を有つてゐるが、これは危險だと思ふ。から固く褌を締めるとしまひに睾丸が釣上がると思ひます。

村雨　僕は非常に固くなつてゐると感じる。結局こゝまで來なければいけないから、此處まで來て結構だと思ふが、僕は特にこれで氣になるのは、大隈君の史觀なんだ。尊號事件の扱ひ方についてはもつともつと愼重でなければいけない。この點もう一度徹底的に自己檢討を加へて貰ひたい。

歷史文學の傾向

土屋　結論として何か。

村雨　最近の新聞雜誌に現はれた歷史文學、小說を通觀して、いま一體歷史文學はどういふ向に流れてゐるか。その流れは正しいか、或は間違つた方向に流れてゐるかといふことに就て中澤君に何か氣付きはないか。

中澤　僕はかふいふことを考へるんだがね。歷史文學作家が有つてゐる史觀が、果して現在の日本の進む方向に一致するか、日本史觀に立脚してゐるか、どうも唯物史觀的傾向が非常に强いんぢやないか、といふことを感じるだけれどもネ、どうなんだらう。一般的傾向としてネ、僕は澤山讀んでゐないけれども、先づ橋本英吉君の「系圖」あれは土地莊園といふ經濟組織に立脚

して見ようといふ。これは慥かに觀方としては新しいけれども、それだけで果して鎌倉武士といふものが書けるか、どうか、といふことがいへるだらう。もう一つ「勤王屆出」を見てもいへる。藩の政治、藩の經濟だけから切込んで行かうといふ。それだけで明治維新は解釋はつかないと思ふ。これは岩上氏が『藤村の「夜明け前」を讀むと、「夜明け前」に缺除してゐるのは、「夜明け前」の主人公である青山家の經濟的基礎がえぐられてゐない』と非難してゐる。この考へは、慥かにさういふものがなければ、人間は生きて行くんだから、そこを掴へなければいけないが、そこをのみ强調するのは誤りだらうと思ふ。史觀の問題だけれども、それで在現出てきてゐる歴史小說の流れが、さふいふ傾向が强いやうな氣持なんだが、これはどうだらう。

村雨　難しい問題だね。

中澤　とても難しい問題だ。だから結論にはならないと思ふが、これをもつと本質的に考へてみたいと思つてゐるんだけれども……。

村雨　僕はその心配も尤もだし、今度はその心配を單に心配として發表すると、またぞろ舊體制の文學が社會の科學的把握といふやうなことを無視して。

中澤　さういふ惧れがあるんだよ。

村雨　そして社會性のない人間の描寫に終始するやうなことになるんぢやないか。だから僕は唯物史觀的把握の方法が誤りであると同樣に、その反動も亦危險であるといふことを强調して、眞實の道を示さなければ救はれないんぢやないかとおもふ。

中澤　結局眞實の道といふと唯物史觀を乘越へて唯心史觀を乘越へ、綜合史觀を乘越へ、大日本史觀といふことになる。これは大問題に逢着しちやふね。

村雨　だからね、史觀の問題は寧ろ好ましからざるある傾向を排除するといふ考へ方で行くよりは、最も近代の歴史、思想界を動かした進歩した方法を攝取し、統合し、且つその缺點を揚棄してその上に築かれるといふ考へ方をした方がまだこの危險に陷入る恐れがないんぢやないか。さうも考へるんだ。

中澤　非常に難しい問題だね。

村雨　これは歴史文學の問題だけと思つて貰つては困る。

中澤　さうだ、日本の哲學の問題になるね。

（會）（報）

批評座談會

七月二十二日午後六時より、土屋光司氏宅に、座談會を開催、村雨、中澤、村、戸伏、東野村、土屋諸氏集合。七月號の諸雜誌につき、上掲の如き座談會を行ひ、十時散會した。

第六回幹事會

七月二十七日午後七時より、中澤幹事宅に、幹事會を開催、岡戸、戸伏、村、由布川、東野村、村雨、鹿島、土屋、中澤諸氏集合。中澤幹事の會計報告、同人齋藤豐吉氏の退會承認。村雨幹事より、日本文學報國會の活動について報告があつて後、文建當面の問題について協議を行ひ十時半散會した。

月例評壇

複雑な維新史の處理

―中澤巠夫著「攘夷の道」―

村雨退二郎

中澤君の「攘夷の道」はこれと前後して出版された「本圀寺黨の人々」（奥川書房）の前編をなす長編小説だ。

「本圀寺黨の人々」は、本誌に連載された一部分しか讀んでゐないので、そこから「攘夷の道」に發展して行く過程はわからないから、こゝでは甚だ不深切なやうだけれど、獨立した作品として本篇だけを採上げることにした。

「攘夷の道」は、努力の作品である。

その努力は、專ら把握しがたく複雑な幕末維新史の處理に傾注されてゐる。

我々は屢々、一冊や二冊の種本を持つて、小説を書くといふ安易な氣持を、極力排斥して來たが、それは勿論、その人その事に就いて稀有な根本資料を指して云つてゐるのではなく、旣に歴史家なり傳記研究家によつて整理されたもののことである。

極端な例をとれば、大村益次郎を小説に扱ふ場合に、伊藤痴遊の「大村益次郎」を唯一の種本にするやうなことでは困る。痴遊の種本は明かに村田峯次郎氏の「大村益次郎先生事蹟」だが、假に村田氏のその本まで遡つてもまだ困るのである。なるほど村田氏の著作は立派なものには相違ない。しかしそれは村田氏の主觀によつて整理された大村益次郎であつて、客觀的實在としての大村益次郎ではない。田中惣五郎氏の「大村益次郎」に至つては、更に歴史家としての田中氏の主觀が濃厚に出てゐる。

我々の惧れるのは、この點である。歴史文學作家は、決して歴史家や傳記研究家の業績を無視するのではないが、彼等の主觀に盲從しないやうに注意する必要がある。旣成の概念を踏襲して、通俗史話を書くのは雑文業者の仕事であつて、さう云ふ仕事をあながちに否定するわけではないが、すくなくとも歴史文學作家はさう云ふ態度を恥としなければならない。文學者には文學者としての獨自な立場があるのだ。

旣成の概念を一應排除して、歴史の眞實に肉薄する方法は、ただ根本史料に直接ぶち當つて、自分の腕でそれを處理する外はない。もしさうやつてみて、旣成の概念から一歩も出ることができないやうなら、その作家にはその題材を新らしく作品化す資格は無いと云つても過言ではない。

文學者は歴史家ではないから、新史料の發見附加を誇る必要はないが、文學者としての發見又は發明は絶對に必要である。文學は創造である。

中澤君が「攘夷の道」を書いた氣持も、恐らくかういふ所をその出發點としてゐるだらうと思ふ。卷末の附記に擧げられてゐる書物は、所謂「小説の種本」と云ふべき

種類のものでなく、幕末維新史の根本史料であつて、これを讀みこなして小說の素材として適當に取捨採擇するのは容易なことではない。中澤君の如き維新史精通者によつてはじめて可能なことであると思ふ。

この作品は、巴里の萬國博覽會を機會に、幕府からフランスに派遣された德川昭武（民部公子）一行の旅行と巴里滯在中の出來事を扱つたもので、物語は東支那海を走るアンペラトリス號の船中から始まり、萬博開催中の大椿事――ポーランド獨立黨員のアレキサンダー二世狙擊事件をもつて結末となつてゐる。

上海、香港、佛印、シンガポール、未完成のスエズ運河等、行く先々の地理、風俗、歷史、特に英、佛の東方侵略史の跡を仔細に觀察しつゝ、水戶攘夷黨の靑年服部潤次郎と幕府步兵頭の要職にある西洋心醉者保科俊太郎の對立、服部と萬博に茶汲女を志願して行く藝者おすみ、保科とフランス商人の娘ヂュリアンとの戀を點綴し、一般の讀者には恐らく知られてゐないだらうと思はれるこの民部公子遺佛事蹟をつぶさに展開して見せる。

巴里では、薩摩と幕府の對立抗爭、伯爵モンブランの活躍、借款不成立と使節の財政難、露帝狙擊等の事件が應接に隙もない程續發し、それに外國奉行向山、隨員澁澤、奧醫師高松、怪女優エルマ、志士ベリゾウスキー、攘夷派、開化派、江戶の棟梁、貿易商瑞穗屋卯三郎等、有名無名の人物がからんでいかにも外交都市巴里にふさはしい絢爛な活劇が展開する。

作者の意圖は、頑迷不靈に近いとまで思はれる服部の攘夷精神の正しさを、この旅行中の見聞を通じて證明しようとしたのだらうと思ふし、それは必ずしも不合理なことではない。しかしそれを成功させるためには、感情的排他主義から脫却して、次第に攘夷思想以上のものへ發展轉化して行く過程を描いた方がいゝやうに思はれる。

このことは、保科の轉心にも關係して來る。保科の轉心をもつと自然にするためには、どうしても保科の西洋崇拜をこの程度の生溫さに止めては置けなくなる。エルマへの愛著はもつと深刻であつた方がよく、ヂュリアンなどはむしろ無用ではないかと思ふ。

しかし、これだけの複雜な資料を整理して、筋道を立て、こんなに澤山の人物を採上げて、それぞれの役割を振り、日本最初の萬博參加をめぐる外交場裡の活劇をかくまでヴイヴイツトに描き出して見せるといふのは、到底舊大衆作家等のよく爲し得るところではない。

私も維新史に就いては多少觸れてゐるので、この「攘夷の道」を書くために、中澤君がどれ位の勉强をしてゐるかと云ふことはよくわかる。この努力精進は實に貴いものであつて、私が君の大成を信じて疑はないのも、ただその一點に歸するのである。

逞しい文學

――寒川光太郎氏「北風ぞ吹かん」を讀む――

土屋光司

『この作品は大體に於いて私の祖父の半生を書いてみた。もとより人物事件共に事實ばかりでない。そこに文學的構成があるわ

けであるが、あの時代に生きた人々の性格は可成り描寫し得たと思つてゐる。この作品の中で私が書きたかつたものは何よりも傳統の精神であつた。所謂傳統ではない。科學的な傳統とか血とかの意味なのだ。鍛錬された精神の意だ！」

と、著者は述べてゐる。最上川上流に移住した士族の後裔が不屈の精神を以て薄荷の栽培を始め、これに熱情を打込んだが失敗し、先祖の開拓した村を追はれて、北海道に移住、荒野を切り開いて、つひに成功するまでを描いた六百枚の力作である。あくまでも信念をつらぬかうとする主人公に配するに、金權を以て一切を支配しようとする男を以てして、その爭ひを北海道の曠野まで持つて行つてゐるが、全篇がいかにもキビキビと、この著者一流の逞しい筆致で描かれてゐる。

生命を削つた逞しさ、素朴な荒々しさ、しかもその中には、ユーモアが蓄へられてゐる。この著者の出世作となつた『密獵者』は、北風の只中に毅然として立つたやうな強さが買はれたのであつたが、この作品では、それが一段と飛躍してゐるやうに思はれる。これは確かに、今日の文學に求めるべき要素の一つを備へた文學である。この作品が、出版文化協會の推薦圖書となつたことは、いろいろな意味で良いことである。

ところで、ここでこんなことをいふのは、意地惡く、この著者の古瑕をあばくやうなことになるかも知れないが、この人が嘗ては、下手な漫才を眞似たとしか思はれないユーモア小説を書いてゐるのである。それを思ふと、空怖しい氣がする。そして、作家は、自ら書かなければならないもの以外に、手を染めてはならないことを痛感させられるのである。

著者のこの傾向の作品は、前述の逞しさを以て、人間を掘下げてゆく、人生をキッと見つめてゐる。この道は、更に進めてゆかれるべき道であり、この著者としては、それてはならない道ではないだらうか。

『ボヴアリイ夫人』の著者は、いかに勸められても、第二、第三のボヴアリイを書かうとはしなかつたさうであるが、文學の求めるものが單なる世間の喝采にはなくて、人生の究極にあるものに向けられる限り、正にさうなくてはならないことである。寒川光太郎氏は、この作品で到達した點から、前進してゆくべきである。餘裕さへあれば、次ぎ次ぎに續篇を書くつもりであるといふ。もしもこの逞しさが、呼吸切れることなく、續けられるならば、この著者が築き上げんとする文學には、大きな期待を抱くことが出來るであらう。

この作品では、薄荷そのものについての見方が大ざつぱであることや。いはば搖籃の土地ともいふべき山形時代が切りつめたためか、印象が薄い點などが、邪魔になつてゐるやうである。要するに第一章が、稍々ピントを外れてゐるのではないだらうか。部分的には、極めて印象的なところもあるのだから、第二章以下とペースを合はせるためには、なんらかの方法がありさうな氣がする。事實、三百五十一頁のうち、山形時代に費された頁數は第一章の七十二頁までで、第二章以下が北海道なので、頗る均衡を缺いてゐる。尤も、著者の本領が

北海道にあることは、充分に認めての上であるが——。

以上、氣づいた點を述べたが、この作品は、近頃讀み應へのある立派な作品である。更に、この著者はここで止まる作家ではない。御精進を祈る。

受贈雜誌御禮

◎大衆文藝　◎文藝日本
◎講談雜誌　◎講談倶樂部
◎ユーモアクラブ　◎につぽん
◎くろがね　◎開拓
◎海の村　◎文藝情報
◎愛の日本　◎メトロ時代
◎女性日本（以上八月號）
◎ふるさと（以上七月號）
◎傳記（以上五號六號）

新刊紹介

村雨退二郎氏著『黑潮物語』

南支那海から太平洋への黑潮環流帶を舞臺にフイリツピン太守家の秘話を譚る海洋傳奇の小說とでもいふべき浪漫味饒かな書下し長篇。『克國小說』と『梅の塵』の斷片的史料を踏まへて著者の逞ましい想像力に依て描かれた雄篇で、歷史小說作家としての著者の振幅の廣さを示してゐる。

二篇の實在資料の外は著者の創作に成る手記、日記を配列しただけの構成方法亦、小說道の常識に挑戰する建設的な意圖を語つてゐて、併もそれが充分成功してゐる。外にサンデー入選の舊作「錫蘭島」以下三篇を收錄してゐる。裝幀吉田貫三郎氏のB6判の美本である。

（三三二頁・一圓六十錢・芝區田村町四丁目十八・今日の問題社發行）

埋草十句

白父

かたまつてレンズに入る暑さかな
炎天の行軍汚れ歸りけり
地下鐵へ下り夏帽の汗冷えぬ
夏帽を阿彌陀にジヨツキ呷りけり
瓜躍る淸水を前や峠茶屋
瓜は浮きラムネは沈む淸水かな

花と傷病兵

松葉杖臥かして花にしやがみけり
花白く生命ありし身に仰がれぬ
眼帶の除らるるまでを咲きのびよ
征く日何日花つぎつぎに季過ぎて

同族の系譜

従二一郎

一

覺悟はしてゐたと云ふものの、いざとなるとやはり駄目である。

「オナ（父上）」

と、シララはたまらなくなり、父タナケシの太刀にとり縋ると、そのまゝ足許に泣き崩れてしまつた。

泣く奴があるものか、あれほどまでに、いまゝで云ひきかせてゐるではないか、お前だつていつまでもシオン（嬰兒）ではあるまい。立派なウタラゲシ（一人前の女）なのだ、とタナケシは娘の額飾りをいたましさうになで乍ら笑ひをふくんだ靜な聲で云ふ。はい、とむせび乍らシララはこくりをした。

タナケシはつゞける。

儂は死にはしない。もろもろのカムイ（神）が儂をまもつてくださる、矢越の岬で沈められた二十四人の娘達の怨みもある。カムイのイレンカ（戒律）を破るの

はみな和人なのだ。儂は太刀が鋸の様になつても、儂は闘はんけりやならん。若し、儂が死んだらその時はお前が儂の仇を討つのだ、わかつたか、わかつたらおとなしく留守をするのだ。低いが底力のある聲で、父の聲は針のやうにシララの胸に喰ひ込む。シララは鼻汁をすすりあげる。口のなかが泪と鼻で一緒くたになり、シララはむせさうになり、鳥渡きまりの悪い想ひである。シララはもう泣かなかつた。

父の立つてゐる姿をシュンゲ(蝦夷松)のやうに氣高いと想ふ。はじめて、いま、ふいと感じたことだ。

けふの父はいつもの父ではない。同族のなかの武将である。シララは立派な父のすがたにはじめて「男」を感じた。

鹿の生皮の陣羽織を着、熊の木彫をつけた木冠をかぶり、熊皮の股引に脚絆をつけ、獣皮の沓をはき、長い太刀をさげてゐる——鷹の様な鋭い眼に、ふかいはかりごとがあるとすれば、かたさうな高い鼻ばしらは、不屈な負けじ魂の表現であらうか、胸までたれた長髯には、同族を想ふあたたかな慈しみがある。

「よくわかりました、では立派なお手柄をお立て下さいますやう。」

とシララはきつぱり云つて笑つてみせた。

手をついて華奢な手を揃へると、タナケシは満足さうにうなづき、耳輪がちりんと小さな音を立てるのを、うつとりと酔つたやうにきいてゐる。妙に胸がせまつてきてタナケシは泣けさうであつた。娘を抱きよせ、頬と云はず、髪と云はず、滅茶苦茶に愛撫したい衝動にかられたが、いけないとふと想ひ、眼を瞑つて胸のなかで靜に呼吸をした。

戸外で若者のはづんだ聲がする。

松明が狐火のやうに、いくつもいくつもとんでゆくのがよく窓からみえるのである。

「ウライケ(戰爭)だ。」

と、眼脂をつけた幼兒がよちよちと門口からとびこんできた。

母親はきつと幼兒を搜してゐるに違ひない。出陣の支度で、みんな夢中なのである。幼兒はいつもの様に爐端で眠つてゐたが、あまり戸外が騒がしいので眼をさまし、騒ぎに浮かれてとびだしたものであらう。

たゞ、ちよつと氣にかゝる事があるのだ、とタナケシが云つた。父の言葉の様子には、云ひ難い事を思ひ切つてきりだすと云ふ風がみえた。なんで御座いますか、とシララがきいた。すると父は、面映ゆさうに實はタネシュウマの事なのだと娘の男の名を口にした。この騒ぎがなければ、お前の美しい花嫁すがたもみられたらうにと想ふと、今度の出陣がうら

めしい樣な氣がする。しかし、これも同族のためで仕方があるまい。勘辨してくれ。シララはタネシュウマと、戀しい男の名をきくと、頰から火の出るやうに思つた。きまりの惡い想ひで、俯向いたきり顏をあげず、そんな事、なんとも想つては居りません。と、うはづつた聲でひくく答へた。

父が幾つあつても足りない忙しい躰で、そんな事まで案じてゐてくれてゐたと想ふと、シララはまた泣けさうであつた。

「ほんたうです、御心配はいりません。」

「さうか。」

タナケシは短く云ひ、くまの深い大きな眼で靜に笑つた。

もうそろ〳〵夜のあける時分である。

どや〳〵と若者たちがはいつてきた。みんな赧い顏をしてゐた。ぷうんと粟酒の匂ひがする。タナケシの武裝したすがたをみると、カノイチよりも立派だと、昔の同族の武將とくらべ、肩をすかしてほめるのである。

シララはそつと戸外にでた。

別に目的はなかつた。

なんだかタネシュウマに逢へるやうな氣がしたし、タネシュウマだつてきつと自分と同じ氣持に違ひないと思ふのである。

暈のある蒼白い月がでてゐた。魚の眼のやうであつた。雨をふくんだやうな生暖な風が頰を嬲る。春が來るのだとシララは思つた。眼の前をすた〳〵通つてゆく若者がゐた。

「タネシュウマ!」

と思はず聲をかけると、

「いや、タリコナです。」

と背恰好のよく似たその若者は無愛想に後ろをふり返り乍ら通りぬけた。

二

セタナイのチヤシ(砦)では、留守の娘達が粟酒を慥り、餅をついて、熊送りの時のやうな騷ぎである。

味方は、大將スケカネの軍を破り、その餘勢を馳つてカミノクニまで進んだと云ふ。外の騷ぎが手に取るやうである。

三月の陽射がキナ織りの敷物いつぱいにあふれ、軒の雫の音で、雪の消えてゆくのがわかる。雪が消えて、春になつて——また、シララはタネシュウマの事を想ひだしてゐる。木彫のやうな横顏のいゝ同族の若者である。酋長の役目に父が心配するほど、無口で靜な若者である。

いけない、なぜ、自分はかう莫迦なのだらう——シララはあわてゝ、カマカプ(織機)をまわしはじめた。

から〳〵、から〳〵とカマカプの音が暖な部屋いつぱいに流れる。シララは自分がうるわしいカムイミンダラ（神國）に住んでゐるやうな錯覺を感じる。

部落をあげての戰の最中に――シララは、自分にあきれ、自分を憎む。同族のためにみんなの無事を祈る、父のために勝を祈る――それが、いまの自分達の仕事でなければならぬ。それだのは自分はどうだらう、事もなげにカマカプの前に坐つてゐる、これでいゝものであらうか、みんなはなんと想ふだらう呑氣だど嗤ふだらうか、あきれた女だとさげすむだらうか――シララは自分でもそれどころではないと云ふのが本心なのだが、先づ落着いて物を考へるためにはカマカプの前に坐るよりほか術がないと想つた。女が女らしく落着くためにはカマカプの前がいちばん自然だつたし、女を女らしくみせると想ふのだつた。

口のなかで樹皮をかみくだく――その纖維をカマカプにかける。この樹の樹皮は、冬のあひだにとり、ながいこと川床でさらしたものなのである。新しいこの晴着が、タネシユウマとの祝言にきるものだと云ふ女らしいよろこびやはれがましさはいまのシララのすがたからは見受けられない――シララは放心したやうに、ただカマカプを動かしてゐるだけなのである。

と、その時、

「お姫様。」

チヤシの見張りをしてゐた老人が駈けこんできた。荒い喘ぐやうな呼吸づかひで、シララの顏をみると、ぺた〳〵とその場に手をついてしまつた

「どうしたのです。」

シララはわざと落着いてきいた。

「味方は大敗です酋長タナケシ様は」

「すぐゆきます。」

全身に冷水を浴び、いつ時、呼吸がとまつたやうな感じで、シララはよろ〳〵と泳ぐやうに立ちあがつた。同族のハチコチセ（小屋）の前を通ると、どの家からも、女や子供のすゝり泣きがきこえてきた。敗軍の知せが、もうみんなに傳つてゐて、敗戰の悲しい最後の場面にきてゐる事が感じられる。

そんな莫迦なことが。

そんな莫迦な事が。

シララは呟き乍ら、跣足のまゝ、つめたい雪をふんで、チヤシの門までやつてきた。シララのあとを追ふ樣に、ひとりの老人が小さな子供の弓を抱えてとんできた。

「戰はもう駄目でがんす」

シララの前にぴつたり坐ると、その老人はおい〳〵と聲を

あげて泣きだし、戰はもう駄目でがんすと、また、囈言のやうに口走り、氣がふれたやうに今度は笑ひだす。娘たちはどうしやうもなく、たゞふるえ乍ら、この老人のする事を眺めてゐる。シララは涎と涙でうす汚れた老人の顏をみると、かつとなつた。づか〳〵と老人の前に進むとシララはいきなり老人をなぐりつけた。

老人はむッと叫んで頰を抱えて轉つた。

突然のシララのウエンプリ(亂暴)に同族の娘達は啞然としてゐた。

チヤシの間からみると、雪の上を何百と云ふ敗軍の同族が逃げて來る。怯へ、あわてたその樣子はホケウ(狼)に追はれたエペトケ(兎)の群のやうであつた。

シララはチヤシの坂口につゝ立つてゐた。

「酋長が討死されました――と、いちばん先に馳けてきた同族が、シララのすがたをみて、足許に手をついた。

シララは返事をしない。

默つて鬢の白い同族の橫顏を睨んでゐる。センカキが血で染つてゐた。

逃げてきた同族が次から次とチヤシの坂をのぼつて來る。

同族は眩しさうに、そつとシララの顏を見上げた。櫟の實のやうな小さな唇をキリリと結んで、うるんだ眼で遠い騷ぎを眺めてゐる。無心な樣子で、お姬樣は、自分の云ふ事など耳にははいらないのだ――と同族は咽喉の奧で、かたい生唾をころがした。すると、シララは突然大きな聲で叫んだ。

「命の惜しい同族は一步もこのチヤシに足をふみ入れてはなりませぬ。」

同族達は姬の聲をきくと、吃驚したやうに互の顏をさぐりあつた。いつもの物靜な姬のどこからあのやうな、聲がでるのかとそれがふしぎであつた。

同族達は、仲間のなかから、タネシユウマを搜した。タネシユウマは肩さきに深傷を受けてゐた。眉のせまつた白晳な若者の顏は、蒼白でそのために却つて凄いくらい美しく見える。みんなに小突かれて、タネシユウマは押されるやうに仕方なく姬の前に進んだ。

「さんざんの躰たらくで申譯御座いません」

タネシユウマはそれだけの短い言葉を、吃りながら喘ぐやうに云ふ。ひくい聲で、きゝとりにくかつた。タネシユウマは續けた。これ以上の戰はたゞ徒に同族の死傷を多くするのみ、三度の戰で味方は疲れきつてゐる。よろしく、降伏をし先づ戰機の熟するを待つのが最善の方法なり。

「お默り、タネシユウマ。」

タネシユウマはびつくりして姬の顏を仰いだ。

「――」

「あたしは厭です、降伏をする位ならあたしは死んだはうがいゝ、何故、降伏をしたはうがいゝなどとお前はぬけ〴〵とそんな事を云ふのです。意氣地なし、恥知らず。」

あたりをはばかる色もなく、ぽろ〴〵と泪を流し、地團太をふみ、喚きたてる。しかし、味方の兵は、とタネシュウマは手負ばかりで、根も氣力も盡き果てゝ居りますと云へば、きゝ度くはありませんと。強くかぶりをふり、いまゝであたしはお前を見損つてゐました。敵はぬまでも、チャシを枕を一矢を酬ひやうとは何故云へないのか、死にませう。お供をしますと何故云へないのか、と狂氣のやうに叫ぶのである。チャシとともに殉ずるのが同族の忠節であり、自分への眞の愛情だとシララは想つてゐる。頭數だけでお前達はパスクル（鴉）だ、と並居る同族に罵聲を浴ひせ、此處はあたしの父タナケシのチャシであるから、父失きあとはチャシは自分のものであるから、自分ひとりでチャシを守る故、臆病な鴉どもはとつとと坂をくだるがよい、ときびしい眼のいろではたとシララは同族を睨め据ゑる。みんなはどうなる事かと聲を呑んで居る。

「お姫樣のお力になりませう。」

その時、多數のなかからのこ〳〵とシララの前に進みでた若者がゐた。タリコナである。くる〳〵としたまる顔の少年のやうな艶のいゝ色をした元氣な若者である、何處かで見掛けた樣な氣がしたが、シララはどうしても想ひだせなかつた。カムイ（神）に誓つて、私がセタナイのチャシを守ります。と、タリコナは厚い胸をたたいてみせた。力强いタリコナの言葉は、ひしがれた同族の胸に火をつけた。俺も、俺もと寢呆けからさめた樣に同族はシララの前に進みでた。

シララは娘達に云ひつけて、餅や粟酒を運んで來させた。同族達は、餅や粟酒をみるとわあッと子供のやうに聲をあげて悅んだ。足をふみならすもの、手をたゝくもの、肩をくみあふもの、頓狂な聲がひとゝき、雪に埋れた山砦いつぱいにひびきわたり、同族達は敗軍の憂も忘れ自分の聲に勝どきに似た淡い幻覺に醉ふ――しかし、それも少しの間で、酒が盡きると、横になつて泥のやうにねむるもの、傷の手當をするもの、意地ぎたなくまだ酒盃を離さぬものなど、チャシは水のやうに靜になり、暖をとる虎杖の枯枝がときどき銃の樣にぱち〴〵と火の粉をふきあげる。

「ヨシヒロが攻めてきたぞゥ。」

チャシの番人が叫んでゐる。

シララが出てみると總勢五百人あまり、すでにぐるりとチャシを取り圍んでゐる。さあ、支度はとシララは同族を顧み

たが、味方の同族は口先ばかりで、誰も動かうとはしない。やはりタネシユウマの云つたのがほんたうだつたのだと想ふと、シララは情なく、いま更タネシユウマにすまない様な氣がしたが、父の仇を目前に、このまゝ降伏をすると云ふのは、死よりも辛い。シララの眼からはとめどもなく泪があふれる何を考へて居られるのです。と耳許で男の聲がし、シララははつとした。ふり返へると、弓をさげて、タリコナが笑ひながら立つてゐる。

「今更どんな策略がありませう、アシアイ（毒矢）の續く限り、たゝかふまでです。」

「すみません。タリコナ」

シララはタリコナの熱い大きな手をしつかりと握つた。泪がとめどもなくあふれる。これがチヤシでなかつたら、毛むくじやらな大きなタリコナの胸に、顔をうめて、おい〱と聲をあげて泣いたかも知れぬ。

タリコナの下知に、同族はそれ〲防備の位置についたが、味方は疲勞しきつた居て、てんで戰にならない。敵は小丘つづきのチヤシの背後から攻めてきて、防備の一角が崩れ始めた。味方の混亂と狼狽はその極に達した。手負ひが次第にその數を增していつた。

タリコナがシララのところへやつて來た。

「殘念ですが、一先づ落ちのびませう。」

空になつた弓箭を足許にたゝきつけ、如何にも殘念さうに若者は齒を鳴らした。

シララは自分でもおどろくほど冷靜になつてゐた。

シララは靜な聲で、あたしは逃げません。死ぬ事はもとより覺悟の上です、とタリコナの言葉に耳を藉さうとはしなかつた。すると、タリコナは、姫が死んだあと、一體乙名の仇は誰が討つのです。此處で死んでは未來永劫乙名タナケシの仇を討つことができない。だから、口惜しいが暫時のあひだここを迯ちのびて、旗上げの機會を待つのが上策だとタリコナは云ふ。しかし、シララはすでに心中決する處があり、どんな事があつてもこのチヤシから一步も退かぬとタリコナの言を肯じないのだ。

「强情なお姫樣だ」

タリコナはめんだうだとばかり、ばた〱もがくシララを鷄のやうに抱えると、裏の櫟林のなかにかけ込んだ。

漸く暮色が迫つてき、逃げるのは誂へむきであつたが、何處へ逃げやうなどと考へるゆとりはない。逃げうる處まで逃げ、あとのことは、またその時に考へる。

夜があけると、タリコナはトシベツ川の上流をあるいてゐた。

このあたりに部落のクーチ(狩小屋)がある筈だ――さう想ひながら、歩きつづけたが、クーチらしいものは見當らなかつた。

　瘦せた裸の楓の梢に四十雀が啼いてゐた。川底がきれいに澄んで、何か音がすると、よくみると、姫鱒がはねてゐる。

「ひと休みいたしませう」

　タリコナがシララに云ふ。

「――」

「お疲れでせう。」

「――」

　無體なことをしたので、姫は怒つてゐるのかも知れん。とタリコナは考へる。タリコナは枯枝を集めてきて、火をつけた。喰べるものより、先づ暖をとらねばやりきれんと、タリコナはさう想つた。火が燃えつくと、ふたりでならんで手をかざした。

　タリコナは川原へ下りて水を呑んだ。

云ふに云はれぬ甘味があり。咽喉を落ちながら、水が全身に滿ちてゆくやうな氣がする。タリコナは掌に水を掬ひ、シララのところへ運んできた。

「如何ですか。」

　シララはみただけで默つてかぶりをふつた。

主從は向ひあつて、默つて火の上に手をかざした。いままでなら乙名の娘と、ふたりきりで向ひあふ――などと云ふ事は、身分の違ひは勿論たが空想もできないことであつた。姫は或はそんな事を考へ、自分なぞけがらわしいと想つてゐるのかも知れない。タリコナはふとそんな事を考へてみる。

　暖まると、一時に疲勞がでて、シララは躰が綿のやうに懶くなつた。

　たゞ、ぼんやり自覺できる事は、妙に頰ばかり火照り、躰の芯が凍つたのではないかと想はれるほど、づき〳〵と惡寒のする事だつた。思はず厚司の衿をあわせたが、昨日一日のうちに自分の身の上ばかりでなく、同族のすべてに大きな變動が起きたことを想ひあわせ、シララの虛の胸にはつめたい風が通りぬける。オナ(父)も――コタン(部落)も――イコロ(寶物)も、そしてタネシユウマさへ、身近にゐない自分は、セタ(犬)よりも、もつとみじめである。

「タネシユウマの事が心配なのですか。」

　タリコナが怕々とシララの顏を覗く、若者の生皮の袴は破れ、ふきだした血が凍りついてゐる。

　シララは笑つた。笑ふと云ふよりは泣き顏に近い。

「けふからあたしには住まふ家がありません」

　すると、タリコナは、自分の杞憂のあたらぬ事をひそかに

喜び乍ら、そんな莫迦な事がと云ひ、クーチのやうな小さな家でも、風雪はしのげるものだと云ひ、イコロがなくとも、ウルツプ(球根)さへあれば、命はつなげると云ひ、時期の至るのを待ちませう。私がきつと同族を語ひ、セタナイの城を再建しますと云ふのであつた。

シララはタリコナの言葉をきくと、血の湧くやうな想ひであたしの賴るのはお前だけです。と、男の胸に顔を埋め、聲をあげて泣くのであつた。

ポロンシユラル(大岩)の蔭に風をひそかに避けるやうに、シララは男の氣持をけふほどあたたかく感じたことはなかつた。

三

タリコナの留守なのが、めつけものであつた。シララは大切さうに布に卷いた火繩銃を抱えると、そつと裏の原ツぱにでた。盜みでも働いてゐる樣に胸がわく〳〵してゐた。

小娘みたいに、と自分は笑ひ乍ら、腋の下にぢつとりと汗をかいてゐた。

草いきれがむん〳〵と鼻をつき、背のひくい野莓の赤い小さな實が、虎杖の間から覗いてゐる。

高い澄んだ空が、そろ〳〵と夏の來るのを想はせる。

シララはやわらかなよもぎの上に坐ると、丹念に布をほどき、火繩銃を裸にした。ぷうんと硝煙の匂ひがし、銃身にさわると死肌のやうにつめたい。シララはこの銃が幾人の同族の命を奪つたらうと想ふと、石にたゝきつけてめちや〳〵にこわしてしまひたい衝動にかられた。

默つて銃身を睨んでゐるシララの瞳は、銃身にまでついてしまひには呪にみち、憎々しげで、燃えるやうに光つてゐる。

憎いと云へば銃ではなくて、カミノクニのヨシヒロかも知れない。だが、ヨシヒロは父の仇として憎いので、怕いのはヨシヒロよりこの火繩銃である。同族のアシアイ(毒矢)がブシの猛毒で、人間を不具にするよりもさきに、銃のニツク(魔術)は、立ちどころに人間の呼吸の根をとめてしまふ。

シララはうらめしかつた。

父タナケシが死んでから一年のばしに擧兵をのばし、今年で丁度七年である。

その頃はシララはまだ娘だつた——口邊の入墨もまだ色つかず、頰も果實のやうにゆたかであつた。春がすぎてもう夏が來やうとして居り、まだそんな風な氣配のない處をみると今年もことなくこのまゝ終りさうである。

シララは近頃、タリコナに欺かれてゐるのではないかと云

ふ氣がして仕様がない。

シララはタリコナと一緒にヨシヒロの詮議を逃れて、部落から部落を渡り歩いた、旅のやるせない佗しいひと頃を想ひ出さずには、ゐられなかつた。何處の部落にもヨシヒロのふれが廻つてゐて、呼吸を休める遑がなかつた。

宿を頼むときつとかう云ふ、先代の酋長にはえらう、世話になりました故、お泊する位はなんでもありませんが、和人のサムラヒが匿ふと打首だとおどしますので、と何處でも云ふ事はきまつてゐた。

同族は如何にも氣の毒だと云ふ顔をしてみせる。

ウルツプ(球根)と干したヘウキ(鰊)を貰つて、ふたりはまたあてのない旅をつゞける。

ドーヤの狩小屋で暮したのは草火で鮭をとる季節であつた。ドーヤのひろい湖面は、ふか／＼と澄み、セタナイの海をみるやうなふしぎな幻覺を感じさせた。

端正なマツカリ、ヌプリが熔岩をふきあげ煙がゆら／＼とタンパク(莨)のやうに青い空に流れる。

ひゆん、／＼とタリコナはブナの樹を的に弓を射てゐる。弓弦の音が、靜な樹間に谺する。シララはあのまゝ別れたタネシユウマの事を想ひ出した。タネシユウマの事を想ひ出した。タネシユウマは、セタナイのチヤシが落ちると、和人の運上所に出入をし、モンライケ(勞働)をし、毎日、酒ばかり呑んでゐると云ふことであつた。

「まるで自棄なんぢやよ。」

アイヌマナイの老人が、皺の深い無表情な顔で、シララにこつそり教へて呉れた。きゝもしないのに、何故あの老人がシララにこつそりタネシユウマの事を教へたのかはわからない。

風が鳴り、梢が騒ぐと、病葉がひら／＼と舞ひすわれる様に湖面にとんでいつた。

「何を考へてゐるのです。」

汗を拭ひ乍らタリコナがシララの傍にやつてきた。弓を投げ、シララの傍にならんで坐る。噎る様な男のいきれがした。

「父の事を考へてゐました。」とシララは噓を云つた。

「不自由ばかりかけてお姫様に濟まないと想つて居ります。セタナイに歸れるのも、もう少しの御辛抱です。」とタリコナはシララを慰める。

「タリコナ、また、お姫様などと」とシララはタリコナを輕く打つ眞似をする。

タリコナにも父が死んで以來ひどく迷惑をかけた。あの時タリコナがもし身近にゐなかつたら、自分は生きてゐたかどうかさへ疑がはしい。

死ねと云へばこの男は、あたしの爲に悦んで死んで吳れるかも知れない、とシララは竹を割つた樣に、まつすぐで、素直なタリコナの氣持が嬉しかつた。いつの間にか、タリコナと夫婦みたいな事になつてしまひ、山の中の隱家がふたりの新しい砦となつた。好きかときかれゝば、タリコナは好きであるが、好き嫌ひと云ふ氣持よりも、いつもシララの心の底に根を卸してゐるのは、男の力を借り、父の仇を討つ事で、その事なしに、シララにはどんな事をも考へると云ふ事は出來ないのである。

詮議のほとぼりがさめたので、一年ほどして、シララはタリコナと一緒にセタナイの近くの、クドウの砦に落着いた。

シララはタリコナとはかり、宿願である、ヨシヒロ討伐の略をすゝめた。

砦の防備をかため、鳥冠を集め、鏃を造り、糧食の仕度をした。

南蝦夷で、タリコナは屈指の乙名になつてゐた。寶物も軒にさげるキモベツ（熊）の首ほどに集り、髯も立派になり、同族の睨みもきき、智略も力もタリコナは部落の乙名のなかで群を拔いてゐた。

「いつヨシヒロと戰をするのです。」

云へばタリコナが悅ばない事がわかつて居ながら、シララは訊かずにはゐられないのだ。

「わかつてゐる」

タリコナは短く答へる。疳癪らしくこめかみがぴく〳〵ふるえ、シララが執拗にもうひとこと何か云へば、大きな罵聲がいちどきに爆發しそうである。シララは男のそんな樣子をみるととりつく島がないのであつた。シララはしく〳〵と泣きだすのだ。

「やかましい！　默らないか。」

男が睨みつける。

「默りません。」

「なに！」

默りません、默りません、と今度はシララは夢中であつた。

「腹が立つと怒鳴りつければ、お前はそれで氣が濟むかも知れない。だが、女は泣くより外どんな武器がありませう。腕でも力でも、何ひとつ女は男に敵ひません。それだけに、女は男が賴りなのです。それだのに、そんな風にお前に云はれると、あたしはどうすればいゝか、わからなくなります」

云つてゐる裡に、だん〳〵疳がたかぶり、調子づいて、猶のこと、シララは泣けて來るのである。

タリコナは默つてしまふ。横を向く、かうなると口ではかなわない。

口下手なこの男は、自分の心を上手にシララに說明する事ができない。シララの氣持はよくわかつて居り、ひとりで戰ができるものなら、シララに云はれないまでもなく、すぐにもヨシヒロを討ちたいのである。だが、それが簡單に出來る位なら、何んの苦勞もないであらう。

「儂が悪かつた。ゆるして吳れ。」

とタリコナは重い口をひらき、終ひには、妻の前に手をつくのである。

「儂だつて、先代の恩を忘れた譯ではない、だが、知つての通り、同族が滅法和人を怖れてゐるので、擧兵の見込みが立たないのだ。もう少し、辛棒して吳れ。」

「いいえ、お前の辛棒は聞き飽きました。いつまで辛棒すればよいのです、四年五年六年七年、あたしは七年辛棒しました。この上、いつまで待てと云ふのです。あたしは、戰に勝たうとは考へてゐません。譬へ破れても、いいのです。あたしの目的はヨシヒロだけです。一矢を酬ひれば、それで、立派に父タナケシのとむらひができやう云ふものです。」

タリコナは靜に眼を瞑じる。

たうとう時期がきた——と、タリコナは心の中で觀念する。

同族に關する限り、自分の力でどんな事でも解決できぬ事はないが、妻のシララだけは——これ以上自分の力でなだめ終せるものではないシララは死ぬまでヨシヒロを討つ事を斷念しないのである。

いままで、樋のなかをそろ〳〵と流れてゐた水が次第に水勢を增し、ふくれあがり、せきをきり、どうにもならない狂暴な力で、そとにあふれ出やうとしてゐる——いまのシララがそれであり、それがタナケシの娘を妻にした自分の宿命であつた。

タリコナはシララの顏を覗き込んで靜に云つた。

「さあ、笑ふのだ、明日になつたら儂が部落の乙名を訪ねてみよう、そして、すぐにも兵を擧げよう。」

「それは、まことですか。」

「いま更、何んで嘘を云はう。」

翌日タリコナは、トシベツの部落へ行つた。カミコタン、カヒトクマ、ナガイソと部落を廻り擧兵の仕度をするためである。

(タリコナはいつ歸るか知ら)

ちろ〳〵と樋を傳ふ水音が身邊できこえてゐた。

シララは銃を前に祈る樣な眼付きで坐つてゐた。

握りしめた掌のなかで、ヨモギの葉がめた〳〵になり匂ひの强いみどり色の液汁が血の樣にたら〳〵と流れてゐた。

四

クドウの砦に集つた五百の同族はクモイシの險を越え歩武堂々カミノクニに向ふ。

先頭には總乙名タリコナとならんで、シララのすがたがみえる。

天文五年六月のことである。

頸につけたシララの赤い滿洲珠が、陽射を浴びてぎら〳〵輝いてゐた。シララは時々氣になるのか腰のあたりに手をやつた。腰には皮鞘にはいたマキリ(小刀)がさがつてゐた。シララはふと父タナケシが出陣した日の事を想ひだした。

その日シララは一日中カマカプの前に坐つてゐた。勝つた知らせにしても、負けた知らせにしても、シララには怖しい事であつた。雪どけの明るい日で、裏の櫟林にチリポ(小鳥)がたくさん啼いてゐた。

何を考へてゐる、とタリコナがシララに聲をかけた。別になにも、とシララは答へた。

「さうか」

何か云ひたげだつたが、タリコナはそれをきいて口を噤んでしまつた。シララはそつと額の汗をふいた。

いま自分が戰にゆく人間だと云ふ事が、シララにはふしぎな氣持であつた。或は死ぬかも知れない、二度とクドウの砦に還つてくることなどのぞみ得ないかも知れぬ。とさう考へながら、つきつめた恐怖感に胸に來ない。

わい〳〵と背後で同族が騷ぐのがきこえた。鷹がとんで來たのだ。

競つて若者達は空に向つて矢を射かけた。ネザキ、ミサキは丘を利用した天然のチヤシで、一方は斷崖になつて居り、近くにシウンガハをはさみ、進んで來る和軍を一望の下に見渡せる。ネザキからマツマへまで二十六里――この丘に和軍を誘ひ、地の利を借りて一戰を交へやうと云ふのがタリコナの策である。

タリコナが兵を擧げたことは、通詞ホンサクに依つていちはやくカミノクニにもたらされた。カミノクニからマツマへと報はとび、すはとばかりアイヌマナイで合したヨシヒロの軍はこれもネザキに向つて進んだ。

「和人の軍使がみえました」

と番人がタリコナの處へとんできた。

「さうか」

とタリコナは立ちあがつた。眼の隅にちらりと迫つたものがはしつた、が別に愕くふうもみえなかつた。

「タリコナ」

とシララが背後から聲をかけた。

タリコナはすぐふり返つたが、うん、わかつてゐると、微笑しただけで、そのまゝ行つてしまつた。シララは全身のふるえがとまらなかつた。胸のあたりで、そつと神に捧げた創花を押へ、眼を瞑り、口に泛んで來るもろ〳〵の神の名を靜にくり返す。

通詞のホンサクを先導に、丸腰に、裃、草履がけのサムラヒがふたり立つてゐた。

松並木のみえる、丘の上にキナの敷物を敷き、タリコナは軍使と會見した。黒い大きな鴉蝶が、すい〳〵とタリコナの眼のさきをとんでゐた。あほい空が眼に泌み、汗がじつとりと腋の下を傳ふ。

通詞が云ふ。此の度の戰は大將ヨシヒロには不本意で、道理で分明する事なら、互に死傷を作るのも愚なること故、乙名ののぞみをきゝ、和平の裡に事を解決したい。

和平ときくとシララはたまらなくなつた。

厭です、和睦は眞平です、きつと、和人の計略です。父タナケシを欺し討ちにし、剩さへ多數の同族を殺し、神に誓つたこの戰、あたしはどんな事があつても不承知です。サムラヒの前に立ちはだかり、シララは喚きつづける。氣がふれた樣で默つてゐると、軍使のサムラヒにとびついてゆきさうである。

「シララ、場所柄を辨へぬか。」

と、タリコナがたしなめても、タリコナの言葉など耳にも藉さなかつた。眼配せすると、若者が五六人とびだしてきて、シララを抱へチヤシに連れていつた。甲高いシララの叫びが妙にタリコナの耳に殘つた。

通詞は重ねて云つた。

我軍の大將ヨシヒロ殿も、セタナイに於て、兄スケカネを蝦夷のタナケシに討たれてゐる。それで七年前の亂も起きたやうな譯故、理屈は五分と五分である。付ては、爾後は厚く乙名タナケシの靈を葬ひ、夷領と、和人の境界をつけ、互にそれを守り、事を構へねば、和平は必竟で父の仇、兄の仇と云へば、これから末限りなく戰をし、子孫ながく、戰をせねばならん。如何なものか――さう云はれると、タリコナも和人の云ふのが至極もつともなやうな氣もするのである。

義父タナケシは、ヨシヒロの兄スケカネをチヤシにさらし、またカミノクニでは、タナケシの首を長槍の尖にさらした。今度の戰で、ヨシヒロの首をチヤシにさらすとして、この次にさらされるのは、自分の首でなければならぬ。怨みと怨み、戰と戰はいつ迄續くかわからない。この際、領地をか

たく分けて、あと〳〵爭ひのないやうにする事ができれば、自分だけが責められるやうな事もあるまい。これは、自分ひとりの倖のためではなくて、部落や同族の事を考へての事だ。

「いづれ御返事を」

と先づ軍使を還し、それぞれの部落の乙名を集め、相談すると、乙名にした處で、所詮勝味のある戰ではなし、總てをタリコナに一任する事にした。シララは泣いてきかなかつたが、大勢の動きはどうする事もできなかつた。

和睦が成立すると、タリコナ夫婦と主立つ部落の乙名がカミノクニのカツヤマ城に招かれた。

城をみるのははじめてだつた。

石を積上た白壁の城樓は、藁ぶきの自分達の家などとは較べものにならず、濠を割り、高い石疊でかこみ、戰のみのそれかとみれば、枝ぶりのいゝ老松の趣きなどもあり、タリコナは感心した。

歩く度に玉砂利が軋んだ。

タリコナはならんでゐるシララをそつと小突いた。橋がみえ、威儀を正した迎へのサムラヒが城門から出て來るのがみえたからである。

きのふまでの自分は死んでしまつたのだ――とシララは自分の心に云ひきかせてゐる。いま歩いてゐるのは、自分ではなくて魂のぬけた。偶像である、父の仇として憎みつづけてきたヨシヒロの事が、わづか一日で、この樣にけろりと忘れられる筈のものではない――シララはいまにして想ふのである。タリコナを忘れる事はあつても、ヨシヒロを憎むのを忘れた事はなかつた。ヨシヒロを討つためにタリコナと夫婦になつた。ヨシヒロとタリコナ――と愛と憎しみがシララの胸の奥に一體になり。いつも奇怪な生物のやうにうごいてゐた。愛する事か、憎むことか、そのいづれかが、シララのいままでの生甲斐であつた。そして、それが、タリコナとヨシヒロの和睦によつていまひとつにならうとしてゐる。

タリコナは長い髯をひごきながら、始終にこ〳〵と笑つてゐた。

タリコナの無心な顔をみてゐると、シララの眼のさきも次第にほの〳〵明るくなつた。

―完―

同人消息

○岩崎榮氏　南方方面に於いて、軍〇〇班員として活躍中、アドレスは、南方派遣軍林(セ)部隊一六一一です。

○村松駿吉氏　大森區山王一ノ二五七〇、大森日枝莊(電話大森二八六一)に轉居。

○海音寺潮五郎氏　『小栗上野介』を國文社より近刊。

○鹿島孝二氏　作品集『愛情延期』を東成社より近刊。

○土屋光司氏　八月中旬、法要のため歸省。

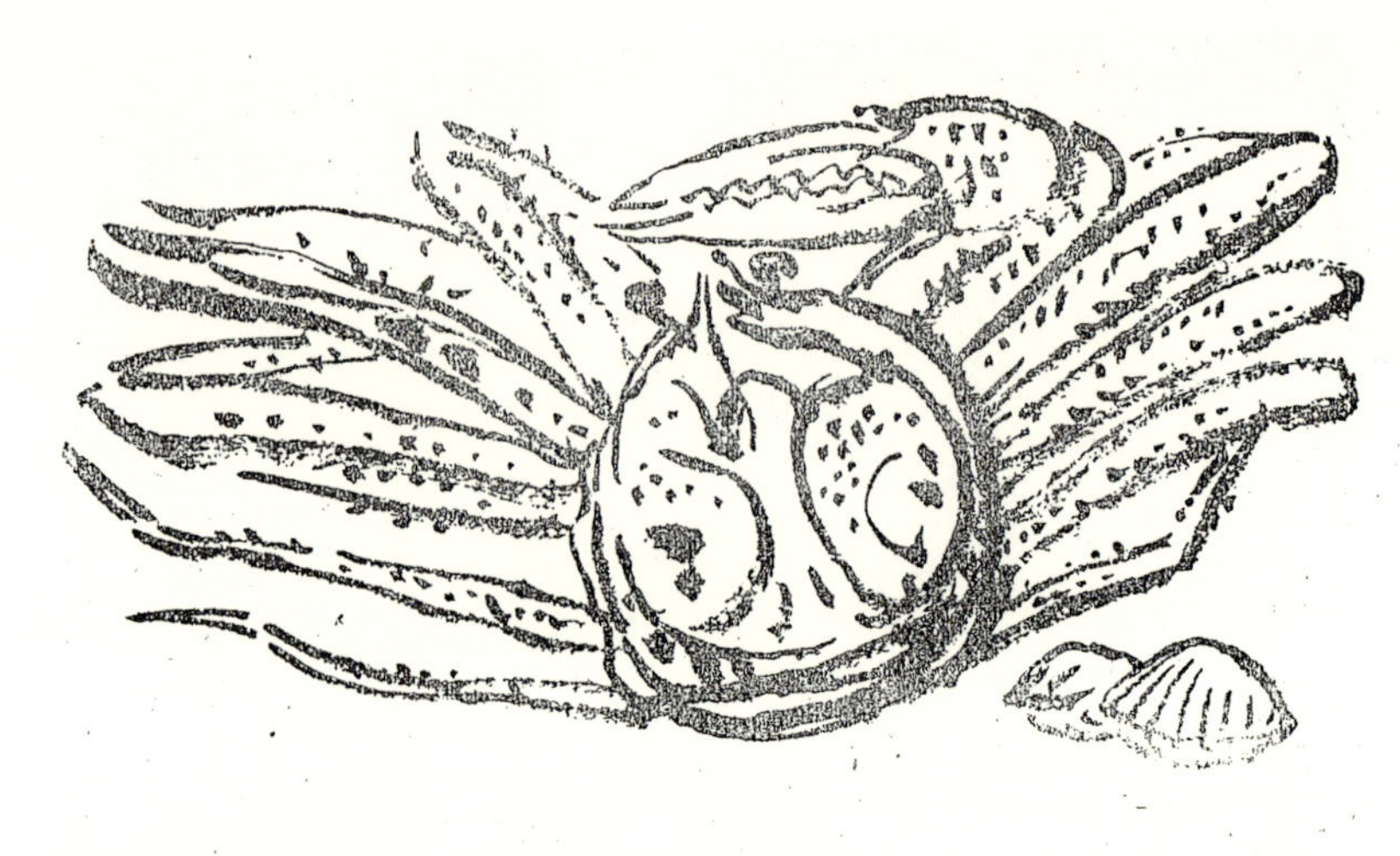

文覺勸進帳

由布川　祝

一

「所は都の北山ぢやといふに、由緒ぶかい寺ぢやといふに、山相すぐれたこの靈場を……かべすがへすも怪しかる荒しやうぢや。ようも佛天の罰が下らなんだわい」

龜裂の入つたやうなだみ聲と共に、かたぶいた玉垣を搔き破つたのは、世にも精悍な面だましいの、凄くでかい入道であつた。

「まことに、末世の比丘一同の緩怠でおぢやります」

これはまた、背のずんぐりした平べたい顏の僧である。

樓門、金堂、五大堂、納涼房、明王堂、經藏、地藏院、鐘樓、みるからの堂塔精舍は、蔓ついえ、壁破れ、とぼそ落ち、きだはし歪み、柱朽ちて、雨染みの滲みひろがつた跡には白蟻が匍ひ、朽葉色のいぼた蛾が點々と不氣味に吸ひついてをり、さびれ果てたたたずまひだつた。

それがしかし、全山に萠え渡つた楓の新芽と、眼もあやに咲きにほふ山ざくら

に彩られた風情は、また幽々寂々としたうき世のほかのものさびではあつた。

「當山のいはれを、相照、心得をるまいが」

六尺六寸の文覺の肩を、山ざくらの下枝が掃いて、墨染のころもの背に絆をおいた。

「和氣の清麿公の開基とだけは存じてをります。始めの程は、神願寺とか申したさうで」

相照は、枯枝の尖で突き刺した頬の血を、あさだの若葉でぬぐつた。

「それよ、その神願寺はの、稱德天責の神護景雲三年九月のこと、太宰の神宜、阿曾麿といふが、道鏡に陷ふ爲め、八幡大神の神託と申しいつはり、道鏡を皇位に即かしむれば天下泰平ならん――と帝へ奏上した事から、帝は清麿公を召させたまひ、宇佐に詣でしめて神勅を聽かしめられたのぢや。その時の大神のお告げと申すが、
道鏡邪幣を群邪におくり、權譎を佞黨におこなふ。百計千祭して天位をむさぼり求む。……むさぼり求む……かうと？その先の方に、仰いで佛力をたのんで皇運を扶護す。汝それ闕に廻り、すべからく奏して佛像を造り、大藏を寫すべし。又最勝王統一萬部を轉經し、一の伽藍を建てば、邪神銷えはどんで社稷鞏固ならん――

とのお示しを蒙つたのぢや。清麿公は急ぎ還つてこの由を帝へ奏聞し、皇位を安泰にし奉つたのぢやが、道鏡奴は慍りをつての、清麿公を大隅に流すことにしたが、途中河内の膽駒山に刺客を伏せおいて、撃たうと謀つたのぢや。ところが俄かに雷電とどろき、天地は晦冥となつて刺客は手を下すことができなんだ。

清麿公はしばし配所に在したが、稱德天皇は崩御あそばされ、光仁天皇御即位あらせらるゝや、清麿を都へ召し還して、八幡大神の御旨に從ひ一宇を創建せよとの詔勅をたまふた。それゆへ清麿公はこの高雄の山を相して、神願寺を建てられたのぢや」

文覺は心痛む面持で金堂を透して見やつた。廻廊は落葉と枯枝に埋り、柿葺の入母屋は北によろけねじれて、椎の大樹にもたれかゝつてをり、こゝろなく吹く風に、椎の枝に巢くつたみの虫の四ツ五ツがふるえてゐた。

「すればこの高雄山も、朝廷とのゆかりはなかなか淺いものではおぢやりませんに」

「さうとも、嵯峨の帝は、――神願――の額を賜ひ、淳和の帝は、神護國祚寺と改號あらせられたほどの御尊崇ぢや」

「弘法大師さま御挂錫の頃のご發行が、どのやうに宏大であつたらうとしのばれまする」

「弘法大師が嵯峨天皇の勅命をいたゞき、此所で八幡大神と密乗を唱和し、國祚を禱られたのは、さうぢや。もう三百七十年の昔であつたわ」

文覺は、釣燈籠にまつはつた蛇の脱殼を瞶めてゐたが、急に相照に向き直つて、節くれ立つた右手を差出した。相照はその手へ、はい／＼といつた調子に頷きながら、卷物と矢立を載せた。

文覺は金堂へ這入ると、長足を利して床の壞れ孔を跨ぎ跨ぎ、内陣の前机に進み寄つた。黴のにほひが濃く淀んでゐた。

文覺は荒い息音をたてゝ、積つた塵をプーツと吹きのけ、卷物をひろげた。合掌した文覺の眞向ふ高く、弘法大師の作と傳へる本尊藥師如來の尊像は、蜘蛛の絲に綴ぢられ、網をかぶつたやうになつて立つてゐた。

和氣の淸麿が神願寺創建の時からは、今年(治承三年)で、もう四百八年の星霜が流れてゐたのだ。

文覺は祈念をこめては筆を執つて卷物を染め、筆を置いては聲高々と般若心經を誦しながら祈念をこめた。祈願のおもむきは、破壞(はえ)した堂舍の再興だつたし、卷物に綴る文字は、知識奉加の勸進文だつた。

相照はころもの袖をたくし上げて、荒廢した建物の間數を測り、餘念なく矢立を走らせ、伽藍の見取圖を書いてゐた。その見取圖には一々、間口、奥行、壁坪を記入した。そこから造營の豫算額を割出す爲めである。

時々あがる文覺の荒々しい讀經の聲に、やまどり、鶯、頬白などが、うるはしい調を添えてゐた。何事にも熱意を傾けるように癖づいた師弟は、朝の六ツ半(七時)から始めた仕事を九ツ(正午)前にはもう仕遂げてゐた。

二

相照が、やれ一ぷくといふ風に、木の株に腰を落ちつけて經藏の裏から拾つてきた、時代の苔のついた四分板の、和歌や漢詩のらく書を判讀してゐると、地藏院の横の崖を、鹿が三頭あわただしく驅けをりて行つた。

と、麓の方から、

いまをさかりと咲きにほふ
おぼろづくよのさくらばな
あしたもまたであへなくも
いろはにほへどちりぬるを

やさしい女の唄聲がきこえた。

眞紗留どのぢや——相照は、つと腰をあげた。四分板の先に觸れた椿の花が、ぽそとこぼれて、二段に段のついた相照

の頭に留るかとみせて足許に落ちた。

塚に驅け上つてみ下すと、淸瀧川に渡した高雄橋を踰して、年若い女性が登つてきた。

萠黄の小袿を着けて、長い黑髮をうしろに下げ、何やら箱樣の物を胸高に抱いてゐる。

「師の坊……師の坊……上人さま」

相照はわめきながら金堂へ跳び込んだ。文覺は口をへの字に喰ひしばつて、鋭い眼で藥師如來を仰ぎ、勸進帳のをはりの一齣に苦心してゐた。相照の騷ぎなど全然默殺である。

やがて首を一ひねりすると、筆をすゝめて、

……速かに一佛菩提のうてなに至り、必ず三身滿德の月をもてあそぶをや……

と書き、

「眞紗留どのが登つてみえてゞおぢやります」

といふ相照を、それがどうした――といつた風に睨めつけ

……よつて勸進修業のおもむき、けだし以て件の如し。

治承三年三月　　　　　　文覺　敬白

と結んだ。それからさも滿悅げに、高音で般若心經を七反し、念珠をザラ〳〵揉み合せて、卷物をおしいたゞいた。

「嘘。嘘。出家はうそをいはぬものぢや。たしかに文覺さまは、此方にお登りなさつてゐてぢや」

「上人は仁和寺の理趣三昧にご參會なされ、けふはこの相照一人しか登らなんだのでおぢやるに」

中門の外で、相照が眞紗留を喰留めようとしてゐた。

眞紗留は二十四、肥肉の色白で、右にゑくぼをもち、水際立つて美しかつたが、何故か兩眼の一途なかゞやきが、世の常の色とはちがつてみえる。

「會はせて下され。そこ退いて下され、わたしの大事な文覺さま。このお團子を喰べていたゞくのぢや。どいて下されよう」

大切に抱えた蒔繪の箱には、心づくしの團子が容れてあるのだ。

「折角ながら眞紗留どの、師の坊は本當にこゝへをられぬ。ささ、下りて下されや」

「いゝえ。あたしはたしかに文覺さまのお聲をきゝました」

いそいで登つたとみえ、息をきらし、相照に押返されて、白い顏が蒼みをたゝえ、ほつれ毛と唇とを一緒にぎゆッと嚙んで、口邊を血にぼかした態は、容色がすぐれてゐるだけに凄いやうであつた。

文覺は須彌檀の裏にかくれて聽き耳をたてゝゐた。かくれるなどとは、不敵な文覺に嘗てみなかつた所作である。

「わたしは死んでもをりませぬ。そこを放して、えゝッ放し

て下され」

力まかせに相照の捉へた袖を振りもぎつて、ぱた〱と驅け出した。

文覺は拳で裏壁を破ると、廻廊の勾欄を一跨ぎにして、五大堂のうしろの森に、肩そびやかして分け入つた。何か沈痛を怺える面もちで、顔が曇つてみえた。行手をふさぐ雜木の枝を撓め、脚にからまる葛を蹴切つて進むのだつた。

遁世以來。金剛八葉の峯、熊野、金の峯、葛城、愛宕、比良、嵯峨法輪、天王寺、止觀院、楞嚴院を手初めに、六十餘州の高山靈區はことごとく踏破して、或は七日、或は二七日、乃至百ケ日の參籠をし、祈願をこめ、不退轉の心膽を練つてきた身には、徑なき山野も平地をゆくと異らなかつた。

これまで二十有餘年の光陰は、心のゆるぶ毎に、妄念のわく度に自己を酷虐にさらし、苛烈な修業を積んできた。人身にあまる苦行も、類なき氣根で持耐え、今は荒ひじりの名もかくれなき文覺であつたが……

そして、修業の德の進むと共に、だん〱と癒えてきた心の傷ではあつたが……

いま眞紗留の、情のほむらをあらはにした激しい姿を眼にして、かそかに覺えるのは、心の底に消え殘つてゐた、はるか昔の傷の疼きであつた。


こゝろの傷痕——文覺がまだ遠藤武者盛遠といつた十六歳の春の半ば、渡邊の橋に橋供養が行はれて、上西門院の北面であつた盛遠が、その儀式の采配を振つてゐる時、繪にも見紛ふたをやめ、源の渡の妻の袈裟御前を見染め、性來の直情一徹から、激しい戀の虜となり、盛遠十八歳の時たうとう强引に袈裟に迫つて、却つて袈裟に謀られ、夫渡の寢室に忍び入つて、一刀の下に斬殺したのは、戀慕の的の袈裟であつた。盛遠は直ちに渡の前にひれ伏して、腰の刀を差出し「さア早く袈裟のかたきを討たれよ」と、首さしのべた、渡は盛遠を許し、自らの髮を切つた。そして渡阿彌陀佛と稱して出家した。盛遠もこれにおくれじと、直ちにその刀で頭をまるめた。

金堂の周を、文覺の名を呼んで走り回る眞紗留の叫びがあはれにこだました。

——毒蛇の口につくるとも女根に觸れざれ——。

釋尊が弟子に示した敎を胸に繰返し繰返し、文覺は藪を搔き分けて、淸麿公の墓所の傍にきた。身ぶるいの如きものを一つしたかと思ふと、黑松の老樹を見上げて、地上八尺の枝に、おゝ——と唸つて飛びついた。そしてくるツと尻上りをして倒になると、鍬をひツかけたやうに、足くびを枝にひツかけて、垂直にぶら下つた。

くろがねのやうに鍛はれた見事な脚が、太股まで隆々たる瘤をみせ、こはそうな力毛が一杯生えてゐた。

　あけびの蔓が、張り出た顴骨から鼻をくすぐつたが、文覺は眼をつむつて、靜物のやうに微動だもしない。

　これは妄念のさはぎを退散させる爲めに、血を逆流させる、文覺獨創の修業法であつた。

　眞紗留は雙の岡に棲む梅畑殿の娘で、小木曾の治信といふ北面に嫁いだが、夫と愛兒に先立たれて狂氣したのだつた。それで、文覺の行力の非凡なのを傳へ聞いた實家の親が、文覺に加持を請ひ、一時は恢復してゐたが、間もなくぶり返して、今度は崇敬のあまりからか、文覺に心を移して慕ひ回るのだつた。

　文覺は逆さに吊さること半刻。煩惱の結縛から綺麗に放たれて、えい――と掛聲と共に宙返りをして起直つた。ふらツともしないたしかな足附であつた。

　相照が、やつとの事で眞紗留を追ひ歸して、ぼんやりしてゐると、そこへ出てきた文覺は、

「相照、この高雄の峯一杯に、斧や槌の音がこだまをわかし、工人と荷駄の往來が徑を踏みひろげて、狐狸、もゝんぐあのたぐひが、奥山八里へ結界となるのも、もう間もなうの事ぢや。そしたらあの眞紗留どのゝ亂心を本復させてやれようわい」

　矢立を相照に渡して、沁みるやうなまなざしで四邊を見遙かすのであつた。

「修造のかなひましたあかつきは、貴賤老若の參詣が、此の山を埋める事でおぢやりませう。勸進帳……おできになりましたなあ」

　相照は勸進帳を借りて朗讀し始めた。

三

　管絃鼓箏のひゞきにまじつて、詩歌がきこえ、堂上堂下のさゞめきは、何時果てるとも知れなかつた。

法住寺殿では、けふ、花見の雅會が開かれてゐるのだ。

「チエツ――いつまで待たせておくといふのぢや。まだか……まだか……」

　文覺は眥を吊上げ、額の疳癪筋を深めて、玉砂利の上を腹立たしげに歩き回つた。

「役にも立たぬ遊樂にふけつて、王法祈誓のわしの願ひを取上げぬとは、まことに口惜しい」

　高雄山神護寺再興の勸進を。後白河法皇へ言上にきた文覺は、四ツ刻（午前十時）から八ツ刻（午後三時）の今まで待呆けをくわされてゐるのだつた。

だが、實はまだ法皇は、文覺の參候した事など聞召してゐられなかつた。

北面の下﨟たちまで、まるで腰を浮かし、顏の紐を弛めて雅會の方へ耳をそばだて、背伸びをして垣間みようとひしめいてゐた。

「わしが勸進の由を、取次ぐことは取次いであらうのう」

ぢりぢりして呶鳴つたが、下﨟たちは、文覺のかどかどしい態度に半ばおそれ、半ば反感をおこし、奇態な乞食坊主だ――といひたげに、さげすみの眼を向けるだけで、てんで取合はうとさへしない。

つゝしみ、制へてゐた天性の不敵さが、怒濤のやうに胸内を衝き上げた。拳を上げて虛空を打おろし、齒をぎゞと嚙むや、御車寄から塀を乘踰えて、番衆所の前を攸々と通り、いくつかの耳門を抜け、奥深い御所の廣庭へと進んだ。

檐近く、雲のやうに笑み綻んだ萬朶のさくら、庭前には錦の幔幕を張り、玉の簾、錦繡の帳もうるはしく、綺羅をきそつた公卿の裝ひなど、恍惚として夢に遊ぶの風色であつた。

折しも妙音院太政大臣師長は琵琶の後を承つて、雨の大臣としての幻妙な秘曲を奏し、按察使大納言資賢は、笛をとつて、名物紅葉を吹奏し、源の少將雅資は笙の役を勤めて鳳管に唇をあて、四位少納言盛定は簫を吹き、閑院中將公隆は和琴を掻き鳴らして、催馬樂をうたひ、右馬の頭資時は今様を吟み、上下感涙に咽びつゝ、妙技に融けこんでゐるのであつた。

矢先――だしぬけに六尺六寸の大法師が、瀧津瀬の鳴りとどろくやうな破れ聲で、

「はて、面白くもない管絃さわぎ、らちもない御遊でござりますわい。衲は貧道無緣の身ながら、高雄山神護寺を修造して佛法を住持し、かたじけなくも王法を祈誓し、併せて衆生を利益しようと大願をおこして勸進にまゐつたのに、大慈大悲の御君が、十善萬乘の御主が、御奉加を聞召されぬのは何故でござりますか。いま一通り貧道大願のおもむきを朗讀申上げませう。どうか御聽聞を願はしう存じます」

から叫ぶや、懷中から卷物をとり出してサツト推し開き、一段と聲をはげまして、

勸進僧文覺敬白

殊に貴賤道俗の助成をかうむり、高雄の靈地に一院を建立して、二世安樂の大利を勤修せしめんことを請ふ。勸進の狀……

と、前置にかゝつたから、樓上樓下の人々は、さツと興を冷まし、呆氣にとられて、管絃のしらべをぴたと止めてしまつた。

師長は烏帽子をおさへて身をしりぞけ、資賢は笛を突出して、

「これは又どうしたといふのぢや。北面の者共は一體何を愚圖々々といたしをるのぢや。早うあの氣ちがひ坊主をひッ捉へて、そッ首引抜くのぢや」

と指圖を下した。文覺はそんなどよめきを少しも意にかけず

それおもんみれば眞如廣大なり。生佛の假名を斷つといへども、法性隨妄の雲厚くおほひ、おのづから十二因縁の峯にたなびきしよりこのかた、本有心蓮の光かすかにして、いまだ三毒四慢の大虚にあらはれず。悲しいかな佛日はやく沒して、生死流轉のちまた冥々たり。たゞ色にふけり酒にふけり。いまだ狂象跳猿の迷ひを謝せず、徒らに法をそしり人をそしる。豈に琰羅獄卒の責を免れんや……

やうやく北面の下臈たちが、打物とつて馳せ集つた。人數は三十人を超えてゐた。しかし、墨染のころもに、短かい墨染の袴をつけ、骨太な體格、魁偉な顔をした相手の前に、皆立すくんだ形だつた。

文覺は背筋にむら〳〵怒りの走るのをおぼえた。若年の頃から、豪勇さにかけては、北面中ならぶ者はなかつたが、今はその遠藤武者盛遠時代の狂暴な素地に還つて、片手片脚で手近な下臈から蹴上げ引倒し、三人積み重ねて、あぶみのやうな踵で、重石をかつたやうに背中を踏みつけ、丁度天の邪鬼を踏まえた仁王よろしく、一わたり周りをうかゞひねらつて又候勸進疏をひきひろげ、例のひゞの入つたやうなガラガラ聲で、

こゝに文覺たま〳〵俗塵をはらつて法衣をかざると雖も、惡業意なほたくましうして日夜につくり、善苗また耳に逆つて朝暮にすたる。痛しいかな再び三途の火坑に歸つて、重ねて永く四生の苦輪をめぐる。この故に牟尼の憲法數萬軸、千萬軸に佛種の因を明かす。隨縁至誠の法、一として菩提の彼岸にとゞかざるなし、故に文覺、無常の觀門に涙をおとし、上下親族の結縁をもよほし、上品蓮臺に心を運び、等妙覺王の靈場を建てんとするなり。そも〳〵高雄は山うづたかくして鷲峯山の梢をあらはし、洞しづかにして商山洞の苔を敷く。岩泉むせんで布をひき、嶺猿さけんで枝にあそぶ。人里境とほくして囂塵なく、師蹤棲みよくして信心あり、地形すぐれて尤も佛法をあがむべし。奉加かすかなり。誰か助成せざらんや。いかに、いはんや一紙半錢の寶財に於てをや。願はくば建立成就して、禁闕鳳暦御願圓滿に、乃至都鄙遠

近、親疎黎民緇素も、堯、舜、無爲の化をうたひ、椿葉再改のゑみをひらかん。いはんや聖靈幽儀、前後大小、すみやかに一佛菩提のうてなにいたり、必ず三身滿德の月をもてあそぶをや。よつて勸進修業のおもむき、けだし以て件の如し。

治承三年三月　　文覺敬白

たうとう所期の如く披露しをはつた。その間、人々が妨げないのは、傾聽してゐるせいだと獨合點して、面を和げながら勸進疏を卷きおさめ、その效果をさぐるやうに、人々の顏をみ渡した。

人々は、耳もつぶれるばかりの高音に氣をぬかれてゐただけで、勸進文の內容などちツとも解つてはゐなかつた。

資賢は立上つて、欄干の端に乘出し、

「えゝい。早うつまみ出さぬか。たのみ甲斐のない腰拔共ぢや。たつた一人のむさい坊主をもて餘して何たるざまぢや」

叱り罵ると、一度期にざはめき立つた。

文覺は、心中、大たわけ！　と己の失策を詰つた。所もあらうに法皇の御所で、かうした狼籍をして、勸進の目的が遂げられるものか、何故道を踏まなかたか。順序をたてゝ願出なかつたか。待てといはれるなら、三日でも十日でも待つたらよかつたのぢや。わしの量見は、何時まで經つても小さなものぢや。わしの粗忽は死ぬまで直らないのか。と悔ひた。

こんな苦悶は再々で、其の都度、自分のどうしようもない强情さに愛想をつかすのだつた。

資賢に氣合をかけられて、平の判官資行が、やさしい眉を神經質に動かしながら、蛭卷の太刀の柄太なのを搆へて、眞先に飛び出した。

文覺は腹の底では自責しながらも、擧動の上ではいさゝかの怯みもみせず、奔馬のやうに鼻口を怒張させて、勸進帳をとり直し、

「邪魔ひろぐか――」

と立向つた。

「歌舞管絃は今生一旦の遊びぢや。いつまでもてあそぶ事もできぬ。鄉相雲上人も、現世一時の臣に過ぎぬのぢや。いつまでも是を伴ふ事はかなはぬわ。無常の風は絕え間なく吹いてをる。しばらく長夜のお睡りを醒まして差上げようと考へ、いゝ聲で勸進帳を讀み上げたまでのこと、わしの私心私慾に出た事では微塵もない。田夫野人でさへそれぞれ後生をおそるゝのに……」

「やかましい」

一閃――資行の、峯打ちにかけようと振りおろした太刀が、文覺の肩にとゞかぬうち、文覺の握り固めた勸進帳の軸

と拳は、資行の眉間にガンとめり込んだ。

烏帽子を飛ばし、髪を放つて、資行は仰向けにぶつ倒れた。

瞬間、人々は色を失つた。

精神朦朧となつた資行は、腹這ひながら大床の上に逃げ上つた。

四

更に十人ほどの北面が馳せ加はつた。文覺はそれをみるや、ころもの袖に玉だすきを掛け、懷中から馬の毛で柄卷した一尺の小刀を拔き放ち、勸進帳を啣へ、血眼になつて北面の者へ仕掛け、庭上を縱れ狂つた。

公卿殿上人は、おそれおのゝいて座を起つた。その時、宮内の判官公朝が、にこ〳〵笑ひながら文覺に近づいた。穩かな物腰で、

「文覺御坊。このまゝでは所詮搦め捕られまするぞ、恥をみぬ先に早う罷り歸られたがよい。さ、刀を納められよ」

と宥めすかした。

「いや歸らぬ。文覺の刀は人を斬るのでない。放逸邪見の鬼神を斬り、慳貪無道の魔緣を拂ふ爲めに、大聖文珠の智惠の劍と、不動明王の降伏の劍を兼ねて拔いたまでぢや。それよりも早う喜捨を垂れて、寺領として荒鄕の一ヶ所も賜はるよう お願ひ申す」

まだ所念を披瀝してやまないのだつた。七、八人の下﨟が周りを取卷き、示し合せて一度に襲ひかゝた。文覺は刀を突き出して、うーんと唸りながら一廻轉した。

と、不思議や皆楷木を倒すやうにのけぞつてしまつた。双先が觸れたのではない。行力で倒れたのだ。修業のできた僧や修驗者に、かうした靈驗の顯るゝのを疑つてはならない。

「どうしてわしが發願の趣旨を解さうとしなさらぬのぢや。院中の御助成をあてにしてこの大願を起したのに、それが空しうなるからには、生きても要のないわしがいのちぢや。同じ死ぬいのちならば、大願の代りに死ぬるのも本望といふものぢや。死骸をこにゝ曝して、面目を閻魔の廳に施せば、身の倖せにならうわい。神護寺造營のできるできぬは、たゞ鄕等の取きめ一つにかゝつてをる。五畿七道は廣いものぢやが、何故庄の一つも奉加せられぬのぢや。」

叫んでつか〳〵と向拜へ進んだ。この時まで武者所に控へてゐた信濃國の住人、安藤右馬太夫右宗といふのが、頰髯を扱いで出てきた。

「待て文覺法師。御所の御庭を血で穢すやうな事があつてはおそれ多い。來い生擒だ。刀を捨てい」

まづ自分から太刀を芝生の上へ投げた。文覺も振返つて

「おゝ」とこたへ刀を打捨てゝ組ついた。しばし捻じ合つてゐたが、右宗の腰が挫けた。文覺は片膝あてゝ右宗を壓へ、飽くまで執拗に、

「はて、死生知らずの事をするものぢや。ころも着たる僧を不淨行持律の文覺を、生擒にするの、そつ頸突くのと、稀代の不思議を耳にするものぢや。世は既に末世となつたわい。佛法與隆の爲めの勸進をつとむる……」

謀りつゞけてゐるその油斷を狙つて、右宗が撥ね起きた。文覺が下になつた。やがて、上になり下になりの、はら〳〵させる轉回がつゞき、勝負いづれとも決し兼ねた。

下﨟共は、此所とばかり一度にかゝつて、文覺の手足を捉へ、馬の手綱をもつて縛り上げてしまつた。文覺は門前に曳き出されながらも、御所の方を睨まへ、

「あゝあ、無慙な人共ぢやわい。夢まぼろしの如き榮華を面白い事に思ふて、三途常沒の猛火に焦さるゝ事を悟らぬのか。今わしが繩をかけられたとて、わしが恥ではない。却つて已等臣下卿相の恥になるのぢや。憶えておくがよいぞ。必ず三ケ月のうちに、思ひしらせてやる事がある。その時になつて後悔したとて追ひつかぬわ」

大音聲で惡口した。

「口の減らぬ法師奴!」

一人の下﨟が棒をもつて文覺の口を毆つた。唇が切れて、前齒が折れた。

かうして文覺は、門外で資行の家人に引渡された。家人たちは主人の面目を潰した不屆者として、

「小憎らしいくそ坊主奴!」

「よくも主人に手をかけをつたわ」

棒をもつて打擲し、手綱を締めつけて苦しめ、勸進帳を引裂き、ころもずた〳〵に破つてしまつた。

「今に手足をもぎ取り、そツ首を打おとしてやるは」

と、なほも足蹴に仕ようといきまくのを、主人の平の判官資行が出てきて、

「これ待て。主上よりのお許しのない者を傷めてはならぬ。鄭重にお供するのぢや」

額の傷を扇で掩ひながら制めた。平素から人情に厚い資行ではあつたが、一家の浮沈に拘る恥辱を與へられ、しかも現にその疵の痛みさへ去らないであらうのに、鄭重にせよとはどんな氣特からいふ事かと、家人たちは解し兼ねた。

門前に待呆けてゐた相照は、庭上の騷ぎをきいて心配したが手の施しようはなかつた。そこへ繩附にされた文覺が出てきたので、驅け寄つたが、資行の家人に蹴倒されてしまつた。

涙を流す相照に、

「案ずる事はないわい。わしはきつと近い内に獄を許されて高雄山を造營してみせる。さうしたらのう相照。こいつ等愚痴蒙昧の法敵を、阿鼻地獄へ封じこむ調伏の修法を行はうぞ」

文覺は叩き歪められた顔に、屈託のない微笑さへ浮べてゐた。

法住寺殿を出外れると、路の兩側に水田がつゞいた。資行と、家人五人が文覺を護つてゆくと、やつと形の整つたお玉杓子の群が、頭と尻尾をくの字の連續線に掉つて、游ぎながら水田の畦から散つた。

相照は、引裂かれて足蹴にされた勸進疏の片々を拾ひ集めて、一行の跡を追ふた。草摘む女や、路往く人々が、佇んで文覺を眺めた。いつか人垣が造られた。背の高い文覺は、胸から上が人垣の上に出てゐた。

六角堂の方へ曲る路へ來ると、眞紗留が人垣を搔き分けて文覺に取すがつた。

「まア文覺さま。わたしの大事な文覺さまを、誰がこんなお痛ましい目に遭はせたのでござります。鬼！ 畜生！ 早う繩を解きやれ……解きやらぬか……解いて下されよう」艶と怨とに燃ゆる眸で、繩とつた下﨟を睨めて、咽び泣いた。

「狼籍坊主奴。なか〳〵よいところがあるとみえる」

一人がからかつた。

「ひどいおころも。おゝ、これを着なさるとよい」

眞紗留は藤色の小袿を脱いで、文覺の肩に着せかけた。下﨟がそれを引めくつて踏みにじり、眞紗留を突き飛ばした。

「これ。手荒な眞似をしてはならぬ。どうやら氣が狂れてゐるやうぢや」

と制した。文覺は振返つて、

「眞紗留どの、わしは修業をしてをるのぢや。修業をのう、お身は朝夕一心に、不動明王と弘法大師樣へ、祈願をこめられるがよい」

と、さとした。眞紗留は、こくんと頷いて、

「相照さまも氣が利かぬ。お師僧よりよいころもを着る法はござりますまい。それを脱ぎやれ。文覺さまにお着せなされ」

狂つてゐてもさすがは女、眞紗留はやさしい思ひ遣りを忘れなかつた。

「ほんに、行届かなんだ」相照はころもを脫いだ。

「お掛けして差上げい」資行が家人に命じた。繩の上からころもを羽織つて、文覺はうそぶくやうに空を仰ぎながら、ゆつたりゆつたりと步を進めた。（以下次號）

同人住所錄

（いろは順）

岩崎　榮　世田ヶ谷區松原町三ノ一、三一
石井哲夫　兵庫縣氷上郡柏原町
伊志田和郎　向島區吾嬬町西三ノ二二（石田方）
飯田美稲　本郷區駒込曙町一〇
東野村章　澁谷區千駄ヶ谷四ノ六九三（平安莊內）
戸伏太兵　杉並區天沼三ノ七〇六
大隈三好　東京府西多摩郡戸倉村二〇四
岡戸武平　小石川區白山御殿町一一四
海音寺潮五郎　澁谷區代々木上原一二一五
欅山楠夫　兵庫縣川邊郡伊丹町北村（戸田方）
鹿島孝二　瀧野川區瀧野川町四一〇
大慈宗一郎　牛込區北町二
田中幾太郎　牛込區富久町一六
土屋光司　豐島區池袋二ノ一〇三七
中澤巠夫　澁谷區宇田川町五一

蘭　郁二郎　鎌倉市小町三三三（遠藤方）
村雨退二郎　世田ヶ谷區松原町三ノ九六四
村松駿吉　大森區山王一ノ二五七〇　大森日枝莊（電大森二八六一）
村　正治　瀧野川區瀧野川町四三〇（湯淺方）
野母崎正　小石川區大塚坂下町一九三（山田方）
黑沼　健　鎌倉市大町一三五（左右田方）
久米　徹　北海道上川郡上川町
山田克郎　中野區川添町四六
松本太郎　日本橋區横山町四澁谷アパート
淺野武男　京橋區小田原町一ノ七
安藤　信　福島縣二本松町
佐藤利雄　四谷區左門町五三
佐野　孝　小石川區大塚坂下町六五（中村方）
北町一郎　杉並區西荻窪三ノ九三　城山文化住宅（電荻四八七九）
由布川祝　麹町區平河町二ノ一（電九段三四一〇）
緑川玄三　三條市貳之町木場
從二一郎　小樽市南濱町埋立地
鯱城一郎　本郷區駒込林町二〇六（中村方）
瀬木二郎　杉並區高圓寺四ノ五八四（横關方）

文學建設　九月號　（定價三十錢　送料壹錢）

昭和十五年五月六日第三種郵便物認可
昭和十七年八月二十五日印刷納本
昭和十七年九月一日發行
（每月一回一日發行）

東京市小石川區白山御殿町一一四
編輯兼發行人　岡戸武平
東京市芝區愛宕町二丁目九九番地
印刷人（東東二〇六）黑部武男
東京市芝區愛宕町二丁目九九番地
印刷所　昭文堂印刷所

日本出版文化協會會員
（會員番號一二八五二五）
東京市麹町區平河町二ノ一
發行所　**文學建設社**
電話九段(33)三四一〇
振替東京一五六五九八

東京市神田區淡路町二丁目九番地
配給元　日本出版配給株式會社

定價　三十錢（送料壹錢）
半年　一圓八十錢（送料共）
一年　三圓五十錢（送料共）
送金は振替を御利用下さい切手代用の場合は一割增のこと

昭和十五年五月六日／昭和十七年八月十五日印刷納本

十月號

第四卷第十號

現代文學作品特輯號

南の炎　村松駿吉

河風　東野村章

幸運の鬮　村正治

山村日記　土屋光司

昭和十五年五月六日第三種郵便物認可　昭和十七年九月廿五日印刷納本　昭和十七年十月一日發行　文學建設　十月號

文学建設

特輯・現代文學

第四卷　第十號

×

國策便乘などと云はれる、未熟な觀念小說の橫行に對して、一つの反動文學の現はれる兆候がある。所謂純文學の世界では、心理小說、私小說、所謂大衆文學の領域では、人情小說、氣分小說の復活である。

×

國民文學の樹立のため鬪つてゐる作家たちは、かういふ藝術至上主義的風潮の復活に對しても、積極的な戰を開始しなければならない。

×

藝術至上主義作家たちは、曾て階級文學に對して何等抵抗らしい抵抗もしなかつたくせに、階級文學がある力によつて衰退した後には、あたかも自分らがそれを衰退させたかのやうな顏をして、圖々しくも再び文壇に君臨しようとしてゐる——と「文藝日本」の座談會が指摘してゐる。まことにその通りである。

×

文壇政治家、文壇仕事師乃至文壇ボスの跋扈を苦々しく思ひ、日本文學の將來を憂慮してゐる者は、決して武者小路實篤、里見弴の兩人のみではない。

×

お祭り騷ぎと賣名の外に、作家としての本統の生き方のあることを知らない者は、憐むべきものである。

×

彼は有名である。然し、彼が何を書いてゐるのだ。文學者としての誇りは、名聲にも無い、金にも無い、世間的地位にもない。

×

一國の國語は、その國の國體に根ざしてゐる。輕々しく、國語の便宜主義的改革を論ずる連中よ、このことがわかつてゐるか？

×

ある會合で、田岡典夫は、我々頭の惡い大衆作家のために、漢字制限は甚だ結構な有難いことである——と云つて、ある頭の良い軍人に一喝された。

×

文字をもつて立つ作家が文字を愛さず、これだけあれば大衆小說を書くのに不自由しないなぞと公言するとは何事であらう。彼等は、文字を單なる意思傳達の符合としか考へてゐないのである。

×

我々は、文字が特權者の道具と化すことを惧れるが、それと同時に、國語の簡易化が國語の貧困を招來するといふ必然の結果について更に大なる恐怖を感じる。

×

南洋の文化低き民族の便宜のため、國語の內容を貧弱化し、國語の質を低下し、國語と國體を分離しようとするが如き企ては斷乎として阻止されなければならない。

×

無用の用は、永遠の生命につながる。單なる目前の實用のために、國家國民の永遠

の生命を斷つてはならぬ。國民として、敢て言ふ。我々は、國語の破壞に類する改革には、斷乎として反對する！

×

低級な大衆のためには、低級な小說が必要だといふ考へ方は、國民文學以前のものだと思つてゐたのに、今尙かういふ考へを固持してゐる出版指導者がある。

×

大衆文學を、大衆文學に釘付けして置かうといふ考へは、浪花節と絕緣できない放送局の考へに一致する。この迎合主義が淸算されない限り、國民文化の向上は望まれない。赤本書きは、安心して可也か。

×

本社同人から、鷹司文協會長に注意した二つの不良（剽窃）圖書「會津戰爭」と「眞木和泉守」は今回賣止め處分になつた旨同會より通知があつた。

×

純文學、大衆文學といふ、不當な分類を廢止するためには、先づ國民文學道が確立されなければならないが、それよりも前に、先づ純文學作家、大衆作家といふ呼び方だけでも全廢する必要がある。

×

朝日は、夕刊小說を廢止した筈だのに、いつの間にか德川虎狩侯の紀行文を仲つなぎにして又復夕刊小說をのせてゐる。天下の愚小說「英雄峠」揭載以來、朝日の學藝部のやることは、何が何やらわからない。

×

際物は、熟練した新聞記者に書かした方が好い。作家には、じつくりと落着いて、小說を書かした方が好い。適所適材といふことを考へる必要がある。

×

現代物作家が惱んでゐるのは事實だ。惱んで惱んで、そこを突拔けて、はじめて國民文學の大道が拓かれるのだ。藝術至上主義に逃げるのは、卑怯者である。

×

逃避としての歷史文學もあるが、歷史文學を、すべて現實回避と考へるのは輕率な獨斷である。さういふ議論を立てる者は、正統歷史文學の潮流を知らない者である。

×

商品學的批評が、大衆文學を支持して來た。國民文學は、文藝學的批評によつて支持されるのである。

×

新人の擡頭を拒止してはいけない。新人は次代日本文學の擔當者だ。特權意識の强烈な舊人に告ぐ。良き新人の出現を歡迎し、これを助長することは、諸君の義務である。

×

己の生活を愛する前に、先づ文學を愛せ。舊人、特に大衆作家には、この精神が缺けてゐたのだ。文學を愛する所から、正しい文學が生れることを思はなければならぬ。

×

當該期間に、芥川、直木賞該當作品が無かつたといふ發表を、その儘納得した者は一人も無い。

南の炎

村松駿吉

一

昨夜はまんぢりともせずに、先刻、曉を告げる怪鴟の聲を二聲ばかり耳にすると、鴻山元三は、すぐに小屋を拔け出して來た。

その時はまだ、空も地も見きわめがつかぬ程に眞暗であつたのが、それから二十分も經たぬのに、もうあたりはすつかり眞晝の明るさになつてしまつてゐる。磨きあげたやうな、澄み切つた空から、キラキラと輝いた朝日が、强烈な光を元三の全身へむけて浴せかけてゐた。

熱帶の朝は、瞬く間に明ける。――

元三は、横つちよに二ヶ所も、三ヶ所も破れ穴の開いた、しかも泥や、青草の汁で汚れ放題になつたズボン一ツで、裸足のまゝで突立つてゐた。ゴツゴツとした、肋の骨の算へられる程に浮き出してゐる廣い胸も、無性髭の五分も伸びた顔

も、文字通りに赤銅色に陽焦けがして、その眼は赤く血走つてゐた。

その立つてゐる足許から、見渡す限り一面に、大地にひれ伏してしまつた麻の耕地を、元三はぢツと、無念さうに瞶めたまゝ歯を喰ひしばつてゐた。

やつとこれまでにして！——さう考へる未練さが、またしても胸の奥から込みあげて來る。

今年こそは！——この、フイリツピンのダバオで麻の栽培に從事してゐる者の悉くが、さう思つて心から喜んでゐたのは、昨日までのことだつた。

開墾したのが四年前で、第一期の收穫が昨年始めだつたが、收穫直前に麻値の大暴落で、開墾にかけた費用の五分の一も、七分の一も收入はなかつた。次期を、——と望んで、やつと麻値も持直し、麻の出來も從來の土人や、米人、スペイン人たちの栽培よりも、遙かに優れて、殆ど倍量の出來ばえだつた。

日本人の栽培者たちは、

「もう大丈夫だ。これからは、うんと頑張るぞ！」と、ひと抱へもありさうな、青くみづみづした麻の幹を撫で廻したり、中にはその艶々とした大きな葉で、顔を包むやうにして嬉し涙にむせぶ者さへあつた。

それが、全く思ひがけない、昨日の正午前から、夕刻へかけての大暴風のために、見渡す限りの麻山は、殆ど横に薙ぎ倒されてしまつたのだつた。

暴風の全く治つた昨夜半、邦人栽培者たち、と云つても、この附近の住家——ニツパ小屋に住つてゐる二十人ばかりの者が集つて、前後策を話し合つたのだつたが、結局それは、次期、あと一年半を、再び血の出るやうな勞働と、土人同樣の生活を續けて行くよりもほかはないと云ふことに落着いたのだつた。しかし、この苦しみを續けて行つて、果して、次期にこそは、豫想の成績が擧げ得られるかどうか、誰も確信をもつ者はなかつた。

「俺はもう歸る。フイリツピンへ來て、いゝことは一つもなかつた。ベンゲツトでは、死に損なふし、あそこを追ひ出されてダバオへまでやつて來て、やつと何うにかなるかと思へば、またしてもこれだ。これぢやあ、いつになつてもうだつの上りつこはない」

中には、さう云つて、まつ黒な傷だらけの拳を顔へあてゝ男泣きに泣いた者もあつた。

しかし、麻山がすつかり薙ぎ倒された今日、フイリツピンもずつと南の、ミンダナオ島の南端から、日本に歸るだけの旅費を持つてゐる者は一人もゐなかつた。それがあれば、或

はこの日本人たちの半分くらゐは内地へ引揚げを決心したかも知れなかつた。――

元三は、刻々に暑熱を増してくる朝の太陽に向つて、焦悴した、眼ばかりギロギロと光つてゐる顔で、倒れた麻山の中に、それでも幾らか生き殘るものはないかと、注意してみた。――昨日までは、もう殆ど收穫に近付いたものが大部分で、でこぼこの耕地道路の兩側には、身の丈の三倍にも餘る麻が緑一色の芭蕉のやうな大きな葉を擴げて、目路の續く限り、胸せまるほどの旺んな成育をとげてゐたのだつた。それが、昨日に變る今日は、殆ど横に倒れてしまつて、麻山の果に、濃緑色にもりもりと覆ひかぶさるやうになつた原始林が見渡せるのであつた。

元三は、このあたり一帶が、曾て原始林であつた頃のことを思ひ出した。

二

元三が、このダバオへ渡つて來たのは、今から六年前、明治三十八年の四月だつた。だが、それより三年前、三十六年に、彼が十八歳の時に既にフイリツピンの北部、ルソン島へ渡つて來てゐた。

元三は、長崎縣の農家の三男に生れたのだが、當時漸やく盛んにならうとしてゐた、海外渡航熱に刺戟されて渡つて來たものだつた。その時は、首都マニラから、山地バギオへ通ずるベンゲツト道路の工事に從事するためであつた。

ベンゲツト工事と云へば、後年世界的の難工事として傳へられたものだが、米國政府が領有間もなく、フイリツピン搾取の第一歩として、海拔四千五百呎の冷凉地であるバギオへ、自國人の享樂地を建設したものだつた。その工事には、最初にフイリツピン人、支那人、自國人、それにスペイン人、ロシヤ人等を使用したが、その何れもが、底知れぬ眞暗な大密林と、突兀たる山嶽の横ッ腹を行く工事なので、その苦難に堪えかねて、途中で腰を折つてしまつた。そこで、他民族の及ばない不屈な忍耐力のあると云ふ日本人を入れることにしたのだつた。外國人たちが、四年間かゝつて、遂に投げ出した最難部を、日本人たちは、僅かに二ケ年かゝらずに成しとげてしまつた。

その工事に從事した日本人の移民は千五百人もゐたが、その中七百人は、この工事の犧牲として仆れてしまつた。實に五十間に一人、一日平均二人の生命を奪はれたのだつた。

その工事が終ると、一時に數百人の日本人の失業者が出來た。幾何かの金を殘してゐたものは大部分、いのちからぐゝと云ふていたらくで、内地へ引あげて行つた。

しかし、元三は歸らうとはしなかつた。

彼は、二ケ年の間に、生命を失つた多くの同胞たちをみてゐる中に、最初渡つて來た時の——儲けたら歸らう。と云ふ氣持が段々と薄らいで來たのだつた。

「このフイリツピンには、あれだけたくさんの日本人が骨を埋めたのだ。その犧牲に對しても、フイリツピンの土地の何處かへ、俺達の根を据えなけりやならない。土着のフイリツピン人も、辛抱强さで知られてゐる支那人も、ロシヤ人も、アメリカ人も、あのベンゲツト工事を遂に完成させることが出來なかつた。日本人だけが、あの辛苦に堪へることが出來たのだ、……この氣持で戰つたら、いつかは何とかなる。たとへ今は米國の領土でも、何時かは必ず何とかなる日がある！」

元三は、さう堅く信じて、歸國する人たちを、無言のまゝ見送つたのだつた。

その時、——

「どうだ、ダバオへ行かんか？ ——ダバオはこんな一時的の道路工事なぞぢやないんだぞ。麻の栽培をする永久的の仕事だ。そしてまだ未開の土地だから、將來日本人の發展地としては最もいゝと、わしは思ふんだ」

マニラの汚い木賃宿にゴロゴロして、仕事を探してゐた元三に、さう云つたのは、太田恭三郎だつた。

太田は、當時マニラで些やかな雜貨商を營んでゐたが、傍ら日本人のフイリツピン進出に遠大な理想を抱いて、ベンゲツト工事のために渡航して苦勞してゐる日本人たちのためにも、蔭になり日向になりして面倒をみてゐた。

「連れて行つて下さい！ 何でもやります。ぢつくり落着いてやれる仕事なら、どんなに苦しくてもかまひません！」

元三は、ダバオへ渡つて來るとすぐに、米國人の經營してゐる麻耕地に傭はれた。

朝から晩まで、酷熱の太陽が頭から直射する麻山の中で、雜草引きをしたり、原始的な木製の麻挽機械で、象牙色の三米もある麻の葉鞘を挾んで引き拔く仕事をした。手も、顔も、足も、熱帶地の堅い草の葉で、切傷の絕間がなかつた。手の中の皮がすつかり擦りむけてしまつて、夜、寢床へはいつても、掌が熱を持つて、うづくやうに痛んだ。有色人種を輕侮する米人たちの酷使に、毎日精一ぱいの力を出しきるので、躰軀の節々が痛んで容易に寢つかれないこともあつた。

さうした月日を丸二年——その間元三は、

「こんなことではいけない。何時になつてもこの毛唐たちに奴隷のやうにコキ使はれてゐなきやならない。早く何とかして、自分たちの手で、この麻山を開拓するやうにならなけれ

ば――」

と、一日として思はぬ日はなかつた。

しかし、フイリツピンに布かれてゐる、米國政府の作つた法律は、外國人の個人には、土地の所有や開墾の權利を與へなかつた。それを、間もなくマニラからダバオへ引揚げて來た太田恭三郎が、種々苦心の末に、日本人にも土地の開墾の出來る方法をとつてくれたのだつた。それは、土地法の許す、法人の土地所有であつた。太田が、太田興業株式會社を組織して、土地を買ひ入れ、日本人に、その會社の所有地を貸し與へることだつた。

元三は、欣喜雀躍して、同志二人と共同で、太田興業が貸してくれた土地と、若干の資金で開墾を始めることゝなつた。米國人の雇傭を解かれた元三たちは、米國人の小屋を出て、原始林の中へ移つた。無論、元三たちには家はなかつたので、原始林の中の、身丈に餘る青草を薙ぎ倒して、アンペラを敷いて、暫らくの間はこの上で野宿をすることにした。野生のバナナや、パパイヤが元三たちの常食だつた。

三人は、夜があけると同時に、そのまゝの姿――と云つても、味噌漬色のパンツ一枚で、文字通りに晝尙ほ暗い密林の中に分け入つた。まづ開墾豫定地、十町歩ばかりの區域内で、小さな灌木や、羊齒類、竹、その他大樹の幹に蛇のやうにまつはりついた籐蔓などで、足の踏入れ場所もない程になつてゐる處へ分け入つて、それらを刈拂つて行つた。それがすむと、いよいよ大樹にとりかゝるのだつた。

高さ三十米から、五十米近くもある大樹は、その殆どが垂直に上へ伸びて、中間には枝が全くなく、數十米上にあがつて、枝と枝、葉と葉が重なり合つて、陽の光を全くさえぎつてゐた。その幹は、地上に近づくに從つて、丸くなつてゐるものや、三角になつてゐるもの、八方へ襞(ひだ)のやうに幹が擴がつて、その雄大な樹幹を八方から支へてゐるものなど、種々雜多な巨木があつた。

元三たちは、土地の傾斜に從つて、低地の方から、幹の半分に斧を入れて行つた。それが一定數になると、風の方向をみて下方へ向けて將棋倒しにするのであつた。天を摩する巨木が、數十本一時に折り重つて、百雷の轟くやうな音を立てゝ倒れる時の壯絶さは、言語に絶したものがあつた。それに和して、樹上に巣くつた猿や、鳥類が、奇聲をあげて亂れ飛ぶと一緒に、薄明の天地には、一時にパツと强烈な陽の光がさすのであつた。

この仕事は、到底、ベンゲツト工事場や、麻挽きに比ぶべくもない程に、肉體的の激しい勞苦ではあつたが、その前途に、自分等の麻山を作るために――と云ふ大きな希望が待ち

かまえてゐるので、元三たちは、この勞苦に堪えることが出來たのだつた。

夜は、燈火も何もないので、日が暮れると同時に、綿のやうに疲れた體軀を、動くたびにバリバリと音のするアンペラの上に横たへた。

「やれやれ、早くこの開墾を了へて、大きな葉を擴げた麻山の中で、俺たちの手で雜草ひきがしたいなあ！」

元三の仲間の笠見が云ふと、

「あと半年——半年經ちやあ、俺たちの山が出來るんだ。再來年の始めにやあ俺たちの麻が穫れるんだぞ！」

今ひとりの栗畑が、その大きな腹をゆすりながら、笑つて云つたものだつた。

すつかり大樹を伐り倒すと、一と月半くらゐ、そのまゝに放つて置いて、烈しい陽の下に乾燥させた。その間に、元三たち三人は、伐り倒した竹を撰つて來て、自分たちの住む小屋を作つた。ニツパ椰子の葉で、その屋根を葺いた。

乾燥した伐木は、枝打ちをして、燒拂ひにかゝつた。風上から一せいに、枯れ切つた木や竹に火をつけると、紅炎は天に冲し、黑煙は大空を掩つて、天日は黄色にみえた。大竹の爆發する音が、射撃場のやうに、附近の密林にこだました。

さうして、きれいに拓かれた土地へ、麻の種苗の植付をした。

それから後の、元三たち三人は、雜草引きと、成育を待つばかりであつた。

ところが、それから一年半、いよいよ第一期の收穫をあげようとする直前、思ひがけぬ、世界的の麻値の大暴落が來た！

麻の出來は上乘であつた。しかし、麻の値は、例年の半分にも、三分の一にも足りなかつた。

元三も、笠見も、栗畑も、ただ茫然として、部落へ下つては、日々降下の一途を辿る麻値を聞いては歸つて來るのであつた。

太田恭三郎は、毎日のやうに、その丈の高い精悍な體軀を瘦馬にまたがつて、小屋、小屋へ廻つて來た。そして、

「相場はこのまゝ下りつきりになるものぢやないんだ。みんな元氣を出して次期を待て！——その代りに、開墾費用の貸金は、今期には一文も入れてくれる必要はない。もし今後一年半の生活に窮する者があつたら、更にわしが金を貸してやらう！」

と、云つて激勵した。

元三は、左程悲觀もしなかつたが、栗畑と笠見は、すつかり絶望してしまつたやうに、數日の間は、收穫の日が近づいても、働からとはしなかつた。

それを、やつとなだめすかして、第一期の收穫だけを了へた。

次期を――と、それだけを賴りとして一年半の間、無收入のまゝで働らき續けて來た。

その間に、麻値は再び、ぐんぐんと上昇して來た。麻の出來は、前期にも勝つて、米國人も、フイリツピン人も、日本人の麻山へ來てみては、眼を瞠つて驚愕するばかりであつた。

今度こそは！――日本人の麻山と云ふ麻山の經營者たちは、寄るとさはると、互ひに喜びの言葉を交してゐた。

「この收穫が終つたら、ニツパ小屋を、トタン葺の住宅に建替へよう。――麻山も、もう一區劃增やさう！」

栗畑と笠見は、さう云つて元三に、早くから相談してゐた。

「さうだ。さうして、このもう一つ次期には、更に一區劃ふやして、俺たち各自が、めいめいに十町步宛、一萬株宛の麻山の持主になるんだ。さうすれば、フイリツピン人たちを、今度こそは、いよいよ俺たちが使つてやるんだ」

元三も、二人と話を合せて、前途に洋々たる希望を描いたのだつた。

それが――それが、遂に、昨日半日ばかりの間に、まるで蜃氣樓のやうに、はかなく消えてしまつたのであつた。

三

「三年も四年も、こんな苦しみを續けて來ながら、一錢の收入もなく、始めの借金がなくなるどころか、ますます增えて行くなんて、馬鹿なことがあるもんか！」

笠見は、瘦せた長い臑の片膝をたてゝ、兩手を組むやうにして乘せたまゝで云つた。

まつ黑く焦けた胸の肋が、一本一本に數へられるほどになつてゐた。

「なまなか、自分の山なんか拓かずに、米國人の山で働いてゐりやあ、もう大分殘つたんだがなあ」

大きな體軀を、アンペラの上へ、投げ出すやうに寢轉がりながら、栗畑が云つた。その額からも、胸毛の下からも、油汗がふき出してゐた。

元三は、腕を組んだまゝ、先刻からぢつと默つてゐた。

前も後も、明けつ放しのニツパ小屋の中からは、見渡す限りに、橫に伏せた麻山が靑々と續いてみえてゐた。

昨日の暴風で、半分ばかりニツパ葺の屋根をはぎとられて强い陽が床の上のアンペラへ當つてゐたが、誰もその屋根の修繕をしようとはせず、陽の廻るにつれて、陽差しの蔭へ體軀を動かしてゐた。

「だが、それぢやあ、いつになつても、俺たち日本人の山は出來やあしない……」

元三が、組んでゐた腕をほぐして云つた。

「あの眼玉の青い米國人や、色の黑いフイリツピン人らに、いつまでもペコペコして使はれてゐなきやあならないんだ」

元三は、曾てベンゲツト工事の時にも、このダバオへ來てからも、彼等米國人や、フイリツピン人たちのために、日本人が常に輕んじられて、未開のバゴボ族やモロ族と同じやうに、安い賃金でコキ使はれてゐるのが、堪えられなかつた。日本人が、どんなに辛い事にも、危險な仕事にも、怖ぢず、くたばらず、粘り強くやつてゐても、彼等はたゞ冷たく笑つて見てゐた。

「アナタ達日本人、金たまる、スグ歸る。ワタシの方困る。あまりたくさん、お金アゲられません」

いつか、元三が使はれてゐた米國人の經營者が、曲つた鼻でせゝら笑ふやうにして云つた言葉だつた。

「今に見ろ！　日本人のほんとうの仕事振りをみせてやるから」

元三は、さう考へて、ぢつと腹の虫を押へてゐた。だが、悲しい哉、日本人の渡航者には、資金を持つてゐる者が殆どなかつた。裸一貫で、まづ彼等の下へ使はれなければならなかつた。それが漸やくにして、日本人の麻山を拓く事が出來た矢先に、しかも二度までも、引續いて出鼻を挫く出來事にぶつかつたのだつた。

「俺はどこまでもやる！　――あいつ等、米國人やフイリツピン人にやれる事が、俺たちに出來ないことがあるもんか。これくらゐのことでくたばつたら、彼奴等に一層ばかにされるんだ！」

今度は、栗畑も、笠見も、默つてしまつた。

「もう一期、がんばつてみてくれ。折角、こゝまで來て、今なげ出したら、今までの苦勞がみんな水の泡になつてしまふ。あれほどに、力を入れて下さる太田さんに對してもすまん……なあに、次期にうまく行きやあ、今までの損害はきつと取り返せる。なあ、栗畑！　笠見！」

元三は、血走つた眼で、嘆願するやうに二人をみた。

その時――カツ、カツと、馬の蹄の音が遠くから聞えて來た。

元三は、立ち上つてみたが、

「あゝ、太田さんだ！」

と、云つて、裸足のまゝで、日向へ駈け下りて行つた。

「おう、鴻山――笠見も、栗畑もゐるか？」

太田は、手綱を馬の背へ投げかけると、長身の肩をゆする

やうにして、のつしのつしと大股に歩いて來た。

「ひどいめに遭つたなあ！」

汗でグツシヨリに濡れてゐるシヤツの胸をはだけながら、起き上つて來た栗畑や、笠見、元三の三人を見て云つた。

「はあ……どうも、全く」

元三が、それだけ云つて、笠見たちの方へ振り返つたが、笠見も栗畑も、默つてうつむいてゐるのみだつた。

「おい、みんな、しつかりしてゐてくれよ！ ——ひどい打撃にはちがひないが、こゝで皆が倒れたら、それつきりだ。もう、二度と日本人の山は出來ないぞ！」

太田は、その彫の深い顏に、眞劍な色を浮べて、鋭い目許で三人を見廻した。

「わし等の損得ばかりぢやあない。これから渡つて來る日本人が、みんなアメリカ人のために使はれるか、日本人同志で働らくかの分れ目なんだ。——わしは、このダバオの麻山を、みんな日本人の手で經營する日の來ることを考へてるんだ。わしが、皆に下した資本なんて、知れたもんだ。みんな損しても、わしは惜しくはない。たゞ、君たちが、こんなことで挫けてくれては困ると、そればかりが心配なんだ。……なあ、やつてくれよ！」

太田は、眞劍な言葉の中にも、微笑を湛へながら云つた。

「やります！きつとやります。ご安心下さい。……なあ！」

元三は、笠見と栗畑を振り向いて云つた。

二人も、やつと顏をあげて、太田をみながら肯いた。

「さうか、たのむぞ！」

太田は、安心したやうに、獨りでコツクリ、コツクリをしてゐたが、やがて麻山の方を振返つた。

「倒れかけた麻の中にも、まだ、手入れ次第では生き返るのもあるやうだぞ。早く手入れをしてみろよ」

さう云ふと、また、馬の方へ急ぎ足に歩いて行つた。

四

朝早くだつた。

食事を終つた元三たちが、これから麻山へはいつて行かうとしてゐる時、

「鴻山さん、すぐに會社へ出かけて下さいツて——」

戸外から、大聲に呶鳴りながら、太田興業會社の小使が、背の低い躰軀で轉がるやうにはいつて來た。

「何だい？ ——何かあつたんか？」

よく光つた鎌の刃を拇指の腹で輕くさはつてみてゐた元三が訊いた。

「あつたやうだ。だが、惡いことぢやねい。——會社ぢや

あ、大變など馳走が出來てゐるけに」

小使は、さう笑ひながら云ふと、

「ぢやあ賴みましたぜ」

と、云ひ捨てゝ置いて、また次の小屋の方へ走つて行つた。

あれから、二年半經つてゐた。

曾ての大暴風の被害は、日本人經營者たちが、必死の手入れによつて、約四割の回復が出來た。どうやら、次期の收穫までの、喰ひつなぎだけは、辛うじて出來たのだつた。

その後は、順調の成績で、耕作者たちは、ほつとしながら、太田興業會社から借りた資金の幾分づつも返して來た。

米國人やフイリツピン人の耕地で働いてゐた日本人も、次々に自分たちで開墾しては、麻山の經營をするやうになつて行つた。

元三は、もう一人で一山を經營してゐた。笠見は、最初の頃の餘りに無理な身體の使ひ樣でか、マラリヤに罹つたあとの衰弱がひどく、遂に元三と栗畑で、一收穫期の收入の全部を持たせて內地へ歸してやつた。それから、元三は栗畑と一緖にもう一區劃の耕地を擴げて、それが出來上ると、栗畑と話し合つて、一區劃づゝ各自の所有にわけてしまつた。

そして元三は、內地から渡航して來た四人の若者を常傭として雇ひ入れてゐるのだつた。

トタン葺の、太田興業會社の廣い土間には、粗末なテーブルと腰掛が、ずらりと並べられてあつた。そして、會食の仕度も出來てゐた。自營耕地から集つて來た者は、凡そ四十人くらゐあつた。みんな、白いシヤツに、半ズボンだけの姿だつた。これが、この人たちの唯一の盛裝だつた。

正面の大きなテーブルに、社長の太田恭三郎が現れて來た。丈の高いからだに、肩のいかつた麻服を着て、その精悍な顏には、明るい希望に溢れた微笑が泛んでゐた。

「永らく諸君に苦勞をさせたが、たうとうこの苦勞に花の咲く時が來た。最近、日本內地では、麻眞田工業が盛んになつて來て、特にこのダバオ麻が最も品質がいゝと云ふことだ。今度、この會社では需要に應じきれないほどの注文が來た。――その麻眞田も、更に日本から他へ輸出されるものもあるとのことだ。本社では、今度マニラへ支店を設ける。いよいよ日本人のダバオ麻が、世界的に進出する日も近いと思ふ。諸君は、どんどん麻山を擴張して貰ひたい――」

と、云ふ意味のことを云つた。そして、麻値も、今後は上昇一方に傾くだらうと付け加へた。

皆一樣に、まつ黑い顏の中から、白い齒をむき出して、欣びの聲をあげた。節くれだつた大きな手で、拍手をするやう

テーブルを叩く者などもあつた。

元三には、ダバオ、いや、フイリツピンへ渡つて來て以來の、歡びに溢れる瞬間だつた。この七年間の、あらゆる苦しみも、悲しみも、忘れてしまふ一刻だつた。隣に並んで坐つてゐる栗畑は、丸い顏の小さな眼に、かすかに涙さへも浮べて元三をみた。

が、この時、元三の心の中には、ふと一抹の淋しいものが泛んで來た。それは、病を得て、空しく故國へ歸つて行つた笠見のことだつた。

あの日——すつかり骨と皮同樣になつた笠見は、小さな風呂敷包ひとつに、元三たちがおくつた一期間の麻の賣上高そつくりを、汚れた手拭に縫ひぐるみにして首ツ玉へ卷きつけてゐた。土人の操る小舟に乘つて、沖に止つてゐる貨物船の便船へと離れて行く悲しい姿が、拂つても拂つても、瞼の裏へ浮んで來た。恐らく栗畑も、同じ氣持でゐるだらうと、元三は思つたのだつた。

太田の挨拶が終ると、寛ろいだ歡談にはいつて行つた。土人娘の數人が運んで來る料理は、粗末ではあつたが、この地へ渡つて來て以來始めて口にするマニラ製のビールで、一同はいゝ氣持になつて行つた。

「時に、諸君どうだい——」

太田が、椅子の背にからだをもたせかけながら、冗談のやうに云ひ出した。

「諸君は、日本へ歸りたいと思ふことがあるかな?」

すると、既に醉拂つて、赤い顏で、眼尻を下げてゐるひとりが云つた。

「そりやあ歸りたいですよ! 儲けたら歸りますよ。生れ故郷の日本ですからなあ」

「ふむ……いくら儲けたら歸る?」

太田は、微笑を泛べながら訊いた。

「さあ……まあ、十萬圓ですな!」

一同は、聲をあげて笑つた。

「わしやあ、五萬圓でえゝ。五萬圓たまつたら、可愛い女房や子供のところへ歸る!」

中年を超へた、もう頭に大分白髮の見える男が、脇から云つた。

また一同の笑は爆發した。

だが、元三ひとりは笑はなかつた。何故か笑へなかつた。虫を喰つたやうな顏をして、コツプの緣をなめてゐた。

「おい、鴻山——君はどうなんだ?」

太田は、ひとり苦り切つた顏付をしてゐる元三を、不審に思つたのかも知れない。おだやかな笑顏で聲をかけた。

「はあ……私は、まあ歸りません」

元三は、下を向いたまゝで云つた。

「え、どうして歸らん？」

「さあ……」

さう云つて、ちよつと邊りをみ廻したが、聲を低くして、

「私らが歸つて行つたら、折角開墾したこの土地が、また元のやうに、外國人のものになりませう」

この數年間、自分も、ひとも、あらゆる苦心を續けて、生命さへも投げ出して戰つて來た者もあるのに、幾らかの金を儲けたからと云つて、そのまゝ内地へ歸つて行かうと云ふ氣持は、どうしても元三の頭には浮ばなかつた。

「うむ、さうか？──」

太田は、幾分感慨をこめた調子で云つたが、

「──實は、わしもさう思つてる」

そして、眞面目な顏に返つて、

「この土地を、眞に日本人のものにするには、皆がしつかりとこの土地に根を下さなきやあいけないと思つてる」

一座は、急にシーンと靜まつて來た。

「女房も呼ぶんだ。嫁も内地から迎へるんだ。さうして、どし〳〵と子供をつくつて、この土地へ生えついてしまふんだなあ。──この麻山の中から、子供の泣き聲がギャー〳〵と聞こえるやうにならなけりやあ、何と云つても、このダバオは、完全に日本人のものにはなりきらないからなあ」

しばらくの間は、誰も何とも云ふ者がなかつた。

「なるほどなあ！」

隅の方から、突然、幾分舌もつれのした、が、感に堪えたやうな聲で云ふものがあつた。

「──さうだ！　全くさうだ。俺たちやあ、今までそこへ氣がついてゐなかつた。──さうだ、俺の許婚者(いひなづけ)は、このダバオへ呼ぶべい！」

酒の元氣でか、頗るまぢめではあつたが、大きな聲で、さう云つた者があつた。

再び室内には、笑が爆發した。

「おい、明日は、パランへ行く船がこのダバオの港へ停るとよ。その船にやあ、日本の娘どもが、大ぜい乘つとるさうだぞ！」

誰か、ひようきんにさう云つた。

「なに、日本の娘？久しう見んのう。──よしツ、ぢやあ明日は、握り飯を持つて、娘を見物に出かけるか」

さう、傍から云ふものがあると、それに連れて、われもわれもと、日本娘見物の志望者がふえて來るのだつた。

日本人耕地ではもとよりのこと、街へ下つて行つても、ま

つ黒な顔で、二三人寄るときつと頭の虱をとり合つてゐるフイリツピン娘か、半裸體で檳榔子の實を嚙んで口をまつかにしてゐるソロ族やバゴボ族の娘しか、こゝ數年はみたことがなかつた。長い袖に、赤い帶を胸高にしめた日本娘のことは考へるだけでも、若い者たちには、胸の踊ることだつた。

五

「雲だ！……雲が出たぞ！」

家の中では、もうタンクの底に僅かばかりしか殘つてゐない飲料水を、飲むことを禁じられてしまつたので、三丁ばかり先の家へ水を飲みに行つてゐた男が、叫びながらはいつて來た。

「え、雲が？」

元三も、他の三人の、フーフー云ひながら寢轉がつてゐた若者たちも、一せいに起上つて戶外へ出た。

磨きあげたやうな水色に、キラキラと輝やいた空の一角――もう、綠の色も茶がかつて、だらりと垂れ下つて來た麻の葉が、見渡す限りに續く山の上あたりに、ポツト一點、灰色の雲のかげが浮んでゐた。

「おう、來るぞ！……スコールだ！」

さつきまで、死んだやうになつて、伸びてゐた若者たちが、まるで違つた人のやうに、元氣な聲で叫んだ。

このダバオのあるミンダナオ島は、常には殆ど每日一回のスコールが見舞つて、炎熱にあえぐ人間の苦惱を洗ひ流すのと一緒に、作物の成育に大きな作用をしてゐるのだつた。が、昨年――大正二年の暮から、この三年の春にかけては、はぢめは三日に一度か、五日に一度の雨が來てゐたのが、だん〴〵と尠くなつて來て、遂にこゝふた月ばかりと云ふものは、全く一滴の雨も落ちては來なかつた。終日雲のかげさえも浮ばなかつた。

「おい、こりやあ旱魃だぞ！……このまゝだと、ひよつとすると、麻山は總枯れになつてしまふぞ！」

隣の家から、一日に何回となく、太つた體軀を、あえぎながら栗畑がやつて來て、元三に云つた。

「どうするんだ。どうしたら、いゝんだ」

「どうにも、しやうがないなあ。――が、まあさう心配しなくとも、なあに、スコールが二三日、ザーツと來りやあ、麻も人間も生き返るよ」

元三は、さう口では云つてゐるものゝ、內心は、同じやうに困惑してゐた。――折角、日本人の麻山が軌道に乘つて來て、これからいよ〳〵安心して耕作して行けると思つてゐた矢先、このどうにも出來ない災厄がふりかゝつて來てゐるこ

とには、ぢつとしてゐられない焦燥を覺えてゐた。

スコールの度毎に、屋根から落ちる雨水を貯めて飲用水としてゐたものも、殆どもうなくなつてしまつた。

麻山の雜草すらも、伸びることを停止してしまつたので、雜草引きの仕事もなく、人々は毎日、家から家へ集つては、燃えるやうな熱氣に、ふう〳〵云ひながら、麻山を睨んで恨み言を云ひ合つてゐた。

廣く大きな麻の葉先は、もう半分くらゐも、茶色がかつてだらりと垂れ下つて來た。太い幹には、茶褐色の斑點が一面にポツポツと現れて來て、中には、外皮がすつかり枯色に變つたものさへ出來たのだつた。

「おう、雨だぞ！……あの雲！」

麻山を一つ越えた先の家からも、喜びに彈んだ聲が聞えて來た。

雲は、みてゐる中に、こちらへ向つて大きく擴がつて來た。

頭の上の、灼けつくやうな太陽などは、今はもう、ものゝ數ではなかつた。刻々と擴がつて來て、灰色が鳶色に、やがて暗黑色に變つて來る頃には、元三も、四人の若者たちも、胸を張つて、息を大きく吸ひこんで、たゞ大空へ顏を仰向けてゐるばかりだつた。

陽は全く掩はれてしまつた。

どこに流れてゐたかと思はれるやうな冷たい風が、サーツと元三たちの、裸の肌を襲つて來た。

「早く降つて來――い！」

一人が、待ち切れないやうに、大聲で叫んだ。

ピチャリツ――大きな雨粒と云ふよりも、水の固りが一つ、元三の肌へ落ちて來たかと思ふと、次の瞬間には、一せいに、ザーツ――と、うつしかけるやうに、無數の銀色の筋を引いて、豪雨が襲つて來た。眼を射る稻妻と、烈しい雷鳴が、それに續いた。

元三は、兩手を高くあげて、冷たい雨水に顏を打たせてはむせびながら大きく肩でいきを吸ひこんでゐた。

ならんで立つてゐる若者たちも、肩を波打たせ、何か口々に大空へ向つて叫んでゐるやうだつたが、その聲は、麻の葉を叩く雨矢の音と、とゞろく雷鳴に、すつかり掻き消されてしまつた。

それは、眞に歡喜と感激の一時だつた。

しかし、その歡喜の一時は、ほんの瞬く間にすぎなかつた。天を掩つた黑雲が、雨を落し始めた時にはその後の方からは、もう青空が顏を出してゐた。スコールは、スーツと、その青空に追はれて逃げるやうに消え去つてしまつた。

「あゝ、もう少し……もう少し降ればなあ」

若者の一人は、心殘りさうに、さう呟いて、駈足で逃げて行く雲の姿を見送つてゐた。

「なあに、あれだけ降れば、一時、痲は生きかへるよ。……きつと、これからは毎日やつて來るに違ひない」

全身を濡れしよぼけにしながら、強いて希望をつながうとするやうに、云ふ者もあつた。

再びカツと、太陽は――雨を喜んだ者たちに向つて、更に怒りの矢をでも放つかのやうに、强烈な光を投げかけて來た。するると、すつかり濡れたばかりの痲山の上から、蒙々とした湯氣がわき立つて來た。

元三は、それをみてゐたが、何故か、ハッと、心を衝いたものがあつた。

「こりやあ、ひよつとすると？……」

さう思つて、すぐに痲山の中へ飛びこんで行つた。果せるかな、かすかに、プツ……プッ……と、云ふ音が、あちこちから聞こえて來た。

「あゝやつぱり駄目だな！――」

元三は、太い痲の幹――殆どがもう既に茶がかつてゐる幹が、縦横に、同じ間隔を置いて、ずらりと並んでゐる中に、ひとりでぢつと突立つてゐた。――蒸せるやうな、央ばするゐたやうな臭氣が、むーツと鼻をついてたゞよつて來た。

バサリ――しばらくすると、中でも丈の高い、茶褐色になつてゐる幹が、中途からぐづ折れるやうに倒れて來た。

その翌朝は、葉先の茶がかつたものは、もうすつかり、萎れ縮んでしまつてゐた。中途から折れてゐるものも、無數にあつた。

數十日間、乾き續けて、熱し切つてゐた痲や、地面の上へ瞬間に降り注いだだけの雨は、水氣も冷氣も吸ひとられる暇はなく、却つて、痲をそのまゝ煮つめる効果を與へたに過ぎなかつたのだつた。

辛うじて生氣を保つてゐるものは、十本に一本の割合にしかなかつた。

翌日からは、再びまた、灼りつけるやうな旱天が續いて行くのだつた。

その頃には、痲山の人々も、もう覺悟をきめてゐた。――どうにもならない――さう思ふばかりだつた。

痲山は、枯れるものは枯れ、命脈を保つてゐるものは、生氣のない綠色を、茶褐色の枯葉の間から覗かせてゐた。

人々はたゞ――せめて根株だけでも生かして置きたい。枯れた莖から上を切捨てゝ、そのあとへまた新芽を出させる。それが叶はなければ、生きてゐるものだけを、あとの種苗に

分けられるやうに――と、祈つてゐた。

しかし、それから一週間ばかり後――枯れたもの丶幹も葉も、完全に乾燥して、カラカラになつた頃、一夜――この日本人所有の麻山の大半を、壊滅させる出來事が起つたのだつた。

六

「火事だッ！……火事だーッ」

遠くから聞こえて來る最初のひと聲に、元三が飛び起きて戸外へ出て行くと、可なり遠くではあるらしいが、こ丶から東南に當る方向に、眞ッ暗な夜空に、パッと赤い火のもえ上つてゐるのがみえた。

と、すぐにまた、それからや丶離れて眞南に當つた方から小さくポッと赤い火が見えた。

「あッ、あそこでも――おいッ、起きろッ、火事だッ！」

家の中に寢てゐる男たちを、大聲に呶鳴りつけながら引返すと、暗い中を手探りで、土間の壁にかけてあつた長柄の鎌をとり下した。再び出て行つた時、

「あッ！」

元三は聲をあげた。それは、最初の二ケ所よりもほかに、また新しく、東から北へかけて三ケ所、赤い火の手が上つてゐた。

もうその時には、前の二ツの火は、數倍の大きさに擴がつて、パチパチと火の粉が、黒い夜空にはぢけ上つてゐた。

「麻山だッ！」

さう思つた途端、元三は、

「しまつた！」

と、心の中で叫んだ。

すつかり乾燥しきつてゐて、マッチの棒の殘り火でも、容易に燃え上るこの麻山を、日本人たちの誰もが何の警戒もせずに寢込んでしまつてゐたと云ふことは何と云ふ油斷であつたらうか？――さうでなければともかく、もしさうであつたとしたら？――日本人の麻山經營の進出で、自分たちの勞働力を失ふと同時に、日本人經營者が年々加速度的の發展をとげることによつて、將來はその存在を危くされる立場にある日本人以外の經營者たちの、怨恨や嫉視を、何故警戒しなかつたらうか？――元三は、悔恨の心に、烈しく震へながら、暫らくその、もえ上る五ケ所の炎をぢつと瞶めてゐた。

「ど……どうすりやあい丶んです！」

暗闇の中で、ぢつとして動かない元三に、狼狽した聲で云ふ若者があつた。

あちこちの山から、はげしく叫ぶ聲が續いた。

「おいッ！　山の者の小屋を廻つて、みんな、西の麻山へ集まれ、と云つて來い！」

「はいッ！」

と、四人の若者たちが、闇の中へ駈け出さうとするのへ、

「おい、待てッ、お前たち二人はあつちだ。……お前たちはこッちだッ！」

暗闇の中でも、互の呼吸で、命ずる者と、命じられる者の間には、はつきりとそれがわかつた。

「おい、ちよつと待てッ！」

再び、かけ出さうとする者たちを呼び止めると、元三は、強いて落着いた口調になつて、

「みんなに、さう云へ！……自分の山だけを護らうとしたら、この麻山全體を燒いてしまふんだぞ！――いゝか、さう云つて、無理からでも、みんな、西山へ引つぱつて來い。わかつたか？」

さう云ふとすぐに、元三も、まつ暗な西の方へ向つて、石コロの中をかけ出して行つた。

この麻山の西方一帶は、背後に深い密林を負つてゐて、日本人以外の麻山とは、全くその境を接してゐなかつた。同時に、今あがつてゐる火の手とは、何れも遠い位置にあつた。

元三は、せめてこの麻山だけを完全に殘したいとの決心をしたのだつた。

枯草同樣の、しかも五ケ所から擧つた火の手は、みるみる中に燃え擴がつて行つた。

元三が、西山の境へ辿りついた頃には、五百餘丁歩の麻山の殆ど半分は焰の海となつてゐた。燃え盛る火は、烈しい旋風をさへ卷き起して來た。

人々は集つて來た。

麻山の所有者と、勞働者を合して五百人ばかり、元三の言葉が傳はると同時に、――こゝだけを守らう！　さうして、來るべき再起の日の種株を殘さう！　――さうした氣持に一致して、手に手にえ物を持つて、猛火の中をくゞり拔け、くゞり拔けして集つて來たのだつた。

煙は殆どあがらず、全く赤い炎だけであつた。旋風に卷かれては數十米の炎の柱となつて舞ひ上り、或は横に渦卷となつて匍ひ擴がり、その度每に、地を搖がすやうな唸りと、麻の幹が燒け彈けるはげしい音がわき起るのだつた。

人々は、西山の境界から一列に並んで、燃えて來る方向へ向つて、麻を切り倒し、薙ぎ倒しして進んで行つた。遠くから、こちらへ向つて、炎の舌が舞ひかゝつて來る度每に、熱風が、人々の軀幹を燒け焦がすばかりに襲ひかゝつて來た。

火の粉は、殆ど裸躰のまゝで集つて來た人々の、背から顏か

ら、一ぱいに覆ひかぶさつて來た。

しかし、この境堺を焰に超されたが最後、日本人の痲山は根こそぎ壞滅してしまはねばならないのだ。人々は、この境堺を、たとへ二米でも三米でも、多く切り開いて置かなければならなかつた。

——遂に、猛炎は、この境堺線へまで突進して來た！

一陣の疾風と共に、赤い怒濤の押し寄せるやうに、はげしいどよめきを伴つて、人々の眞向から襲つて來た。地上數百米を匍ひ、天へ十數米もまき上つてゐた炎の山は、人も痲もひと呑みにするかと思はれた。

その瞬間——ワーッ！……五百の日本人たちの、總身からほとばしり出すやうな喚聲が、炎を仰いで吐き出された。

その時——人々のいのちの叫びの一息が、途切れようとするその瞬間、逆卷く炎の浪は、すーッと、その勢を落したかと思ふと、急に背後へ向けて、火頭を曲げて行つた。

ワーッ！……再び人々の、更に大きな歡聲が湧き起つた。

境堺線を境にして、外の痲山は殘らず燒け盡されてしまつた。斷たれた火道は、完全に保たれた。薙ぎ倒した痲に燃え移つた火は、人々の叩き伏せるがまゝに消えて行つた。

餘燼が、それらの倒れた痲の間から立昇つてゐる頃、東の空が、かすかに明るみを帶びて來た。

人々は、きり倒された痲の幹へ、一様に、ほツとした面持で、ずらりと腰を下してゐた。

一同が、互に顔を見合せられるやうになつた時、あちらでも、こちらでも、一時に哄笑がわき起つた。それは、互の顔が、一人殘らずまつ黒くなつてしまつてゐたからだつた。

小さな痩馬に、不似合なくらゐに背の高い男が、これもまつ黑な顔で乘つて、こちらへやつて來た。

「おい、鴻山！……鴻山は居らんか？」

さう云つて、並んで腰かけてゐる人々をみ廻した。それは太田恭三郎の聲だつた。

「はあ、こゝに居ります」

太田の眼の下に、まつ黑な顔で見あげてゐる男が云つた。元三だつた。

「おう、お前か？……ハツハツハハハ、どれもこれも、眞ツ黑けで見分けがつかんのう」

太田は、快活に笑ひながら馬を下りて來た。そして、一同をみ廻しながら、大きな息を一ツ吐いたが、

「みんな、よく戰つてくれたな——」

心から感謝の氣持をこめて云つた。それから、

「——だが、どえらい目に遭つたな。……がつかりせずにやつてくれよ！　うむ……何とかなる！　何とかなるから。…

……なあ、いゝか！」

それは、皆を慰撫し、勵ますために云ふ言葉ではあつたが、その聲音には、それよりも、もつと切實な、人々がこの災禍に負けてしまふのではなからうかと、それを案じる響きが一ぱいにこもつてゐた。

「なあに、社長。やりますよ。やりますとも！――あと一年半たてば、また元のやうになりますよ。……なあ、みんな！」

元三は、さう云つた。ぞんざいな口調ではあつたが、渾身働いたあとの、何の飾りつ氣もない裸のまゝの言葉だつた。

傍に坐つてゐた栗畑らしい男や、その他の者も、顔をあげた。そして、太田をみて白い齒を出して微笑しながら肯いたのだつた。

「さうか！――」

太田は、意外さうに、一同へ眸を配つたが、

「いや、ありがたう！……わしの長い間の念願の麻山は、またしても一ツ失敗を重ねたが、お前らの心の中へ蒔いた種は立派に實を結んだのう！　ハツハツハハハ」

感慨に、兩の瞳を潤しながらも、心から嬉しさうな聲をあげて笑つた。澄んだ大きなその聲は、もうすつかり明けきつた、一面に燒野ケ原の麻山の向ふへ、高く響き渡つて行つた。

「戰ひだ！　戰ひだのう……戰ひ拔かうぜ、しつかりと腕を組んで！」

一夜に五ケ所もの發火の原因を、知つてか知らずか、太田は更にさう云つて、烈しい眼付で、燒野の果を睨んでゐた。

澄み切つた青空の彼方からは、キラキラと輝いた太陽が、ずらりと一列に、長く長く並んだ眞ツ黒な顔から顔へ、一様に強烈な光を投げかけて來た。

ワツハツハハハ――またしても人々は、顔を見合せては、朗らかな、力強い哄笑をあげたのだつた。（終り）

◇同人消息◇

鹿島孝二氏『豪傑の系圖』（大都書房版）大映にて映畫化。八月下旬佐渡に旅行。尙九月中旬より月末まで、船原温泉に滯在。
村　正治氏　九月七日男子を儲けらる。
久米　徹氏　八月中旬上京された。

◇受贈雜誌御禮◇

○講談倶樂部　○大衆文藝　○講談雜誌　○メトロ時代
○開　拓　○愛の日本　○海の村　○につぽん
以上九月號
○文藝情報　八月下旬・九月上旬號
○ふるさと　八月號

山村日記

土屋光司

一

『今日はなんだか、朝つから鴉啼きが悪いやうだが……』

およしは、晝近くなつて、田から上つて來た。そして、夫の勝太郎が、相變らず土間にうづくまつて、コツコツと石を刻んでゐるのを見ながら、半ば獨り言のやうにいつた。勝太郎は、『先祖代々之墓』と彫りつけただけで、まだ磨きが充分にかゝつてゐない棹石や、ずつしりと重さうな臺石、石造りの水鉢など、土間いつぱいに置かれてゐる間に挾まつたやうな恰好で、汗みづくになつた儘、兩手で持つた鑿の手を休めようともしない。

八月上旬のある日、特に今年は、六月末に雨が降つたきり、七月いつぱい照りが續いたので、いつになく暑い。

『…………』

勝太郎も、半日坐りつづけて、仕事をしながら、頭の上で、幾羽かの鴉が、ガ

ア、ガア、と濁つただみ聲を上げて通つたのを聞かないわけではなかつた。この山峽の農村では、人が死んだり、不吉なことがあつたりすると、鴉がいやな啼き方をするといひ傳へられてゐるのである。
『美代のところからは、今日もなんともいつて來ないかい』

『ばかッ！』と、勝太郎は、いきなり大聲を上げて、此方を見上げた。大分白いものが見えるやうになつた五分刈の頭、細長い顏、鼻が高くて、眼が凹んでゐる顏つきには、かなり疲れが見えてゐる。

『なんだつて、そんな緣起でもねえことをいふだ！』

およしは、髮の手入れもしてなく、陽にやけた顏をそむけながら、

『それとこれたア違ふよ。そんなに怒らなくたつて……』

『歸つて來るなり、くだらねえことをいふからさ。……いくら東京だつて、美代が一寸した病氣になつたつて、一々つまらねえ心配をする奴があるものか』

『だつて、よくなつたら、よくなつたつて、いつて來さうなもんぢやないか。もう十日にもなるに……』

『若え者ア、年寄りのやうに、つまらねえ心配なんざしねえさ。……それに、パラシュートの工場つていへば、忙しいにきまつてらア。なんたつて、いざといふ時にア、いくらでも要るものだし、うんとつくつておかなけれやならねえ。おめえのやうに、毎日つまらねえ心配ばかりしてゐて、仕事が出來るもんか……』

『………』

さういはれれば、それもさうだ。およしは、直ぐにはなんともいはず、庭先きに眼を向けた。

眞夏の太陽が、かんかんと照りつけてゐる庭先きでは、蓆にひろげられた小豆が、ぴちぴちと莢からはね出してゐる。裏山は、雨のやうな蟬の聲、家の前の縣道は、白く渇き切つて、今下つて行つたバスのために卷起された砂塵が、煙のやうに舞上つてゐる。縣道の下が、段々になつた田圃、上から見れば、さやさやと綠色の波をつくつてゐるが、およしが今まで、腰を痛くしながら、その間を這つて、草を取つて來たのもそこである。

稻田のつきた底が川、川向ふはまた段々になつた田圃、それから白い道、その上下に幾軒かの藁屋根が點在して、雜木山を背負つてゐる……。

勝太郞は、急に考へ込んでしまつた妻の横顏を見ると、不意にきつい聲で、

『田の草は今日中に片づくのか』

『どうだか……』と、およしは夫の手先きに眼を移しながら

『今年ア一人でなにもかもやんなけれやならず……二番草が取切れずにゐるなア、うちばつかりだ……』

『仕方がねえぢやねえか。誰のせゐでもねえやな……』と、勝太郎は、また下を向いて、手を動かしながら、

『おれだつて、直吉がゐねえんだ。盆までに、これを仕上げて、下の家のをやらなけれやならねえ。それも、こつちア名譽ある戰死者の墓だ。これが間に合はなけれや、申譯が立たねえや』

コツコツ、コツコツ……

石を刻む音が、子供のゐないひつそりした家の中へ、賴りなく響いてゆく。

およしは、上り框に腰をおろして、一人娘の美代と、弟子の直吉の顏を思ひ浮べようとした。二人の顏を現實に並べることが、この『石勝』夫婦の年來の望みであつた。三十近くなつて思ひがけず授かつた美代と、小學校を出ると直ぐに家に引取つて、一人前の職人にした、隣村生れの直吉との緣組は、この夫婦の、特におよしの前途を明るく照す灯し火であつた。夫が石屋、妻が食べるだけのものをつくる農婦、三十年近い夫婦の勞働が、漸く實を結びかけた時に、國を擧げての戰爭が起つた。直吉は一年前に召集を受けて、今は戰地にゐるし、美代は十八歲になつた今年の三月、徵用に依つて、東京の工場へ行つてゐるのである。

およしがべつべつに思ひ出した二人の顏は、なかなか眼の前に並ばない。どうして二人は、笑顏をつくつて並んでくれないのであらう。尤も、直吉は、夫婦の意圖を直接に聞いてゐたわけではない。美代には、東京へ出かけることになつた時、夫には內密でそつと話した。美代は恥づかしいのか、たゞ笑つてゐるばかりだつた。しかし、直吉は勿論、美代もそれに不服をいふわけはあるまい……

と、その時に、また夫のきつい聲がした。

『なにをボンヤリしてんでえ。早く飯にしねえか……』

およしは、默つて立上ると、裏手へ廻つて行つた。

二

石屋がスリンといふのは、棹石の臺になる、蓮の花を逆さにしたやうな石である。勝太郎は、その日のうちに、それを作つてしまひたかつた。その他の部分は出來てゐるので、後は磨きだけであるが、それも仕事が半端になつた時に、少しづつ手掛けてあるから、後まる二日位で、この仕事は完成するであらう。しかし、人足を使ひながら、それを立てるのに一日かかるとして、舊曆の盂蘭盆が始まる十三日までに、村長からの聲も掛つてゐる戰死者の墓を立てられるだらうか。

去年までは四人でしてゐた仕事を二人でしなければならないのだから、最初から無理なのである。だが、村に一軒しかない石屋を續けて、石勝の仕事を後の世に殘すことも、恰度忙しい盛りに、主に妻一人でする百姓仕事を續けることも、持つて生れた運命である。

凪がすつかり止つてしまつた午後の山峽は、すべてのものが一時呼吸の根を止めてしまふかと思はれるやうな暑さだつた。その暑さのなかで、勝太郎は、先刻と同じやうに、コツコツと鑿の手を動かしてゐる。

と、仕事場の前に人の氣配がした。眼を上げて見ると、郵便配達夫である。暑さうな黒い制帽の下に手拭を入れて、陽にやけた顔は、もう皺だらけであるが、いつも快活で、お喋り好きな老人である。

『やあ、暑いのに、御精が出るの。……娘さんの所から手紙だよ』

『それやどうも、御苦勞さんで……』

勝太郎は坐つた儘、宛名が鉛筆で走り書してある封書を受取る。

『どれ、一休みさせてもらふべえか』と、配達夫は、帽子を取つて、汗を拭きながら、上り框に腰をおろす。そして、勝太郎が封を切らうとするのを押し止めるつもりか、村の誰彼の噂話などをそれからそれへと續けた後で、ふと我に返つたかのやうに、

『ところで、お前さんはなかなか仕事が忙しさうだの。石屋さんにとつちや、盆前は書入れ時だからナ。ハハハ……村の衆は、石勝の所ぢや、殘つて仕様がなかんべえつていつてるよ』

『なにが殘るもんですけえ』

『いやいや、しつかり殘るべえ……おかみさんは田の草取りかナ。その手紙がえらいお待兼ねだつたけが――』

『……………』

勝太郎は、手にした手紙を横眼で見てゐたが、ちよつとうるささうに、

『ここが干上るからな』と、ニヤリとする。

『ハハハ……なにを馬鹿な――』と、相手は仰山にいつてから、

『ナニ、食ふだけのことならば、さうあくせくしねえでもいいもんでの、昨日も古い本を讀んでゐたらナ、食して飢ゑざる法といふのがあつての……』

この配達夫は、勤務の間に、昔の本を讀んで、珍しい話を人に聞かせるのが好きである。

『…………』

『いろいろとあるが、先づ串柿を糊のやうにして、同じ分量の蕎麦粉をまぜて、大きな梅の實位にまるめて、朝二つ三つ食へば、一日なにも食はなくてもいい――』

『へえ……』

『それからナ、白米一斗を井籠で百度蒸して、干しておいて毎日一握りづつ、水を飲みながら、三十日間食ふと、後は死ぬまでなにも食ひたくない……』

『ハハハ……眞逆――』

『いや、笑ふもんぢやねえ。本當の話だ……それからと、次ぎは、一日斷食しておいて、黒大豆をよく蒸して食ひ、その後は他の食物を食はず、咽喉が渇いたら水を飲む。これを一年すると、他のものはなにも食はず、仙人になるさうぢや』

『ハハハ……仙人になつちや仕方がねえ』

『ハハハ……』と、老人も樂しさうに笑つて、

『世事百談といふ古い本にある話で、まだあるが、お前さんは茶化してゐるやうだからよすべえ』

『茶化すわけでもねえが、石屋には用のねえ話さ。そんなことしてたら、二十貫、三十貫の石を一人で動かすこたア出來めえ……』

『ハハハ……これやきびしいわい、さうだつたの。尤も、石屋のために書いたものでもなかつたがの。ハハハハハ』

老人は樂しさうに笑つてから、

『どれ……』と、また手拭を頭にのせ、その上から帽子をかぶつて、

『一廻りするかナ』

『暑いのに、御苦勞さんだな、まア、仙人にならねえやうに頼みますぜ』

『ハハハハ……それぢや、ぼつぼつおやんなせえ』

老人の姿が庭先きから消えた時、家の上を、また、ガオ、ガオ、ガオ……と鴉が啼いて通つた。

『暢氣なぢいさんだナ……』と、勝太郎は、獨り言をいひながら、美代の手紙の封を切つた。

美代の手紙は、およしがそつと勝太郎に隱れて出した手紙の返事であつた。

この前の手紙を書いた時に、馴れない暑さのためか、一寸弱つて、二日ばかり仕事を休んだが、それだけですつかり癒つたと書いてある。工場附屬の寄宿舎にゐるし、みんなが親切にしてくれるから、なにも心配しないでもいい。仕事のことは、詳しく書けないが、もう半年になるので、すつかり馴れたし、うちに男の子がないから、その代りにわたしがお國のために働いてゐるのが樂しい、といふやうなことが、幼い筆で書きつらねてある。

（それならそれでいゝが、何故もつと早く知らせてくれなかつたのだ……）

勝太郎はホツとして、さう思つた。ただ、妻の前ではさういはないだけなのだ。が、その次ぎにかう書かれてゐる。

『それにしても、お母さんは、私のことをあんまり心配し過ぎます。世の中には、一人の男の子をお國にさゝげたお母さんが幾人ゐるかわかりません。

お母さんだつて、軍國の母でせう。私が傍でお手傳ひ出來ないのはすみませんが、お國のためです。どうか私のことは、さう心配しないで、銃後を守つて下さい。お父さんもお忙しいでせう……』

勝太郎は、ぐつとこみ上げるものを感じた。そのうちに、文字が見えなくなつた。（さうだ、お前のいふ通りだゾ、美代、おつ母さんは、お前のやうに、學校へいつてゐねえから、なにも知らずに、ただ心配してゐるんだ……）

『フフフ、これぢやおふくろも型なしだわい』

勝太郎は、思はずさういひながら、手紙をたたんで、封筒に入れて、上り框の上においた。そして、暫くの間、ボンヤリと庭先きを見てゐたが、やがてその手はいつの間にか、また鑿を動かしてゐた。

三

この地方では、農家は夏の間は四食である。三時の食事といつても、大抵四時頃になるが、それを濟ませて、夕食は七時過ぎ、流石に日の長い時でも、暗くなつてからである。

その三時の食事のために歸つて來たおよしは、

『お、手紙が來たけえ』といつて、引つたくるやうに取上げた。

勝太郎は意地惡く默つて、一字一字拾ふやうにして讀んでゐる妻の横顔を見上げてゐる。およしは、終り頃になつて、ちよつと眉をひそめたが、なんともいはなかつた。

『どうでえ、おれがいつた通りぢやねえか』

『…………』

『ハハハハ、美代に叱られたぢやねえか』

『病氣が癒つたなアいいけんど、ちつと生意氣になつたよ』

およしは、張りつめてゐた氣分がゆるんで、プンプンしてゐる。

『ハハハ、生意氣ぢやねえ、おふくろがちつとのろかつただけさ』

『ばかにしてるよ』

それでもホツとしたやうに、およしが仕事場を離れてゆく

後姿に、勝太郎は大きな笑ひ聲を浴びせかけた。

だが、その笑ひ聲が消え去らないうちに『ああ、ここだつた！』と、庭先きから聲がした。

見上げると、知らない若者が二人、白いシャツを汗でビショ濡れにして入つて來る。

『今日は。あんたが石勝さんですか……』

『え、ええ……』

勝太郎は、ギクリとした。

『僕等は、直吉さんの家から使ひに來たのですが、今日役場から、直吉さんが戰死したといふ通知が――』

『え、直――直吉が？』

『ハア、まだ詳しいことはわかりませんが――』

と、べつの若者が受けて、

『原隊から通知があつたといふのです。それで、直ぐお宅へ知らせなけれやといふわけで――』

『さう……ですか。おい、よし……およし！』

勝太郎は、中途から大きな聲になつて、裏のはうへ呼びかけた。

およしは直ぐに飛んで來た。が、二人の若者が、じつと夫を見下してゐる光景を見ると、直ぐには口も利けなかつた。

『あのな、直――直吉が、戰死したさうだ』

『え――戰死？』

およしは、訴へるやうな眼差で、二人の若者を見た。

『ハア、まことに、どうも……』

『直吉が――死んだのですけえ』

『ばかツ……戰死だぞ。直の野郎――いやナニ、あの直吉が、戰死したんだぞ……』

およしは、前掛けで顔を蔽つて、全身をふるはせながら、泣出してゐた。

『なんでえ……泣くやつがあるけえ。それよりも――』と、二人の方を見ながら、

『折角、遠い所を來てもらつたぢやねえか。お茶でも入れねえか……泣いてるやつがあるもんけえ……』

『いやいや、僕等のためなら、お構ひなく……で、直吉さんのお父つあんが、もし親方の手が空いてたら、來て頂きたいと――』

『え、行きますよ、行きますよ――さうですか、あの直吉がねえ、戰死ですか……』

『ハア、まことにどうも……しかし、これも――』

『さうですとも。それやもう、誰がなんといつたつて……』

『ぢやあ、僕等は一足お先きに――』

『さうですか――御苦勞さんでした』

『どうも、御苦勞さんで……』と、およしも泣きじやくりながら頭をさげる。

使ひが歸つてから、夫婦はしばらくの間、どちらからも口が利けなかつた。

直吉は、顔がまるく、眼が細く、鼻は巾が廣くて平たく、唇が厚い。それでゐて、絶えず口を動かしてゐるのが好きで、仕事をしながらも、お喋りをしてゐなければ、浪花節の『紺屋高尾』を唸つてゐる元氣な若者であつた。十六の年から、召集を受ける二十五の年まで、實直に働いてゐた。石屋だけに、肩巾が廣く、力もあつたが、少し眼が惡く、徴兵檢査では甲種になれなかつた。が、去年の夏、召集を受けると、『なアに、敵がはさみ打ちで來たつて此方ア石勝だい』など と、氣輕に出かけて行つた。そして、南洋の方から時々葉書が來たが、たうとう戰死を遂げたのだ。

……浪花節を唸つてばかりゐる直吉に、勝太郎が紺屋の六兵衞その儘の調子で、怒りつけたことも、墓石を立てる時には、大勢の村人を人足に使ひながら、テキパキと仕事をしてゐたあんちやんぶりも、『石屋の肥擔ぎだぞォ』と、美代を笑はせながら、笑止な恰好で、肥桶を擔いでゐたことも、なにもかも、二度と繰返されることはなくなつた……。

勝太郎は漸く立上つた。

およしは、まだ前掛けで眼をこすつてゐる。

『ばか、いつまで泣いてんだ。戰死したなア直吉だけぢやねえぞ』

『いくら、おれが馬鹿でも、それ位知つてるよ。だけんど、家で大人になつた直吉が……』

勝太郎は、ムツとしながら、

『それみろ、知つてやしねえぢやねえか。家で育つたつて、どこで育つたつて――直吉ア、去年からうちの職人ぢやねえ、お父つあんの子でもねえやな。……だから、美代にも笑はれるんだ』

『あ、美代……』

『ばか、美代がなんだ。――直吉、よく死んだつて、フフフ……笑つてやれ、笑つてやれ……』

およしは、怨めしさうに、いつまでも夫の顔を見つめてゐた。

すつかり耳に馴れて、いつもはなんとも感じないさまざまな蟬の鳴聲が、癪にさはる程うるさく耳についてくる。

四

勝太郎が慌てふためいて着更へをして、出かけて行つた

後、およしは田の草取りに出かける氣力もなくなつてゐた。スリンもやりかけ、田の草取りもやりかけ、そして家の中は、しんとしてゐる。

と、勝太郎が出がけに會つた誰彼に話したのであらう。あちこちの家から、野良着のまゝの男、うどん粉をこねてゐた主婦、孫を背負つた年寄りなどが、次ぎ次ぎに、火のない爐傍に上つて來ては、およしに向つて、叮嚀なお悔みを述べた。

『直さんも、いい若え衆だつたが、お手柄を立てなすつたよ』

といふのは、上の家の老婆である。

『十年も同じ家にゐれや、子も同じこつた、なアおよしさん。無理もねえが、さう泣きなさんねえがいいだよ。直さんは、名譽な佛さま、ぢやねえ、神さまになんなすつたのだから』

『美代ちやんも聞いたら落膽だんべえ……』

『さうだ、さうだ、早く知らせてやるだな』

『そんでも、歸つちやこられめえ……』

みんながワイワイいつてゐるが、どれもこれも、素朴な好意――言葉の儘に受取らなければ濟まない好意である。

『直さんもたうとううちの淸と同じことになつたかなア……』

といふのは、下の家の主人である。今勝太郎が註文を受けて、盂蘭盆までに立てたいと躍氣になつてゐるのが、その長男の淸の墓である。

『なア、お父つあん』と、およしはおろおろしながら、

『淸さんの墓アきつと間に合はせるつていふが、手がなくて先きのがまだ出來ずにゐるところへ、こんなことになつて、出來なかつたら、まアどうしたもんだらうなア……』

『ふうん……それやどうも』と、相手は啣へた鉈豆煙管に火をつけて、

『困るなア、こつちでもその手筈にしてあるし、支度もあることで……しかし、仕方があるめえなア、勝つあんだつて、遊んでるわけぢやねえ。直さんといへば、ここのうちの人も同じことだし――』

『ふんとに、あの子も散々皆さんのお世話になつた上で、その上またこんな御迷惑をおかけしてしまつて……』

『おいおい、およしさん、ばかアいひなさんな。なにも迷惑なんざかけてやしねえ。おれのところだつて、跡取りをお國にささげて、おらア一度に十も年齡をとつたやうな氣がするが、なアに、こんなこたア、ここでもなけれやいへねえさ。若えもんに戰爭してもらつて、年寄りは後の仕事を精一杯やればそれでいい……』

家の中には、十人近い人間がゐて、めいめいに話をはづませてゐるので、下の家の主人の言葉も、およしの頭にはよく入らない。

『それで、なにかナ、直吉さんと美代ちやんのことは、二人に話してあつたのかい』と、およしの後にゐた年寄りが聞いた。

『なアに、改まつて話したつちうわけでもなかつたが――』

およしは、若い二人のことをゆつくりと考へてみたかつたが、それさへ出來ない。が、美代にだけ話をして、直吉にはまだ夫婦の口からいつたことはないとはいへない。

『若えもんは、どう思つてゐたことだかさ』

『ふウむ……』

相手は頼りない返事をした。

直吉も美代も、そのことで、冷やかされたり、からかはれたりしても、肯定も否定もしなかつたことを、これらの人々はよく知つてゐた。

と、縣道の下にたつた一軒あるので、『道下』といふ名で呼ばれてゐる家の息子が、不意に口を入れた。

『かうなつてみると、美代ちやんのためには、却つて話さなくてよかつたかも知れねえな』

彼はよく働くが、少し偏屈で、三十を過ぎても、まだ嫁をもらつてゐない男である。それは誰にいふのでもなくいつたのであつたが、それを聞くと、下の家の主人がきつとなつて、

『おいおい、道下、なにをいふだ、今そんなことをいふ奴があるものか――』

『だつて――』

『だつてぢやねえ。直さんはお國のために死んだんだぞ。お前なんぞにわかるものか。直さんが聞きたがつてゐたことだつたら、話しておいた方がよかつたのさ。嫌だつたら、話さねえ方がよかつたんだ。それや直さんに聞いてみなけれやわからねえんだ』

『…………』

『おれアどつちか知らねえ。そんなこたア今ここでなんともいはれねえことだぞ』

『いつちや悪いのけえ』

『なんだと、おい、こつちへ來い』と、下の家の主人は、煙管を握りしめて、そのはうを睨みつけた。

『いいか悪いかもわからなけれや默つてろ、死んだ直さんの氣になつてみるがいいや』

『…………』

みんなが、ヒツソリと靜まつた。

いつの間にか、四邊は薄暗くなつてゐた。誰かが小豆の莚を片付けてくれた庭先きからは、流石に日中の暑さを忘れさせる風が入つてくる。

『まアまア――』と、先刻の年寄が仲裁に入つて、

『下(しも)さんも勘辨してやつてくんなせえ。道下の兄(あに)さんも、それ程悪い氣でいつたわけでもねえ。なア、兄(あに)さん』

『………』

道下の息子は、なにか唇を動かしたが、それきりプイと立つて、戸外(おもて)へ出て行つた。

仲裁役も、どうすることも出來なかつた。

『ああいふ男だからなう……』と、わざと聞えるやうにいふと、息子は夕暗に白い顏をちよつと此方に向けたが、その儘スタスタと行つてしまつた。

下(しも)の家の主人は、舌打ちしたが、年甲斐もなく、こんな場所で、大聲を出したことをみんなに詫びなければならなかつた。

それからまた一しきり直吉の話がはづんだが、やがて夕食時になつて、一人去り、二人去り、いつの間にかみんな歸つてしまつた。女手一人で、話相手になつてゐれば、立つこともならないおよしは、お茶も出さずに一同を歸して、廣く大きな家に、一人ボツンと取殘された……。

五

町から、直吉の村を廻つて來る最終バスは通つてしまつたが、勝太郎は歸つて來ない。およしは、一人で味氣ない夕飯を濟ませて、石でも磨いてゐようかと思つたが、その氣にもなれなかつた。

家の周圍でも、裏山でも、もう秋の虫が鳴き出してゐる。

『小母さん、小父さんが危いからついて來たよ』と、直吉の弟の良吉の聲がしたのは、十一時を疾うに過ぎた頃であつた。直吉の家から歩いて來ると、男の足でも一時間半位かかつた。

およしは飛んで出て、提燈をさげた良吉と、足元をふらふらさせてゐる勝太郎を迎へた。

『おや、良さん、遠い所を、まア御苦勞さん、小父さんは醉つてるのけえ』

『そんなにも飲まなかつたやうだつたが――』

と、良吉がいつてゐる間に、勝太郎はくづれるやうに上り框へ坐り込んでしまつた。

『う……う……』

『やだよ、こんな時に醉つて……さあ、良さん、上つて休んでおくれ』

良吉は、顏形が直吉にそつくりである。今年二十歳、體はそれ程頑丈ではないが、來年の徴兵檢査には勿論合格であらう。

『お、およし、おれはナ、仙人になれる……』

良吉は、くすッと笑つて、

『小母さん、先刻から、あんなことばつかりいつてんだよ。なんのことだらうなア、仙人なんて……』

勝太郎は、そこへへたばつた儘、

『やい、直吉、ぢやねえ、良吉、仙人つてナ、串柿と蕎麥粉と梅干だ、やあ、違つた違つた、黒大豆だ、黒大豆と水だ、ハハハハ』

『なにをいつてんだよ。――さ、良さん、上つておくれ……直吉もたうとう戰死したつてなア……まだ、詳しいことはわかんないけえ』

『ええ、役場から通知があつて、先月×日に戰死ださうだよ。小父さん、小母さんには、お世話になつて――おやぢからよろしくいひました……』

『直吉が死ぬなんて、うちぢや夢にも思はなかつたよ……』

『およし、良――良吉、うゝ……おれア仙人になれる、ソレ、なんだつけ、串柿と黒大豆、それで仙人になる……いや、ならねえ、ならねえんだよ。直吉の墓を立ててやると――』

勝太郎は、口から出まかせのことを口走りながら、そこへ寢てしまつた。

『しやうがねえなア、こんなとこへ寢てしまつて……』

『無理もないよ、小母さん、兄貴は小母さんところで可愛いがつてもらつたんだもの――まア、しばらくここで休ませた方がいいよ。疲れたんだよ、きつと……仕事が忙しいつて、たいへんだなア……』

『仕事は忙しいけんど、これで力でも落してゐたら出來るかどうだか……』

『小父さんも心配して、おやぢに誰か手傳つてくれる人はねえかなんていつてゐたが、たうとう僕に出來るだけ手傳つて來いといふ話になつたんだよ。僕あ、百姓だし、役にも立たねえけれど……』

『え、良さんがやつてくれるけえ、なアに、刻むことは出來ねえたつて、磨きなんか、丁寧にやりさへすれや、誰にでも出來るから、是非やつておくれよ』

勝太郎はぐつすりと寢込んでしまつたので、およしは、良吉を座敷へ上げた。

そして、直吉や美代のことをくどくどと喋つてゐるうちに、いつか十二時も過ぎてしまつてゐた。

およしが蒲團を持つて來ようとして立上つた時、勝太郎がはずみを喰つたやうにムツクリと起上つた。

『おう、郵便屋の爺さんはゐねえか、今そこへ來たやうだつたが――仙人になる藥の話に來た筈だ……』

およしは、顏だけそのはうに向けて、

『なにをねぼけてんのさ、仙人、仙人つて、なんだ、あの爺さんの話だつたのか――さあ、そんなところにボンヤリしてねえで、此方へ來て、寢たらいいよ……』

『うゝ……』

勝太郎は、上り框を上ると、直ぐにまた疊の上にごろりとなつた。

『そんなとこへ寢ちやだめだよ――此方だよ、此方だよ』

およしが、その傍へ寄つて、體を搖り動かした時には、勝太郎はまた大きな鼾をかいてゐた。

『來ながらも、郵便屋がどうとか、黑大豆がありさへすれや、仙人になるとか、なれるとか、そんなことばかりいつてゐたよ。賴りにした兄貴が死んで、仕事がいやになつたのかな』

と、良吉はいつたが、

『この非常時中の非常時に、仙人話ぢやあるめえよ、なア、小母さん』

『さうだともさ、あれで醉拂つてゐなけれや、おれのことを怒つてばかりゐるのだよ』

およしが、床をのべてから、良吉に先きに寢るやうにといつて、また勝太郎の肩に手をかけると、彼はうるささうにその手を拂ひのけた。そして、ムニヤムニヤといつて、向ふ向きになつたと思ふと、今度ははつきりと聲を出した。

『直――直吉、すると、てめえ、美代が氣に入らねえのか』

およしは、ハッとして、その手を離した。

『…………』

勝太郎は、肱枕をして、體をまるくした儘、何事もなかつたかのやうに、鼾をかいてゐる。

『お前さん……』

およしは、本當に困つたやうに、夫を呼んだ。

『お前さん……下の家の墓は、なんたつて、こしらへなきやあなんねえだよ。よう……良吉さんも折角來てくれたし……

……』

さういひながら、また夫の肩に手をかけて、搖ぶつたが、もう動かうともしない。

『お前さん、醉拂つてへんなことばかりいつちやゐられねえだよ。よう……直吉に申しわけねえだよう』

相手には通じないことがわかりきつてゐるのに、およしは夫の顏を覗き込むやうにしていひ續けてゐる……。良吉がそこにゐるのもすつかり忘れてしまつてゐるかのやうだつた。

良吉は、およしが、悲しみの中から立上らうとするその姿を見つめてゐることが出來ず、默つて眼を伏せた。

――何處も彼處もすつかり寢靜まつた山峽の村は、虫の聲だけがいよいよしげくなつてきた。

河風

東野村　章

一

……茜色に燃えた西空に、逞しい鐵骨の永代橋が、鎖を眞つ二ツに斷ちきつた姿態で悠然と浮いてゐる。

半分の鎖の中を橫切る、電車、自動車、人、人、人の影が、砂糖の破片につゞく蟻の列を思はせる慌しさで續くのである。十六のフナの瞳には、見馴れてゐる筈のさうした情景が、此頃になつて、別の知らない世界を覗くあの好奇の心のやうに胸の中で泡立つものがあるのだつた。

橋――其處は、河の上の世界でありながら、河の上の世界ではなかつた。

河の流れに搖られながら呱々の聲をあげ、潮のさしひきに氣を使ひながら大きくなつたフナ。十六の歲までの每日每日の朝陽の輝きをたぶ〳〵と續く波頭に見、波の子守唄に眠つたフナ。河の上だけの世界で生きてきたフナであつたが、橋の上は別の世界であつた。知らない世界であつた。橋の下に、太い鐵管がはり

ついてゐることや、何の爲か、幾本もの管があることは知つてはゐても、橋の上の電車の線路が何處まで續いてゐるのか知らないフナであつた。

七十噸の達磨船――第一丸新丸のおもてのボーズに腰を落しながら、フナは、ゆるやかに迫る永代橋の上の人影を、ぼんやりと眺めてゐた。――ずつと古い記憶だが、幼い子供達が橋の上で鬼ごつこをしてゐるのを見て、三坪に足りぬ船底の薄べりを敷いた部屋と、小べりと、屋根板の上と、それだけが鬼ごつこをする場所である船の狹さを嘆き、橋の上の廣さを淡い憧憬をもつて見たことが想ひ出される。

が、それは、ほんとに淡い憧憬に過ぎなかつた。船の木の、河の水の染のやうに、生れた船の上が、何處よりも安心の出來るところであつた。

「フナ……」

艫まで、棹を押して行つた父の祕作は、ぐつと河底から棹を抜きながら呼んだ。

フナは、はツとして振り返る。

「舵柄を持ちな、舵柄をツ」

父の聲は荒かつた。サツと立上ると、身輕な動作で猿のやうに父とは反對の小べりを駈けつて艫へ、すりこぎのやうな舵柄に、フナの腕が、身體が絡みついた。

「何も、しよげた面をみせつけることはあるめえ」

「なにも、しよげてなんか……」

「おもてゞ、ぼんやりとして、から、何か考へ込みやがつて、何處で覺えたか知らねえが、陸の娘つこのやるやうなことはして貰ひたくねえ」

「橋を見てたのよ」

「おもてゞなけや橋が見えねえつて譯ぢやねえだらう。――フナ……」

父は河底から抜いた棹を、しばらく、そのまゝの恰好で持ちながら、凝ツと、フナの顔を覗き込むやうにして、

「陸へ上るのが厭なんだらう?」

「うゝん」

急に聲を和らげて、フナの心を計るやうに、

「ほんとうの氣持を言つてみな。え、叱らねえから……え、え、陸で馴れねえ處で、女工になるのが厭なんだらう。船もつれえが、女工つてのもつれえからな。さ、いゝから、思つたまゝを言つてみねえ」

「…………」

狂つたやうに叫ぶ父の大聲よりも、ねち〳〵と絡みつく低い聲の方が、フナには氣味が惡かつた。低い聲で、いゝことを今迄に聞いたことがないのだ。

生れたとき、お前の眼は鮒のやうな眼をしてたから『フナ』つて名をつけたんだと父の言ふフナの瞳が、一生懸命で父の視線を受け止めて瞠いてゐた。

「ふん。お前の氣持ぐれえ見抜けねえ俺ぢやねえからな。判つてるよ。健の野郎を待つてゐてえ腹だらうが。陸へ上るのも、女工になるのも厭つてわけぢやねえが、もう暫く健の野郎が歸るまで待つて貰ひてえつてところだらう。……とんでもねえこつた。何時の間にか、もう色づきやがつて。六でもねえ健の野郎に横戀慕しやがる親不幸者に、い丶やうにされて堪るもんか。……言つて置くがな。俺や、何もお前の自由にさせるために育て丶來たんぢやねえんだ。やつと一人前に働けるやうになつたお前に、これから少しは稼いで貰はなけれや助からねえ。……何も賣つちまほふつてわけぢやねえんだ。言つてやらうか。女工つたつて、いまぢやい丶金儲けになるんだからな。馬鹿にや出來ねえんだ。松榮丸のお菊さんを見ろ。月に何百つていふ凄え大金を持つて歸るんだぜ、お前も、さうなつてみろ、もう少しましな着物が着られるつてわけさ」

フナは、心の中に强靱な壁をつくり、それでもつて父の言葉のひとつ〲を跳ね返してゐた。冷たい閃めきをみせて笑ふ父の口もとをみながら、これから何を言ひだすか知れないといふ氣がする。

「お前さんッ」

父の高聲を聞きつけて、母の顔が炊事の入口から覗くと、同時、きんと通る母の聲が飛んできた。

「なんだね。大きな聲でさ。そろ〲とまり場なんだからね、氣をつけておくれな」

父は、はッとして棹を押しながら、怒鳴つた。

「お丶、フナ。舵だ。舵だ。何をぼんやりしてやがるんだッ」

慌て丶フナは、舵を握る腕に力を入れた。やがて、ぐつと船は、箱崎町に這入る流れへ、ゆるく搖れて曲つた。

二

……鈍いランプの光りが、半裸の二人の男の影を浮きあがらせてゐる。薄べりを敷いた狹い船底の空氣は、眞晝の暑さにむれたま丶淀んでゐた。その淀みの中で、更に濕つたものが、二人の間にあつた。祐作は、半分以上も禿げた頭をつるりと平手で撫で丶汗を拭ふと、半殺しの鼠を前に、ぴく〲と動く樣を心地良げに眺める猫のやうな微笑を口もとに浮べて、辰次を見ると、

「何べんも言ふやうだけど、約束は約束だでな。なんしろあり餘る金を持つてるつてわけぢやねえんだ。お前とも同じ河

の上で暮してゐる俺だ。收入だつてお互え、そんなに違ひのあらう筈がねえぢやねえか。其處を、足らなくなる時やお互ひ樣だ。助けられるときや助けようといふ親切心から貸してやつたやうなわけなんでな。約束を違へられるつてえと、俺の方だつて……」

「返さないつて言ふんぢやねえんだ」

「あたりめえよ。なにもお前に恩になつたわけでもねえし、義理があるわけでもねえんだ。お前に呉れてやるやうな金は、俺あ一文も持つちやゐねえ……と、言つちまやあ喧嘩にならあ。俺あ生來喧嘩は好かねえ性分だ。な、借りたものは返す。これやあたりめえな話さ。ところで、お前がさ、お前がだよ。その口で今日返すと約束したのは二ケ月前なんだ。お前の約束した日なんだ。何とか當のあつたことだらうが」

「當つて程のことぢやねえが、二ケ月あれや返せると思つてたんだ。ところが、御承知のやうに、滅多に寢たことがねえ嬶が病みやがつたもんだから、藥代だ、何だつて思ひがけず無駄をしてさ」

「お前の嬶の藥代まで俺や心配するほど、金を持つちやゐませんぜ。……ところでだ。いつてえ返すのかい、返さねえのかい?」

「返す心算ではゐるが、いまのところ……だから、かうしてちやんとことわりに來たんだが」

「其處だ。ことわりをしさえすれあ、何時までだつて待つて貰へると思はれちやあ、俺の方が堪らねえんだ。何時々々まで待つて呉れといふなら話が判るが……そこんところを分明決めて貰ひてえんだがなア」

「ぢや、あと一ケ月、待つて呉れねえか。それまでの收入で何とかしよう」

「只、待たさうつてのか。冗談ぢやねえやな。ものには順序がある筈だ。俺んとこだつて、フナを近く工場に出さなけやならねえんだし、手ぶらでやらせるわけにやいかねえから、幾らでも入れて欲しいところなんだ。それを、まあ、お前のことだし、お神さんの病ひもあつたからと同情もすりやこそ、待つてもやらうつてわけなんだ……な」

其のときだつた。かん高い聲が、あちこちの船の上からしたと思ふと、たゞならぬ小べりを、屋根板を、踏みしきる人の足音が、淀んだ空氣の中に響いて來た。

と、入口のところへフナが慌しく駈けつてくると、

「大變だ。大變だ。辰つあん、美坊が落ちたんだとう」

「えツ、美坊が……」

と、驚いて立ち上らうとする辰次の腕を、むんづと、祐作の手が掴みかゝつてゐた。

「利子だ。幾らか閩いてつて貰ひてえもんだ。話は、まだ片がついちやゐねえんだ」

「美坊が落ちたつて言ふんだ、俺やみてくる。話はそれからにして呉れ」

「よせやい。話は話だ。この儘にして貰つちや堪らねえ。利子だ。利子だ」

月もない夜の河面の暗さが、辰次の腦裡を走つた。嚙みつきさうに握つた袮作の手を、力一杯、荒々しく振り離すと、懷から財布を出してぱツと投げつけた。

「利子でも、何んでも取つてくんな」

財布は祢作の赤銅色の肩にあたつて、口金がはづれ、ぱつと小錢が薄べりの上に飛び散つた。辰次はもう、身を躍らせて船底から出てゐた。もやいだ船の屋根板に、小べりに、手に手にランプを持つた人々が、心配を孕んで右往左往してゐた。

「何處へ落ちたんだ」

「大洋丸の向ふだつて、おばさんも飛び込んだとか」

フナの答へに、さつと走り出した辰次は、船から船を飛んで行つた。病みあがりの女房が、子供可愛さに河へ身を躍らした姿が、搖れるランプの灯のやうに、胸を緊めつけるのであつた。どす黑く濁つて、異臭さへ放つてゐる河は、ランプの灯りにめらめらと黃色い舌をちらつかせてゐる。

「何處だ、何處だ」と叫ぶ聲、不安に戰く女達の聲、踏み鳴らす板の響——河の上は、騷然とざわめき立つた。

河一杯にと言ひたいくらいにもやいだ船に、闇に溶け込んだどす黑い河面は廣くはなかつたが、ランプの光りが隈なく照すといふわけにはゆかなかつた。落ちた個所も分明としなかつたので、何處へ流れてゐるのか判らないのだ。それに流れの加減で、船の下へでも這入り込んだら最後だつた。船が多いだけに、その危惧は、誰の胸にも、痛いほど感じられる。

ぽつかりと、灯りに躍る波間に浮んだ女房松江の蒼白んだ顏をみつけると、辰次は、ざんぶと河へ身を投げて發見ゐた。

「ロープを呉れツ」

と、船上の人に叫ぶ。誰が投げたか、流れてゆく方向で落ちた者の居所を知らして呉れるといふ水天宮のお禮が浮んでゐた。

「お前はあがつてろツ」

「あゝ、あれぢやないかいツ」

松江の顎で指す波間に黑い影があつた。

「判つた。あがつてろいツ」

わツと船上から喊聲があがつて、ランプの灯が走る。黑い影をめざして、すつツと辰次が泳いで行くあとを、灯はちらちらと追ひかけて行つた。

三

ひとつひとつの艀をとまり場に、五六艘から多いところでは何十艘が集團的生活を營んでゐる。艀を本にしての大家族的生活である。荷を積んだ本船が港に這入ると、電話一本で艀部は荷を引き受けると、簡拔を入れずとまり場に命令が下る。時として夜更けであつたり、明け方であつたりすることがある。はりがへ、あへびを取り、もやへ網を解いて、忽ち出動だ。

大川の流れへ出ると、ロープにつないだ幾艘かの船は、機動艇に曳引されて波を搔きたてゝ行く。輕く舵を握つて、河風をいつぱいに吸ひ込む。五十二の祐作にも、若い者のやうな晴れ晴れとした心地よさが自ずと五體のうちに湧いてくるのであつた。

船底の薄べりに寢て、舵をとつて河から河を流す船頭生活も、既に二十年。河の臭ひが身體のどこにも染みついたやうな祐作だつた。

故鄕の千葉、勝浦の漁場を、借金に追はれて遁げ出してから、宇都宮、横濱、東京を、野犬のやうに彷徨ひ歩いた。もつて生れた理窟ぽさで、何處でも嫌はれた。關東大震災のあと、河掃除の仕事をしたのがきつかけとなつて、船頭生活に這入つた。今度ばかりは、これを一生の仕事にしようと、すつかり生れ變つた働きぶりに、艀部の主人にも可愛がられたが、小金も貯め、女房も持つと、借金に苦しめられた過去への復讐といふわけか、金、金、金と、急に好きな酒も、勝負事も、一切の遊びを禁じた他、ぎりぎりのところまで暮しをきりつめて、貯める一方の生活で押しはじめた。骨身を惜しまずの働きも、たゞ、一文でも餘計に得たいからの働きで、忽ち仲間から嫌はれた。それでなくても狹い河の上の世界を、いつさう縮めて、自分だけの世界に閉ぢこもつた祐作は、夜更けに、女房の寢息をうかゞひながら、船底に隱した袋から貯め込んだ金をとり出しては、鈍いランプの光りに、紙幣や銀貨、銅貨の膚ざはりを、兩手のうちに數へて愉しんでゐた。

丁半勝負に負けて、めしも食へないでゐた奴に若干の金を貸してやつてからは、高利で金を貸すことを覺えた祐作は、こつそりその商賣を始め、例の理屈で、遠慮のない催促と、返せないとみたら直接主人から給金をとりあげるといふ人情もへちまもない商賣上手に、船底の袋はふくらんでいつた。

祐作にとつて、二十年の河上生活は、また利殖の歷史でもあつたのだ――。

ボーズに繫いだロープが軋つて、ぎいぎいと鳴る。機動艇

のエンヂンの響きが、河風に乘つて飛んでゆく。

母と二人で、汗に汚れた洗ひ物を荷物置場に張つた網に干し終へたフナは、おもてのポーズの側に腰を下した。そして、懷から水色の封筒を出した。今朝、艀部の郵便受に這入つてゐた手紙である。

薄い紅色の便箋が這入つてゐた。お菊からである。廣げると、何かほのぼのとした匂ひがたち昇るやうであつた。

フナちやん
もう夏も終りだけど、まだまだ河の上は暑いでしようね。日中のギラギラした陽をみると、照りつけられてまぶしい河の上がおもいだされます。

なんでも、フナちやんも工場ではたらくとゆーことですね。工場もいろいろあるのですよ。大きいのや、小さいのや、あたしのところは中ッ位だけど、どこにしたつてとてものけいきです。いそがしいだけ給金もたくさんもらへますわ。いままできしゆくしやに居ましたが、職長さんのおせわで一へや別に間借させてもらつてゐるの。煙草と荒物の店の二かいです。職長さんは、とてもいゝひとで、部屋代をだして呉れたり、お小遣を呉れたりしますのよ。でも、あたしだけらしいんですの。

工場もいゝものですわ。フナちやんと一緒に働けるとなをいゝんだけど、そんなうまいぐわいにはゆかないと思ふわ。

やつぱり、幹本のおやぢがせわをするのですか。あのおやぢはずるいから用心しないと、給金の前貸を取られちまつて、只で働かなければならなくなりますからちゆういして下さい。

では、お身體おたいせつに。かしこ。


フナは、手紙を封筒に收めてしまふと、母へ聲をかけた。

「母さん、矢ッ張り、工場へ行くの幹本の世話で行くの?」

「さうだらうよ。此の間から二三度顔をみせてゐたからね」

「おつかない人ぢやない」

「お前へ知らないかい。ほら、此の間、果物をもつて來たぢやないか」

「あゝ、あの小父さん」

黑の羽織に白足袋で、何時もケラケラ笑つてゐるやうなあの人が、ずるい人かしらと、フナにはけゞんに思へた。

さうして、こんな風に自分の力では、如何(とう)にも分明とした判斷が摑めない場合に當つて、何時も健三のことが思ひ出されるのだつた。健三は丸新艀部の一使用人にしか過ぎないが、何時か兄のやうな親しさで、何彼と相談にのつてくれるのであつた。嚙みつくやうに怒鳴り合つてばかり居る父母の

中で、萠えはじめた若葉の感じ易さに、健三への相談はやり場のない心の痛さの據りどころになつてゐたかも知れない。人間の、社會の、人生の、縮圖を狹い河の上に赤裸々に繰り廣げるこの世界で、早くから人間の生肌を自然に知つて了ふのだ。十六のフナであつたが、都會の上流階級の十六の娘に比べると、遙に早熟であるのはやむを得ぬところであらう。同じ、大東京の眞中に生活しながら、此處では、河の上といふだけの理由で、別の世界があるといふのは不思議でもある。陸に比べて、遙に荒けづりな生き方をしてゆく彼等の中でも、乙女の心の成長は矢張り若葉のやうにすこやかであつた。

健三への心を、戀となづけるには、あまりに純眞な感情である。父母からは汲みとることの出來ないやさしい心の域を、フナの心が要求するのだ。兄への信賴にも近い感情だつた。

その健三が、チヽキトクの電報が來て故鄕である瀨戸內海の小島へ歸つて行つてから、もう一ケ月、忘れたやうに戻つて來ないのだ。

過ぎ去つた愉しさは、想ひ出に浮べるとき限りなく美しいものに硏かれてゆくものだらうか。河つぷちの公園で、小石を蹴りながら勇氣づけられ、父の叱られた涙を拭つた記憶も、健三の力强い語調と一緒に夢のやうに想ひ出されては、いまの據りどころのない心もとなさがひしと胸に迫るのである。

一ケ月、たつた三十日の日の流れの間に、築いては重ねる想ひ出の數々に、フナの心は伸びていつた。愛情は、逢つてゐるときよりも、逢はないでゐるときに成長發展するものである。愛情は宗敎に似た信奉の一面があるからだ。築き重ねる想ひ出に廣がる夢の底を流れる兄への信賴に近い感情は、それだけで足ぶみしてゐるわけではなかつた。

「土產をもつて來てやらうな。素晴らしい貝細工があるんだよ。とても綺麗なんだ。……うん、さうだ。屹度、あれをもつて來てやるよ。ぢや、元氣で……」

さう言つて向ふをむいて了つた健三の姿が瞳の奧に殘つてゐるのだつた――。

父が何時か言つたやうに、健三の歸るのを待つてゐるのだ。健三が歸つてくれれば、氣持も分明と決るやうな氣がする。もし、健三が歸らないうちに工場へ行つて了はねばならなくなると、二人の連がりがこれで永遠に斷れてしまふのではないかと思へるのだ。いや、そんなにはならなくとも、ひとつ心殘りを置いて行かなければならないのだ。

(どうしてゐるのだらう。……父さんが逝くなられて、悲しんでらつしやるのかしら)想ひを、瀨戸內海の小島に走らせて、フナは工場への話が、一日々々と伸びてゆくのを祈るのだつた。

四

一日の勞働が終る。――夜だ。今日は、昨日にひきかへて、憎らしいほどいゝ月が煌々と冴えた光りを投げてゐた。どす黒く濁つた河も、月光に波頭を燦めかせ、銀砂を撒いたやうな美しさであつた。

珍らしく丸新の主人が、浴衣がげであへびを渡つて船に降りて來た。第二丸新丸の船頭が、巻いてゐたロープの手を止めて挨拶をするのへ、

「おい。濟まないが集つて貰ほうか」

人のいゝ笑顏で言ふと、屋根板によいしよと腰を下した。第二丸新丸の船頭は、船から船へ呼びに廻つた。

ぞく〴〵と集つてくるのへ、「やあ、御苦勞さん」と愛想よく迎へる。普段は「親分」と船頭達が呼んでゐるだけ、腹の座つた親分肌が何處か船頭達を惚れ込ませるものをもつてゐる主人だつた。

集つた顏ぶれを、ひとわたり見廻してから、

「辰つあんはどうしたんだ。まだ、見えねえやうだが……」

「いま、參ります。奴は嚊の藥を用意してゐますんで」

「また悪いのかい」

「お聞きでせうが、昨夜、美坊が落ちたので、それを助けに飛び込んでから、また、病ひがぶり返したとかで」

「おゝ、さうだつてな。子供は危ねえな、氣をつけてゐないと」

其處へ辰次が現れた。

「どうも、遲くなりまして申譯ありません」

「いやあ、お神さんが悪いんだつてな。子供の方はいゝのかい」

「はア、餘り水を飮まなかつたらしくつて、もう元氣でやす。どうも、とんだ御心配をかけちまつて……」

「いろ〳〵と此處んところ不幸つゞきだな。大事にしなよ。餘り無理をしねえやうにしてな」

「はア、有難うございます」

「ところで……」

と、主人は、向き直つて、皆の顏をもう一度見廻した。月の光りに皆の顏が浮いてゐた。

「皆さんも、もう御承知だらうが、艀がみんな統合するつて問題だ。つまり丸新の艀や、大洋廻漕店の艀といふ風に、それ〴〵持船と艀を別々にもつてやつてゐるのが、みんな一つの會社の下に統制しよつてわけなんだ。陸では、國策の一つとしてだな、米屋や醬油屋が、旣に統制されてるんだ。みんな一丸となつてお國の爲に盡すといふ意味からも、他に資材

などのいろんな關係からも、これはいゝことには違ひない。だのに、統合するとかしないとか、いろ〳〵と噂されてゐる。……まあ、其處のところのくはしいことは、いま話せないが、大きな店は、ばかに大きくて、小さな店は、實に細々とやつてゐるこの世界ぢや、却々六つかしいことが澤山あるんだ。で、みなさんも、いろ〳〵とお聞きなさるだらうが、よく考へて、宣傳と實際つてものを見分けて貰ひたいんだ。わたしも、このことにや、微力ながら、皆さんに惡いやうにならない爲に努力してゐるから安心して、仕事に一生懸命になつて貰ひたいんだ。何しろ、丸新を此處まで大きくして下さつたのも、皆さんのお蔭だから、今度は、皆さんに盡す心算でやつてゐます。統合のことも、分明とすればまたお報せしますから、ひとつ安心して働いて貰ひたいんだ。……ぢや、今夜は、それだけを言ひたいと思つて、集つて貰つたんだ。どうも御苦勞さん。まア、ひとつ、この間からの激しい入貨に、息抜きつてとこまでゆかないだらうが、やつて下さい」

主人は、懐から半紙に包むだものを、みんなの眞中に置いた。それから、辰次へ、

「お神さんを大事にな。これや見舞代りだ、とつてくんな」

「いえ、そんな……」

「いゝから、とつときよ」

「親分が、珍らしいことぢやねえか」

「船が足りねえ程、荷の多い時節だ。儲つてしようがねえんだらう。心良くお受けしてさ、一杯やりに行かうぢやねえか」

「これにや、親分の氣持があるんだ。ようく親分の氣持も汲まなきやならねえと思ふぜ。船が足りぬ、船頭が足りぬといふ時節だ。親分としちや、これ以上船を遊ばせちや、やつてゆけねえことを考へてみねえ」

「しかし、親分の話ぢや、統合問題にや心配するねえつて話だつたんだらう」

「だからさ、統合問題に絡んで、大きな店が盛に船頭抱込みをやつてゐる。お前達や、その口車にや乘つて呉れるなといふ親分の氣持だと思ふぜ」

「あたりめえの話ぢやねえか」

「ところが、さうぢやねえんだ」

「兎に角一杯行かう」

「親分の思召しだ。行かう」

一ツ二ツと影が、陸へ渡したあへびの方に流れはじめた。辰次は動かなかつた。親分の人情味がぢーんとまだ胸の底に沁みてゐる。

「辰つあん」

と、急に呼びかけられて、聲の方を見ると、祐作が、おど〳〵したやうな恰好で立つてゐた。猫といふ感じがする肩を竦め、兩手をもむやうにして何かをさし出してゐた。

「これを、昨夜あんたが忘れてゆかれたんでな」

祐作の掌の中の財布をみながら、辰次はかなはない氣持と、毆りつけたい衝動をぐつと堪えてゐた。

「利子だけは貰ひました。あらためてくんねえ」

「あゝ」

「女房を病らはせるのも金儲けになるたあ、俺あちつとも知らなかつた」

「なにッ……。……まあ、いゝや。親分はいゝ人なんだ。今夜の話の裏をよく考へて置いた方がいゝぜ」

辰次は、さう言ふと、これ以上祐作に向ひ合つてゐては、拳骨を使はなけれやならなくなると思つて、

「みんな、愉快にやつて來てくんな。俺や折角だが……」

「おゝ、大事にしろッ」

「濟まねえなア」

さうして、船へ戻つて行つた――。


……炊事口から、ひよつこりと娘の影が出て來た。辰次は、はつとしたが、

「なんだ。フナ公ぢやねえか」

「あゝ、小父さんのお留守にお邪魔してましたの、水天宮のお神水を貰つて來ましたから小母さんに飲んでいたゞかうと思つて」

フナの瞳が月光にうるんでゐた。女の魅力を、ふと、辰次は感じたやうな氣がした。

「さうか、有難う。濟まなかつたな。どうだい、眠つてゐたかい」

「うん、とてもよく寢(やす)んでらつしやるわ。だから、枕もとに置いといたの」

「濟まねえ、濟まねえ、……フナ公は、あの父つあんの娘とは思へねえなア」

「昨夜は、父つあんがあんな風にして、引き止めたりして、ごめんなさい」

「なあに、フナ公が詫るわけはねえやな。どうやら二人とも生命だけは助かつたんだから、いゝんだよ」

「でも、小母さんが可哀さうで……」

「熱さへ下りや安心なんだが」

「氷、買つて來ませうか」

「そんなにして貰はなくともいゝんだよ」

「小父さん、本當に、ごめんね」

フナの頰に、白い玉がつゝツと走つた。

五

日が流れた――。フナにとつて、凡てが中途半端な狀態のまゝ。工場の話も、幹本の親父がやつて來るまでは、恐らく、如何(どう)にもならないことだらうが、健三が歸つてくるまでに、急速に話が進んでしまはないとも限らないし、或は、健三の歸つて來る方が早いかも知れないのだ。健三が早く歸つて來ることが大きな願ひであつた。

成りゆきに委せる諦めも、心の隅に芽生えはじめてゐたが、諦めでは解決のつかない心になつてゐた。人生の初春に生る彼女達の要求は、正しさの美と、見知らぬものへの追求が、激しい渦となつて心を占めてゐるものなのだ。自分では、どうにも解決をつけることの出來ない狀態が、苛立たしい不滿になつて返つてくる。考へても、考へても、これはどうにもならないのだ。運命――ふと、フナは運命の秘密が此處にあるのではないかと思つたりする。しかし、さうした思考もベールを通してみるやうに茫漠としたひろがりをもつてゐるのだ。

別れるとき、よく所を聞いて置けば、手紙を出すことも出來たらうが、それも駄目だ。其處でフナは最惡の場合のことを考へる。このまゝ逢へずに工場へ行つて了ふ。お菊さんは二ヶ月に一度ぐらゐは歸つて來る。だから、無理をすれば月に一度は歸れるかも知れない。それにしても、月の殆ど全部を、お話する機會がないのだから、フナのことなんかは忘れて了はれさうな氣がする。

それに、もう一つの惱みは父のことだつた。だんだんに仲間の人達が父を白い眼でみることが多くなつてゐたのだ。もともと父の守錢奴的なところに多分の反感を買はれてゐるのだが、それだけではないやうな氣がする。親分の話があつて、みんなが一杯飮んで歸つて來てから、露骨にさうした態度が表面化したやうである。フナには考へ及ばないところで、何かゞ起りつゝあるやうなのだ――。

……荷揚げを濟ませ、とまり場に船を繫ぐと、父は「今夜はめしはいらねえから」と言つて、珍らしく上機嫌な笑顏をみせとつぴようしもない冗談を言ひながら、正月位ひしか着たことのない印半纏に着かへて、あへびを渡り陸へ上つて行つた。何處へ行つたのか、何をしてゐるのか、九時、十時を過ぎても戻らなかつた。珍らしいことだけに、母が心配する。が、また、何か心の緊張をゆるめたやうな安らかさもあつた。父一人居ないだけで、母娘の心と心が、和やかに觸れ合ふやう

な氣もする。

「幹本の小父さんは何時來るのかなア」

「そのうちに來るんだらう。忙しい人だからね」

「來て欲しくないの」

さう言ひながら母の顔を見る。父が居たら言へない言葉を口にして、瞬間、母を見るフナの眼に、警戒の色が翳つた。

「娘になれや、誰だつて陸へ上るんだから」

母の聲に、娘の心を突き止めたやうな優しさが籠つてゐた。（母さんは、判つて呉れてるんだ）と、フナは、涙のあふれさうな喜びが湧いてくる。女同志の、同性の感じ合ふ敏感さで――。

「工場つたつて、そんなにつらいもんぢやないよ」

「お菊さんは、どんなことをしてゐるのかしら。此の間、手紙を貰つたけど、何だかよく判らないの」

「父さんは、工場へ行けば、お菊さんのやうに收入があると思つてゐるけれど、それや間違ひだ」

「さう――？」

母は、あとの言葉を躊躇つた。が、娘の丸くふくらんだ胸もとを見ながら、「工場へ行つたつて、フナはお菊さんみたいになつちやいけないよ。あの娘は不良だ」

この言葉の意味が、この娘に判るだらうかと、言つて了つてから、確めてゐる母の眼だつた。

……夜更けて、ベラ〳〵に醉つぱらつた父が歸つて來た。炊事口からよろけつゝ船底への階段に足をかけたが、定まらず、どつと、中心を失つた身體が辷り落ちた。

「あゝッ」

思はず叫ぶ母娘の聲に、祐作は、したゝか打ちつけた腰をさすりながら、「何だ、お前ら、まだ起きてやがつたのか。ランプの油がもつたいねえぢやねえか」

「でも……」

「が、まア、いゝや。……うぃッ、と。珍らしく醉つちまつてな。飲まねえうちに、すつかり弱くなつちまつてやがるもんだから」

「………」

「水を呉れ。うぃッ、と。酒つてものはな。無駄に飲むもんぢやねえ。ウいッ、と。奴らと、奴らと、だな、……一緒に騷いで飲んでみたところで何になる。な。……話を、つけるための、酒……」

六

此の間、皆が親分の思召しに飲みに行つてゐるのに、ぽつんと船底に殘つてゐた父の姿が母と娘の腦裡にふと浮んだ。

翌日、出勤の時刻になつても、父は寢込んだまゝ起きて來なかつた。母はそつと搖り起して訊いた。

「急病で寢てゐますので、今日は休まして貰ひますと、丸新の親分に斷つて來て吳んねえか」

少々の病氣でも、無理をして、かつて休んだことのない祐作なので、昨夜が遲かつたとは言へ、珍らしいことであつた。何か、また考へだしたのであらうと、深くは穿鑿せず、素直に、船を出た母は、丸新の事務所へ急いだ。旣に、他の船は一艘づゝ、大川へ、棹を押し進めてゐた。

「おゝ、お神さん。どうしたんだい。今日は……」

急ぐ母は、橋のたもとで、ばつたりと幹本に出逢つた。

「鳥渡、父さんの加減が惡くつて」

「さうかい。そいつあいけねえ。無理をすると、身體にやいけねえもんだ。ところが、祐作さんときちや、無理の倉庫みてえもんだからな。それや心配だ。大事にしなよ」

「ありがとうございます」

「フナ公は如何してます。すつかり疎遠にしてましたが」

「フナは、元氣で居ますだ」

「フナ公は、いゝ娘つ子だよ。そいつあ何よりだ。例の工場の話もあのまゝでさ、祐作さんにや濟まねえと思つてるんだが、全く、貧乏暇なしでさあ。氣にはかゝりながら、つい、つい、伸びちまつてな。しかし、安心して下つせえ、工場は人手不足でな。いくらだつて欲しいつて御時勢だ。向ふからも、實は、再三、まだか、まだかつてせめられてゐるやうな次第でな。身體の二ツや三ツ欲しいくらひでさア」

「それや、まア、結構ぢやありませんか」

「それで一向、儲け仕事がねえんだから、汗を出すだけ損みてえな狀態で、やりきれませんや。やりにくい世の中になつたもんさ。尤も、戰時下だから愚痴も言へませんがね。實のところ、あつしのやうな寄生虫的存在は、もう先がみえてますから、考へてみれや可哀さうなもんですよ」

「そんなことが、あるもんですか」

「ところが、さうなんです。……ぢや、祐作さんが居るわけですね。久し振りに顏を出して來ますかな。フナ公のことも話して置いた方がよささうですからな」

「どうぞ……」「ぢや、よつてますぜ」

……幹本は、祐作の枕もとで、盛に勝手な熱を、彼一流の辷りのいゝ口調と、愛想のいゝ笑顏をふり振いて歸つて行つた。輕い口調に、一種の雰圍氣を作りながら、鳶のやうな底光りのする彼の眼が、相手の心の底を、ぐつと握つて了ふ銳さで、用心深く動くのだつた。仲買や、仲介を、不思議に廣い顏をもとでに商買してゐる彼は、自らも言つてゐるやうに

正に寄生虫的存在だつた。

（悪い奴が來やがつた）と、幹本の顔を見た瞬間、祐作が思つたやうに、彼の眼は祐作の假病を見ぬき、それが、如何いふ理由からくるものかを、探つてゐた。何だつて、彼の商賣にならないものはないのだ。じめ〳〵したところに虫が湧くやうに、秘密のあるところに商賣の種は轉つてゐると信じてゐる彼であつた。――まして、汲々として動いてゐた祐作が、假病を使ふといふ一大事を、見逃して了ふ彼ではなかつた。

何にしても、フナ公を早く片づけて、祐作の目論見の中に飛び込んでみよう――儲け上手で、利益に眼のない祐作を動かすものがあるとすれば、こいつは、大したもんかも知れないぞと思ふのだ。

幹本が歸ると、祐作は上機嫌でフナを呼んだ。一抹の不安はあつたが、幹本の口上手に醉つたやうな氣になつてゐた。

「工場が決つたさうだぜ。近く幹本の奴が迎へに來て與れるつて話だ」

いよ〳〵來た――といふ思ひに、フナの胸の中はすつツと澄んでゆくのだつた。

其處へ母が歸つて來たらしい足音がして、

「フナ――」と、呼ぶ聲がする。

「はいツ」

「洗濯をしなよ。途中でほつぽらかしちや駄目ぢやないか」

「はいツ」周章て立ち上つて行つた。

河つぷちの水道の蛇口の側に、母が立つてゐた。身輕く飛んでゆくと、母は、白い封筒をフナの前にさし出した。

「事務所に來てたんだよ」

直感だつた。電撃のやうな直感だつた。白く隅を張つた角封――手にとらなくとも、それが健三からのものであることが判つた。おづ〳〵と手を出して受け取つた。指先が顫へてゐた。中の、便箋を讀むのが怖ろしいやうな氣持と、言ひ知れぬ懷しさが交錯し、胸の中で暴れ廻つた。

御心配をおかけしましたが、父は、生命をとりとめることが出來ました。お蔭樣とみんな喜んでゐます。一時は一喜一憂、どうなることか計り知れませんので、歸るにも歸れなかつたのですが、もう、どうやら大丈夫らしいです。一ケ月以上も店に迷惑をかけて、申譯なくてなりません。父の心配も薄らいだ今日、一日も早く歸りたい想ひです。

フナは、其處まで讀むで瀬戸内海の小島から、東京の此處まで來るには、幾日かゝるのかしらと思ふのだつた。（終）

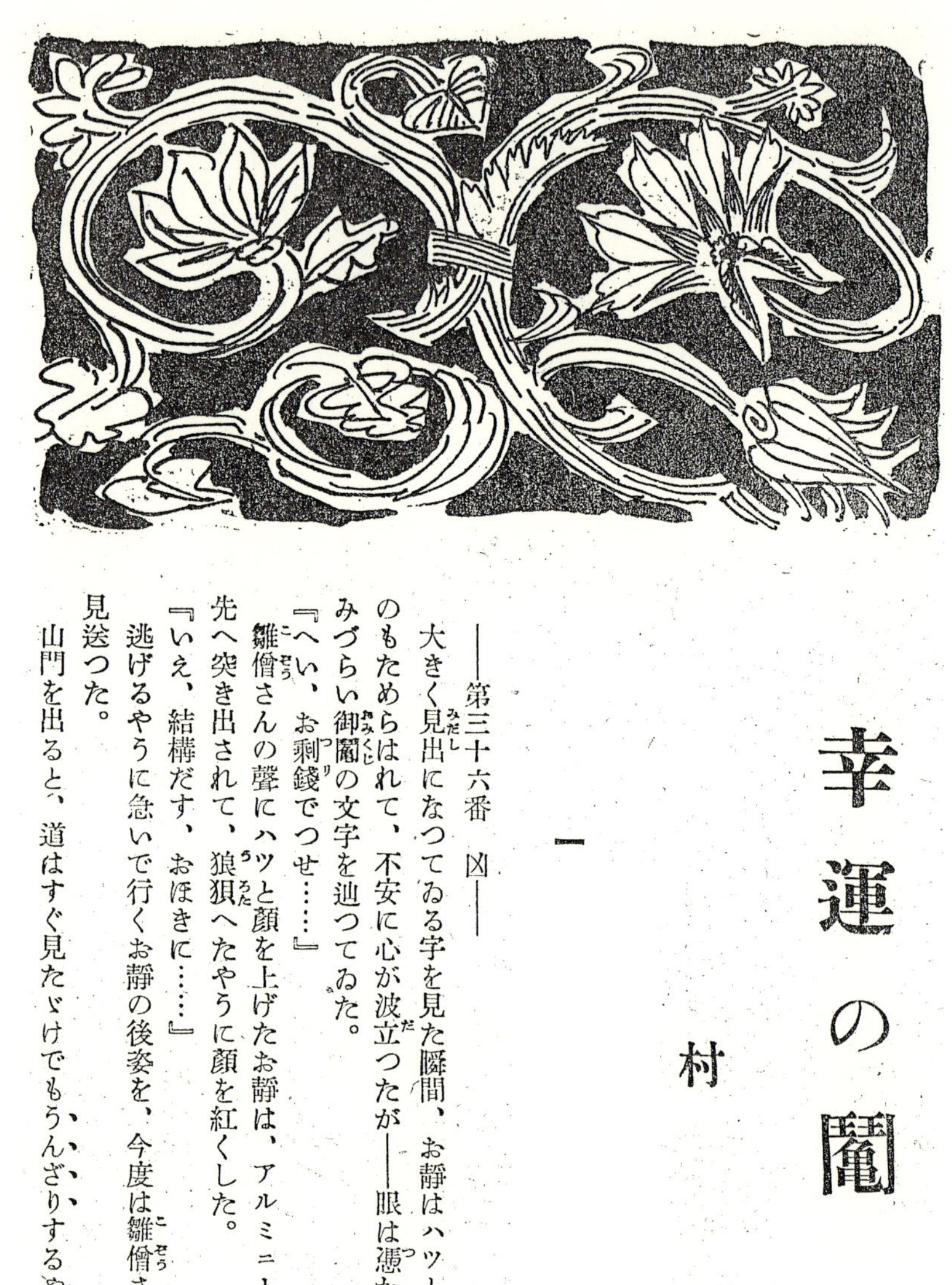

幸運の鬮

村　正治

一

――第三十六番　凶――

大きく見出になつてゐる字を見た瞬間、お靜はハツと胸を衝かれた。後を讀むのもためらはれて、不安に心が波立つたが――眼は憑かれたやうに、木版刷の讀みづらい御鬮の文字を辿つてゐた。

『へい、お剰錢でつせ……』

雛僧さんの聲にハツと顔を上げたお靜は、アルミニームの小錢の光る掌を鼻の先へ突き出されて、狼狽へたやうに顔を紅くした。

『いえ、結構だす、おほきに……』

逃げるやうに急いで行くお靜の後姿を、今度は雛僧さんの方が、呆れたやうに見送つた。

山門を出ると、道はすぐ見たゞけでもうんざりするやうな、長い石段の幾層も

續いた下り坂になつてゐる。坂の下には、土産物を商ふ店や參詣客相手の飮食店の目白押しに建て混んだ軒並が、くつつきあひさうに狹い參詣道を挾んでゐる。その一郭のぎこちなく凭れあつた甍の上には、日脚の傾いた、もう夕燒け初めていくらしい空に、かすかに茜色を孕んだ雲が靜かに崩れひろがつてゐた。

お靜はパラソルを傾けて、片頰に火照る陽射しを避けながら、重い足取りで坂を下りて行つた。長い石段を一區切りづつ降りては、足を休ませる暫くの憩ひにも、頰や襟足に滲み出る汗を拭ふのも大儀らしく見える程、ひどく悄れてゐた。心恃みにして來た聖天さんの御鬮が『凶』と出たことに、お靜は最後の望みを失つて、身内から力の拔けてゆくやうな氣の弱りを感じてゐた。(その間には屹度また來てくれはるわ)と口先だけでなく母を慰さめ、同時に自分を慰さめてゐた一縷の望みをすら儚くされてしまつて、力なく崩れてゆく心を支へることが出來なかつた。

お靜の育つた生家は、お城近い上町に在つて、軍人相手に雜貨類を商つてゐた。元來が内氣な性質だつたのが、氣難かしい父に、一人娘をと近隣の人が眉を顰めたやうな嚴しい躾を受けて、町内でも評判の良い娘だつた。眉目美しく幸福に背丈の伸びてゆくのが、同じ年頃の娘を持つ親達を羨ませてゐたが、小學校を卒ると間もなく父に亡くなられた。

僅かばかりの遺産を二三年の間に、悉皆居食ひして終つての果てが――母方の身内に賴りになる者が無かつたので――亡父の姉に當る伯母の許に、母娘諸共に引取られた。伯母の家は伯母の客を外らさぬ女將振りに常連が多く、川筋では二流どころながら名の賣れた『京よね』といふ料亭だつた。が、亡父に繫がる薄い緣だけに氣の置けることも多く、何日からともなく、母娘共に雇人同樣に立働くやうになつた。

そしてお靜は仲居女同樣に、客座敷の用事も手傳つてゐたのが、唯の仲居女とはおもはれない擧措の淑かなのが、その頃、京よねのいゝ客だつた事變成金の吉田の眼にとまつた。後はお定まり通りの筋道だつた。伯母のおためごかしの周旋に加へて五十を過ぎた母を抱へて賴る者とてない將來をおもふ女の弱い心から、母も養つていたゞけるなら……と今の家に圍はれる身となつたのだ。それから、毎日のものに事缺かないだけの月々の宛行を受けて、月に三度か四度顏を見せる吉田の他には訪ふ者もない母娘二人の氣の置けない生活に、不平も反省もない靜穩な日を送つて――二年近くの歲月が過ぎた。

同じ年頃の若い女の誰もが抱く世間並みな希望に背らして、他人眼には牛小屋の裏に咲いた名無し小草のやうにも、

侘びしく見えさうな生活も、お靜には、寄邊のない母娘二人が安穩に暮らして行ける、唯一の安樂郷だつた。吉田は事變景氣で一介の町工場が忽ち株式會社吉田製作所と膨れ上がつた機械工場の、社長にのしあがつた職工上りの小成金だつた。そんな人間に通有の、外では派手な金遣ひを矜りながら、臺所の支出には細い吉田からの切りつめた宛行にも、お靜は不平を愬へず簡素に暮らした。六十に手の届く男に、二十前の青春を蝕まれる運命を嘆くでもなく、乳母が哺む兒に自らに抱く愛着に似た心情をすら感じて——蔭日向なく仕へて來た。

この時局下に隣組の常會に出るのにも心怯む肩身の狹い身分も、持つて生まれた宿命と諦めて、近所交際にも氣を遣つた。御用聞きにすら身を小さうして生きることにも、何日か慣れてゐた。それを、何うしたことか——先々月から此方、ズーツと吉田の足が遠退いてしまつたのだ。何の音沙汰もないのに自然、生活向きのことにも困るやうになつた。父が亡くなつてからの世帶疲れに茲二三年の間に、めつきり白髮の目立つて來た母親の愚痴が、毎日繰返されるやうになつた。今日はお宅へ手紙を出して見ようか、明日こそ會社へ電話して見ようとおもひながらも、表向きには名乘れない身なのを考へると、それさへためらはれた。

とつおいつした末が、京よねに居た時、伯母に伴れられて詣つたのが最初で、それからずつと毎月十六日の御縁日のお詣りだけは缺かしたことのない、聖天さんの御籤を占ふて見ようとおもひついたのだ。若し、旦那との緣がこれつきりになつてしまうやうな御籤が出たら、母親のいふやうに、今の間に思案を立て直して何とか先の方針を立てなければ……といふ氣になつて、月詣りの外に態々今日お山して來たのだつた。そして、（待人近く來る）といつた風な文句を豫想していたゞいた御籤が、『第三十六番凶』と出たのだ。

——矢張り旦那はもう來てくれてやないのや、さうなるとお母はんと二人、いつたいこの先何うして生活していつたらいゝのやらう——。

藝者に出るとか、稼ぎをするとかいふことは、それが何んなに辛い卑しいことかを、京よねに居た間にまざ〱と見て來ただけに、おもうて見るだけでも心が昏うなつた。それかといつて、母親の勸めるやうに、賴りになる男を見つけて身を固めるには（彼女としても出來ることならさうしたいのだが）堅氣な人妻として迎へられるには、瑕のついた肉體のことが憚られた。それに自分と倶に引取つて貰はねばならぬ母親のことも考へられた。それどころか、氣の弱い心は、また再び旦那を取るにしたところが、さう、おいそれと吉田のや

うな人の世話になれるか、何うかとさへ、おもひ煩ふのだつた。

お靜は滅入るやうな氣の弱りに、足の運びも疲れはてたやうに、倦く坂を下りて行つた。と足早やに背後から高い靴音を立てゝ國民服の青年が、彼女の傍を掠めて先に下りて行つた。石段を叩きつけるやうな、彈みのついた高い靴音が、放心してゐたやうなお靜の悄れた心に、力づけるやうなリズムを殘して行つた。

二

石段を下りきつて終ふと斜平な下り道になつてゐて、名物だつた羊羹や煎餅は色褪せた見本包みにだけ名殘りをとゞめて、のし烏賊やとろゝ昆布等何處も同じやうになつた土産物を賣る店や、乾涸びた食物の見本に埃の浮いてゐるやうな小汚ない飲食店などが、せゝつこましく竝んでゐた。その道の兩側に殆ど五六軒隔きぐらゐに、『神易占ひ處』『御鬮判斷』等と書いた安つぽい看板が出てゐて、雨に墨の流れた布看板の字に、山裾のこの邊りから昏れて來るらしい暮色が、淡靄のやうに纏れ漂うてゐた。そして、その一軒の店先では、いま配達されて來たばかりらしい夕刊を、髭を白く伸ばした賣卜翁が、節づけて讀んでゐる。その暢かな姿が、以前、伯母と詣つて矢張り今日のやうに惡い御鬮が出たのを、易者に判じて貰つて『そんなに心配する程惡い御鬮ではないから…………』と、慰さめられたことのあつたのを憶ひ出させた。

お靜は、御鬮に失つた心恃みを、賣卜者の言葉に求めようとして、それらの中では比較的大きな『天山堂』と見覺えのある、木の吊看板の出てゐる店へ入つていつた。――と、其處には、おもひがけなく、先刻の國民服の青年が、瞼の爛れたやうな細い眼を、セルロイドの椽の厚い老眼鏡の底にしよんぼりさしてゐる易者と、對ひあつてゐた。

『これはようこそ御參詣で……いま直ぐ占ひますでなア』

商賣人じみた聲でさういつて、お靜に傍らの椅子を目顏で勸めると、易者はまた青年の方へ向き直つて言葉をつゞけた。

『いや、それは御鬮の番に依ては、大吉とあつてもさう有難くないのもありますがな、この十三番と來ては、何しろ此處のお山でも一番の有難い御鬮ぢやからなア』

『ホウ、さうですかネ、僕はまた餘りいゝことづくめなので、こんなの却つて良くないのぢやないかと思ったのだが……』

青年はさう云つて、老眼鏡の下にまたゝく易者の眼を擽つたさうに見た。澄んだ聲だが、自嘲するやうな響を帶びてゐた。

『いや、それも全くその人の仁に依りますでな、そりや、いくら結構な御鬮でもその人の身に適はんのもありますがな……まあ、貴方々がこの御鬮をいたゞかれたのなら、もう運を摑んだやうなものぢや、緣談でも商談でもおもひの儘ぢや……』

易者の說きつけるやうな力んだ聲を聞いてゐる中に、お靜は餘程有難い御鬮をいたゞいたらしい其の青年が羨ましくおもはれて、そッとその橫顏を偸み見た。濃い眉毛と緊きしまつた口許、小麥色に赫けた顏に鼻梁が高く通つて――男らしい顏をしてゐやはると見凝めながら、以前に何處かで見たやうな人やが……と心を掠める記憶があるのを感じたが……おもひ出せない。

『いや、有難う、さうすると僕にも今にいゝ運が向いて來る譯ですな、ハハハ……』

快活に笑ひながら椅子から腰を上げた青年は、何か氣壓されたおもひに顏をそむけてゐたお靜の白い項に、チラと視線を投げかけて外へ出て行つた。

お靜の出した御鬮を手にして、『フーン、第三十六番か』と銀の針のやうに光る長い白髮の混つた眉を寄せた易者は、時々、彼女の顏を老眼鏡の底から覗き込みながら、御鬮の文句を說明してくれた。

『よい御鬮ではないが、じつと焦らずに待つてさへ居れば、おもひかけない事で新しい運が開けて來るといふんぢやから、くよくよ案じることはない』

いまのお靜には、易者が最後につけ足してくれた、それだけの言葉が神の託宣を聞いた程にも嬉しかつた。やつと一縷の望みを取りとゞめたやうな氣がして、矢張り占つて貰つてよかつたとおもつた。母親から五圓貰つて出た蟇口に、まだ六七枚殘つてゐた五十錢札を二枚鼻紙に包括めて、机の上へ置くと『おほきに……』と、心から易者の前に頭を下げた――と、ふと足下にまだ新しい麻のハンケチが落ちてゐるのが眼について、手が本能的にそれを拾ひ上げた。

『これ、先生のと違ひますか』

『いや、貴女のぢやないのかな、これは今時珍らしい麻ぢやないか……貴女のぢやないとすると、今の若い人のぢやらう、貴女持つて行つて進ぜたらよいがな……あの人の御鬮運にあやかるやうになア、バスの乗場まで行けば一緒になりますわい……』

壁に貼つてあるバスの時間表へ眼をやりながら、易者はさう云つて、人の好ささうな微笑に細い眼を糸のやうに細めた。

お靜はハンケチを袂に入れて易者の店を出た。

見ると、もうずつと遠くへ下りて終つたらしく、青年の姿は眼につかなつた。

『あの人の御籤運にあやかるやうにな……』

といつた易者の聲が、妙に耳に殘つて、お靜には、お山一番の有難い御籤を引きあてたやうな、運に惠まれた今の青年の持物を拾つたことが、何うやら自分にもいゝ事のある前兆のやうにさへ、おもはれ出した。早く追ひついて返さなければ……と足を速めながら、一方では、この儘、默つて自分の袂に秘めて置く方が、何か知ら幸運にあやかれるやうにもおもはれて、それを返してしまうのが惜しいやうでもあつた。

が、バスの乘場近くまで下りて來た時、其處の店先で土産物を買つてゐた青年の姿を見ると、お靜の足は牽きつけられるやうに近づいて行つた。

『これ、貴方はんのと違ひますか、先刻の易者はんのとこに落ちてましたんやけど……』

お靜にハンケチを差し出されて、青年はポケットを探つた。

『いやツ、これは何うも……有難う――おや、貴女、京よねのお靜さんぢやなかつた』

有難う濟みません……と云はうとしたのが、知つてゐる女だつた驚きに、青年の聲が彈んだ。

『え、妾、以前に京よねに居ましたけど……誰方はんでつしやろ、妾も先刻から御見かけしたことのあるお方やとおもうてまんのやけど……おもひ出せいで……』

易斷所で横顔を偸み見た時から、見たやうな顔やと考へてゐたのが、話しかけられながらまだおもひ出せないのがもどかしく、男にも惡いやうで、お靜は詫びるやうにいつた。

「僕、M新聞の鮎川やがな、隨分、永らく會はないからな……忘れるのもつともや……』

『あゝほんに、貴方はん、鮎川さんだしたなア……横山さんと御一緒に、何度も御越しやした御方でしたな……忘れてゐて濟まんこと……』

『横山の御蔭で漸くおもひ出されたのは心細いね――横山と云へば、惜しいことだつたなア……知つてゐる？』

『えゝ新聞で見ましたけど……まだお若うおしたのになア……兵隊さんにも劣らん御立派な最後やつたさうで、妾、新聞を見て泣かされました』

『さうか、泣いてやつてくれたか、有難う、横山も君に泣いて貰つたら成佛出來たやらう。彼奴、君に惚れてたからなア、ハハハ……』

バスを待つてゐる人群の中から、何人かの顔が此方へ動いた程、高い笑ひ聲だつた。人々の視線が一齊に、自分に集中

されたやうな氣羞かしいおもひに、お靜は紅くなつて――まぶしいもの〻やうに男の顔から眼を外らした。

『そいで、以前は京よねにゐましたつて、今は何うしてゐるの』

さう問はれて、お靜は一層、肩身の竦むおもひに頷垂れたが、鮎川が何も知らないらしいのにホッとして
『え、妾、京よねを退いてから、もう二年にもなりますの……そいで、貴方はんは？』

と、脇の下を冷汗で濡らしながらに鮎川の質問の鋒先を外らした。

『さうか、もう二年にもなるのか、僕も京よねには永らく御無沙汰してゐるので、一度、行つて見たいとおもつてゐたんだが――僕、今度、徴用されてネ……横山の弔ひ合戰に行くのや』

『まあ、貴方はんも……』

何といつてよいのか、御目出たうともいひためらつた。が、青年がお山第一の御鬮をいただいてゐるのをおもひついて、やつと言葉を繼いた。

『そいでも、貴方はんは、大吉の御鬮いただかはつたんですよつて、大丈夫です……』

横山さんのやうに死ぬことはなからう……と言外に籠めた心を、鮎川は敏感に受取つた。

無言の裡にお互ひの氣持ちを勞りあふ氣持ちが通じあつて、二人共、暫く心に染み徹るやうな沈默を味つてゐた。

二

バスの待合所には、何時か灯が入つてゐて、下りのバスを待つて幾列にも並んでゐる、參詣歸りの人達の疲れたやうな影が、白つ茶けた電燈の光を浴びてゐて、まだ昏れきらない暮色の澱んでゐる室内には、ムッと鼻を撲つ人いきれがこもつてゐる。

やつとバスが來たが、列から離れてゐた二人は乘り損じてしまつた。次のバスが上つて來るまでには小一時間程、間があつた。

『何うです。其處らで一服しながら待つことにしたら……』

返事も待たず、さう決めたやうに歩き出した男の強い態度に、お靜は何か爽かなものを感じた。お山一番の御鬮をいただいた男が、自分としても男の好意を感じて、ひそかに處女心をときめかした日のある横山の、親友だつたといふことに、何か豫期しない運命の展けて行くやうな心躍りがした。

横山はM新聞の演藝記者だつた。辛辣な批評で鳴らしてゐたが、嫌味のない靜かに愉しむといつた風の遊びをした男で、觀劇の歸りを大抵は友達連れで來て、あつさり遊んで引

揚げるのが例だつた。妓達からも、さつぱりした男だと親まれてゐたが、其の靜かに澄んだ横山の眼が、自分の姿に慈み深く注かれてゐたのを、お靜は知つてゐた。然し、横山の口から洩らされたこともなく――洩らされても所詮一緒になれない宿命に置かれてゐたのだつた――が、若し、あの當時、あの方と……と、何時か過去の追憶を辿つてゐた心を亂して

『僕が柄にもなく易斷所へなんか飛込んだ御蔭で、貴女に遭えたなんて、横山の引合せとでもいふのか、妙な廻り合せやなア』

と、鮎川が三四歩遲れて歩いてゐるお靜を振り返つた。

『え、妾もさうおもうてますの……妾、今日、悪い御鬮があたつてくさくさしてゐたんです、それを貴方はんのやうな、有難い御鬮いただかはつた人に御遭ひして、何や知らん、縁起が直つて來たやうな氣がしますの』

『いや、僕の亡くなつた家内もこゝの信者だつたが、病氣が癒るつて御鬮が出たのに死んでしまつたんだ』

『まあ、奧さんが――そいで、何日お亡くなりになりましたん、御病氣で……』

『つい先々月亡くなつたんですよ、風邪から肺炎になつて、半月ばかり患つただけで逝かれちやつてネ……彼奴もこゝを信心して月詣りを缺かした事がなく、病氣になつてからも僕に代參してくれといふので、僕が詣つて御鬮もいただいてやつたんだ、それが吉で病氣近く癒るとあつたのか、呆氣なく死んぢやつたんだから御鬮なんて、あてになるものやない……』

『まあ、勿體ないことを――それでも、貴方はん、易者はんに見て貰はつたやおまへんか』

『や、こいつにはまゐつたネ、然し、あれはネ、僕は前から、家内が毎月引いて來て、やれ大吉だとか凶だとか、喜んだり沈んだりしてゐるのを、馬鹿〳〵しい事やとおもうてゐたんだが、僕は僕なりに、例へば、何か新しい仕事をしようとする場合など、吉とあれば積極的にやる、凶とあれば、充分愼重の上にも愼重にやるといふ風に自己流の解釋で吉だとか凶だとかいふ事には超越して、御鬮を謂はゞ、まあ善用して來たんだ。それが、病氣が癒るといふのが逆になつたんだから、愈々信用出來なくなつたんや。唯、今日はネ、明後日の出發を前に、家内によく引張られて來たこのお山へ、何となく來て見たうなつてお詣りしたんや、ところが、矢張り斯ういふ時には心が迷うてゐるのだネ、ふら〳〵と御鬮を引いて見たんですよ、それが想ひかけなく大吉と出たので、こりや、家内が死んだ時のやうに却つて反對になるんぢやないかといふ氣がしてネ、何日か一遍素見してやりたいとおもつてゐた

易斷所へ飛込んだといふ譯でネ……ところが流石に商賣や……仲々巧いこと云ひよるので感心した。疑うてはどんなに有難い御鬮でも御利益が薄れるつてネ、ハハハ……』

慶應出身の上に新聞記者といふ職業柄、東京辯の拔けきらないといふより、まだ大阪辯に馴れないチャンポンの言葉で話すのを、お靜は何か微笑ましく聞いてゐた。

鮎川と亡くなつた妻とは、彼が慶應在學中、親に逆いて夫婦になつた仲だつた。卒業と同時にM新聞へ就職して大阪本社へ廻されたが、社會部の警察廻りが最初の仕事で、收入も自分一人の口を養ふのがやつとだつた。喫茶ガールだつた妻の提言に動かされて、同鄉の先輩や橫山の才覺してくれた金で、小さい喫茶店を開いた。それを事變後、目先の利く橫山の助言から、ミルクホールに改造したのが、この一二年の間に面白い程繁昌し出した。

それが、相當の實績となつて、企業整備にも殘される側に入れるやうで、すつかり軌道に乘つて來た矢先に、肝腎な妻に亡くなられたのだ。併も今年二歲になつたばかりの一粒胤の男の子を殘されて――慌しい妻の死から打けた衝擊にまだ呆然としてゐたそのやうな時に、何日かはと豫期してゐたこと乍ら、徵用令狀に接したのだ。運命の激流に身を委ねながら――何か據りどころのない寂寥感の底に、幼い者を殘して行く不安が滓のやうに澱んで來るのだつた。

さうした氣持ちを靜めようと、妻への追憶の纏はるこの山に參詣して來た――それが、お靜に邂逅した偶然に、鮎川の心は更に運命的なものを感じさゝれた。俺も橫山のやうに死ぬものと覺悟して、潔く發ちたいものだ……とおもふと、またしても母もなく殘される幼兒の上に考へが落ちてゆく――。

お靜には、さうした鮎川の複雜な心の動きは感知出來なかつた。却つて、妙に彈んだやうな鮎川の言葉が耳に快く響いて、お山一番の御鬮をいたゞいた人と一緒に居るといふ、漠然とした明るい豫感につゝまれながら、言葉少なに男の後から隨いて行つた。

バスの通る路から外れて、少し行くと、まだ昏れきらない夕陽の殘照が、電車軌道の柵に沿つて並び樹つたポプラの茂みにチカ〳〵動いてゐて、その中で蜩が根限り鳴きさかつてゐた。

四

鮎川は軌道の踏切を越えて、ポプラの樹立の外れにある落着いた感じの小料理屋へ入つて行つた。

『ホウ、えらい氣が利いてるネ、大阪やつたら賴んでも斷られるのに……流石に此處らはゆつたりしてゐるな』

誂へた夕食に、頼みもしない銚子の添へられて來たのを見て、鮎川は苦笑した。お靜もそれに誘はれて苦笑しながらも
『折角つけてくれはつたんですよつて、お一つ……』
と、銚子を取り上げずにはゐられなかつた。そして——仲居女から妾へ過去の生活に培はれた習性が、男の空けた盃へ本能のやうに、酒を充たしつゞけた。『何うや、貴女も一つ』と勸められたのを、(明後日はお國のために何處か遠いところへ發つて行く方や)と、送別のおもひを籠めて、拒むでもなく受けた。二つ三つ盃を重ねた酒の醉が、お靜の化粧してゐるとも見えない薄く水白粉を刷いただけの白い顏に、ほのかな紅を暈かして來た。漸く滑らかにほぐれて來た口から、京よねを退いてから今日までの生活が語られた。お靜の話を聞きながら、無智な程に運命に從順な女の素直さと、一人の母に盡す至情に、瞼が熱うなつて來るのを感じてゐた鮎川は、吉田の名を聞いた時、ハツとした。社會部記者である彼は、今日もなほ檢擧が續けられてゐる大仕掛な鋼材の闇取引事犯の主犯中に、吉田の名があつたのを記憶してゐた。併も、それが仲々惡質のもので、何う輕く考へても二三年は陽の目を仰がれないだらうといふ事も知つてゐる。この事實を、お靜に告ぐべきか、告ぐべきでないか、鮎川の心は迷つた。告げなければ——自分から柵の外に出てゆくことを知らない羊のやうに、運命に從順なこの女は、何日までも吉田の戻つて來るのを待つてゐるだらう。さうかといつて告げれば——歌舞伎芝居に見るやうな古風な貞操觀念に生きてゐる女だけに、尙更ら義理を守つて、苦しい生活を押し通す心になるだらう。

然し、その何れも、窮迫の末に脆く運命の前に膝まづかねばならぬことになるのは、瞭かなことだ。併もそれを何うしてやらうにも、男としての一期の面目である晴れの出發を、明後日に控へてゐる彼としては、策の施しやうがなかつた。

『御心配かけて濟みません。妾、一人でしたら女中してでも生きて行きますけど……年寄つたお母はんをなア……』

男が自分のことを親身になつて案じてくれる好意が、ジーンと心の底に應へて、お靜の言葉はしめつた。

さうだ、年寄つた親を置いて女中奉公などと、無言で肯いた鮎川の胸に、彼にも殘して征かねばならぬ一人の幼兒のあることが、今更、痛切に考へられた。自分の實家とは許されてゐない妻の生んだ子だし、突嗟の場合でもあるので取敢えず、店の經營と共に古參の住込みの女に養育を託して行くことに肚を決めた筈なのが、それでよいのかと心を搖すぶられて來た。

年寄つた母親を抱へて銃後に生きることに心を勞する女の

身上を、母のない幼兒に心を殘して戰線に死に遲れるやうなことがあつてはとおもひまどふ、自分の身上に引き較べてゐた鮎川の頭腦に、ふと靈感(インスピレーション)とでもいふのか――一つの考へが湧いた。

さうだ、この女に店も子供も預けて行つたら――京よねにゐたのだから、客商賣の今の店を經營して行くのは困難ではないだらう。さうすれば、誰に氣兼ねすることもなく母親を樂に養つてゆける。自分だつて店の權利を讓つて貰ふのが目的で、子供を育てることは其れに附隨した義務として、諾(うべな)つてくれたらしい店の女に預けるよりか、何れだけか安心して征(ゆ)けるのだ。さうだ、さうしよう、否(いや)、さうしなければ……と、鮎川はお靜の顏に視線を据えた。

豊かな髮を輕くウエーヴした頭髮がよく調和してゐる細面に、睫の深い潤ひのある眼。難にならぬ程厚つぼつたい感じのする唇(くち)。それに右の鼻翼に大きな黑子(ほくろ)のあるのが、妙に肉感的に見える女の顏と、正面に對ひあつて、鮎川は――これはいけない、俺はこの女に惚れたらしい――と心に呟いた。それに、酒を飲んでゐる――いま話すのは拙いとおもつたが、今夜を外しては機會がないのだと考へると、切り出さずには居られない。鮎川は居ずまひを正し、一旦閉ざした眼を靜かに開いて――話し出した。

『お靜さん、突然、こんなことを云ひ出して――酒の上の醉興だとでもとられると困るのだが……明後日(あさつて)には出發しなければならない僕だ。明日(あす)にも返事を聞きたいので、單的に云はして貰ふ。何うだらう。僕の發(た)つたあと、お母さんと一緒に僕の家へ移つて來て、店を引受けてやつて見ませんか、東光軒といつて、ミルクホールだがネ、仲々流行(はや)つてゐるんだ、いま女の子が三人居るが、それを使つて貴女(あんた)が釆配してくれゝばいゝんです。そして、お母さんには、まあ坊の世話を見てやつて欲しいんだ。まだ、この春誕生を濟ませたばかりで手がかゝるが、もう乳は離れてゐるし、店の女の子も代る代る守りしてくれるので、まあ、さう世話の燒けることもないとおもふのでネ……』

お靜が變に誤解したり、遠慮しないやうにと氣を使つたのが、却つてぎこちない表現になつて――京よねでの生活で、男と女の關係をさう見ることに慣らされて來たお靜は、鮎川の言葉をもさうした角度から解釋した。

『御親切に、おほきに……妾(わて)ら母娘(おやこ)のことをさうまでおもうていただいて、涙が出る程嬉しいんですけど……妾(わて)、先刻(さつき)もお話したやうに、お言葉に甘(あま)へられる身體やおまへんので……』

こりやいけない。矢張(やつぱ)りこんな席で拙かつた……と鮎川は

額の上で手を振つて、お靜の言葉を遮つた。

『いや、僕の云ひ方が拙かつたかな、そんな心算ぢやないんですよ……僕も應召して征く以上、横山と同じやうに生きて還れんといふ事も覺悟してゐる。亡くなつた家内との結婚以來、不仲になつてゐるのだが、子供の事は、僕が死ねば、僕の實家でも放つて置きはしないだらうが、店は立派に育てゝくれる人に讓つて行きたい――あの店には家内のおもひが籠もつてゐる、それに、今日のやうに流行つて來たのは、一つは横山の先見の御蔭や……横山は貴女をおもうてゐながらお母さんまで養ふ自信がないので諦めてゐたんだよ……だから、貴女に店を引繼いで貰ひ、出來ればまあ坊を預つて貰へたら、家内だつて、横山だつてよろこんでくれるだらうとおもふのだ……そら、僕かて若いんだから、生きて還つて來たら、貴女に、貴女がいま心配したやうなことを、切り出すことになるか知れんが――それはその時のこと、貴女の氣持ち次第で、まあ坊だけ返して貰つてもよいのだからネ……貴女にして見れば吉田さんのことが心懸かりになるだらうが……僕の考へではこれは何日まで待つても無駄だとおもふね。それに、また吉田さんが來るやうになつても、別に義理を缺いたといふ譯ぢやなし……その時は、その時のやうに、貴女の好きなやうにしたらいゝのだからね……。さうや、貴女があやかりたいと羨ましがるこの御鬮の運が、そつくり貴女に移つてくれるやうに……この御鬮と一緒にあの店を、貴女達母娘に進げて行から……その代りにといふと、話が算盤づくに聞えるが――僕が歸つて來るまで、まあ坊の面倒を見て欲しいんだ。戰死するやうなことになれば、實家の方でも放つて置きはしないから……』

　いゝことをおもひついたといふ風に、鮎川は名刺入れから四つに折つた御鬮を拔き出した。鮎川の熱情を帶びた言葉をうつとり聞きながら、夢を見てゐるやうな幸福感に浸つてゐたお靜は御鬮を握らされて、その幸福をハツキリ現實のことだと意識した。其の手に縋りついて感謝したいやうな衝動が、胸を衝き上げて來た。

『おほきに……妾、屹度……』

と、涙に言葉が咽んだ。

『何も泣かなくても……それ程に喜んで貰へたら僕も滿足や、ほんとに貴女のやうな人は今時珍らしいなア、御鬮はよう信用せん僕やが「あの女は神に守られる女だ」と、横山が云つたのは眞實だとおもふ――唯、貴女に考へて欲しいのは、話を聞いてもいぢらしくなる程、自分を小さうして地味に謙つて暮らしてゐる貴女の生活も、吉田の妻子達には矢張り憎い女と映るのやないだらうか？　女として、まつたうな

道は矢張り、何んな人でもよい、世間晴れての妻となつて夫を助けて行くことだ。そしてこの時局下に少しでも自分もお國のためになつてゐると、おもへるやうな生活をすることだ。我が田に水を引くといふが、僕の店で明るい氣持ちで働いて貰へたら、それは貴女母娘や僕達だけの幸福だけぢやない……とおもふのだ』

『え、妾もお母はんも一生懸命やらして貰ひます……』

泣き濡れた眼に微笑みを見せた女の姿に牽かれる心搖らぎを怖れるやうに、

『有難う……神樣に守られる人に、まあ坊を守つて貰ふのかとおもふと、僕も安心して發てます――それぢや、餘り遲くなつてもいけないから……』

と、鮎川は立ち上がつた。

玄關に出ると外はもうとつぷり昏れてゐて『清風亭』と書いた門燈の青白い光に、其處だけボーウと明るい門先の柳が、風が出て來たのか、しなやかな枝を戰がしてゐた。昂奮に火照つた頰に青田の香りを孕んだ風が快く撫でて、鮎川は先刻女に對しては身體を得ることが先決條件だ、この羊のやうに運命に從順な女の心を動かすのには諄々しく云ふより手つ取り早く……といふ考へが腦裏を掠めたのを、理性で立ちむかつた自分の態度に、爽かな矜を感じた。

お靜は、何か割切れない空白があるやうでゐながら、充ち足りた幸福感を胸に、鮎川のすぐ背後に影のやうに寄りそつて歩いた。そして、歸りの遲いのを案じて、屹度、電車の停留場まで迎へに出てゐるだらうとおもはれる母親に、何う今夜の事を話したものかと、最初に告げる言葉を胸に綴つてゐた。

『お母はん、喜んでおくれやす、妾もお母はんも、明日から、堅氣になつて働きまんねン、ミルクホールをやるんでつせ、値を安う美味しう食べて貰ふたら、世間も喜んでくれはるし、妾らも肩身廣う暮らせますのや……今までの惡いことが消えて、これから運が開けて來るて――そら、この聖天さんの御蔭にもちやんと出てますやらう……』

そんな言葉を心に反芻しながら、ともすると足の遲れるお靜を振り返つて、鮎川の足が佇まつた、

『この道は、何日か家内と詣つた時も晩くなつて歩いたものだが、矢張り、今夜のやうに月の出の早い晩だつた……』

亡妻も今夜のことは、屹度、喜んでくれるだらうと、口まで出た言葉を胸にいたはつて、鮎川は宵早く澄み耀いてゐる月の面に、瘠せて蠟のやうに美しい顏だつた妻の最後の俤を描いて――凝と空を仰いだ。(完)

編輯後記

○本年度は、四月に歴史文學作品特輯號を贈り、今ここに、現代文學を特輯することが出來た。四篇の作品には、それぞれの趣きがあつて、またそれぞれの世界に喰下つてゐる姿が見えてゐると思ふ。かくて我々は自ら建てた塔を見返りながら、更に前進を續けたいと思ふ。

○近頃は、新聞記事もしくはそれに類するものが、その儘作品になつて、物語あるひは傳記と少しも變らないものが、小說であるかのやうに扱はれる傾向がある。眞に日本人のための國民文學建設が要望されてゐる現在、これは甚だ殘念な傾向である。やがて大東亞共榮圈の盟主たる日本國民はあらゆる分野に於いて、充分に他を納得させることができるものを持たなければならないのだ。

○一部には、神がかりの文學論が現はれてゐる。だが、我々を强く打つものは、さういふ文學論ではなくて、結論を求めるまで苦悶を續ける作家の姿である。ローマは一日にして成らず、況してや文學は、一生の難行苦行である。

○日本語は難しいと日本人がいふ。ところが、その日本人は、自分にとつて難しいといふのではなくて、外國人のためを思つていふのであらう。それは甚だ親切な思ひやりであるが、日本人は今まで外國語を學ぶのに、難しいからやめるといつたことはなかつた。これから日本語を學ぶ外國人だつて同じことであらう。歷史と傳統に根ざして、國民精神をつくり上げてきた國語は、眼前の目的のために、變更出來る性質のものではない。

○それよりも、近頃の新聞雜誌には、まるで意味の通じない文章を散見する。かういふものを改めることのはうが急務ではあるまいか。單に誤植といつては濟まされないものが隨分あるやうだ。

○先月號あたりから、編輯校正に村正治君の御協力を願つてゐる。有難い事である。

○涼秋十月、各位の御健康、御精進を祈ります。

文學建設 十月號 (定價三十錢 送料壹錢)

昭和十五年五月六日第三種郵便物認可
昭和十七年九月二十五日印刷納本
昭和十七年十月一日發行 (每月一回一日發行)

東京市小石川區白山御殿町一一四
編輯兼發行人 岡戶武平
東京市芝區愛宕町二丁目九九番地
印刷人(東東二六)黑部武男
東京市芝區愛宕町二丁目九九番地
印刷所 昭文堂印刷所
日本出版文化協會會員
(會員番號一二八五二五)
東京市麴町區平河町二ノ一
發行所 文學建設社
電話九段(33)三四一〇
振替東京一五六五九八
配給元 東京市神田區淡路町二丁目九番地 日本出版配給株式會社

定價 三十錢 (送料壹錢)
半年 一圓八十錢 (送料共)
一年 三圓五十錢 (送料共)
送金は振替を御利用下さい切手代用の場合は一割增のこと

文學建設同人近刊

山田克郎	日本海流	（長編小說）	大日本雄辯會講談社
岡戸武平	小泉八雲	（長編小說）	大日本雄辯會講談社
中澤巠夫	阿波山嶽黨	（長編小說）	大日本雄辯會講談社
村雨退二郎	田崎草雲	（長編小說）	大日本雄辯會講談社
戸伏太兵	小弓御所	（長編小說）	大日本雄辯會講談社
鹿島孝二	工作機械	（長編小說）	大日本雄辯會講談社
鹿島孝二	青春系圖	（短編集）	大都書房
大隈三好	高山彦九郎	（長編小說）	東光堂
村雨退二郎	愁風嶺	（短編集）	三邦出版社
村雨退二郎	火術深祕錄	（長編小說）	國文社
村雨退二郎	高松美丈夫	（短編集）	那古野書房
戸伏太兵	大山蓮華	（長編小說）	東光堂
山田克郎	少年感化船	（短編集）	泰光堂
淺野武男	蜘蛛の舞	（短編集）	泰光堂
中澤巠夫	勤王系圖	（短編集）	東光堂

文學建設十月號（昭和十五年五月六日）昭和十七年九月廿五日印刷納本

十一月號

第四卷第十一號

（昭和十五年五月六日 第三種郵便物認可）

昭和十七年十月廿五日印刷納本　昭和十七年十一月一日發行　文學建設十一月號

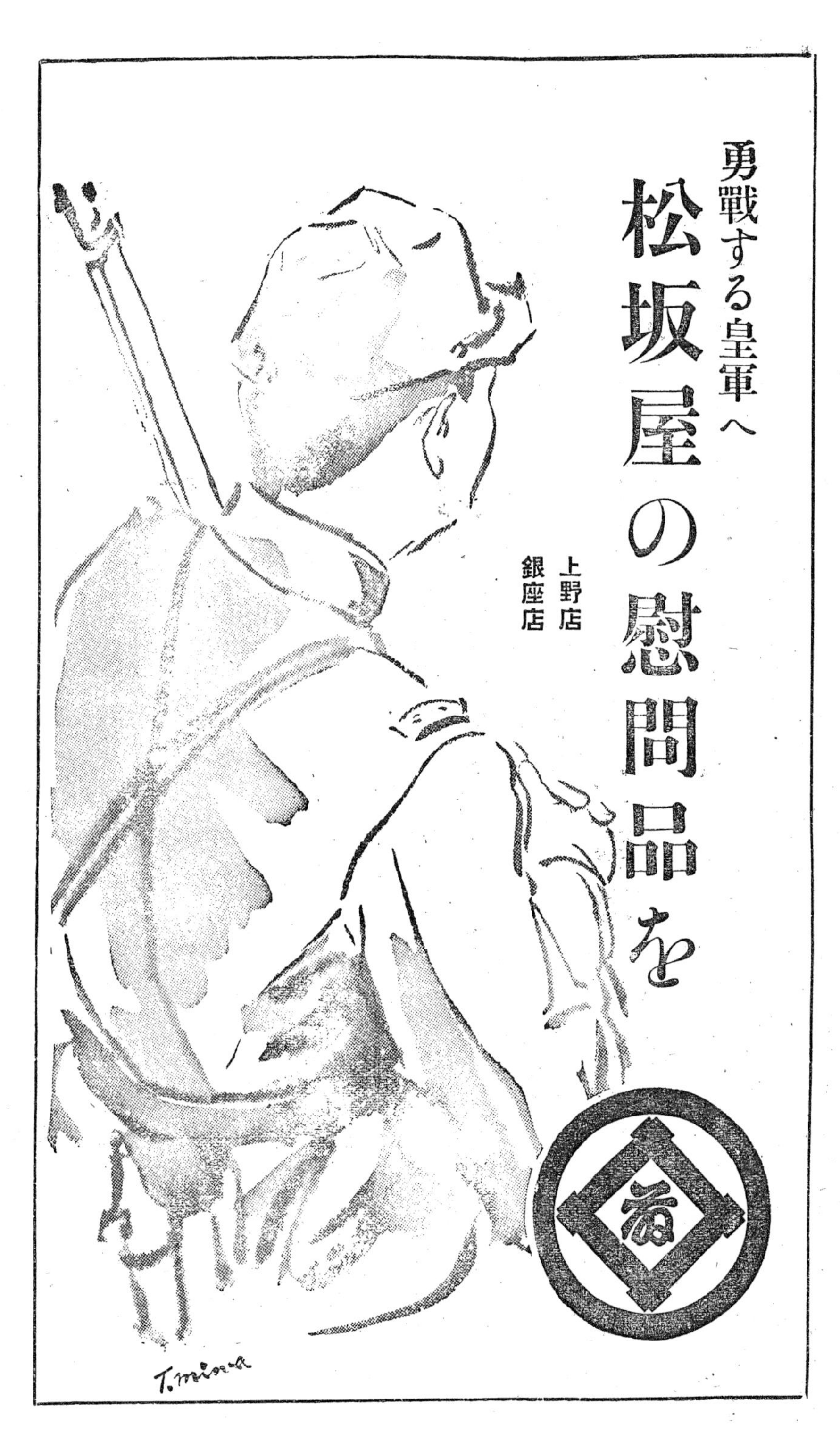
勇戦する皇軍へ
松坂屋の慰問品を
上野店
銀座店
T.Miura

文学建設

第四巻 第十一號

目次 【通巻第四十六號】

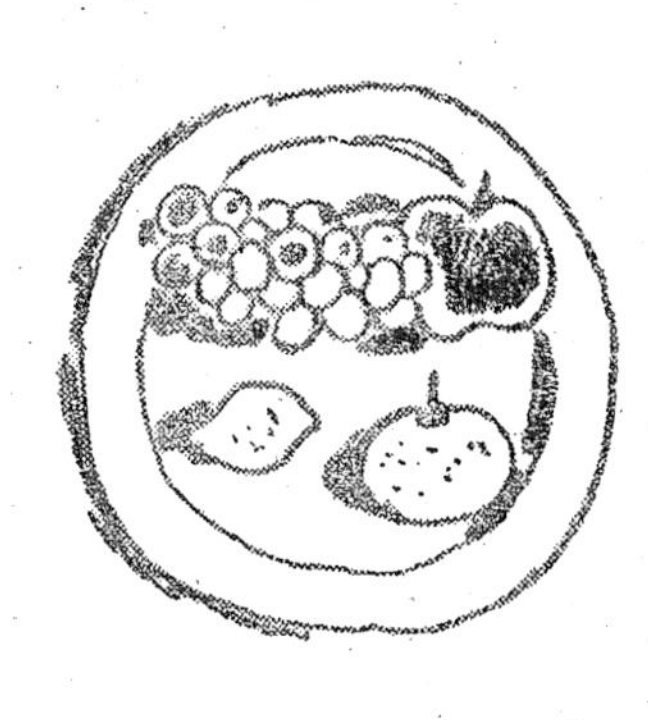

現代作家研究　9

戸伏太兵論

東野村章

1

「何年となく、同じ居場所に凝ツと屈み込んで、雨に打たれ風に曝されながら、嚴肅な、そのくせ滑稽な祈りを、天に捧げてゐる一個愚人の像なのである。道行く人の嘲弄には瞳を塞いで耐へ、投げつけられる冷笑には唾を飲んで忍び、泣くにも泣けぬ卑小な我が姿を見詰めては孤獨の魂をいとほしみ、人生への制御しがたい憤懣は胸を搔きむしつて抑へ、運命の偏跛は遣る瀬ない諦めに押し包んで、不平も云はず愚痴もこぼさず、希望も無く光明もなく、たゞひたすらに緘默の祈りを捧げてゐる、屍腐れのした、一個、愚人の像なのである。

だが——時代の戰慄は、此の何年となく屈み込んで、特に茲一二年、むやみに自己の生命力に自信を失つてしまつた愚人の像に、怒るべきを怒り、泣くべきを泣き、わめき、叫ぶ時に聲を出すといふ衝動を、禁ぜしめることが出來なかつた。そして約一年、愚人は自己の才能の限度も量らず、結局はどうせ無意味な叫びに終るだらうと自嘲しながらも、たゞ無性やたらに、遮二無二に絶叫をつゞけたのである。旣ニ是レ途轍、只是レ一個ノ途轍——と、東洋賢哲の一言を纔かに心の綱として、飽きずたゆまず、何かに憑かれたものゝやうな此の饒舌！　だが、然し——ひよツとしたら、これも、やはり一種の、神經衰弱のせゐであつたのではなからうか。狐が落ちれば、又、もとの沈默にかへらねばならぬ。此の、救

ひがたき、一個、愚人の魂に憩ひあれ!」

新人、戸伏太兵が、はじめて世に問ふ作品である長篇戯曲大山蓮華「天ノ川辻」を一册に纒め、過ぎこし努力の一ヶ年を振り返り、更に未來への想ひを罩めて絶叫するこの聲は、何か讀むものゝ心を揺する響をもつてゐる。――内省と理想と、勞苦と、さま〲な感慨渦卷にとり卷かれ、なほ、ふつ〱として湧き出づる、文學への熱情の炎となつて叫ぶこの聲。しかもなほ、熾烈な思索の炎は、自らを嘲笑ひのなかに刻みつけやうとする冷徹な眼を漾はせて――。

これが戸伏太兵の自畫像であるやうな氣もする。どんな場所でゞも無雑作な身振りで語る彼の一面が、この後がきの一文の中にも、現れてゐる。自嘲の中の冷徹な眼――は、彼の生活から滲み出た個性なのだ。いや、むしろ、自嘲の中から滲み出た個性であるといつた方が正しいやうである。「怒るべきを怒り、泣くべきを泣き、わめき、叫ぶ時に聲を出して」はじめて結晶した個性であつた。と、同時に、さうした禁制の世界が結晶させるべき大きな苗床であつたとも思へるのである。

「天ノ川辻」發表から今日までの、彼の旺盛な制作欲と、積み重ねる作品を見て、熱情の爆發といつた感じが、強く感じられる。感じられるといふだけでなく、本當にさうなのぢやないかの思ひが強い。「遮二無二に絶叫をつゞけ」しめる熱情の爆發が、「何かに憑かれたものゝやう」に夢中にさせてゐるやうである。

作家にとつて、かうした心の狀態は、誠にうらましい限りである。或は、彼が言ふやうに「狐が落ちれば、又、もとの沈默にかへらねばならぬ」狀態であるかも知れぬが、さうした危惧をも抱かせないだけの激しいものがあるのである。

長篇戯曲大山蓮華「天ノ川辻」の五部にわたる作品は、彼のさうした〈爆發〉のすさまじさに滿ち溢れた作品であつた。

2

「吉野郡天川村天ノ川辻は、五條町の南方約六里、天ノ川沿ひ熊野本宮道の要衝にして、西は裏高野、東は吉野口洞川に通ずる岐道を扼し、羊腸の峻坂、重疊の懸崕、眞に無類の天嶮」を舞臺に、天誅組の末路を描いて、歴史を通じて、作者の眼は執拗に人間の生命力を瞶めてゐる。激しい人生の起伏を瞶めてゐる。

臆病で、幾分おどけた性格の、大峯行者(先達)の廣橋の椋十は、此の物語の主役ではないが、作者の批判の言葉は、この椋十を通して多く語られてゐるのではあるまいか。椋十の

おどけた身ぶりや、遠慮のない言葉が、何か胸を突く響をもつて迫つてくる。

「ダリとはな、ダリとはな……奥吉野の此の邊に漂泊うてゐる怨靈のことなんぢや。何百年何千年の大昔以來、此の邊の嶮路に行き倒れになつて死んだ者共の怨靈が、祠り手の無いために極樂にも行けず、地獄にも行けず、ウジヤ〳〵と中有に迷ふてゐる。よその土地では日の御崎とも、乾かしとも、餓鬼が憑くとも云ふとるさうぢやが……此の邊から大臺ケ原へかけてダリが憑くと云ふとりますのぢや。」と言ふ椋十の聲の響には、ダリだけのことを言つてゐるのだらうか。作者の人生を讀める批判の聲が、その響の彼方から流れてくるのを感じるのである。

北畠道龍の「ちえツ、何んてことをしやがる」と齒ぎしりする思ひは、ダリ問答から續いて浮きあがり、松本奎堂の「見える〳〵……俺にも見える……萬吉、見てゐるか……。お前の目には……その、旗の文字までは、讀むことが出來まい。」と苦痛の中から叫ぶ心の聲に、椋十のおどけた恰好に、人生の斷面が、まざ〳〵と描かれてゐる。

「作家が自我の中に沈潜して行つてその無意識の底に到達してか、或は運命、自然の中へ押し進んで行つてその底知れぬ力の實體に逢着してか、人間としてのすべてを出し切りながら、しかもその半面に於て超人間的なあるものを捉へてはじめて大藝術家と稱することが出來よう」とは、藤原定の言葉であるが、そのあるもの〻一つの形が、此處では、大自然を對照に浮きあがつてゐるのを見るのである。「無類の天嶮」をもつ大自然の姿を對照に、人間の力の限り奮張つたところの一面を見て、深い思索の糸に引曳られるのは、あながち僕一人ではないだらう。

「世界と人間とを、そのあるがまゝに觀、理解しようとした自然主義の衝動は、人間にとつてそれが餘りに冷酷に過ぎた許りではなく、その理解の對象である世界や人間そのものが宿命と惡との中に鎖され切り、その中で固定して動かぬものではなくて、絶えず束縛と宿命の殼を破つてあるべき方へと進む力を根抵に有してゐた」（藤原定）自然主義も、その求むる世界の狹隘が、貧弱な殼に終つたが、戸伏太兵のもつ世界の擴さは、横だけの擴がりでなく、歴史といふ縱の擴がりのあることに、彼の深さがある。

史實に對する嚴しい良心と探究は、彼の作品に多彩ないろどりを織りなし、さうした深さにいつさうの精彩を放つのである。

3

「この戯曲を現代劇文學中最高のものと讃美してゐたが、全然、同感である。いつも言ふことだが、調査の精到さ、しかも、その精到な調査の上に立つての構成の見事さ、歷史文學としては、殆ど完璧のものである。（中略）圭堂の大演說の主旨にも、我々は全然同意である。これは、作者の史觀であり又、人生觀であらうと思はれる」と「文學建設」に於ける批評の言葉を、いま、再び思ひ出さないではゐられない。それほど、この作品は完璧のよさをもつてゐる。再讀するにあたつて、僕は正直、弱點を探り出すやうな讀みかたをした。だが、見事に背負投げされたやうに、再度、感銘を深くしたのである。

更に筆者は、以下現代に亙る三代の實錄を記述せんとの野心を聞き、その成功を祈つてやまないのであるが、この「天ノ川辻」に於ける良さは、飽迄、「怒るべきを怒り、泣くべきを泣き、わめき、叫ぶ時に聲を出す」彼の熱情の爆發にあるのではないだらうかと思ひ、爆發の衝動が、單に技巧の上手さに墮することを恐れるのである。

歷史文學の再興（この言葉はあたらないかも知れないが）——いま、嵐のやうな地鳴りをもつて、この國の文學界に押しよせたところの波が、あの狂ひ廻るやうな狀態から、やゝ軟風の狀態に落ちつきはじめてゐることが注目される。

この國の文學界の一部の人々が、意識的か無意識的かは知らぬが、見ようとする狹い視界に浮かび上つた歷史文學の作品——その一部を掲げれば、橋本英吉、井上友一郎、德永直丹羽文雄らの作品——が、華々しくもライトをあびて、何彼と問題にされたが、果して、それらの作品の中から（歷史文學）としてとりあげる程の價値と內容をもつてゐたであらうか。ことさら盾つく譯ではないが、今機のこの波を瞶め、眞の文學を愛する者にとつては棄てゝ置けぬ問題なのである。

いま、簡單にこの問題を突く言葉がみつからないのだが、史實の把握のことではなく、（文學）としての味はひをもたうとするところに、何か深い不滿なものを感じるのであるといふことが言へると思ふのである。

歷史文學としての作品が（文學）の味はひから遠いのが、單に史實への忠實性への傾向が齎すだけでなく（それもあると思へるが）作家の創作以前の態度にあるので、姑息な商賣人といつた感じが受けられるのである。形を變へた便乘の姿をみると言ひきつて了へないにしても、何かさう言つた姑息な姿を見るのである。われ〳〵が、彼等によつて歷史文學の今日の流れの主流をなすものと思つてはゐないが、しかし、文學界の一部の人々が見ようとする狹い視界が、彼等だけを問題としようとすることに不滿を感じないではゐられない。そ

れは、視界の狹さを忘却して、尤もらしい嘆きの聲を耳にするとき、いつさうの不滿と、腹立たしさに滿たされるのである。

しかし、かうした歷史文學の勤行を來らせるべきものが、今日の時代の中にあつたのだ。(今日の現實は平安ではない。現實は、たしかにめまぐるしいほどの轉換をつゞけてゐる。こゝに當然この偉大な時期への省察がおこる。主體的把握によつて、この現實を歷史的現實として認識し、その中に生きようといふ意企がおこる。人々は歷史を實現しようとする意慾にもえるのである。そのときわたくしどもは、かつて歷史的人物がいかにしてそれを實現したかを探求しようとこゝろざすであらう。昨年あたりから急激に增加した歷史小說の制作は、根本的には作家たちのかういふ意企をはらむものといへよう。)(現代日本の文學――田中保隆)の言葉は、それを指摘してゐる言葉として。底を突いてゐるものではないだらうか。

だが、この時流に乘らんとしつゝある作家の一人かも知れぬが、その制作以前の態度に於て、戸伏太兵の登場は、全く別のものをもつてゐるといふことに注意すべきである。

如何言ふところに、別のものをもつてゐるといふことが言へるか。それは、彼の硏究の精果をもつ歷史觀、人間の生命力に注視するひたむきな努力、人生觀が、單に(歷史的人物がいかにしてそれを實現したかを探究)するだけにとゞまらず、生きてゐる人間の中に探究のメスを向けてゐるところにあるのだ。

さうした戸伏太兵の努力と意欲は、この時流の中で、一種爽快な感じを與へるのである。

「天ノ川辻」は、戸伏太兵の將來に於いても、恐らく傑作の一つとして數へられるものであらうと斷ずるに躊躇しないのであるが、嚴密に言つて、彼の今迄蓄積されたものゝ力が、いちどきに溢れ出した感があり、このうちの良さを眞に彼の持つものとして信じきれぬやうに、缺點としてあげられる點も、その儘思ひ切つて了へないものがあるのだ。

つまり、處女作としての弱點を多分に備へてゐるのではあるまいかと思へるのである。この一作だけをもつてしては、戸伏太兵の〝熱情の爆發〟以外に捕へる心を搖する良さが、何かまだ信じきれぬ相貌をもつて橫たはつてゐるのである。

4

さて、自然を對照として、人間の力を、生命力を讚めようとする作家であるといふ風に先に述べ來たつたが、「天ノ川辻」にひとまづ完成のピリオドを打つて間もなく、第一の長

篇、巨弾「坂上田村麿」に、更に、強くそのことを感じないではゐられなかつたのである。

戯曲といふ形式の制約につれて、文字を通して見る場合の何處か分明と判りかねた「天ノ川辻」に比べて、「坂上田村麿」が小說である點で、よりよく作家戸伏太兵を讀めることが出來た。それだけに、作者の力の打ち込み方も「天ノ川辻」の場合とは、違つたものがあるのを見るのである。

此處でも、山奥を背景に、逐はるゝ千熊丸の冒險に絡んで物語がすゝめられる。(蘭山の一群が、嘗て噴火した時に押し流した溶岩の末端で、晩春の雪解氷に運ばれる流石に削られ、押し流す土砂をかぶつて屹然としてそばだつやうな斷崖をなしてゐる。積年の雨露にめぐまれて樹木が生えしげり、鬱然たる森がその上にあつた)といふやうに、克明なタツチが、ぐいぐいと惹きつける音律をもつ上手さに、描寫の確實が胸をうつ。「天ノ川辻」に於ける椋十の登場のやうに、乞食の主といふ人物が、作者の思索の糸をもつて登場してゐる。そして乞食の主の個性の强さと印象は、千熊丸をベールの向ふへ押しやつた感がないでもない。宇漢木の娘、臥宇・酥倫枷にしても傴僂の妹蔓兒にしても、物語や事件のときどきの性格が浮き彫りにされてはゐるが、全體を通じて、矢張り同じように生きた姿で迫つて來ないのは、單に、遠すぎる時代の隔たりの所爲であらうか。

(「俺は、狙てた。名譽だ。權勢だ。富貴だ……そのどれにたしかな自分といふものを見付けることが出來よう? 終り無く流れゆく時間は、わが生の限り同一の不たしかな命を刻むに過ぎないのではないか! 凡俗、我慾、妄執の對象を、無限の時、無限の空間の中に求めようとするのは、所詮は無用のことなのだ。(中略)娘や小兒が、美しいものものと眼移りがして、その孰どれか一番きれいな物を心の中で選擇しなければ承知出來ないといふ焦燥に促はれるやうに……だから俺は、自分を邊土に、拋棄しなければならんと考へ付いたのだ……。」「俺はその以前から、漠然と、この邊陬の陸奥の陰欝に、何かしら心の牽かれるものがあつた。(中略)あゝ、黑い唐帶のやうな……黑い密林……俺は、俺の死骸を、その密林の中へ引擦つて來て棄てたんだ……。(中略)その瞬間に、俺は此の蝦夷蕃地に新しい生活の匂ひを嗅いで居ることを知つた。あゝ俺は、必ずしも再起の出來ない敗殘者ではなかつたといふ、はかない喜びがポッチリとした灯を夢の中にとぼしたのだ。」)と叫ぶ乞食ノ主の聲の響が、それまでの物語に泌み入るには、何か空轉する饒舌を感じないであらうか。

それは、描寫と丹念な考證に氣をとられ過ぎてゐたからではなからうか。しかし、それらの失敗はあつても、〃熱情の

爆發”に、やゝ冷靜の思索をもつて進めた筆に、正確なる描寫の尊い實踐の努力の跡に、深い感銘を感じるのである。

「急湍とよどみとを持つてゐるこの小說はよどみの方の筆の確かさに比べて急湍の方は、ひどく荒すぎるといふ感を懷かせる。——それは私には、もともと作者が緻密な構成の上に立たなかつた、計算の誤まりから來たものであらうと思はれるのである。」と、讀後感を述べた山田克郎のうちのこの一句も、急所を突いた言葉だと思ふ。

先に引用した乞食ノ主の言葉の中には、「多くの問題がある。「俺は、自分を邊土に拋棄しなければならんと考へ付いた」ことに對しても、深い思考の糸がある。そして、自然を對照に、人間の生命力を瞶める作者の眼が、此處で、感傷的に曇りゆくのを恐れるのである。

5

一つの問題を捕へ來たり、それに就いて描きすゝみながら問題そのものゝ具體的表現と、解決に失敗をみせるところがこの作者にあるやうである。

「驛」といふ戲曲にも、さうした失敗をみることが出來るのである。これは現代を舞臺に、(白い砂丘の間にポツンと忘れられたやうに置かれてゐる、殺風景な田舍驛)に起る插話に、文豪を拉し來つて、皮肉な作家の一面を描かうとしたのであらうが、小事件の組合せだけに終つたやうだ。しかし、戲曲は、舞臺を通して、はじめて立體的に浮き上るものだと思はれるので、文字のみを通しての感じでは何とも言へないのではないかといふ氣がする。もう一つの戲曲「鴨川千鳥」も、その點で分明と言へないが、少くとも、讀後の感じでは「天ノ川辻」に出發する戶伏太兵のもつ逞しい迫力、ひたむきな熱情に浮き上つてゐるのを見るのである。

短篇では、講談倶樂部に揭載された「八幡大菩薩」がすぐれた良さをみせてゐる。長篇に於ける克明な描寫の美しさを見ることは出來ぬが、これは春風の愁ひに似た透明な線がしみ〴〵と心をとり卷くのであつた。

「奇傑飯田武貞」——「馬門の唄」——「素描三題」——「囑托」とつゞく彼の努力の跡は、一ツとして投げやりな作品でないことをもつてしても判るのである。どんな短い作品にも彼のもつ力を出しきらうとする努力を感じ、それが美しい結晶となつて燦めくのをみる。

新しいものへ、新しいものへとの意欲をもつ作家は多いが戶伏太兵ほど理想を實踐によつて築いてゆかうと努力してゐる作家は、さう多いとは言へないのではないかと思ふ。理想を理論づけて、たゞちに實踐の中に盛り込んで飛躍する村雨

退二郎の行き方とは、また、違つた行き方で行かうとする。彼のもつ人生觀、人間觀は、笑ひの中に涙をみようとするかのやうに、逆な探求の仕事で眞實に近づいてゆく。

「天ノ川辻」に於ける椋十の身振りは「馬門の唄」の（愚鈍で無器用で、その上そゝつかし屋）の甚次郎兵衞の（唄の甚次郎兵衞は、氣のよい男、あゝ、そうだともさ、金は持たねど……）の唄聲の中に、思考と哀愁との作者の眼が向けられてゐる。

「坂上田村麿」に於て實踐した、描寫と、新しい表現は、今まで日本の小説のなかからは感じられぬ深さ、重量を生みだしたことは戸伏太兵の大きな足跡である。この力量に、この作家の期待の多くがあると言ひきれるやうに思ふ。「天ノ川辻」も小説化する由を聞き、僕はあの天嶮の地を、どう描くかに多くの期待をもたないではゐられない。

歴史文學作家戸伏太兵に、もう一ツの面がある。

それは「赤道地帶」である。材を遠く、アフリカ、南太平洋に取つた連續短篇集である。（いたづらに狹い島國的感傷を揚棄して、文學をしてより廣い天地に濶歩せしめたい――といふ希望のもとに、僕がこの連續短篇集の構成に着手し）たと作者が、あとがきに述べてゐる。（文學をしてより廣い天地）といふこと、つまり、素材の廣がりをもつて（文學）の廣がりとする見方（こゝでは、說明が充分ではないが、恐らくさういふ意味での廣がりを言つてゐるのではないと思へるが）には、僕は別の意見をもつてゐる。

新しい世界――素材と文學の眼に就いては「山田克郎論」に於て些か述べた通り、素材の新しさだけで文學の新しい何かゞ生れるとは斷じられないと思ふのである。われわれの言ふ新しい文學が、新しい素材にあるのではなくて、新しい文學の眼にあることは今更ら繰り返すまでもないことである。

で、「赤道地帶」は、さうした意味の新しい文學のこゝろみとしては、「天ノ川辻」や「坂上田村麿」に遠く及ばないのではないかと考へる。集められた短篇はみな非常に面白く、構成の巧みさにも胸を突かれるが、文學作品としては、戸伏太兵のものとしては低すぎるやうに思へる。

これまでの戸伏太兵の作品をかうして見てくるとき、彼の人間を、人生を、自然を、文學を通して思索し、模索する態度の確固とした腰の座りのなかではあるが、それぞれの作品がこゝろみと研究と努力の積み重なりで、これから、この經驗が生むところの眞の（文學）の良さが結晶されてゆくのではあるまいかと思ふ。いや、旣に描寫による新しい面をうち樹てつゝある。われ〳〵は、其處に大いなる期待をもちつゝ彼の仕事を見守るのだ。（了）

秋の北海道

從二一郎

　北海道では八月のお盆がすむともう秋である。朝夕は火の氣がないと、ひえびえする位いだし、秋の前ぶれのやうに、雨がやつて來る、うでとうきびのかぐわしい匂ひが、何んとはなしになつかしまれ、色のいい生娘の顏のやうなわせ林檎が、紙袋を破り、枝もたわわに熟れてゐる風情が、後志沿線を通る、旅行者の眼を瞠目させる。雲霧の日がすくなりなり、氣流が澄んで、ニセコやマツカリ、ヌプリの山すがたも望見できる。

　小樽は北海道で三番目の都會である。

　小樽に就て何か書けとの編輯者の注文であるが、小樽は名所も名物もなく、その點では北海道でもめづらしい都會のひとつである。驛の案内をみると、オタモイ遊園地――古代文字――小樽公園などと書いてあるが、オタモイは靈驗あらたかな、地藏尊よりも、個人經營の遊園地のはらが名高いやうだし、古代文字は考古學者以外にはあまり興味をそそらぬ存在である。われ大軍をひきゐ、この洞窟に入る――と形象文字の解說が記してあるが、アイヌは傳承以外に文字を持たぬし、アイヌ以前の山たん人のものらしいとなると、その解說も眉に唾をつけて眺めねばならぬ。

　石川啄木は小樽の街を、

かなしきは小樽の街よ、
うたふことなきひとびとの
聲のあらさよ

と詠んでゐる。だが、小樽に生れ小樽に住んでゐる僕には、この啄木の唄は、啄木の唄のなかでも、いちばん下手くそで味はひのない唄であらうと想ふ。坂道の多いせせこましい家並――夥しい荷馬車――馬の脊をわたるやうな雪どけどきの惡路――川端克二君のよくものする赤毛布をきた鰊殺しの神様――鋸ひとつをかついで樺太へ渡航する山子――啄木の唄つた頃の小樽の町は、殖民地の都會としての最後の風貌で、海を持つ町の特異なすがたではあつて、それはそれなりに素材としてもおもしろく、何も詩人を悲しませる理由にはならんと想ふのである。

　明治のはじめ機械文明の先驅をほこつた、木造の石炭棧橋は、そのままふるいすがたを港にさらして居り、いまでは無用の長物になつてしまつたが、それにかはつて近代的なトランス・ポーターが登場し港に異彩をはなち、また、コンペア船が、大きな碇泊船の船腹にすひついて、石炭をつぎ込んでゐる風景もめづらしい。

　青筒――と僕たちは呼んでゐたのだが、毎年木材やグリンピイスを積みに來る敵性國の青い煙筒の外國船を一二隻は必ず港のなかに眺められたのであるが、戰後まつたく姿を沒し、そのかはり石炭積出港としての港の面目と責務はますます加重されつつある。火力電氣が重工業工場とどんな關係にあるかを想へば、經濟行政の中心が最近殆んど札幌へ移行し、小樽は商都として次第に影うすれつつあるとは云へ、やはり、戰ふ日本の港灣として重要なことに間違ひはない。

　小樽から、札幌へは一時間であ

る。札幌から定山溪はやはり電鐵で一時間で、道史によると、定山溪は僧定山がひらき。明治の初年はやくも名湯のほまれ高かつたとある。溫泉の湧出量も豐富だし、旅館としても、伊豆箱根あたりと遜色のないものがある。

札幌から私線で少しゆき、千歲川の清流をのぼると、姬鱒で名高い支笏湖がある。活火山樽前と惠庭をまえうしろに、小ぢんまりした清碧が眼下にひらけて來る。名物の姬鱒の洗ひに舌づつみをうつもよく、ポンポンで對岸の丸駒溫泉に渡り、ランプの原始的な灯を眺めながら旅塵を落すのもいい。湖と云へば、北海道には隨分と湖が多い。洞爺の幽邃、摩周の神秘屈斜路の雄大、ことに忘れられないのは阿寒湖の渚に沸々と湧く熱湯である。湖はそのほかにも各地にあるが、水きよきが故に貴からずで、湖とはきり離せない美しい山のすがたがある。洞爺に有洙があり、マツカリヌプリがある。支笏湖に樽前があり、阿寒湖には雄阿寒と向ひあつて雌阿寒の火をふく靈峰がある。內地の風景と較べて、北海道の風色は、一體に大まかで野性的である。

秋の紅葉で、いちばん見事なのは、ニセコであらう。錦繡と云ふ形容があるが、まつたくその通りで、赤、黃、橙など赤黃系の繪具を全山にとかし、ひろげたやうで實に雄大である。一位と云ひ、北海道では小松と云ふが、赤い實をつけた小松の這ふやうに伸びたあひだに、いろんな高山植物が散見される。それに、箱根の大湧谷を想はせるやうな岩雄ヌプリの、熔岩に禿げた豪壯なすがたが近々とせまり、谷あひを、黃礦粒の河床を、こんこんと、溫泉が流れてゐる。附近に、ニセコ溫泉、井上溫泉、鐵道省の山小屋があり、溫泉もあふるるまで、まことに勿體ない氣がする。行程は一泊で、小樽から狩太驛まで、約三時間。狩太から山にはいり、山小屋に一泊未明より山頂をきわめ御來光を拜し、歸途は昆布溫泉にでるもよく山田溫泉に立寄り比羅夫驛にでるコースもよい。また、此處は、冬のスキー場としても有名である。

あとふた月で雪が來る。薪を伐り、石炭を買ひ込んで、冬が來ると肩をすぼめて半年の冬籠りに鬱陶しい想ひのものも居れば、雪の降らんうちからスキーをだして、はやく雪が降らんかと山ばかり眺めて暮してゐるものもゐる。これも、北海道のひとつの風景であらう。

毒消し村

緑川玄三

越後のことに就いて何か書けと編輯部からの御命令であるが、書くことが澤山あるやうでさて書くとなると何を書いてよいやら見當がつかぬまゝ、ぐず〳〵してゐるうちに締切日が來て了つた。周章てゝ机に向ひ思ひ泛ぶまゝ一文を草することにする。

毒消丸は、御承知の通り誰知らぬ者とてない越後の名物である。その起源は慶長年間で、靈峰角田山の西北裏今でさへ米の殆んど產しない西蒲原郡角田村大字角海村で、寺と同時に施藥院であつた照明寺で始めて造り出したものと云はれてゐる。行商に出るやうにな

つたのはいつの頃か文献に出てゐないが、世の信用を得、隆々たる繁榮を見るに至つたのは日清戰爭後である。就中大正七、八年より震災直後迄には、僅か半年足らずの行商で、賣上高は五十萬圓から六十萬圓に達した。

現在一町十二ヶ村の毒消し賣は約二千人、毎年春五月ともなれば紺絣の筒袖に手甲脚絆、赤いしごきで油紙を掛けた箱を背負ひ、菅笠、地下足袋といつた制服?で、日本全國津々浦々まで巡つて歩く越後娘は、正に季節のキャラヴアンである。「毒消しいらんかのう」といふ越後訛り丸出しの呼聲の中には、餘韻嫋々とした一脈の哀調すらこもつてゐる。純情無垢、誇張もなければ虚榮もない。越後の鄕土色をそのまゝに極く自然に流れ出る呼聲を聞くと、異鄕の人々は隣人に接するやうな打解けた氣持になり、迎へ入れてゆつくりと話したくなるやうな温い親しみを感ずるといふ。

この名物毒消丸が、賣藥整備令のお蔭で今年限り行商がおしまひになつたのである。

僕は今年の春先、始めて毒消しの本家本元角田村を訪れた。去年から角田山に登ること四度、その度毎にこの村の上の堤を歩いてゐたが、村へ入つたのは始めてである。瓦葺きの家がぎつしりと並んでゐる村は、遠くから望んでも如何にも裕福さうに見えた。松林の間に菜の花の黄と、麥畑の綠が點綴してをり、すぐ前は日本海で、裾を霞で白くぼかした佐渡ヶ島が指呼の間に望まれる。

この日はこの村で一泊する豫定であつたので、私はリュックサックをおろし、ゆつくりと堤に腰かけて、手帳にあたりの樣子などを書きとめてゐた。風景の寫生は大切である。頭の惡い僕は、書かないでゐて、さて家に歸つてから自然描寫をやるとなると、概念的なことばかりしか頭に泛かんで來ず全く精彩の乏しいものになるのである。雲雀の聲をきゝながら鉛筆を走らせてゐると、すぐ前の畑から婆さんが一人出て來た。恰度いゝ幸ひと早速、つかまへて話かける。婆さんは傍へ腰をおろして、少しも迷惑さうな顏をせず、私のうるさい質問に色々と答へて吳れた。

家を出る時に、母が毒消しがなくなつたから少々買つて來てくれと云つたことを想ひ出して、毒消しを買ひたいが何處に行つたらよからうかと訊くと、

「毒消しなら、おらちに行けばいくらでもあるし」といつて、スタ〳〵と向ふへ行き丘の蔭の畑から娘を呼出した。婆さんも、出て來た娘も皆ハダシであつた。

「あそこに居られる旦那樣が毒消しを欲しいとようしやるんで、お前うちまで案內してあげれや」

と、大聲で云つてゐる。

旦那樣といはれたのは乞食を除いて生れて始めてである。これでも旦那樣に見えるかと私は大いに氣を良くし、からモテなされたんでは、毒消しも少々ふんぱつして買はざるを得んかな、と苦笑しながら待つてゐた。

並んで越前濱村の家まで行く道々、娘は、山仕事のことや、毒消しのことなど更に精しく聞かしてくれた。行商に出るのはあと二三日のうちで、荷造りも終り、もうすつかり出立準備は整つてゐるといふことであつた。何處の家でも行商に出る前の日の夕方まで、こうして山の畑へ這入つて働いてゐるのである。

廣々とした娘の家は戸がしまつてゐて誰も居なかつた。男達は海へ漁に出てゐるのださうである。

雨戸を繰り、桃の花の咲いてゐる庭の縁側へ私を招じて茶を出してくれたが、茶より水が欲しいといふと、娘はすぐ前のハネツルべの井戸から水を汲んで來てくれた。少しもかな氣のない甘い井戸水であつた。餘りうまいのでおかはりを所望した。

ついに私は五十錢袋を五ツふんぱつした。神丹といふ藥を一袋おまけにつけて貰つて娘と別れた。海邊へ行く道の角で振返つて見ると、もとのやうに雨戸をしめた娘は、また跣足のまゝ走つて山の方へ行くのが見えた。

私は、最初この娘が大分老けて見えるので人妻かと思つて話したら「まだこれで若いんでねー」と云はれて謝つた程で、小説だとこの娘は直ぐ鄙に稀なる美人といふことになるのであるが、現實はさうらまく行かず甚だたよりない御面相の持主であるばかりか、行商してゐるためか「さう」「さう」などとおかしな東京辯みたいなのを連發されて大いに參つた。が、しかし、娘の話で私は毒消村を訪れた目的を充分果すことが出來たので、前記のやうに五袋ふんぱつした譯である。「旦那様」といはれたためばかしでないことをこゝに書き添へておかう。

このやうに毒消し娘が不美人ばかりかといふと、なかなかさにあらず、村のそちこちに見る娘のどれもこれも悉くが毒消し娘であるが相當の美人系である。現に私は海邊からの歸り途に、母親と一緒に井戸端で水を汲んでゐたモンペ姿の娘を見て、驚いて暫らく立停つて眺めてゐたくらゐであつた。云はゞ私は最も貧乏くぢを引いたのであつて、この點は越後の毒消村のため、大いに辯護しておきたい。

さて、買ひ込んだ五袋の毒消しであるが、これが何とさつぱり利かんのである。魚鳥類の中毒症、水中り、食傷、霍亂に効能顯著であつた筈の毒消丸が、以前と違つて些かもきゝめを顯してくれんので惘れた。従つて今では一袋の半分が戸棚の奧で塵にまみれ、他の四袋はどこへ行つたか分らなくなつてゐる。これは決して村の製造元の罪に非ず、大阪方面から仕入れる原料の一部が粗惡になつたためであらうと私は解釋してゐる。

名物毒消し行商は來年から消え失せる。甲種本舗賣藥に編入され今後は小賣商業組合の手を經て藥店で販賣されることゝならう。越後人ばかりでなく、毒消賣になじんだ都人士は、この季節の渡り鳥の見えないことに一抹の淋しさを感ずるであらう。

二千餘人の女達が、最後のふんばりを示したであらう五ケ月間の行商を終へ、四十萬圓の現ナマを摑んで郷里に歸るのは、恰度今頃から來月の始めにかけてである。村々は結婚や出産やお祭りやで賑ひ、青春の立歸る村と變るのである。

この村の賑はひを私は今一度出かけて行つて見物しておきたい。さうして、長い間の懸案の小説をばまとめ上げたいものと思つてゐる次第である。（九月廿五日）

新豊後風土記

會友　河合源太郎

大分市は城下町である。

大分驛前から、泉都別府行き電

車に乗つて、市の中央を海岸に向つて走ること約十分。縣廳前停留所へ降りて右折すれば、水古びた濠へ櫓の白壁をうつす白雉城が、靜な容姿を老松に圍まれて、見る人に温古の情を湧かしめてゐる。

封建時代の小城が今尙その姿を留めてゐるやうに、この地方には往古の精神が失はれず、いろ〳〵な文化的な面に生かされてゐる事は察知出來ることである。

その昔、この地方は、府內藩あり、天領あり、杵築、舊杵、竹田と小藩割據してゐたために、大きく一貫した文化的遺產と云つたものは見當らず、個々の人々が、それ〴〵の文化的遺產を殘し、現代の人また、それを個々にとり入れてゐる憾みなしとしない。

日本のペスタロッチと云はれる廣瀨淡窓の心は、今なほ敎育人士の胸に生き續け、本縣が、敎育圖書の賣行きの多いこともその一端を示してゐると思はれる。その經營になる感宜園が幾千の有爲な人物を輩出した事實が、改めて新しく省られ、感宜園硏究の現れの一端として、鄕土の人中島市三郎氏の「敎聖廣瀨淡窓」「感宜園と日本文化」の二著が、中央で刊行されてゐる。帆足万里、毛利空桑、三浦梅園、田能村竹田、ずつと降つては明治の福澤諭吉あり、本縣は斷然學者の縣である。

思考的、學究的な氣風が一般の人々に傳はり、思想運動、改革運動には必ず、本縣人の名が連らねられてゐた事を思へば、頷づかれる事と思ふ。兒童から、山間田夫に至るまで繪畫愛好の心を持つてゐる事實は竹田をはじめ、歷世の畫人の影響であらう。

昔から、この地方の人々は進取の氣象に富みひろく海外に雄飛する者多く、またその成功者も少なくない。これらの氣風も遠く大友宗麟の南蠻交易の雄大な精神が傳へられてゐる事を思はしめる。

また文學愛好者も多く、殊に短歌俳句は全地域的にわたつて盛んである。文化施設としては、取り上げて云ふほどのものは何もないが、只一つ、福澤諭吉記念圖書館が多くの學生、一般人に利用されてゐることは喜ばしい。學校と病院の街だと、誰かの紀行文にあつたやうに、それらが目に付き靜かな町である。

この地方の讀書人も一般におとなしく、穩健な讀書傾向を示してゐる。街の書店三軒とも、その特色をもち、朝から客足多く、特に近來、日曜日などは身動きも出來ぬほど押しかける讀書人のうち、大半が郡部の人達であることは、地方人の讀書力の向上と、知識慾の盛な事を示してゐる。大東亞戰爭に入つて、特にこの感が强い。

婦人雜誌の發賣日に、店員が戶を開けて見たら、婦人客が、エン〳〵たる列を作つて待ちうけてゐるのに驚いたことも、今では當り前の事になつてゐる。書籍の賣れ行きは依然として文學書が首位をしめ、哲學思想書がそれに續き、農業書の賣行きの目立つてゐる點特色があると思はれる。

縣文化協會に於いてもいろ〳〵な文化面に働きかけてはゐるが、いまだ具體的な文化策と云ふものは、その効果を現さず、農村劇とか、巡回演劇とかも成功してゐるとは思はれない。鄕土舞踊としての鶴崎踊りが新しく復活して來た事は注目していゝではないかと思ふ。兎に角、從來より、この地方では新しい文化經營と云ふものがうとんじられて來た結果が、戰時下文化面に、ぜい弱感を持たしめてゐる事は、辭めない。

このことよりして文化協會に活潑な活動を望む次第である。

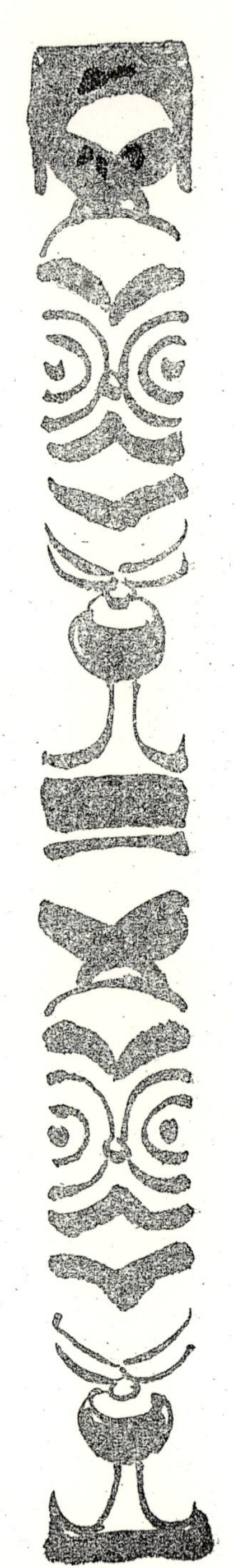

月例評壇

講談倶樂部・オール讀物・現代作品

――八月・九月號――

村松駿吉

講談倶樂部

――八月號――

鯨男（梶野悳三）

元氣で、明るくて、面白くて、誰にでも讀める大衆文藝のお手本のやうな作品だ。

強いて時局にこだはらずとも、時局的でありいはゆる高揚性も多分にあつて、こんな作品は、純文學のお歴々が、しやちほこ立ちしたつて書けはしないことは受合だ。

この作者のお得意もの〻海洋小說だけに眼の前へ、海や、海の人物が泛び上つて來るやうだ。

鉢卷船長にしたつて、社長にしたつて、それらしくて面白い。

が、しかし、が、しかしだ――面白く、元氣よくばかりで、讀者の喜ぶ方へばかりと進むことには、危險がともなふ。波の上に乘つた船のやうに、スクリユーの空廻りに氣をつけねばならぬと思ふ。

この人の、初期の「大衆文藝」に發表してゐた頃の作品のやうに。大いに自重して進んでもらひたいと思ふ。

秋空（河合源太郎）

應募當選小說とあるからには新人だ。

首尾共にまとまつてゐて、一應讀ませられる。題材も、テーマもよからう。

しかし、新人としての出發に、新鮮さ、潑溂たる躍動が感じられなかつたのは殘念である。

器用にまとまりすぎてゐる。それだけに總てが安易で、概念的で――だから、感銘がうすい。

描寫も、會話も、幾分幼稚な所はあつてもまちがひはない。次作を待つ。

――九月號――

月明の下で（牧野吉晴）

この作品の前篇と思はれる「軍馬」はよかつた。その後のこの人の作品の「街の兵隊さん」もよかつた。

それなのに、この作品は、これらの作者のものとは思へぬくらゐに、つまらない。

餘りに、作り話すぎ、美談すぎる。いつ頃か「學者馬」と云ふ見世物があつたが、それくらゐに利口な馬だ。これでは、讀んでゐて、嘘の感じがしてならない。「軍馬」で好評を得た作者が、もう一度とむし返した安易さによる失敗であらう。

しかし、作者の、描寫の巧みさで、思はずしまひまで讀まされてしまふ。

實は、この間、この作者の「軍馬」と云ふ短篇集を通讀して、一寸感心してゐる所なので――それは、あの短篇集は、どの作品を讀んでも、みんなちがつた味があつてこの作者の、多角的な文學的才能を知つたのだが――いはゆる、達者な人で、遠慮なく云へば、どの作品も完成とは云ひ難いものがあつた。それなのに、個々の作品に、個々別々の味があることを、知つたのだつた。

海征かば（秋永芳郎）

この月の、オールやその他の雜誌、並に新聞に、軍神加藤建夫少將の事蹟や傳記が一せいに載つたが、何れも讀者をして襟を正さしめる深い感銘を與へた。

しかも、この作品は小說としてとりあげてあるのに、それらの記事よりも、感銘がうすいのはどうしたことだらうか。

餘りに感激の深いこの事實を、小說化しようとした事の失敗か、はたまた作者の筆が、この偉大なる人格に及ばなかつたせいか？――

オール讀物

――八月號――

よろしく（里見弴）

われら若輩、何をか云はんやである。

この文章、この構成、珠玉の美しさをたゝえて、われらの前にさん然たるものがある。

讀み始めると、終りまで中途で休むのが惜しい氣がする。恍惚境へみちびかれる。しかし、過去の文學の魅力を知らない、新時代の意識だけの若者にこれを讀ませて、果して、われらと同じ恍惚境へ引き入れられるものであらうか。

十年後の大衆が、果してわれらと同じ感銘を、この作品によつてうけるや否や疑問である。

家について（岩倉政治）

近來の住宅難を、餘りに如實に描いてあつて、讀みながら苦笑を禁じ得なかつた。

實は、この半年以來評者も、この借家探しに手こずつてゐたから、そして未だにそれを續けてゐるので。

しかし、最後に、沒落して行つた地方のものもちを出して、親子間の、ちよつとしんみりとした場面を出すほかは、殆んど、住宅難にあえぐ夫婦の描寫で終始してゐてそれ以外の何物でもない。

或は、自家に住つてゐて、住宅難は新聞の上でしか知らない者には、さつぱり面白くないかも知れない。糞尿譚などは、眉をしかめるものもないとは限るまい。

作者は、最後の頁で「本來のまともな精神を取り戻すだけ」などゝ、强いてこの作品で、何か一こと、物を云はうとしてはゐるが、結局、全體の住宅難に盡きてゐるので、それに惱んでゐる者たちの微苦笑以上のものではないであらう。

麥いきれ（和田傳）

農民たちの忍びに忍んだ生活、永い間に

渡つて心の、生活の髓までしみ通つた容易に替へがたい性癖と、その間にあつて誠心村の保健婦として働いてゐる女主人公の氣持などを。眞面目に、突込んで描いてあるあたり、流石だと思ふ。

終りの方で、ちよつと出て來る村長にしても、そんなことの一切を心得てゐて、よく村治にたづさはつてゐる人柄が、實にそれらしく描かれてある。

地味ではあるが、少しも危つけや、場當りのない堅實な作品だ。

大衆文藝十月號

村 正 治

裏町の匂ひ　森健二

題名から察すると、主人公たる貧しい挿繪畫家の住む長屋の生活を描いて、裏町の雰圍氣を描かうとしたのだらうが、隣組の集會などを描いても長屋全體としての、空氣が描けてゐない。主人公の畫家夫婦と民山といふ出しや張りの狡猾な組長と、紙芝居の丸右衛門の四人が主たる人物だが、民山と丸右衛門とは有機的な繋がりがないし民山の話は挿話としても活きてゐない。

主人公たる貧乏畫家の藝術と生活への惱みといつた面をもつと突つ込んで。その方に重點を置いて長屋の空氣は背景だけに用ひた方が、小說としてはハツキリしたものになつただらう。これでは何方つかずで作品が分裂してゐる。

この作者のものに對し、何時も指摘することだが、相變らず「介意やアしません」「必つと」「蜱車」等、文字に對する注意が行屆いてゐない。

嘘　神崎武雄

小手先藝だけの、輕いもの。東京辯と關西辯を應酬させた會話の面白さで持たしてゐるが、宗吉と啓二といふ二組の夫婦が、同じやうに女のことで家庭が紛め、お互ひがそれを納め合ふ結果になつた。といふストリーその物に無理がある。二組の夫婦の性格を故ら對蹠的な性格にして相應させたり、箱根の宿から出した繪ハガキに郵便局の消印はあつても、發信者が日附を書いてゐないから、その日には東京に居たことにしても通る、といふコジツケがリアリチーを稀薄にしてゐる。ストリーの要めになるところに斯らいふ無理をしてゐるのでは作品全體が死んでしまふ。

但し、このスタンプの話のやうに、この作品、載つたのは十七年十月號だが、書いたのは何年だいとおもはせる程に、時局を最後の宗吉の手紙にちよつぴり匂はさしてゐるだけなのは、時局臭をぷん〳〵さしてゐる作品より、却つて効いてゐる。

小さな暦　鈴木彦次郎

東京人にとつては馴染深い千葉からの女行商人の群像圖、彼女らの青果行商に統制が下されたといふ點で、時局色を盛つてゐる。かよといふ若い女行商人が主人公になつてゐるが、かよを取捲く群像が、この作品ではよく描けてゐる、それ〳〵主人公に有機的に繋がつてゐる。土堤裏の姿など個性がよく出てゐる。缺點は結末へ行つてバタバタと片附け、姉の勸める東京の青年に

嫁がうか、滿洲に居る幼馴染みの開拓青年の許に行かうかと迷つてゐたかよが、得意先である海軍將校の遺兒達の海行かば……の歌聲に、滿洲へ行くことに決心するといふ、解決のお手輕過ぎることだ。とつてつけたやうな解決になつてゐることだ。

寒潮　川端克二

北洋漁業に取材した、營業雜誌の編輯者なら、海洋感激小說とでも銘打つべき漁夫の苦闘史小說として今月號ではこれが讀みへがある。作者御得意の世界だけに危つ氣がなく、ストリーにも無理がなく肉附ける程好く、最後までひつかゝらず讀める。木越が、また、彼を案內した馭者が、番屋での別離の酒宴を大漁祝と誤まる條など、讀後再考すると肯かれない話なのだが、讀んでゐる時は苦にならなかつたのは、作者の文章の力だ。文章といつてもこの作者は藝を樂しむといふのではなく隨分苦心するらしく、棒切れのやうに短く投げ出したやうなこの作品の文章にも新しい工夫を凝らしてゐるのが見られる。斯うした素材にアダプトさすための試みとしても、兎の糞のやうな文章には贊成じ難いのだが、兎に角素材に對しても眞劍に取組んでゐる努力が窺はれて好感の持てる作品である。最後の一行まで手を拔かない良心的な態度に依て「小さな暦」の場合とは逆に、この結末は扇の要めとして作品を引緊めてゐる。

難を云へば察しはつくが、お夏を女中だか娘だかハツキリさして、貫次への氣持ちをもう少し掘つて描くと作品に彩りが加へられただらう。

草分け　長谷川幸延

千日前草創記と傍註してゐるが、小說といふよりはくだいて書いた沿革史として讀むべきもの。千日前の草分けとなつた人々の群像を、よく調べた豐富な材料に據つて作者一流の筆達者で挿話をふんだんに配つて書きこなしてゐるので面白く讀める。

横井勘七が一代の大仕事として敢行した横井座の開場式に凶刄に斃れたのを、筆者は運命的な悲劇として描かうとしたことがあつたが、その横井を主人公にしながら、この作者は惡い癖の漫才じみた駄洒落澤山の文章で、書き流してゐるのが憾まれる。

この作者には調べることが行屆いてゐながら、取組み方が淺いので輕い物になつてしまつてゐる作品が多いが、實話的興味だけで讀まれることは、小說家としては戒心しなければならぬことだ。それにしても、押しつけがましい時局作品の氾濫裡に、現實回避の心のふるさととして、斯の種の作品がよろこばれてゐるといふ傾向に對し、作者としても編輯者としても深く考へなければならないものがある。

斯ういふ回顧的な、さし障りのない作品か、でなければ、時局臭の眞向からプンプン臭ふ作品のみが目立つ今日の營業雜誌に、人間的に愉しく讀めて併も讀後に、この時局下の皇民としての情感を美しく正しく搖り動かすやうな作品を待望したいものだが、それには純營業雜誌よりはいくらか行ひ易い立場に在る本誌など、その範を示すべきだらう。

日本の小說文學のために、切に御一考を願ひたい。

十津川権八猿

戸伏太兵

紅緒の鈴

『天ノ川辻、分取りの覚え……よろしいか。そこから墨色をあらためて、しつかりと達筆に書くんぢや！』

藤堂軍の先陣、藤堂新七郎隊の軍務方森田三郎兵衛は、心おぼえの小紙片を焚火にかざしながら、書記方の者へ振りかへつて聲を張り上げた。

——天誅組天ノ川辻撃退の戰勝報告に添へて、奈良奉行へ差出す分取品の書上を作製してゐるのである。

『よろしいか……。山中佐忠分取り。一、木砲燒捨て三ツ。一、旗破り捨て十七流。一、木玉二叺。一、脇差二本……。一、えゝと、鐵砲四挺。一、草摺三ツ。一、陣笠二ツ。一、ヒストン(拳銃)一挺。一、ゲーベル銃一挺……。えゝと次ぎ友由辰三郎組合ひ鐵砲組分取り。一、鐵砲五挺。一、合藥入三ツ。口藥入一ツ…

次ぎ、えゝと……藤堂新七郎下人杢助分取り……。一、古袴一ツ。一、割れ鍋一箇。一、澁團扇二本。一、下帶一本……何んぢやこりやア！』

ワツ！と、焚火を取り卷く軍卒どもの笑ひ聲が、一齊に盛り盛りあがつた。

『――こりやア、杢助の分取品はガラクタばかりぢやないか！』

森田三郎兵衞は呆れたやうに周圍を見まはした。

『諸君聞いてゐるか――杢助の分取品は古袴が一ツ、割れ鍋が一ツ、澁團扇が二本……それから下帶一本ぢやとよウ！』

もう一度、ワツ！と湧き立つ笑聲の下から、とぼけた丸顏にお人好しらしい愚直さを表はしながら、ヒヨツクリと焚火の前へ出て來た男がある。

『はい〳〵、それがな、御頭さま――杢助は、もう一品、からいふ物を分取りましたてや……』

てれくさそうに、拔けあがつた前額を平手で搔きながら、進み出たのは當の杢助だつた。

『なんぢや、お前そこに居たのか――』

『へえ。どうもその……澁團扇と下帶の分取りといふのは、我ながらお恥かしい次第で……、いやもう先ほどから、皆さんにひやかされづめでござりますて。はゝは』

『して――もう一品といふのは？』

『はい。これで……』

『うん？』

杢助の差し出した品物を手に取り上げた森田三郎兵衞は、迂散臭そうにそれを焚火にかざして、ためつすかしつした。

『何んだ、これ――？』

『へえ……』

杢助は、もう一度、面目なげに頭を搔く。

――それは紅布の切れツぱしで作つた直徑四五寸ぐらゐの首輪で、松毬ほどもある大きな武骨な鈴が附いてをり、鈴の根ツ子には丸の十の字の合印を書いた布片がペラ〳〵と下つてゐるのである。

『――それが、その……首輪、らしうございます』

『馬鹿もん！』

――三郎兵衞は、突然どなつた。

『ヘツ――？』

キヨトンとした杢助の顏を睨らみつけながら、三郎兵衞は叱るのも馬鹿らしくなつて苦笑した。

『ふん。いそがしい軍務方の手間を煩はしては不可ん！　貴公の持つて來るものにロクなものはない。もう好い――さがれ』

『でも御頭さま──その首輪には、丸に十の字、十津川郷士の合印が附いてござります……』

『郷士の合印がどうしたといふんぢや』

『へえ？』

『杢助──まさか十津川郷士の中に、鈴つきの首輪を附けるほどの馬鹿げた男はゐまい。敵の首でも拾つて來ることか、割れ鍋に古團扇、古下帶……ふん、それに何んぢや──今度はまた何かと思へば、犬猫の首輪か。馬鹿もん。さがれ！』

『いえ然し……、御頭さま。犬猫にそんな太い頸はござりませぬ……』

──杢助は頰をふくらませた。

『えゝツベコベと言ふ奴ぢや喃！　貴公のやうな愚鈍者こそ首に鈴でも附けときや好いのぢや！　さがれ！』

三郎兵衞は、手に掛つ紅緒の首輪を、杢助の頭の上からグイとしごいた。

──紅緒は杢助のツブ一髷にひツかゝり、松毬ほどもある大きな鈴が顎の下へぶらさがつて、ガラ〳〵〳〵と突拍子もない不調和な音を立てた。

プツ！

わツはゝは、ゝ！

──爆發するやうな軍卒どもの笑ひ聲のなかで、氣の弱い杢助は暫らく涙ぐんで立つてゐたが、やがて髷に紅緒の鈴をひつかけたまゝ、默つて暗闇のはうへ歩いて行つた……。

上場顚落

大和行幸の詔勅が發せられたのは、今年（文久三年）八月十三日のこと──。

これは攘夷御祈願の爲めに主上大和へ行幸あり、畝傍山・春日神社等に御參拜の上、そのまゝ同地に御駐輦あそばされて、外夷御親征の軍議をきこしめされるといふ仰せ出されである。この勅命の裏には、この行幸によつて、從來幕府へ御委任されてゐた攘夷決行のことを朝廷に引上げ、幕府に對して違勅問罪の討伐軍を起すといふ意味合ひが含まれてゐた。

──前ノ侍從中山忠光卿を首將とする天誅組の暴發は、謂はゞこの大和行幸の準備行動で、いはゆる『天兵先驅』として、幕府直領の多い大和の地一帶を平定して、尊王倒幕の第一の火の手を上げるにあつたのである。

然るに──八月十七日五條の代官所襲撃に幸先のよい火蓋を切つた天誅組は、陸續として來援する志士を加へ、また八百六十何人といふ多數の十津川郷士を味方に催して、一時はその勢大いに奮ひ立つたが、翌十八日の京都御政變によつて一朝廟議一變するや、大和行幸御取止め、長州失脚、七卿都

落ちとなつて、早くも逐はるゝ者の命運を辿らねばならなかつた。殊に同月二十六日高取城の夜襲に失敗してからは、戰果やうやく捗々しからず、しかも和歌山藩・津藩以下十三藩の討伐軍は要所を扼して追撃の手を弛めず、大日川・栃原・白銀峯・下市と連日の轉戰に、幾多の同志を失ひ、また中川宮の令旨が密かに十津川に下つて鄕士等の動搖も日にいちじるしく、今日九月十四日の黃昏時には、最後の堅壘とたのむ天ノ川辻の砦が陷落して、義軍は遂に袋の鼠のやうに十津川の奧地へと追込まれてしまつた。

天ノ川辻は大和五條の南方約六里、天ノ川添ひ熊野本宮道の要衝で、西は裏高野、東は吉野口洞川に通ずる岐道を扼し羊腸の峻坂、重疊の懸崖、眞に無類の天嶮である。

――臺場二ケ所を築き、根敷の幅二間、上場五尺程。これに大小の生松を橫積に積量ね、その隙には泥土を塗つて矢玉を防ぎ、往來・間道に至るまで、嚴重に木柵・逆茂木が植えられてあつた。

晩秋とは云ひながら、此處では土地が高燥なためか、夜と共に山氣の寒さが身に迫つた。

『ハツクショイ！』

焚火を離れた軍夫の杢助は、嚔をしたついでに、今まで髷から顎へぶら下つてゐた紅緒の首輪をヒョイと取り外して、スタ〳〵と臺場の上へ上つて行つた。

森田三郎兵衛の叱責を考へると、腹の中がムシヤクシヤして來る。一日六百文の日當で傭はれた軍夫の身の上で、どうして敵の首などが拾へるものか……。

『ふン、勝手にしやがれ、だ！』

杢助はチーンと音させて手鼻をかみ、上場の端に立つた。

――眞ツ暗だ。待宵だと云ふのに、すつかり曇つて、月の在り所もわからぬ……明日は雨かも知れない……。

杢助は首輪を投げ捨てようと思つて、やツとばかりに右手を振り上げた――が、足元が砲彈に壞れてゐることに氣がつかなかつたものだから、忽ちのうちに踏み外して、ガラ〳〵ガラ！　頓狂な鈴音と一緒に、グワタ〳〵、ドスン！　ドタ〳〵バタ〳〵と逆茂木にぶつかりながら、二三間も下へころがり落ちてしまつた。

佝僂のお六

ひどい怪我ではなかつたが、本陣鶴屋治兵衛の臺所へ擔ぎ込まれた杢助は、默つて溜息ばかりついてゐた。

『酒でも飮ましてやれ。何アに頭を少しぶちつけただけなのだ……』

云ひつけて去つた森田三郎兵衛の後姿を、ヂロリと恨めし

さうに見送つてから、もう半刻近くもたつてゐる。

捨てようと思つた紅緒の鈴は、まだしつかりと右手に握りしめたまゝであつた。

――その紅緒を、ふと通りかゝつた下働きのお六が見付けたのである。

『ちよいと。なア……』

『…………』

『貴方よ……。のウツたら――』

『あん――？』

杢助は、ポカンと口を開けて女を見上げた。

『おや、貴方、ちつとも酒に手をつけてゐないだね。私がお酌しませうよ』

女は襷を外して、杢助の前に坐つた。

『あ？　うん……』

杢助は澁々と盃を取上げた。

『貴方は――酒飲らないかねえ？』

『うんにや、好きだけんども……』

『ふゝふ、變挺な人……グツとお乾しなよ』

『あゝ』

杢助は一息に飲んだ。そして、ホツと人心地がついたやうに、ポツンと云つた。

『おいらは、大きいのがいゝ。丼を出してくんなよ』

『あゝ――椀か』

お六は手近の茶碗を差出して、なみなみと酒をついだ。

杢助は舌なめづりをした。

『おいら、貧乏人でなあ……酒は煽切りに限るんだ』

『でも、先刻からちつとも飲らなかつたぢやない？』

『あゝ俺……考へ事をしてゐたもんで……』

『さ、グツとお飲りな。こゝに丁度あついのを持つて來てゐるから』

『だつてそれ……奥のだらう？』

『うん――奥ぢやお豪方が集合て、天誅組狩りの軍議とやらの話がしいんでゐるだ……。だけど好いわ、私なんか――』

お六は、自嘲するやうにクスリと笑つた。

見れば――三十二三にもなつてゐよう。決して美しくはなかつた筈の若い盛りにくらべれば、まだしも、今の方が見好い、といつた程度の顔かたちである。濡れ羽いろの美事な髪の毛を、無造作に頭のテツペンで束ねてゐる。こめかみの狹い、高く富士型に秀でた額の下に、黒燿石のやうな瞳が濡れたやうに澄んでゐた。――この顔が果して見好い顔であるかどうかは疑問だが、素朴で、愛くるしくつて、機智に富んで快活な、此の邊で俗に『轉婆』などといふ、明るい情熱的な

山女の魅惑を感じさせた。——だが、この女は佝僂で、おまけにびつこなのである……。

『さ、貴女……何をそんなにヂロ／＼見てんのさ。それよりもグツとお飲りな』

『うん……』

李助は慌てゝ茶椀を取り上げた。あまり慌てたので、鼻からも酒を吸ひ込んで、我れながら可笑しく思つたのか、コン／＼と幾つも咳にむせびながら、ヱヘラ／＼笑つた。

『なア、貴方ア……、私、お願ひがあるんだがな……聞いてたもるかなア？』

『何んだア、願ひがあるウ？』

——ムウ！　と李助は酒氣を吐く。

『えゝ、私に……その、赤い首輪を呉れないこと？』

『これかア——！』

李助は右手に握つてゐる紅緒の鈴を思ひ出して、苦笑しながらそれを女の前へ投げ出した。

『はゝはゝゝ。何んだこんな物——欲しけりや取つときなよ』

『あゝ……』

女は素早くその首輪を胸に抱いたかと思ふと、急に、ポロ／＼と涙をこぼして無我夢中の物思ひに落入つてしまつた。

『はて……おめえ、泣いてゐるのか。どうしたのだ？』

のぞき込まうとする李助の不審顔を避けて、クルリと向ふを向いた女は、やがて、うふ、ふゝふ、と泣き笑ひを洩らしてから、投げ出すやうに云つた。

『亭主を思ひ出したからさ、ふゝふ』

『亭主——？』

『この首輪はね……私が縫つてやつた首輪なの』

『首輪——そ、その首輪を、御亭主がしてゐた、とでもいふのかねえ？』

『ほゝほゝゝ』

女は笑つた。

『——まさかね、首輪をはめた御亭主が何處にあるものか。これはな、うちで飼つてゐる權八猿の首輪だ、ほゝほ』

『何——猿だア？』

『私はねえ……この天ノ川辻の女ぢやありやせんのさ。この奥の上野地の傾斜地で、鐵砲持ちの油上覺兵衞といへば、猿撃ちでは名代の男だよ』

『それが又、何故にこんな戰場近いところへ來てゐなさるのだ？』

『亭主はね、五條の乾十郎さんにおとのはれて、狸尾の野崎主計さま達と御一緒に、天朝さまのために死ぬのだと、天誅

組に加はりましたのさ。わたしは天ノ川の身寄りにあづけられて、亭主の死ぬのを待つてゐる身の上だ……』

『あ？　うむ――』

杢助は、深々と口をとざした。彼は心の中で、家に殘して來た女房子のことを思ひ浮かべたのである。

『その猿はね……權八といふ名でさ。撃ち殺した親猿の腹から生れた不幸な身の上で、ちやうど私等に子供の無いところから、亭主と二人で永年手鹽にかけて育てゝ來ました……。今度も亭主が中山侍從さまに御味方するについて、私は私で家を疊まねばならぬことになり、權八を連れて來るわけにも行かず見捨てゝ來ただが……權八は亭主の後を追つて離れないので、今に一緒に連れ歩いてゐるのだとのウ……』

お六は、語りながらもポロ／＼と涙をこぼした。

『さぞ、御亭主に會ひたいだらう……』

『あきらめては居てもね……。かうして權八の首輪を見ると……』

お六は、ガツクリとその場に泣き伏してしまつた。

× ×

その夜のうちに、杢助は藤堂藩の陣營から脫走した。

――それと同時に、お六の姿も見えなくなつてしまつた。

貧乏德利

キツ、キツ……キキツ！

上瞼を、神經質にパチクリ／＼させながら、大きな圖體の癖に子供のやうに甘へた恰好で、權八は暫らく飼ひぬしの腕の中に凝ツとしてゐたが、覺兵衛の指先が自分の右手首の傷所へ觸れるや否や、突然！

キキ、キキツ……！

――やぶれかぶれの悲鳴をあげたかと思ふと、ピヨコンと飼ひぬしの腕の中から飛び出して、一二間も向ふへ逃げて行き、まるで氣が狂つたかのやうに、無性矢鱈に右手をブルン／＼と振りまはし初めたのである。

『はゝはゝ。酒が滲んだのか――はゝは。權八よ。こつちへ來い。痛いのは些ツとの間だぞ』

權八猿は右の手首を負傷してゐる――それは今日の晝頃、飼ひぬしの油上覺兵衛が、富貴口の砦へ攻め込む紀州兵と大亂鬪をしてゐる時に、あまりハラ／＼と氣を揉んで頭上の木の間をマゴ／＼してゐたものだから、思はぬ敵の流彈に掠められて受けた傷なのである。

富貴口・鳩ノ首・坂本口・天ノ川辻の義軍の全面的退却にともなつて、傷ついた志士等と一緒に泡をくつて逃げ出した

權八猿は、何處で失つたのか大きな鈴のついた紅緒の首輪まで落して來てゐた。

——こゝは長殿の陣地で、天ノ川辻からは更らに數里も山中へ入り込んでゐる。

河内派志士の脫退に引きつゞいて、二三日來十津川鄕士のあひだにも脫盟の議がひそかに持ちあがつてゐたが、油上覺兵衞は生來至つて單純な男で、義心のため一たん死ぬと決心して女房まで離緣して來たからには、いまさら脫退派の言說に耳をかたむける必要も興味もなかつた。だから彼は、議論の席をはづして、可愛いゝ飼ひ猿の怪我を見てやつてゐるといふ次第であつた。

『こつちへ來い權八——そんな傷は、二三度酒で洗へば、すぐに癒つてしまふ。權八よ、こつちへ來い！』

油上覺兵衞が二三步近寄つて行くと、權八はビクンと恐怖の表情をあらはして、ジリ〱と尻込みをしてしまふ。

だいたい油上覺兵衞は山家そだちの割合には柔和な人物で——なるほど薄あばたに無精髯を生やした三角形の大きい顏は少しいかついが、それは世間並みから見て一風かはつた顏付きといふまでゞ、決して醜くもなければひねくれてもゐない。瘦せてひよろ長く、步くたびに赤茶けた蓬髮が肩のへんまでふさ〱して、小さな兩眼は女のやうにやさしかつた。

『こら、權八——こつちへ來い！』

キツ、キツ……！

權八猿は、近寄る飼ひぬしの片手に持つてゐる貧乏德利が怖いのである。

——覺兵衞が腰から離したことのない此の愛用品については、權八は常々一沫の不安を擁いてゐた。この貧乏德利のなかの飮用物は、いつもそれを飮んだ後の、飼ひぬしの性格を一變せしめることを知つてゐるからである。

——彼れ權八にとつて、何と云つても此の世のなかで一番尊敬にあたひするのは覺兵衞の女房お六であつた。お六は氣の好い女で、覺兵衞に對して妻であると同じほどの愛情を、權八に對して母親ほどに注いでくれるのが常であつた。

ところが——覺兵衞は、酒を飮むや否や女房を忘れ、權八を忘れ、まるで夢中になつて自分一個の感興のなかに沈湎してしまふ。これが權八にとつては不滿でたまらない。

然も權八は、主人覺兵衞に對して、不思議な魅惑と愛情を感じてゐる。まつたく、權八猿の擁く好奇心に、これほど調和してゐる存在はほかになかつたらう。權八は此の飼ひぬしを常に恐怖をまじへた興味と恭敬をもつて見まもつてゐたのである。

——だから、さすがの權八も思ひ切つて逃げ出してしまふ

ことが出來ず、遂に覺兵衛の手の中にしつかりと捉まへられてしまつた。

キキ、キキツ！

手首の傷所にヒヤリと酒が觸れると、ピリリと身が震へるほどに痛かつた。

『はゝは、權八――。あきらめたと見える喃――』

やつと權八猿の手を放した油上覺兵衛は、滿足さうに微笑して、さて――貧乏德利の口を自分の唇へ持つて行つた。

權八は、氣がカツ！ となつて飛びあがつたが、酒に滲みる傷の痛みに堪えきれず、思はず口を傷所につけてペチャクチャと甜りだした。

× ×

半刻ほどの後――。

飼ひぬし覺兵衛の貧乏德利をどうして盜み出したものか、立つたまゝ口飯みにしてゐる權八猿の姿が人々を驚かせた。

――初めての酒の味に浮かされてしまつた權八は、それでも猿生來の傾向である模倣の本能によつて、へゞれけになつた手つき足つきまでが、そのまゝ飼ひぬし覺兵衛の醉ひツぷりにそつくりなのであつた。

十津川鎌倉節

權八猿の從軍は、敗殘の憂色の日に濃くなりまさる天誅組の陣營に、時々とんでもない朗らかな哄笑を捲き起すのである。

それは大抵、この權八猿が、猿として持つて生れた、飽くことを知らぬ食慾に起因してゐることが多い。

九月十七日――天ノ川辻から長殿、上野地と追ひ込まれた天誅組が、更らに退いて風屋に、滯陣してゐる時のことである。

一昨十五日、風屋の壽福寺で行はれた大論判で、十津川鄕士及び十八鄕五十八箇村總代を向ふにまはしての乾十郎・伴林光平等の大辯論も、遂に時勢の力には抗することが出來ず、今では全く見放されて山奧へ〳〵と逃げ込むよりほかに道の無くなつた天誅組は、これからの方途に迷つて日に夜に兎角の議論が沸騰してゐた。

十津川鄕士大半數離反の責を負つて、狸尾の山中で切腹した野崎主計のもとへ急行した油上覺兵衛の留守中――壽福寺の庭木につながれてゐた權八猿が、何が原因なのか、急に咽をかきむしつて苦しみはじめたのである。

この人氣者をひどく可愛がつてゐた同志の某が、これを見付けて慌てゝ乾十郎を呼び立てた。

『乾さん〳〵！ 早く來て見て下さい！ 權八猿が大變だツ

！』

『どうした〳〵』

ドヤ〳〵と寄り集まつた同志たちの後から、のツそりと現はれたのは大和五條の醫師、乾十郎であつた。

『おゝ、どうした、權八がひどく苦しんでゐるぢやないか』

『乾さん――診てやつて下さいよ。油上君の留守に權八を殺したとあつては、僕の顏がつぶれる』

『あん？　診察せいといふのか……そら、困つた喃……。わしはね、その……』

菊水の紋所をつけた紋服の着流しに、短か目の陣羽織をつけ、髮を肩ぎりに斷髮してゐる――丸まツちい顏に濃い眉毛……、坂本龍馬が名附親で『由井正雪二代目』といふ渾名に謳はれる勤王浪士中の名物男だ。

『乾さん――あんた醫者ぢやないか。權八の苦しむのに知らん顏はして居れんぞ！』

『うん、それが喃……』

乾十郎は苦笑した。

『――それが喃……わしは眼醫者ぢや。それに猿の病氣を診察した經驗が無いわい、は、は、ゝ、ゝ』

『あんた――眼醫者かア？』

『うん。大和五條のわしの家へ來んぢやつたか。れい〳〵しく菊水の紋所をつけて、御目ぐすり眞珠圓、大和五條乾十郎製と、大きな塗看板が掛けてあつたぢやろ』

『ほウ、あんた、眼醫者かア……。眼醫者ぢや駄目だな…』

『然し、わし思ふに、ぢや。權八は、卒中ぢやないかと考へる』

『何故――』

『猿は、尻ツ尾でぶらさがる習慣を持つてゐる。自然、頭へ血の上る危險があるといふもんぢや』

『うむ。それは――一說だ。そして、頭に血が上る時の治療はどうする？』

『さうぢや喃……。卒中は、いつときも早く血を取る必要がある。蛭がよからう。蛭ぢや――蛭を頭へ、吸ひつけると好い』

『蛭――？』

『わしは然し、いづれにせよ權八の診斷について責任は負へぬぞ。醫者は、發病の最初の徵候のあつた時に呼ばれなければ、その患者の生命を保證することが出來ぬ。こんなに重態になつてから醫者を呼んでは、名醫と雖も手の附けようが無いのだ。權八は、もはや手おくれかも知れん！』

乾十郎は吐き出すやうに斯う云つて、首を振り振り歩いて行つてしまつた。

人々がポカンと口を明けて困り切つてゐるところへ、慌てゝ戻つて來たのは油上覺兵衞であつた。

『何んぢや、手おくれ――卒中だ？』

覺兵衞は苦しむ權八を兩手で抱いた。

『は、は、、、何が卒中なもんかよウ。此奴は食ひしんぼうだから、何か變なものを咽に支へさせてゐるぢや――』

彼は權八猿の口を無理に開けさせ、自分の指先に布切を卷きつけて、咽の奥を何度も〱さらつた。

半死半生の狀態でしばらく地上に横たはつてゐた權八は、やがてそろ〱と上半身を起し、パチクリ〱眼ばたきをし、それから片手で腹を搔いてから、恐る〱後脚で立ちあがつた。

『さ――いつものやうに人參をやるぞ！　權八、片足跳をして見ろ！　はい――お江戸ではやる繻子の帶、……幅廣ぼしや、尺長を……、かるた結びに、繪にナンョ――。ほら、ドツコイ〱……』

覺兵衞得意の鎌倉節につれて、權八猿は齒を剝き鼻聲を鳴らしながら躍り出してゐた。

『どうだ諸君。權八は躍りが旨いだらう。卒中なんかぢやねえぞ――乾さんに見せてやる――、さ、もう一丁……』

覺兵衞は腰下げの煙草箱から刻み煙草を摘み出して、懷中から一枚ぬき出した椿の葉に包みながら、澄んだ好い聲で唄ひ出した。

『お寺の尼どの、千重の椿……、一枝ほしや、二枝も……、女郎の手土產、繪にナンョ――。ほら、ドツコイ〱！』

湯ノ谷の流血

ヅーン！

ヅーン……！

――鷲家口の方面からは、地を震はすやうな鈍い砲聲が傳はつて來る……。

えい、えゝい、おウ〱おウ〱〱……！

武者押しの遠たけびにまじつて、散發的な銃聲が谷間の奥々にまで共響して、それはやがて乾燥した谺になつて、ビーン！　ビーン！　と戻つて來た……。

ときどき、微風に乘つて遠い竹法螺の音が屆いて來るかと思ふと、急にまた、ヂヤン〱ヂヤン……と、陣鐘の早馳けが思はぬ間近かに起つたりした。

九月二十五日の早朝である。

和田村で二隊に分れた天誅組の敗殘隊は、先づ中山侍從忠光・林豹吉郎・安積五郎・那須信吾・宍戸彌四郎等四十餘人の前衞隊のはうから働きかけて、昨夜から今朝へかけて鷲ノ

王峠より鷲家口の諸藩攻圍陣營へと斬り込み、最後の血路をひらかうと試みた。

一方、藤本鐵石・吉村寅太郎・松本奎堂等の傷病者を中心とする後詰隊は、山中の道に踏みまよつて落伍する者が多く、あまつさへ敵將高山左近の挺身隊に追ひまくられて散り〳〵バラ〳〵になつて伊豆尾の山間から伊勢街道の方へと雪頽れて行つた……。

ピユーン……ピユーン！

ピユーン……！

進出して來た紀州藩鐵砲隊の包圍陣が、總崩れになつた義軍の頭上に滅多撃ちの流彈を雨とあびせかけた……。

× ×

鷲家字湯ノ谷の山中で、たうとう同志達にもはぐれてしまつた油上覺兵衛と權八猿は、しばらく流彈の隙を見さだめてから、パツと間道の方へ走り込まうとしたが――矢庭にあらはれた敵の一隊が、忽ちバラバラツと馳け寄つて、彼等の周圍を取りかこんでしまつた――。

『權八――逃げろ！』

一聲叫ぶや、もう躊躇する餘裕とてない――拔身を振り上げてパツと多勢の藩兵のまんなかへ飛び込んで行く。

『えい！』

『おツ！』

篠すゝきのやうに數條の白刄が閃めいたかと思ふと、忽ち覺兵衛は一人を斬り倒して向ふ側へ走り出た！

――彼の右頬には赤い一線が引かれて、鮮血がタラタラと襟頸のはうへ流れ込んでゐる……。

キキ、キキツ！

キキツ、キキイ……！

泡をくつて敵兵の頭上へ搔き上つた權八は、そのまゝ足先に力を入れてピヨコン！と空中の木の枝へ跳んだ――途端！颯ツとたばしる大刀に斬りはらはれて、プチツ！　尻ツ尾が半分ふツ飛んでしまつた！

キヤーツ！　キキキツ！

――痛さよりも何よりも、權八猿は恐怖におびえて齒を剝いた。彼は兩足で木の枝をユサユサとやけに搖すぶりながら敵兵を威嚇するもののやうに、吼えて〳〵吼えまくつた！

この時――

『權八！　權八！　權八……！』

必死の絕叫をつゞけながら、阿修羅と狂ふ覺兵衛は再び數人の敵に取りかこまれてゐた。

が、瞬間――

白刄空に亂れると見るや――さッと敵兵はかこみを解いて

立ち離れた。

ヅタ〳〵に斬り苛まれた油上覺兵衛は、血の海の中に動かなかつた……。

權八猿はたまらなくなつて木の枝からポイと飛び下り、敵兵の目を氣にしながら、モソ〳〵と四ツ這ひのまゝで飼ひぬしの死骸へ近付いて行つた。

キキ、キキ……。

權八猿は覺兵衛の頭に手をかけて搖すぶつて見たが、飼ひぬしがものも言はず動きもしないのを知ると、振り返つて恨めしさうな視線を敵兵達へ送つた。

敵兵は、もうその場を立ち去らうとしてゐた。

權八は、も一度覺兵衛の死骸を搖すぶり、また振りかへつて敵兵の後姿を見やつたが、今後はノツソリ立上つて主人の死骸のグルリを一まはりした。

キキ、キキツ！

キキ、キキツ……！

急に、權八は兩足を踏ん張つて、まるで躍るやうな恰好で腰を上下に激しく搖り動かし、息ぜはしい鼻聲で續けざまに叫び出したかと思ふと、素早く足元の石や木片を拾ひ上げてメチャクチャに敵兵へ向かつて投げつけはじめた。

——ムラ〳〵と、心頭の怒りに狂つたのである！

呆氣にとられて立ちどまつた敵兵たちの姿を見ると、權八は急に飼ひぬしの白刃を拾つて、上唇をパツクリと捲くりあげながら、勢ひ込んで敵兵のはうへと追ひすがつて行つた。

が、途端——一發！

流れて來た外れ彈が、さツと權八猿の心臓部を貫いたのである。

ギヤツ！……………！

——權八は然し、倒れはしなかつた。

大の字に立ちはだかつたまゝ、敵兵の一人々々を悲しさうに眺め、手に持つ白刃をパツタリと地上に落した。

見る〳〵、赤黑い血が、權八の胸部を流れはじめた……。

彼は向ふを向いて、覺兵衛の死骸のはうへ歩き出さうとした。

が、彼は手傷を負つてゐるので、立つて歩くより四ツ這ひになる方が樂であつた。

權八は、もう敵兵のことなどはスツカリ忘れてしまつて、ノロ〳〵と、苦しさうに歩いて行く。

すると、八九歩ほども歩いて行つた時に——彼は途中で、自分の尻ツ尾に出會つた。

その尻ツ尾の切れツぱしが、一時權八の心を引きつけた。

——彼はその前で立ちどまり、不思議さうにシゲ〳〵と眺

め、自分の臀部についてゐる尻ツ尾の殘りをピク／＼と搖り動かした。

それから極くしばらくの間、身うごきもしないで睨んでゐたが、やがてその周りを一まはりした。

かうして落ちてゐる自分の尻ツ尾を充分に觀察してから、案外ぞんざいな手付でそれを拾ひ上げ、月並みの好奇心に唆られたものゝやうに手に取つて、ためつすかしつして眺めた。

そして最後にそれを自分の鼻先へ持つて來て匂ひを嗅ぎ、しばらく口へ入れてモグ／＼と二三度齒先で味はつてゐたが味も素ツ氣もないことがわかると、ひどく輕蔑したやうな態度でポイと投げ捨て、今度は立上つて、威張つた歩き方で再び飼ひぬしの死骸の方へと歩むのであつた。

然し今度は、二三歩と歩まぬうちに、急にからだ中の力が拔けてしまひ、グラ／＼と目の先がまつくらになつたかと思ふと、バツタりその場に倒れてしまつた。

――これが、十津川權八猿の最後であつた。

× ×

その日の夕方――。

藩の軍奉行の手附の者が戰ひ跡の現場調査に出向いた時には、どうしたのか油上覺兵衛の死骸は見當らず、權八猿の頸には大きな鈴つきの紅緒の首輪が嵌められてゐた……（終）

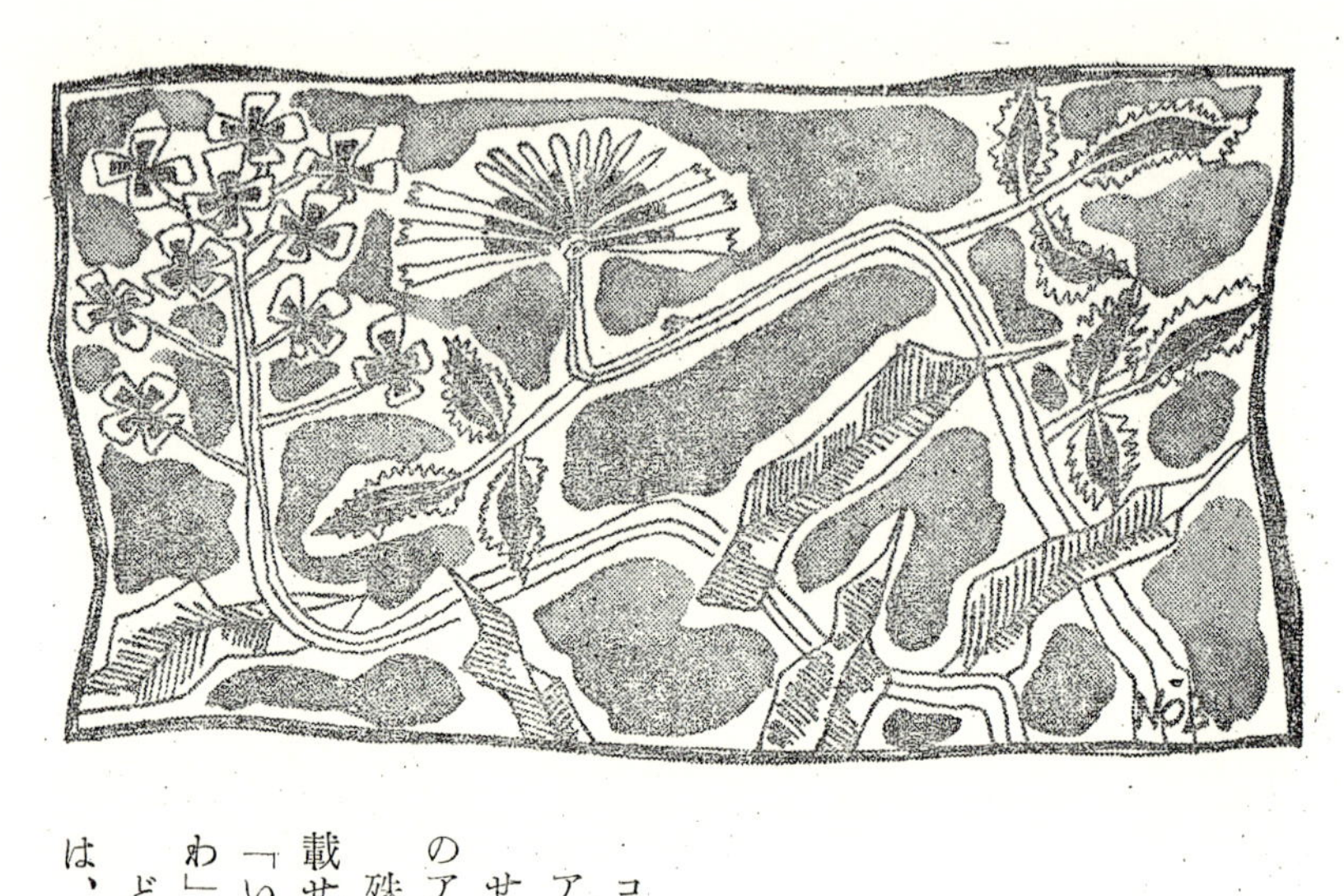

街角

浅野武男

一

コロリンシヤンシヤシヤコロリツトンコロリン……

アサヒ薬局の二階の簾から琴の音が、洩れてくる。

せゝつこましい夏の街中に一脈の涼風をたゞよはす音色だが、弾いてゐる二階のアサヒ薬局の未亡人駒子とタチバナ理髪店夫人お徳さんは、暑さうだ。

殊更お徳は、若々しいアツパツパを着て、廣いおでこの上に古風なハイカラを載せ、鼻の頭に熱心な玉の汗をかいてゐる。

「いゝえ、さう弾いちや駄目よ、そこをおさへて……いいえ、さうぢやないわ」

どうしてから物憶えのわるい人なんだらうと云はないばかりに、教授側の駒子は、険のある高い鼻に掛けた薄色眼鏡の球を光らせた。

齡よりは若造りの、波を遠慮しい／＼打たせた洋髮で、それでも白粉だけは、いかになんでも、それに皺が却つて目立つとこれは控えて、肌理のこまかい膚にさつと掃いた汗止めの粉白粉は、駒子を涼しく清楚に見せてはゐたが、前で琴を舐めるやうにおつ冠さつて夢中で彈いてゐる憶えのわるいお德には、ほと／＼汗をかいてゐた。

「物憶えがわるいつたつて、ほんとにさ、どうしてから…………」

お德は、自分でもつく／″＼呆れたらしく琴の手を止めて、

「あゝ、暑い」

と取敢えず、鼻の汗をもぎ取るやうに拭いた。

「全くね、少しわる過ぎるわ」

「やつぱし頭がわるいんだね、はゝゝ」

づけ／″＼何を云ひ合つても氣にしないまでの親類交際で、お德は大きく口を開けて男のやうに笑つた。

アサヒ藥局の角を曲り、少し行つて豆腐屋の横を右に折れた八軒目に、タチバナ理髮店の、くる／＼廻る赤白青の飴ン棒のやうな廣告燈が、立つてゐる。

近所交際にしては離れ過ぎてゐる兩家だが、いつの頃からか長年の親戚同樣の間柄で、子供のないタチバナ理髮店にはアサヒ藥局の姉娘清子も妹娘の綠も、よち／＼歩きの時分から遊びに出たりは入つたりしてゐた。

この頃では、姉妹も妙齡頃で、床屋の若い衆もゐることだし、お河童時分のやうに、さう繁々とは遊びに行かなくなつたが、いまだにタチバナ理髮店主善助は、姉妹に向つては、「清ンベ」だの「ミー公」だのと呼ぶ昔の癖から拔け切れなかつた。

嫁に行く妙齡頃の娘をつかまへてとは思ひながら、どう間違つても改まつて「清子さん」だの「綠さん」だのとは、呼ぶ氣になれない。

「もう直きお嫁さんに行く妙齡頃の娘をつかまへて、清ンベだなんて、淸ちやんもこの頃は、迷惑さうな顏してるよ」

「そんなことがあるもんか」

お德の云ふ通りには相違なかつたが、娘達が迷惑するなどとは善助には思へなかつた。

アサヒ藥局の娘達も、事實習慣で、床屋のをぢさんから、昔通りに呼ばれても決して迷惑がらないばかりか、改まつてさん付けで呼ばれたりしたら、「いやなをぢさん」と却つて氣味がわるくなつただらう。

チヤキ／＼／＼

タチバナ理髮店は、朝から晩まで、町内の人々の千差萬別な頭を引受けて、鋏の音の絶え間がない。

見た眼から云へば、アサヒ薬局の二階の琴よりタチバナ理髪店の、ぎら〳〵光る鋏の方が、涼し氣に見える。

「お德は、何處へ行つたんだ？」

「内儀さんは藥屋さんです」

チツクで固め、眞ン中から分けた、さながら床屋の看板宜しくの頭髪の庄太郎が、バリカンを動かしながら答へた。

「又ツンコロリンか。この晝日中、暑いのによせばいゝんだよ。大體、お琴なんて、柄ぢやない、晝寢でもしてる柄だね。から暑い時にや琴なんてものは、まどろつこしくつていけねえ」

「ぢやあ親方は、何が好きだい？」

さつきまで鼾をかいてゐた耕次の椅子の客が、眼が醒めて聞いてゐたのか、眠さうな聲を出した。

「浪花節！」

剃刀を動かしてゐる耕次が、向ふの椅子で近所の隱居の顔を丁寧に剃り上げてゐる主人に代つて、おさへるやうに答へ、善助の方を向いて笑つた。

「浪花節よ。お前は、俺が浪花節つてえと輕蔑したやうにして笑ふがね、判りがよくつて手つ取り早くつて、あんな面白いものはないよ。ねえ、旦那」

「うん、俺も浪花節だね」


客も善助の趣味に贊成だつた。

「うちの耕次は、どうも子供の時分から生意氣でね、あたしと意見が合はない。これの好きなのは、あのなんとか、ベートーベンか、音樂つてえやつでさ。なんでもバタ臭いものが好きでね、あの頭を見てやつて下さいよ、頭を。櫛を使つちやいけない譯ぢやなし、お手のものなんだからもう少しなんとか恰好をつけりやあいゝものを、もしや〳〵おつ立てつぱなしでさ。今時、流行らねえ頭でさ。無精つたらじいつたつて、床屋のやうぢやないよ、全く。藝術家の頭つて云ふんでせうな。あんなのが。ですけど、耕次は、あれで藝術家ですよ。繪を畫かしたら巧いもんでさ。あれで油繪を描くんですよ。小僧の時分から落書ばつかりしてましたがね。あたしも最初は、あたしの似顔を畫けば、鼻ばかり大きく描く、俺アこんな大きな鼻ぢやないつて、叱言を云つてたんですが、この間、先生の描いたものを、あの高臺の秋川五郎先生ね、油繪の、あの方がよく頭を刈りにお見えになるんで、見てもらつたら、感心しちやいましてね、大いに見込みがあるつて仰有るんで、あたしも實は、吃驚りしてるんですが、油繪なんてものは、全く此方等素人にや、どこが巧いのか、さつぱり解らないもんですね。ですからいつそ床屋なんか止して畫描きになれつて云つてるんですよ。本人もその氣らしいんです

が、暇さへありやア繪と首つ引きでさ。だけど同じ道樂でもいゝ道樂だつて云ふんですよ。そりやアこつちの庄的みたいに頭をテカ〱光らせて、喫茶店でコーヒーばかり飲んでる道樂よりやア優しでさ」

耕次の椅子の客は、感心したやうに「へーえ、へーえ」と相槌を打つて聞いてゐたが、喫茶店通ひを客の前で主人に素つ破抜かれた庄太郎は、顏を赧くして、光り輝いてゐる頭にちよつと手をやつた。

「ですがね、旦那、この先生の油繪のモデルにされるなア全く閉口ですよ。身動き出來ないんですからね、いくらかモデル代を寄越せつて云つてやるんですよ」

善助は、それでも嬉しさうに附け足したが、もしや〱頭の耕次は、その話の間中、時々、ちら〱つと親方善助の、どう云ふ毛の都合か禿頭の天邊にだけぽや〱と小島のやうに取殘された頭の毛を見やつては、默つてにや〱笑つてゐた。

二

耕次は、まだ善助が、頭に房々とした毛のある頃、孤兒院から拾つてきた、タチバナ床の子飼ひからの徒弟だつた。

眼のくり〱した頭の大きい悧巧さうな耕次は、少しも孤兒らしい暗い影がなく、子のない善助夫婦に愛された。

高い足駄を穿き、白い仕事着を着た毬栗頭の耕次は、全く可愛らしい床屋の小僧だつた。

「彼奴は、悧巧な子だ。仕事をみつちり仕込んでやらう」

善助は、孤兒院から連れてきた甲斐があつたと喜んで、バリカンからはじまつて、剃刀、鋏に至る調髮術を長年にわたつて嚴しく敎へ込んだ。

耕次は、それを器用によく憶えた。

たゞ困ることは、矢鱈に何處へでも落書の繪を描きまはることだつた。

「誰だい、値段表に猫の顏なんか描き込んだなア」

「耕次が、うちの三毛の寫生をしたんだよ。だけどちよつと上手だね」

「上手だねぢやないよ。巫山戯やがつて、お客樣をなんだか馬鹿にしてるやうぢやねえか。おい、耕次。繪が好きなら描くのもいゝが、商賣道具なんかに落書する奴があるか。今度こんな惡戲をしたら承知しねえぞ」

だが夜學に通はせてもらふやうになると、誰に敎へられるでもなく繪の具を買つてきて、水彩畫を描き出し、遂に油繪にまで進んでくる間に、ちよつとした店の標語「お急ぎの節は、豫めおきかせおき下さいませ」、「親切第一」、「毎度有難

う存じます」の類のビラの下に水仙を畫き添えたり、逞ましい虎の吠えてゐる顔を畫いたりして、善助も調法がるやうになつた。

　そして耕次の描く繪が近くの高臺の邸町に住む油繪の中堅秋川五郎先生の認めるところとなつた時には、善助も聊か面喰つた。

　立派な床屋さんに仕上げるつもりが、どうも耕次は、藝術家とやら云ふ者になりさうだつた。

「全く變てこなもんだ。彼奴の繪が、愈々本物になるとは、どうしても思へねえ」

　善助は、それでも腑に落ちかねて、いまだに小首を傾げてゐた。

　耕次の寫生帖には、靜物、風景より人物が主だつたが、そのうちでも善助の顔が、一番多かつた。

　彼は善助の顔に興味を持つてゐて、凡ゆる角度から主人を寫生してゐた。

「どうして俺の顔ばかり描くんだよ。描くならもう少し頭の毛を多くして好い男に描いてくれ。これぢやまるで、きぬかつぎに目鼻をくつけたやうぢやないか」

「だつてその通りなんだから仕方がない。お前さんなんか、どうやつたつて好い男に描きようがないよ、ねえ、耕ちやん」

お徳が傍からいつもまぜつかへした。

　耕次の寫生は、客の來ない暇な時、椅子に倚りかゝつて居眠りをしてゐる親方の顔なぞ、特に神技に近かつた。

　だがこの頃、耕次の寫生帖は、祕かに善助の顔の數より女性の立姿や横顔が、多くなつてゐるのを誰も知らなかつた。

　おつとりと溫順しい女の顔、それが皆、同人物だつた。

　それは直ぐアサヒ藥局の美しい姉妹の姿を思はせたが、それも殆んどが姉娘の清子に限られてゐた。

　耕次は、清子專門の寫生帖だけは、別に極祕にしてゐた。

　いつの間に見てしまふのか、時々遊びに來たり、店の前を通る清子を丹念に寫生してゐるのだつたが、そんな時に耕次の剃刀の下に顔を長々と晒してゐる客は、甚だ危險千萬と云はなければならない。

　陽氣に飛び離れる性質の妹娘綠より女らしい靜かな美しさをたゞよはせてくれる清子の方が、耕次の寫生慾を、そゝつた。

　寫生慾と云ふやうな一通りな感情ではなく、二通りも三通りも深い、それは思慕する心でさへあつた。

　整つた皓い齒列びをちらりと見せ、清子に何氣なく笑顔をつくられたゞけで、耕次は、不覺にも鳥肌立つて、暑い最中にさへ涼しくなるのを通り越して寒氣がした。

姉妹で顏を剃りにくる時など、耕次は、庄太郎に淸子の顏を與へ、自分は綠の方にした。

手先が顫へるやうな氣がして、淸子の顏を平氣で剃れなかつたからだつた。

今にも降り出しさうな曇り日の午後だつた。

美しい姉妹は、庄太郎、耕次の順に椅子に倚つて、顏を剃つてゐた。

後の長椅子の善助が、新聞の政治欄をむづかしいところは人知れず飛ばして讀み上げると、近頃、手離せなくなつた老眼鏡を外し、椅子の姉妹を見て云つた。

「二人で綺麗になつておつ母さんと何處かへ行くんだな、活動かい」

「映畫なんかぢやないわ。もつといゝとこ」

「ぢや芝居だらう。をぢさんも一緒に連れてつてくれよ」

「をぢさんなんか駄目よ。あたし達と一緒に歩くと、をぢさん、お供の下僕みたいに見えて可哀さうだから、ねえ、姉さん」

綠は、口が惡かつた。

「あんなことを云やがる。誰が一緒になんか行つてやるもんか」

淸子は默つて笑つてゐたが、綠は、顏の上の耕次に眼を上向けて云つた。

「耕ちやん、いつあたしの顏、描いてくれるのよ」

綠の寫生をする約束は、前からしてゐたが、耕次は、淸子の方なら飛び付いて行つて直ぐにも描いてみたいのだが、綠では氣が向かないので生返事をしてゐた。

と、漸くの思ひで、淸子を寫生する機會をその時、つかむことが出來た。

「耕ちやん、あたしも描いてくださらない?」

と庄太郎の椅子の淸子が、云つてくれたからだつた。

「えゝ、描きませう、描かせてください」

耕次は、現金に思はず、力の籠つた聲でそれに答へた。

「あーら、姉さんだと直ぐに描きませうだつて」

「やア嫌はれた、宜い氣味、宜い氣味」

善助は、後方から綠をからかつたが、耕次は、その日、三日後の公休日の晝に店で描くことを淸子と約束した。

耕次には三日後の公休日が、わくわくと待遠しかつた。かうした時にも、耕次の番にあたる客は、大いに彼の剃刀を警戒する必要があつたのである。

直ぐ忘れてしまつて來てくれないのではないかと心配してゐたが、公休日になると淸子は、約束違はず、店へ現れた。

店は、皆外へ出てゐて、耕次一人、留守居をしてゐた。

耕次は、一生懸命に木炭を走らせて清子の上半身の肖像を寫生した。

その間も清子は、口數尠く、それが又、耕次には好ましく美しく感じられたが、寫生が終つて歸りしなに、

「スケツチブツクを拜見」

と云はれ、奥から持ち出してきた寫生帖のうちうつかり極秘の清子寫生帖まで開けられ、はつと氣づいた時には、手遅れで、既に半分以上見られてしまつた後だつた。

清子も、自分の色々な顔や姿態が、細々と描かれてゐることに、最初は氣づかず見てゐたが、次第にそれと解つて、吃驚りした。

耕次は、今更極秘のスケツチブツクを取上げることもならず、周章て出して、耳元まで眞ツ赧になつてゐた。

「まア」

清子は、何も云ひやうがなく、笑つて、これもどぎまぎし出し、狼狽て歸つて行つた。

三

清子の肖像畫は、それから間もなく着色を施され、美事な傑作になつて清子に渡されたが、公休日の寫生以來、耕次と清子の間は、心持とは反對になんとなくぎこちなくよそ〳〵しいものになつてしまつた。

それでも耕次は、長い間の望みが叶ひ、清子の肖像を描いたことだけで滿足してゐた。

そのうちこゝに計らずも仲の良い床屋と藥屋兩家の間に氣不味い事柄が、持ち上つた。

「いつまでも暑いぢやありませんか」

お德が、暑さにうんざりした恰好で、それでもお琴の時間は、忘れずにアサヒ藥局の二階に上つて行くと、いつも定刻にはお德の爲に琴をならべて用意してゐる駒子が、けろりとした顔で、琴を立てかけてある床の間の前にきちんと坐つてゐた。

けろりとした顔と云ふより何事か事情有氣な面持である。

「おや今日は………」

「今日はね、ちつと話があるの。まアお茶でも淹れますわ。清子さアん、冷いお茶、持つてきてくれないかア」

體を動かさず、坐つたまゝで、甲高い聲を張り上げた駒子の様子は、暢氣な質のお德にもたゞごとでないと感じられた。

「話つて何か心配事でもできたの？」

清子が、階下から、しとやかに冷やした紅茶を運んで來て又靜かに降りて行くと、駒子は、改まつて切り出した。

「他ぢやないんですけど、お宅の庄太郎さんね」

「え、あれがどうかしましたか」

「家の縁を誘つて映畫館へ行つたり、夜散歩に連れ立つて歩いたり、變な手紙を寄越したりするんですよ」

「あの家の庄公が、まア呆れた」

お德は、本當に呆れたやうに直ぐ頭を眞ん中からすいと分けた庄太郎のとぼけた顏を想像しながら、顎をぐうつと胸元深く引いて見せた。

「縁も良くありません。何故、そんな變な手紙なんか貰つたら直ぐ母さんに告げないかつて、懇々と叱言を云つたんですけど、兎に角、あのおきやんでせう、ケラ〳〵笑つてるんですよ。あたしは、腹が立つて腹が立つて、あたしも全然それまで知らなかつたもんですからね、吃驚りしちまつて、從順しい姉の方を少し見習ふといゝんだけどねえ」

タチバナ床の庄太郎から縁への
「麗はしの君よ、君の姿は、吾が胸に……」

と云ふやうな一見して噴き出さない譯にはいかない手紙は縁がお腹をかゝへて笑ひながら姉の淸子の前に披露してゐる最中、突如、後方の唐紙を開けて現れた母駒子に取上げられ脆くも發覺に及んだのだつた。

餘程叱られたものか、さう云へば、いつもゐる店に縁の姿が見えなかつた。

「どつちも若い者同志、間違ひでもあつた日にや取返しがつかない。なんでもないのよウて云ふのが、間違ひの元なんだから、そりアなんでもあられた日にや大變だけど」

「ほんとにさア」

「今後さういふことのないやうに一つ、庄太郎さんに云つておいてくださいな」

「えゝえゝ、云ひますともさ」

「それに第一、近所の手前、床屋さんなんか………いゝえね、男の人なんかと一緒に歩いてゐたりしたら世間が煩さくつて仕樣がありませんもの」

と、それまで大きく相槌を打つてゐたお德が、こゝでぴたりと相槌を打つのを止めた。お德には、床屋さんなんかの一言が、直ぐ云ひ直されたにしろ面白くなかつた。

だが駒子は、構はずつゞけた。

「世間てものは、煩さいもんですよ。なにかと家の娘達は、この界隈で目の敵のやうに云はれるんでね。知つての通りの身の上だもんだから、娘まで色んな眼で見られるかと思ふとあたしは口惜しくつて………そりアこれつぱかりも莫迦にされる謂はありませんわ。

それでもね、お德さん、やつぱりあたしは負け目なんです

よ、だからこそかうして、娘達を今日、女學校を出すまで、どのくらゐ苦勞して、どうかして世間から莫迦にされないやうに育て上げてきたか知れません。

自分の身は、どうならうと、娘二人を立派な處へお嫁にやつて、早く安心したい、そればかりが、あたしのたつた一つの願ひなの、こんなことはお徳さんだけにしか、話せないことだけど……」

さう云ひながらも駒子は、次第に聲を落して、いつか眼鏡を外し、ハンカチを眼に當ててゐた。

一時感情を害したお徳も、駒子の泪を見ては、直ぐ駒子の身の上への思ひ遣りの方へ氣をとられ、さつきの憤慨を忘れた。

駒子は、未亡人でも上に二號と番號のつく未亡人だつた。世話する人に死別れると、分けて貰つた相當な資産を元手にぼんやり者だが、藥の調合の間違ひは絶對にない實直な老藥劑師を傭ひ、アサヒ藥局を開いて、二人の娘を育て上げてきた。

この上は養子をとるより娘達を夫々立派な處へ嫁にやり、後は甥に嗣がせる肚で、娘を堂々と他家へ嫁がせるといふ念願は、日蔭者だつた駒子の年來の宿望であつた。

氣にしなければ氣にならないまでの事柄でも、僻むとなると、その念願も從つて根強いものになつた。

(娘を立派なところへ嫁にやる)

これが駒子の宗教だつた。

「それから、これですがね」

駒子は、氣を取り直したやうに立上ると、奥へ行つて、くるくると卷いた畫用紙を持つて來て、お徳の前に置いた。

「これも別段、なんのこともないことなんだけど、折角よく描けてゐるし。こつちで處分しちまふのも、なんですから、耕次さんに氣を悪くしないやうにして返して上げてくださいよ。清子が、描いてもらつたんですつてね。清子の室にちやんと張つてあるぢやありませんか。どういふ意味のないことにしろ、兎角世間の口が煩さいからね。いつの間に出掛けて行つて描いてもらつたんだが、清子も清子だわ」

それは公休日に耕次の描いた清子の肖像畫だつた。

「ほんとに仕樣がない。よく歸つて云つてやりますよ」

お徳は、肖像畫を取り上げると、お琴どころではなく這々の體で引上げて行つた。

四

「又泣かれたな。あれがどうも疵だね。さう僻むこともないんだけどなア。だが無理もねえ。女手一つで娘二人を育てた

となると、そりア心配だらうよ。俺もあの二人が、他人の娘のやうにや思へねえんだ。何處か良い處から貰ひ手があると阿母さん、どんなに鼻高々と喜ぶことか、さうなりア自然日蔭者といふ僻みもなくなるんだらうけどな。良いお婿さんを探して喜ばしてやりてえな。喜ばしてやると云ふより、あの僻み心をとつてやりたい」

お德から一部始終を聞いた善助は、駒子の性質を能く知つてゐるだけに同情したが、お德は、云つた。

「だけどさ。床屋さんなんかつて、なんかつて云ふことはないぢやないか」

「そんなことは、今はじまつた話ぢやねえ。あの人のつんけん云ふヒス的は、お家の藝なんだから氣にするなよ。お高くとまりたい見得坊な性分だが、氣質は、結局良い人間だ。

それにしても庄的を呼んで來てくれ、彼奴アこの頃、どうも不良ぢみてきていけねえと思つてた」

庄太郎は、店の暇を見て二階に呼ばれ、肖像畫は、お德の手から耕次に返された。

「なんだかね、さう云つてるから持つて來ちまつたよ。兎に角、藥屋さんにとつちや、大事な箱入娘だし、人一倍心配するんだらうよ。耕ちやんにや呉々も氣を惡くしないやうにつて、何度も氣にして云つてたよ」

氣を惡くしないやうにも何にも耕次は、不愉快と寂しさで一ぱいになつたが、どうにも仕方がなかつた。

「附け文したさうぢやねえか。よせよ、そんなつまらねえ眞似は。友達交際はいゝが、向ふも大事な嫁入り前の娘だ、もう誘つたりなんかするな」

二階では善助が、づけ／＼と庄太郎に意見した。

庄太郎は、蒼くなつたり、赧くなつたり、頭に何度も手をやつては腰を浮かせ、親方の前でもじ／＼と恐縮するより他にする術がなかつた。

だが善助の前では輕く惡びれずに恐縮してゐた庄太郎も、店が閉つて、寢床には入ると、殘暑の寢苦しさばかりではなく、眼が皿のやうに冴えてきて眠れなくなつた。

何とも彼とも、庄太郎にとつては、親方の言葉が、慚愧に堪へず、骨身に應へて身の置き處もなかつた。

畫を返された耕次も、その夜、隣の寢床に輾轉反側してゐたが、ふと氣がつくと、隣の庄太郎の寢床がいつまで經つても空になつたまゝだつた。

（何處へ行つたのだらう）

寢られぬ耕次は、起上つて階段を降りて行くと、カーテンを下した暗い店の片隅に、ぽつんと一つ電氣を點けて、後向きになつた庄太郎が、頻に剃刀を研いでゐる。

日頃のまん眞ん中から分けてゐる、身嗜みのよい頭髪も、むしられたやうに亂れ、色も蒼褪め、眼が据はつてゐる。眞夜中に研ぎ上つていく剃刀の刄先などを見詰められてゐると、餘り氣持の良いものではない。

「なにをやつてるんだ」

耕次は、早く聲を掛けておいた方が、よいと思つて、後方から呼び掛けた。

出し抜けに聲を掛けられた庄太郎は、剃刀持つ手をさつと擧げた。

「あゝ、愕くぢやないか、いきなり」

「此方の方が愕くよ。夜中に剃刀なんか研ぐなんて」

「寢付かれないもんだから、剃刀でも研いでゐたら疲れて眠れるかと思つてさ」

「變なことをするなよ。なんだと思ふぢやないか。寢られないつて、晝間の綠さんのことだらう」

「そんなことで寢られないなんて莫迦な話はないさ」

「さうだよ、それに違ひない。藥屋の娘のことなんか氣にするな。あんなのいくらでもゐるよ」

「ゑらさうなことを云つて、耕ちやんは、どうなんだ？」

「俺がどうした」

「會心の傑作を返されてきたぢやないか。それで寢付かれないんだらう」

「莫迦なことを云ふな。何も此方が君のやうにどうつて云ふ氣ぢやなし、何も寢付かれない理由が、ないぢやないか」

「駄目だよ、隱したつて、自分のスケッチブックを見るがいゝ。姉娘の寫生ばつかりぢやないか。悪いとは思つたが、見て愕いちまつたよ」

これは又、耕次の手落ちだつた。極祕の清子寫生帳を、いつの間にか庄太郎が、見てしまつたものと見える。

今となつては最早、二人は互に氣取らずに同病相憐むより他はなかつた。

さう底を割つて氣持を見せ合ふと、二人は、存外氣が輕くなつて、心で勞はり合つてゐるうちに安眠できるやうな氣がしてきた。

庄太郎は、同病に慰められ、剃刀研ぎをやめ、耕次と仲良く寢ることにした。

五

わづかな喰ひ違ひが人の心を暗く滅入らせ、又ちよつとした動機が、人の心を明るく輕くする。

耕次と庄太郎も一時、氣を腐らせたが、二人で勵まし合つて、又チヤキチヤキとタチバナ理髪店のなかに陽氣な鋏の音

を響かせつゞけた。

　アサヒ薬局の姉妹も母親も、それからぱつたり顔を剃りに來なくなつたが、相變らずお德は、晝間、琴の稽古に通つてゐた。

　そのうちに、耕次にとつては、大きな輝かしい轉機が訪れた。

　油繪畫家秋川五郎のすゝめられるまゝに耕次の、二科會へ出した油繪が、美事入選し、一躍油繪畫家の新人として大きく認められ、新聞にも「床屋さんの新人、美事二科に入選」と云ふ見出しで、前途を祝福する記事が書かれた。

　それは、理髪店の内部を背景に鏡に映る床屋の親爺といふ八號の人物畫で、小僧のうちから得意中の得意であつた親方善助がモデルだつた。

　手堅いといふより少し固くなり過ぎた寫實主義と云ふ嫌ひもあつたが、兎に角、堂々たる入選畫であつた。

「負けた。ゑらいもんだ、いえ、全く、この通り、先づお目出度う。俺も出來上つた時にや、例によつて又、鼻は大きく描いてあるし、おまけに今度のは、御叮寧に赤ッ鼻だし、店の中は、夜だか晝だか判らないやうに薄ッ暗いし、こんなのがと實は思つてたんだが、全く愕いた。俺は、もう泪が出てきて仕樣がねえ。嬉しくつて。だけど子供の時分から描き慣れた俺の顔で當るとは思はなかつたね」

　善助は、たゞもう愕きと喜びで、お德と共にぽろ〳〵泪をこぼしてくれた。

　耕次もたゞ氣もなく一緒になつて泪をこぼした。

　そしてこれも秋川五郎のすゝめで、耕次は愈々長年住み馴れた親の家とも思つてゐるタチバナ床から離れ、一時秋川家に寄寓することにし、油繪を本職として專門に勉强することになつた。

「俺の鼻を赤くしようと靑くしようと構はねえから、みつちり勉强して、良い繪を描いておくれよ」

　タチバナ床では一夜、さゝやかながら、眞心の籠つた耕次の首途を祝ふ會が開かれたが、その小宴半ばに善助は、しんみりと激勵した。

　相變らず、頭髮を眞ン中から綺麗に分けてはゐたが、感情家の庄太郞も耕次との別離の悲しさに、くすん〳〵と洟をつまらせてくれた。

　かうして溫かい心の人々に送られて、耕次は、淸子の住む角の思ひ出深いアサヒ薬局ともタチバナ床とも別れ、好きな油繪への道の第一歩を踏み出したものだつた。

　その後、新人畫家耕次は、順調な道を辿つて、彼の繪も段々と賣れ出してゆき、善助夫婦も、その話を聞く度に喜んで

ゐた。その間に街並は、矢張り同じ街並ではあつたものゝ、床屋と藥屋界隈にも事變又事變で、めまぐるしい變化を見せ、出征兵を送る日の丸の旗が、ひらめき、隣組が出來、タチバナ床の店先の赤白青の電氣燈が、節電で廻らなくなり、銅鐵の調髮用廻轉椅子の足掛が全部、鋼鐵回收運動で獻納になり防空演習が頻繁になつていくなど、街も人も戰時下らしい活氣を呈してゐた。

そのうち、タチバナ床の庄太郎にも名譽のお召しが下り、テカ〳〵光らせてゐた長髮をさつぱりと短かくくり〳〵した頭に刈り込むと、或る夜、剃刀の刄先を見詰めてゐた時の彼とは思はれぬ別人のやうな太い聲を出して、

「行つて參ります」

と主人夫婦に號令をかけるやうに別れを告げて、元氣に家を立つて行つた。

アサヒ藥局の綠は、彼の出發の時、

「元氣でいつてらつしやい」

と送つてくれた。

「有難う、行つてきます」

庄太郎は、綠が見送つてくれたことが、特に嬉しかつたか何度もお辭儀をした。

庄太郎の出征と同時にもう一つ、街の人々の變化を擧げれば、アサヒ藥局の惣領娘が、タチバナ床へ來る客からの世話で善助夫婦が仲人になり、さる織物問屋の老舖へ、派手に美しく着飾つて嫁入りした。

「申し分のない緣家先で、これなら阿母さんも、大威張りだらう」

善助の云ふ通り、駒子は大家へ長女淸子を見合ひも無事に濟ませて緣付け、ほつと安堵の胸を撫で下したのだつたが、その安堵も束の間、まだ半月も經たないうちに淸子は、眼を泣き腫らして、アサヒ藥局へ歸つて來た。

駒子は、事情も碌々訊かないうちに腦貧血を起して、階下から藥劑師が直ぐに間に合ふ氣付け藥を持つて來て飮ませたり、大騷ぎになつたが、落着いて淸子から理由を聽取してみると、見合ひの時、紋付袴で立派やかに見えた當の花婿は、尠からず腦に缺陷があるらしく、その癖何處へ行つてゐるのだか、殆んど家に歸つて來ないと云ふ奇怪な狀態で、御兩親やお店の人達は、親切にしてくれて、どうかゐてやつてくれと云ふが、いかになんでも當の夫が、そんな風では先々を考へると、我慢がならないと云ふのである。

さう云ふ理由であつてみれば、それでも歸れとは云へず、織物問屋と藥屋の間に可成の揉み合ひがあつた揚句、結局は折角のこの緣談も破鏡に終つた。

間には入つて一番、頭を惱ましたのは仲人の善助だつた。

「どうもこりアゑれえことになつちまつた」

善助は、口癖の「全く」も出ないほど、全く途方に暮れてしまつた。

「だからよく調べてからでないと、かう云ふことは一生のことなんだから、容易く世話はできないよつて云つてるのに、到頭、こんな破目になつちまつて、仲人になつた以上、藥局へ顔向けが出來ないぢやないか。昔の古ぼけた紋付袴なんか着込んで慣れないことをするからこんな落ちになるんだよ」

お德は仕方がないので、がん／＼善助を責めてみたが、善助を責めても仕方がなかつた。

「今更、そんなことをいくら云つたつて仕樣がねえ。なにも此方も惡氣があつて、世話をした譯ぢやなし、阿母さんを一日も早く安心させてやりてえと思へばこそ、一生懸命になつたんだが、それにしても、あの婿つてえ奴ア喰はせもんだつたんだなア。今考へると奴アさう云やア少し眼付きが變だつたよ」

「今になつて氣がついたつて追付くもんか」

「全くお德。こりアどう考へても俺も全く困つたよ」

それからと云ふもの、お德も非常に惡い事をしてしまつたやうに思はれて、あれほど熱心だつた琴の稽古にも行かなくなれば、善助もアサヒ藥局の前を通るのが、なんとなく身が縮むやうに思はれ、錢湯へ行くにも、態々藥局の前を遠慮して遠廻りをしなければならなくなつた。

だが駒子にしてみれば、善助夫婦が氣を遣つて、顔を合はさないやうにしてゐることが、寂しかつた。

（そも／＼娘をなんでも自分の意志通り、立派な大家へ緣付ければそれでよいといふ念願は、自分だけの間違つた見得なり意地なりだつたかも知れない）

さう感じはじめると、何事も母親の云ふなりに從順に嫁に入つて失敗した淸子が、可哀想でならなくなつた。

（どんなにでもして慰めてやりたい）

それには應援に是非、善助夫婦が必要だつた。

店の前でも通つたら、無理にでも夫婦に笑顔を見せて、遠慮してゐる氣持をほぐしたいと、藥局に出張つて待ち構へてゐるのだが、夫婦揃つてぱつたり前さへ通らなくなつた。

だが床屋と藥屋の往き來の絕えた氣不味さを和やかに、それとなく解きほぐす使者があつた。

それは綠だつた。

「をぢさん。なにぼんやりしてんの。元氣がないわね。これ戰地の庄ちゃんへ慰問袋」

時々さう云つては、タチバナ理髮店に飛び込んで行つた。

「ミー公か。こりア庄的、誰の慰問袋より喜ぶだらう」

善助も救はれたやうに思はず、昔の調子が出た。

そんなことから緣は、完全に平和の使者の役目を何氣なく果し、どつちからともなく、又床屋と藥屋は、前のやうに頻繁に往き來し始め、少しも上達しないお德の琴の稽古も、いつとはなく復活するやうになつた。

それと、悲しみに閉されてゐる淸子が、はつとして立止まるほど、懷しさに戰いたことがあつた。

それは以前の夏の日の公休日を思ひ出させるやうな眞夏の夕方、淸子が、タチバナ床の前を通りかゝると、開け放たれた扉に掛けたレースのカーテン越しに、耕次が、昔のやうに白いベンベルグの仕事着を着て、客の頭の上にきら／＼鋏を動かしてゐるのが見えたからだつた。

耕次は、通り掛つた淸子を見て、前のやうに靜かに笑つて會釋した。

耕次は、庄太郞の出征したあと、探しても全然代りの手の足りなくなつたタチバナ床を、一時畫筆を休めて、手傳ひに來たのだつた。

「そんなお前、もうゑらい畫描きさんが、…………」

と善助は辭退したが、耕次は、どうしても手傳ふと云つて善助を感激させ、又ぽろ／＼と泣かせた。

「耕次さんが、タチバナ床へ來て手傳つてるわ」

淸子は、歸ると直ぐ母駒子に、思はず明るく笑つて、さう報らせずにはゐられなかつた。

「まア耕次さんが……」

駒子も娘の明るい笑顏を見て、ほつとしたやうに明るく笑つた。


（をはり）

（會）（報）

第七回幹事會

九月三十日午後七時より中澤幹事宅に幹事會を開催、戸伏、鹿島、由布川、村、土屋中澤諸氏參會、中澤幹事より會計報告後、會計問題、文學建設文庫設置問題、恤兵圖書献納問題等について意見の交換を行ひ、十月中旬に同人總會を開催すべきことを決定、十時に散會した。

◇同人消息◇

戸伏　太兵氏　『近世萬葉雜稿』を都書房より『古代發掘』を番町書房より近刊。
村雨退二郎氏　麴町區麴町三丁目二番地七號へ轉居。尙『地底の暴風』『法曹奇譚』を、いづれも木村莊八氏裝幀により、六合書院より近刊。

◇受贈雜誌御禮◇

講談倶樂部、女性日本、講談雜誌、ユーモアクラブ、開拓、文藝日本、愛の日本、メトロ時代、につぽん、ペン、（以上十月號）
文藝情報（九月下旬十月上旬號）ふるさと（九月號）
以上

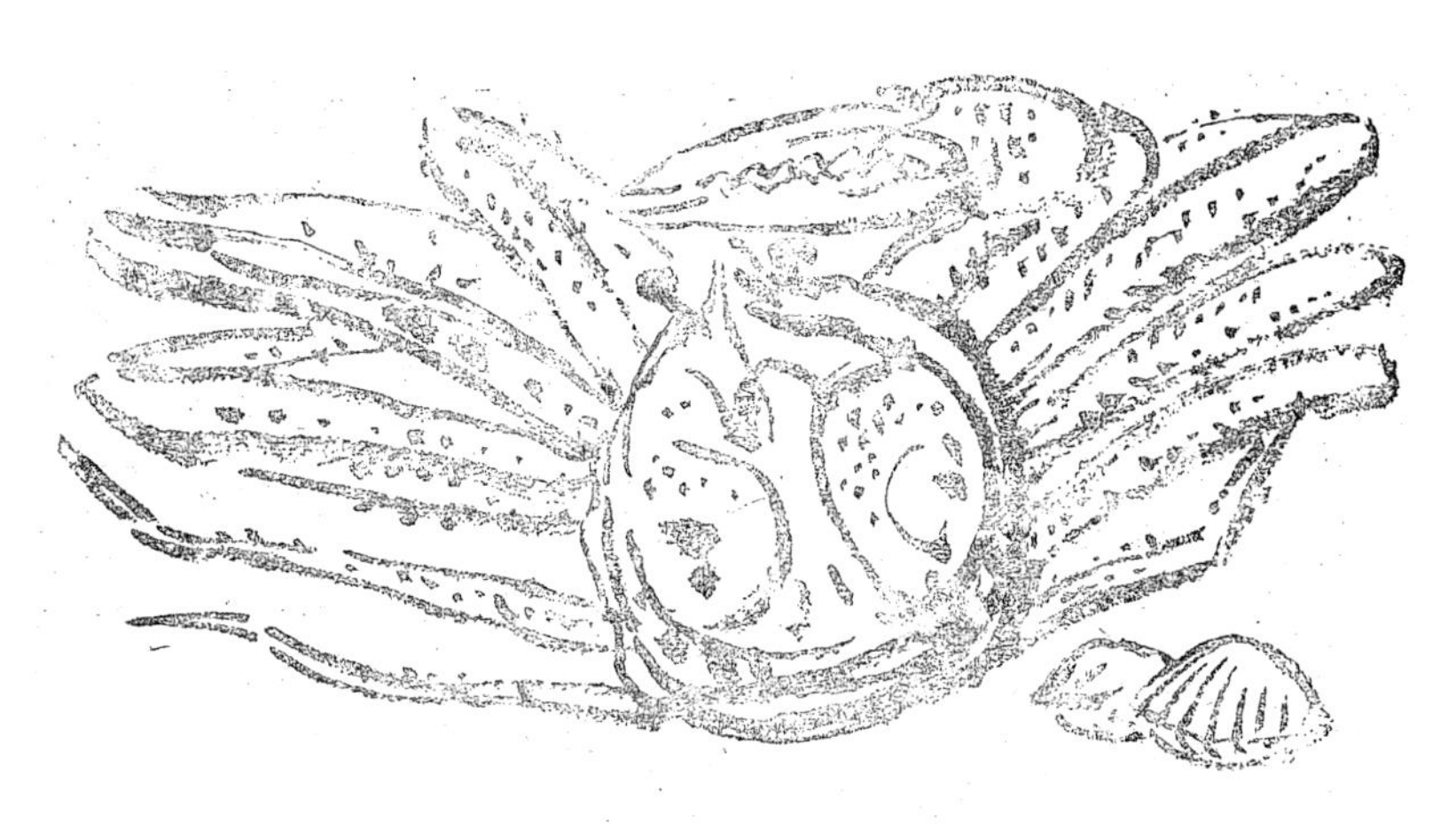

文覺勸進帳（承前）

由布川　祝

五

「あかりを點けて呉れい」

その夜、臥所に入つた平の判官資行はどうしても寢附かれなかつた。妻の才の方もやはり睡られぬとみえ、すぐ起き出て火打鎌を鳴らした。

――全身これ熱意といつた風に、殿上人の前で、遮二無二神護寺修造の勸進を說いた文覺の烈しい氣魄。

――いとも長閑に繰りひろげられてゐた觀櫻の雅會の氣分を、無慘に搔き毀した文覺の傍若無人な姿。

――總掛りで搦め捕りにかゝつた北面のやからに、堂々と立向ひ、散々てこずらせた旺盛な文覺の意氣。

――その文覺の一擊でぶつ倒れ、夢中で大床に逃げ上つて、衆人の前に生恥をかいた自分の見苦しいざま。

――色を喪つて閑所に立退いた公卿たちのうろたえ振り。
資行は、けふ法住寺殿での波瀾を想ひ泛べて、惑ひ、亂れる吾が心を慰め兼ねてゐるのだつた。だが不思議と文覺を恨む氣持になれない。それどころか、巍然とそゝり立つた巖のやうな文覺の人柄が、仰慕の形で資行のこゝろに喰入つて行くのだ。思ひきり憎むことができたら、まだしも救はれるか知れない。

轉々と寢返りを打つたり、起き直つて膝を抱いてみたり、だん／＼のぼせてゆくばかりなのだ。結燈臺の灯の暈に映し出された綾垣の、鶴の丸の織模様に、うつろな眼を注いでゐるうち、全身がカーッと汗ばんできた。

人間にあらまほしきは力だ。精神力――體力――勢力――權力――膽力――學力――財力――。噫、しかし俺といふ男は一切無力なのだ。

徒らに胸をやきもきさせるので、二度目の小用を催してきた。起き上つてみると脚腰がふら／＼する。三歩目が圓座を踏んだ。その圓座が辷つた。拍子の悪い事には、文覺に破られてづき／＼痛みつゞけてゐる額の傷を柱にぶつゝけてしまつた。

慍つと捨鉢な反撥を感じ、柱を毆り附けやうと手を振り上げたが、刹那、靈感のやうなものが頭に閃いて、ふつと氣が折れ、その手はやさしく柱を撫でさすつた。

この機縁によつて資行の欝屈した心境は、からりと疏通したのである。突詰めた自己否定から、彼はその辿るべき別の人生を發見した。それは、佛徒が豁然として悟入した時の悦びに通ずるものであつた。

妻戸を開けると、客殿の庭に焚く、篝火が仄かに忍び入つた。小用を濟した資行は透廊を客殿の方に向つた。肚の底からじん／＼湧いてくる覺悟のひらけた欣びは、傷の疼きさへ快感に變へた。

跫音を聽きつけて、一人の雜色が出迎へた。

「上人はどうしておわするか」

「ずつと睡り呆けてをります」

さういへばいびく聲がきこえる。

客殿は格子戸を堅く鎖して、御所から預けられた文覺を、七人の家人が警固してゐるのだつた。資行は隙間から覗き込んで、ほオーと愕いた。晝間のあれほどの騷動をケロリと忘れて、文覺は、夜は寢るのが常法ぢや――といはぬばかりに大の字なりに四肢をひろげて、昏々と深い睡りに落ちてゐるのだ。

燈火を溜め放しの短檠の穂が、消えぎえに文覺の輪廓をねぶつてゐる。

「あのやうに狸寢入をして、ひとを阿呆扱ひするのであります」

侍烏帽子の巾子に髻を容れかけてゐた雜色が、一緒に覗きながらいつた。

「不屆にも程がござります」

別な一人が水干の袖をたくし上げて寄つてきた。すると後の五人が、氣色ばんで、經卷の鐺を撥ね直しながら駈けつけた。

これ等家人たちは、才の方の心盡しの酒肴を、宵から手も觸れず、今まで顔を俯向けがちにして、あるじ以上に索莫と悄げ返つてゐたものだが、文覺を闇討にかけるのかと、資行の素振を誤解して敦圉き立つたのである。

資行は、あわてゝひろげた兩手で皆を制へつける仕種をし、

「靜かに靜かに、お睡りを妨げてはならぬ……心してお守り申すのぢや」

低く聲を呑んでたしなめた。

「わしは、かほどの御坊にめぐり合ふたを、世にもありがたく思ふてをる。めでたき上人よのう」

家人たちは、同じにすべき憤懣から、妙に脱け出てゆくあるじの氣持をいぶかつて默つてゐた。資行は、吾がこゝろから喜怒哀樂の煩惱を閉め出さうとして、法門に脚をふみかけてゐるのだ。今も文覺を導師とたのんで遁世しやうと發心してきたのだが、悠々たる寢像をみせられて、いよ／＼融通無礙な達人の境涯が羨しく思はれてきた。

夜鴉が一こゑ鳴いて、東山の方へ渡つた。

「何刻であらうか」

資行はおだやかに空をみ上げて訊いた。西にかたぶいた下弦の月が、夜霞にこめられてぼウーとうるんでゐた。

「丑の刻をまわつてをりませう」

「大儀であらうが、たのむぞ」

資行は嬬殿に還つて又横になつた。

六

それからも睡つてゐないと自分では思ふのだが、家人を罵つてゐる文覺の聲に、はツと氣附いて飛び起きたところをみると、やはりうと／＼したらしい。

「神妙にせいとは何事ぢや。罪狀のきまつた科人でもあるまい。禁廷より下げられたまらうどではないか。戸を開けい」

「開ける開けぬは、わし等の一存で計はれぬ」

「ぢやからあるじを呼んで參れといふてをる。ぐづ／＼すると蹴り破るぞ」

「どちみちまだ刻限が早過ぎるわ」

「間抜けた事をいふ奴儕ぢや。もはや寅の刻にもならうぞ。えゝい、むさくさする事ぢや」

文覺は毎朝三時に起きて行法を修する例になつてゐた。資行がきて、早く開けいと命ずると、

「よく解る御仁ぢや」

めづらしくお世辭をいつて文覺は出てきた。星數こそ減つたが、東雲もまだきざさない。平安末期の糜爛した社會狀態からみると、午前三時四時は、中途半端な時刻であつた。

てうづを濟すと資行は家人を遠ざけて、文覺と相對した。

「きのふの御無禮御容赦を蒙りたく存じます。神護寺改修の御勸進は、まことに御奇特の事と聽聞いたしました」

資行が頭を下げると、

「お身にもそんな事が解るかの」

文覺は僧跌のまゝ胸を反らした。

「役柄とはいへ恭敬すべき三寶を冒して、業障の程を恐しう思ひます」

三寶とは佛と法と僧の意味で、佛法弘通の爲めの勸進を妨げ、僧に手向つた事を詫びたのである。

「それで?」

きよくのない應對である。

「仇を恩で返すのはこの折と存じ、佛道に入つて報恩謝德の一例を果したく、發意したのでございます」

「在家の佛いぢりが、この頃流行るさうな」

「後生欣求の因緣を作つて下されたは御坊でございます。上人こそ當代一の善知識、何とぞ利他のお情を給はり御敎化を願はしく存じます」

「文覺の弟子になりたいと言はるゝか」

「これは私の宿願でもあり、殊にきのふの騷ぎ以來いたく無常を覺えてございます」

「拒らう。折角の志けなげには思はるゝが、佛堂に引籠つてぐうたらに念佛を稱へてゐるだけの無益者や、生きぬく氣力もなうて死を急ぐやうなうつけ者は、この上殖したくないでのう」

この時代は、貴賤道俗擧げて淨土念佛に歸依してゐた。その原因は、奈良朝平安朝と、公卿たちだけで獨占してきた文學、藝術、榮華、驕侈が廢頽期に入つて、地方の行政が紊亂し、公卿はその經濟基礎である莊園の收穫を地方で奪はれて煩悶してゐたし、諸國の人民はその牧畜耕作の收益が、公卿の搾取から解放される間もなく、公卿の手足であつた國守や豪族によつて、一層苛酷な扱ひを受けるやうになつた爲め、生命財產の不安におのゝいてゐた。

この時機を摑んで、淨土敎の流敷が人心を風靡したのであ

る。武士といふ者もまだ獨立の勢力は持つてゐなかつたが、戰場での殺戮が、時の思想に影響されて、罪業消滅の爲めとあつて、佛門に入る事を誘發させてゐた。

老若男女が盛に淨土往生を願ふ結果は、多數の自殺者を出した。それはその要旨が、現世は穢土で、彼の世は極樂である。生命を捨てれば自己は向上できる。だから自殺は信仰の徹底であるといふに由來してゐた。

この不健全な行き方を公憤した文覺は、がんじような體軀にものをいはせて、難行苦行の底を衝かうとしてゐるのである。その巧力が、自信の心性を圓滿具足な境地にまで高めてゐるかどうかに就ては文覺も自信をもてないのだが、ともかく行業の激しさは古今に絶してゐるといつてよかつた。

「とても事に、わしの蹤（あしあと）は踐んで來られまい。止めたがよい」

文覺は大きく手を振つた。

「いかに御敎がきびしからうと、後生の恐しさに引替えれば何でもございません。是非に……」

「さほどのお覺悟ならば、いかにも承知いたしした。ぢやが、いづれ高雄の修造が叶ふまで待つて貰はねばならぬの」

「いや、その修造につきまして、私も諸檀の奉加を勸めて歩きたう存じます」

「おゝそれならばそれも承知いたした」

文覺ははじめて面を和げた。身を挺してのきのふの勸說が逆效果に終つた事に、氣をつまらせてゐたのだが、資行一人でも贊成者の出たのはうれしかつた。

風のそよぎにつれて、黎明の氣がうごき、いつか短檠の燈（ひ）盞（さら）は、あかりをひそめてゐた。

きのふひどく歪めて、血を滲ませてゐた文覺の顏は、奇しくも一夜のうちに形が癒え整ひ、鋭く据つた眼光の中に、一層志氣の燃えるものがあつた。それに較べて資行の額は、一段と紅黑く腫れ上つて、柔弱さうな美貌をいた〳〵しくみせてゐた。

たつた一つ、ものうげに瞬いてゐた明星が天の色に融け込んで、鳥の一群が東山の懷ろから彈き飛ばされたやうに横切つてゆくと、よく澄んで哀調を帶びた女の聲が、

なうまくさんまんだばざらだんせんだんまかろしやだ。
そわたやうんたらたかんまん

不動明王の御眞言を繰り返しながら近づいてきた。ふくみと甘味をもつたその聲は、眞紗留とすぐ知れた。不動明王と弘法大師に祈願をこめられるがよいと昨日文覺の諭した言葉を辨へたものらしい。

それにしても、昨日のたそがれに、此處の門前から相照に

つれさせてやつと歸したのに、から早く出かけて來るからは、碌に夜を寐ないものと思はれる、門前で家人に堰かれて、

「文覺さま。文覺さま」

と合の手のやうに叫んでは、何遍も御眞言を繰返すのだつた。文覺は眞紗留の訪れに應へるやうに、ぐいと膝を北方高雄山の方へ向直して、わら〳〵と般若心經を誦しはじめた。

資行は何故か身につまされ、つと立つて裏無を突つかけると、門に出て、

「追拂ふ事はないぞ。氣をいらだたせぬよう、じつと看まもつてゐて上げい」

と指圖した。

七

その日、文覺は資行の館から檢非違使の廳に回されて、信房から、獄に下す旨を宣せられた。賞罰は早くも昨日の中にきめられ、文覺を捕制へた安藤右宗は右馬大夫に補されて面目を施した。

文覺は獄中に移されながら、ます〳〵猛り立つた。

「皇宗の御尊信を厚うしたいやちこな神護寺を、廢るゝにまかせて顧ず、今日も榮華、明日も歡樂、佛法を捨てゝ王法の榮ゆるためしがあらうか。あまつさへわしが造營の祈誓をふみにじつて獄に下すとは何たる奇怪ぢや。今に天の災地の禍が起つたら、わしの呪咀が効いたのぢやと思ふがよい」

惡口を放つて役人の制止など受附けなかつた。そして合掌して念珠をシヤリシヤリ揉み立て、

「日月天に在る間は、三寶も我を護り給はれ、何とぞ神護寺の鎭守を速に利生あらせ給へ」

と荒々しく禱りながら、聖不動經を讀誦にかゝつた。獄中の者はこれを見聞して身の毛をよだて、

「何と小氣味の惡い法師ぢや」

「執念深い事のう」

「世に不思議といふものがあるなら、あの法師の禱りは、何事かなしには濟むまいぞ」

と囁き交して畏れおのゝいた。文覺は毎日かうしたあてこすりと祈願をつゞけ、飮食も絕つてしまつた。

すると、圖らずも七日目に、上西門院の女院（鳥羽院の皇后美福門院）が何の御患ひもないのに平臥のまゝ薨去あらせられた。

文覺のかうした所業が洛中洛外の噂に上つた矢先だつたので、文弱と迷信に滿ちた公卿たちは、文覺の大赦を主上に請ひ奉つて、彼を釋放した。しかし出獄すると文覺はその翌日相照を從へて洛中に出で、烏丸大路の人混みに割込んだ。

「さて、もろ〳〵の大衆、わしの奉加の發願が通らぬ中は、いつまでも春夏はひでり、秋冬は洪水ときまつたぞ。五穀には實がならず、五畿七道には兵亂が起るわ」

と、突拍子に吹鳴つた。通りがかつた人々が呆氣にとられて脚を停めた。中には文覺を見識りの者もゐたし、始めて會つた人達も不安な面持で、精悍魁偉なこの僧を見上げた。

「奉加の淨財は高雄山神護寺の修造にあてるのぢや。およそ梵刹佛塔を建つる功德は出家得度に次ぐものぢや。後生の大事を念ずるともがらは、さアさ喜捨に附くがよい。淨土詣りのお賽錢としたら安過ぎようが、弘誓の船に乗りおくれて、あたら地獄の苦患をみらるゝなよ」

院の御所を恃みにならぬと斷念めて、今度は平人を各個に口說かうといふ方針であつた。

一帳羅の法衣をこないだ破られ、弟子相照の法衣を着てゐるから腰がやつと隱れるくらゐに短かく、黑の袴を脛高く穿いて、同じ色の袈裟をかけ、何とした事か腰に太刀を横たへてをり、勸進帳の破れたのを繕ふて手に持ち、足には指繩緒の平足駄を突ッかけて、四方を睨め回しながら勸說の辯を揮ふ態は、何とも豪快なものであつた。

「よいかの、お身たちの淨財で高雄の靈場が修復できれば、先亡後滅一切精靈の菩提が遂げられるのぢや。お身たちの六親九族を、有漏の業縛から救ひ上げて、未來永劫、上品蓮台に座らす濟度となるのぢや。奉加の高は心次第……」

みる〳〵人垣はふくれて行つた。

「この文覺に餘念はない。たゞ上求菩提、下化衆生の方便として勸進を勸めてゐるだけぢや、雨風のたゝくにまかせ、狐狸の棲所と荒れ果てたあの高雄の山を何とみらるゝか……」

この時、衣冠束帶を着け、下人を從へて、きらびやかに裝ふた大納言資賢が、參內の道すがら、この異様な人だかりをみて寄つてきたが、群衆の頭から聳え出た文覺を認めると、ぎよッと佇み、臆病さうに眼を伏せた。文覺は此の時ぞとばかり言葉を轉じて、

「いかに官位を高く誇る公卿諸公も朝露よりもろく消ゆる身ぢや。そも〳〵貞觀政要の中にも、臣愚痴にして君罰せらる──とある。十善の天子に隨ふ卿相が、聖衆の來迎を信じなくて國主をお弼けできようか。邪慳驕慢にも程がある。わしのこの齒を缺いだのは公卿たちが至らぬからぢや。脚腰を痛めたのも公卿たちの所爲ぢや。袈裟ころもを穢したのも公卿たちの所業ぢや。いまにして公卿たちの眼が醒めねば、文武百官は患ひ、國內は哀聲に滿ち、萬乘の御君も御惱みを見給ふであらう。すぐにも、世の中は引ッくり返る騷ぎとならうわ。あゝ恐しい事ぢや。なみあみだぶ、なむあみだぶ……」

暗に資賢卿を誣罵した。それを聴くや資賢は赧めた顔に憤色を表はして立去つた。

「あゝして下人をつれ、行列美々しう邌(ね)つてゆくが、冥途の旅に出たならば、たつた一人で死出の山路や三途の川を踰えねばならぬぞ。應分の寄進で手易う速得解脱が遂げられるのぢや。さあさ、つゞいて奉加あらせられようぞ。なむあみだぶ、なむあみだぶ——」

と稱名して相照へ顎をしやくると、相照は待構えたやうに檜笠を胸高に持つて、人垣の内側を廻り出した。群衆は、一つには勸進のおもむきに同心し、一つには文覺の勢威に怖ぢて、いひ合せたやうに鳥目を投げ入れたり、五穀を持出してきて渡したり、絹を献じたりするのだつた。

八

夜前から春雨がしと〳〵降りつゞいて、高雄の山は京洛から隔絶されたやうに烟つてしまつた。

方丈の書院に大傘(だいかさ)を立てたり、厨子(ずし)を俯向に鴨居から吊したりして雨漏を防いでゐて、けふは勸進にも出られまい。と文覺と相照が談じてゐるところへ、傘をすぼめて樹の枝を分けながら、平の判官資行が登つてきた。

相照が出迎へて、

「この雨の中を……」

といつてすゝぎを進めると、

急々にお眼にかゝつてお耳に入れたい儀がありますので……」

資行は泥を洗ひ落して、卯の花の狩衣の袖や裾の雫をきつてから、大傘の下にかゞみ込んで文覺と對座した。

「生憎の悪い天氣で路が辷つて……」

「天氣のよい悪いを人間がいふ口はあるまい。照るも降るも皆これ天道のお情ぢや」

文覺はそんな應へをした。別に揚足をとるつもりはないが急々の用事といつて駈附けた資行の大袈裟な言葉を、何ほどの事があらう。とあしらふ氣もあつた。

資行は、なるほど——とその直言に感心しながら間をおいて、

「一大事が起りましたぞ。朝廷では公卿の僉議によつて、御坊を伊豆の國に流罪仰附けられる事になつたそうで」

と、昨夜衞府の友から聴いた情報を洩した。

「流罪ぢやと——そんな非道があるか——このくされ果てた道場を再興することが、一體どうして朝廷の氣に召さぬのか。文覺といふ沙門がさうまで憎いのか」

さすがに身ぶるひして叱咤するのだつた。

「十有餘年が間、野に臥し山に寢ね、木の實蕨の根で露命をつなぎ、斷食持齋もいく度の事でおぢやりましつらう。かうまでの苦行を何故諸佛は御感應賜はらぬものか。私たちの精進がまだ足らぬと思召さるゝのでおぢやりませうか」

　いつも氣の長い相照も、舌をもつらせながらさういつてなげいた。

「その愚痴は相照。佛にいふ事でない」

　力をおとしていひ、常にもなく考へ込んでしまつた。しばらく雨漏の音ばかり
　ポチ――ポチ――ポチ――

　と佗しくひゞいた。資行はも一つの用件を持つてきたので頃を計つて、

「法難と申しませうか……」

　と句切つて、話を次いだ。

「當山の修覆の可否は議に上らず。たゞ上人が公家を誹謗なされ、朝權を輕くせられたといふのでござります。資賢殿は上人を狂僧ぢやとそしり、王畿の近くにおくわけにゆかぬといたくお憎しみの樣子に聽きました」

「狂僧ぢやと……いや〳〵それにたがぬの」

　文覺はこの時も始末に負へぬ自分の性格を反省せずにはゐられなかつた。いくら修業しても、奔迅する悍馬のやうに、手綱の利かぬこゝろの性(さが)である。

「けふ、廳の大尉が、登つてくる筈でござります。それまでに、いつぞやお願ひの私の得度を御執行給はりたく、すでに朝廷からもお許しを頂き、昨夜は妻子とも別離を果してまゐりました」

　資行は烏帽子を脱いだ。文覺は、百會に束ねて垂らした資行の黑髮を默つて瞶めてゐたが、決意のもだし難いものを觀てとると、二人を隨えて雨の中を金堂の方へ歩んで行つた。

　廢寺、雨、讀經の聲、山の氣が陰にこもつて、それ故一層得度にふさはしい嚴肅さがあつたが、半刻もしてこの雰圍氣は、檢非違使廳の大尉、安倍の近德の一行によつて、紊された。

　…思ふべし永劫流轉の身心を轉じて、永く不退無生の佛國に生ず。無始の妄執今日すでに絕し、本音(ぬ)の實德當座に圓成す。然る間出家して後は、天地すら覆載せず、群類と豈混雜すべけんや、圓頂すでに覆物なし、見聞ことごとく巨益(こやく)を蒙り親族必ず勝果を得……

　文覺は、近德等が近寄ると偈を止めて、

「大衆はそこに座つてをれ」

　と、回廊を眼で示した。

「吾等は……」

と、近徳がいひかけると、

「解つておる。この式が濟んだらすぐまゐる。檢非違使廳はおろかの事、行けといふなら閻魔の廳にでもゆくわい。まづ待たれい」

と制して相照が資行の髮を左右に束ね別けたところへ香を灌ぎ、剃刀をとつて、

流轉三界中　恩愛不能斷
棄恩入無爲　眞實報恩謝

と、三遍繰返しながら剃り始め、すぐに剃刀を相照に渡して剃り終らしめた。資行が燒香三拜して、文覺の前にきて合掌すると、文覺は「全庭」といふ法名を與へた。

香煙に噎せたのか人怖ぢしたのか、かうもりが一ぴき格天井をばたついてゐたが、近徳たちの頭上をかすめて、椎の樹の洞穴に消えた。

九

「旅糧として鳥目百貫、米百石を下さるとの御諚、拜領さるゝがよい」

源三位入道にいはれて、

「そんな物は……」

と文覺はいひかけたが、

「頂戴いたさう」

といひ直した。門前に控えてゐた全庭を呼び入れて、

「いよいよもつてそなたは京中に留らねばならぬ。豫々寄進を受けた金穀と、いま拜領の金穀を預つて、坊守かたがた神護寺修造の目論見を立てゝゐて貰はう」

隨從をせがむ全庭を、無理に宥めて殘す事にした。

「さア行つてくるかの」

仕度も何もなかつた。本尊と持經を相照に持たせただけである。伊豆までの檻送を仰附かつた薩摩兵衞省と、廳の下﨟二人は、文覺を曳いてゆくといふよりも、寧ろ彼に率ひられる恰好で後に從つた。

けふ、文覺は伊豆に送られるのである。伊豆は源三位賴政の子息、仲綱の領國であつたから、手筈が整ふまでの十一日間を此處黑谷の東、中山の賴政の山莊に、監置されてゐたのだ。雨の日高雄山を出て以來十二日間、文覺はまた斷食をやつてゐた。

草木の伸びは一日每に周邊の山野を鮮やかにし、陽炎が燃え、めきめき高まつてゆく季節の呼動に合せて、花も鳥も日增しに聲をみがき、彩をきそつてゐた。

「文覺さま。ほゝほゝほ……」

だしぬけな聲に人々が振仰ぐと、御靈社の石壇から、眞紗

留が檜扇を口邊にあて、裳を曳いておりてきた。眉を作り、今日は又鬢批までして、上流婦人の裝ひを眞似てゐるのだ。二十四といふ歳の若さは、不健全な日常の中に在つても窶れを見せず、見る人をはツと振向かせる仇さがあつた。

「文覺さま。ようお越しなされました。今日は閑暇ですからわたしも伊豆までお供を申します」

洛外の里にでも遊山に出かける氣輕ないひ方である。文覺は不憫を感じたが、

「何事も不動明王と弘法大師のお許しを受けねばならんでのう。いま訊いて進ぜる」

苦い、眞劍な表情になり、光明眞言を稱えて禱りを捧げてから、

「佛さまは行かぬ方がよいと仰せられてぢや。あのおてんと樣が沈まぬうちに文覺も歸つてくるから、全庭と一緒に家へ歸つて待つてをられい。いまお加持をして上げる」

と、心をこめて呪を誦しながら、念珠で眞紗留の頭から胸を撫でさすつた。眞紗留は、ならまくさんまんだ。ならまくさんまんだ。とくり返しておとなしくしてゐたが、加持が濟むと文覺の袈裟を捉えて、

「お供させて下され、相照さまがゆくなら、わたしもゆきます。相照さまは恐しい噓つきゆへ心許なうござります」

顏を横に振りながら、軀をくねらせるのであつた。相照は頭の段のついところを搔いて笑つた。

「ならぬ。なりませぬぞ。不動明王と弘法大師さまのおいひつけに背くと、すぐに眼がつぶれるわ。よいかの」

文覺は眞紗留の肩を把んで、その顏を覗き込んだが、自分の堅い胸のどこかが、たわむやうな感じになつたので、また倒にぶら下らぬと可かん事になるぞ――と自らたしなめ、くるツと踵を向け變へて步き出した。

眞紗留は、あれ――といつて後を追つた。

「いけませぬ。我が儘をいふては佛の慈悲に漏れますぞ。さア私と一緒に、雙の岡へ歸りませう」

全庭が袖を引留めた。文覺は、あれならわしの行力でたしかに癒せるのぢやが、と思ひ餘儀ない別れに心をひかれて振向き、

「朝夕の祈願は怠らぬやうにの」

と、いふと、眞紗留は全庭に袖を制へられ、路の邊にしだれてゐる絲柳の枝を握つて、寂しそうに、こくんこくんとうなづいてゐた。

當時は行刑制度もひどく紊れて、財物を提供する事によつて罪一等を減ぜられたり、甚しいのは流刑に處せられてゐる者も、財物を當路の役儀の者へ贈つて二年三年と京洛に留つ

たり、遂に配所へ赴かぬ者さへある程だつたが、文覺はそんな手を使ふ氣はなかつた。丁度伊豆の國の住人で、近藤四郎國澄といふ者が、年貢を運送して南海道を海にとつて上洛したので、文覺等はこの戻り船に乗つて南海道を伊豆に下ることゝなつてゐた。

文覺は船中でも引續いて飲食を攝らなかつた。三十日ぐらゐの斷食はいく度もの經驗をもち、さして苦痛をおぼえなかつた。

伊勢の阿濃津を出た船が、遠江の國の天龍灘に差しかゝると、空は暗澹と低まり、大風が襲ふてきて、海上はにはかに波逆卷き、船は今にも轉覆しさうになつた。揖取（かんどり）たちは大聲あげて騷ぎ、板子一枚の裟婆を守るのに必死となつてゐたが、風浪はますます暴れ狂つて、今にも水の底に呑まれるのかと生きた心地もなく、うは言のやうに佛の名を稱へながら最後の肚をきめてゐたが、文覺は船底にふんぞり返つて、顏色一つ變へなかつた。

既に京（みやこ）を發つ日から、自分が再び都に歸つて、神護寺を造立する事が、神佛の御旨に叶ふ事ならば死なゝいやうに、若し此の願望が遂げられぬならば、どうぞ途中で死なせて下さるようと、心の中で祈誓してゐたのである。

水手（かこ）揖取（かんどり）たちは船底に集つてきて、文覺に取すがつて祈禱をせがんだ。船が舳を下にして棹立ちにならうとした時、文覺はぱつと起き上つて舷に突ッ立ち、沖の彼方を睨まへて、

「龍王よ。龍王はをらぬか。これほどの大願をもつた尊い聖の乗る船を覆してよいのか。今にも天のお咎めを蒙らうぞ。見境のない龍神共ぢや」

合掌して三十六童子の名を稱へた。その聲は怒濤を壓して四邊にとどろき渡つた。すると、その祈禱に海神が感應したものか、それとも暴れるだけ暴れた後が丁度凪に移つたものか、次第に風浪は平いで行つた。

頼政の山莊の十一日と、海上の二十日と、都合三十一日間の斷食を通して、少しも氣力の衰へを見せず、文覺は伊豆に着くと、近藤四郎國澄の案内で奈古野の奥深く分け入つた。

一〇

落葉は昨夜も境内を埋めて、本堂の横の銀杏の根は、黄金を敷いたやうに美しかつた。相照は、付箒の先でカサ〳〵と鳴る、これらの夥しい枯葉を、一つ所に掻き集めて燃す事が大好きであつた。

ふうわりと立昇つて空に消える白い煙、紫の煙、プチ〳〵といふ音、とりわけその燻る匂の澁さには何か懷古的なゆかしさがあつた。

「えかい落葉で、ほんに毎朝たいていでこざせんの」

文覺の加持を受けて歸る老婆が、土を舐めんばかりに背を曲げて、焚火に寄つてきた。

「この木立ぢやで……」

相照は棒ぎれの先で、一ぴきのこほろぎを枯葉の中から撥ね出して、素枯れた野菊の根に逃がしてやつた。

「ほんに貴い上人さまの、孫娘のいのちは救けて下さるわ、婆の右手もこの通り動くやうにして下さるわ」

「參詣者は增えるばかりで、昨夜も籠堂には四人夜を明したやうぢや」

「お願ひ申す方も眞劍でござすが、それより上人さまの方がもつと眞劍でござすでの、やれありがたや、なむあみだぶつ……」

里の老婆が手を溫めて歸つてゆくと、入違ひに、かつぷくのよい武士風な男がきて、

「失禮ながら手前は安達藤九郎盛長と申し、蛭が小島の賴朝に仕へてをります者」

前置して相照に頭を下げた。相照は竹箒を捨てゝ
「私は相照と申します」

と禮を返した。

「主人賴朝が、文覺殿にお目にかゝつて、なつかしい都の話も承り、且つは身の相も觀て貰ひたいと申されるので、上人の御都合を伺ひにまゐりましたが、手前より參上したものかそれとも、御出向を願はれませうか、お取次をお賴み申します」

「ようこそ出せられました。しばらくお待ち下され」

相照は庵室に行つて文覺にこの事を告げた。

「兵衞佐殿の使か、文覺に對面したければ、何時にても來るようにと申せ」

文覺は自分の方から出掛けてゆかうとはしなかつた。相照はこの返辭を盛長に傳へてから、

「そこで、これは弟子たる私の申す事ではないかも知れませんが、師の坊は、ある時は他人の氣持など一向介意はずに喋りまくられ、我がまゝを押通してしまはれるし、ある時はいたく沈んで無言行でも修してをられるやうにひつそりなざれますから、そのおつもりでいらせられるやうに」

文覺の行狀についての豫備知識を與へた。流罪中とはいへ賴朝は源家の嫡流である。氣拙い結果にをはらせたくない用心からであつた。

「その事主人へ申告げませう。お邪魔いたした」

盛長は立去つた。賴朝の配所の蛭が小島と、この文覺の庵室とは程近かつた。文覺はこゝ奈古野の那古屋寺の傍に粗末

な一庵を結んで、晝は千手經を讀誦し、朝は三時に起きて行法してゐた。

　那古屋寺は觀音大悲の靈像をまつり、その効驗は四隣にひゞいてゐた。こゝで文覺は、呪咀病患の者に加持を施し、その上何のつもりか、わしは相人で、わしの觀相は少しも外れた事がないと觸れて、多くの參詣人を相した。

　その相法が事實的確であつたから、彼の名は伊豆一圓に高まつて行つたし、不退轉の行持に皆々尊敬を深めて、行を共にする者も出てきた。折々の衣類や穀物を寄進する者があると、彼は餘分な物は受取らずに戻した。當國の目代をはじめ老若男女の歸依者は日に日に増えて行つた。

　翌日、賴朝は盛長をつれて訪れてきた。二十九歲、源家の御曹子として恥ぢぬ端麗鷹揚な容姿である。

　懸樋の傍に立つて、霜を受けて眞紅に熟れた柿の實を見上げてゐた文覺は、わざと素知らぬ風を裝ふた。

　ものをいふ隙もなく、手持ぶさたに主從が立盡してゐると土まみれの大根を提げて歸つてきた相照が、

「どうぞ」

　と庵室へ招じた。主從が端座して待つてゐると、いゝ加減氣をもたせるやうにして入つてきた文覺は、上草履を突ツかけて、黑い脛をむき出しにしたまゝ、何ともいはず賴朝の前を行つたりきたり、又その背後を回つたりしてじろ〳〵眺め回した。

　賴朝は、なるほど變つた法師ぢや。何か試すつもりらしいと思つてじつと控えてゐた。するとふいと鴨居にぶら下つて賴朝を睨み附けた。賴朝は、下ぶくれの凜とした顏を正面に向けて泰然としてゐた。文覺は今度は鴨居をひよいと飛び離れて、賴朝の横にきて寢そべつて睨んだ。散々氣味の悪い仕種の後姿勢を正して賴朝に一禮し、

「御邊は故左馬頭殿の三男とお見受け申す。わしが日本國中を修業して回る中、諸所で源氏の人々に見參を遂げたけれども、後日一門の頭領となつて一天四海を奉行するやうな人物は見當らなんだ。勇氣ばかりあつても人はついてゆかず、といつて穩和なだけで威嚴のない者も大器でない。ところで只今つら〳〵殿を見奉ると、その心操は穩和であつて、而も威應の相を備えてをらるゝ。これこそ天下に號令する者の相である。彼の項羽は、心奢つて帝位に昇らなかつたが、高祖は性溫和にして諸侯がなつき從ふた。御邊は後末賴もしい大人物となりますぞ」

　あたり憚らぬ聲でいつたので、賴朝は、參詣人の多いこの寺で、迂濶な返辭しては身の破滅となららも知れぬと考へ、結局默つてゐるほかはなかつた。それに文覺の奇嬌な言動か

らして、何時この首を平家に渡すやうな事を仕でかさぬものでもないと疑つてみた。

「平家では小松大臣殿が心も壯に、謀もすぐれ、德も備えてをられたが、去年の八月果敢なく逝つてしまはれた。すれば源平二門の中に御邊ほどめでたき相をもつた仁はござらぬ。速う謀叛を起して平家を討滅し、御亡父義朝殿の妄執を晴して天下を鎭めらるゝがよい」

これほどの大事を平氣で口にするのである。賴朝は實は最早關東の源氏一族と氣脈を合せ、何時討つて出ようかと機會を狙つてゐたのだが、

「身は勅勘を蒙つて、天日を仰ぐさへ憚らねばならぬ。若年十三の時すでに首はねられるところを、池の尼御前のお情で救けられた大恩もあり、弓矢をとつて平氏に酬ゆるなどどうして出來得よう。たゞ身としては、毎日法華經二部を轉讀して父母一族、殊に池の尼殿の菩提を弔ふほかのすべはない」

今のところ心底はみせられぬと警戒した。

「天の與ふるところをとらざれば、却つてその咎を受く、時至つて行はざれば、却つてそのわざはひを受く、と史記越世家にござるぞ。御邊はいま父母の菩提といはれたが、御亡父義朝殿の亡骸が、どこにおわすかさへ御存じあるまい。この文覺こそちやんとお首を申受け、朝夕お弔ひ申してをりましたぞ」

「それは眞の事でござるか」

事の意外に賴朝はせき込んだ。

「沙門が嘘を申さうか。お望みとあれば、すぐにこの地へお迎へしてもよい。どうぢやの、文覺が源家の爲めに奉公してゐることお解りになつつらう」

後年、その弟等をはじめ血緣六十何人の生命を奪つた冷酷漢賴朝も、まだ配所にあつて不遇な朝夕を送り、平家の威勢に脅えてゐたこの頃は、わづかながら血緣をなつかしむ心も動いた。平治元年十二月のさ中、亂に敗れて父兄と共に主従八騎が、都から落ちる時、大雪の中で一族を見失つてしまつた夜の事が、悲しく思ひ出されてきたので眼をしばたゝくと、

「御奮起なされよ。武門の意地が立つまいが。御邊にその御覺悟さへあれば、わしは何時でも上洛して、平家追討の院宣を請受けてくる」

獨りぎめに持ちかけるのであつた。それが濟むと、平家一門が奢侈淫逸にふけつて武事を怠り、柔弱に流れてゐる事や、公卿の無能振りなどを痛撃して二刻ほども過してしまつた。

いつか韮山の奥にうすづいた夕陽が、庵室の荒削りの縁に弱い光を黄色く投げてゐた。

「いろ〳〵とたのしく承つた。次は身の屋敷へもお越し下さ

れ」
頼朝はやがていとまを告げて出た。
ほゝけた芒の原を、冷たい風が波打たせてゐる。狩野川の流れが、所々光つて動く。頼朝はいつになく此の伊豆の自然が、彼の前にひれ伏してゐるやうに感じた。狐色に染んだ箱根の頂上に注ぐ残照も、無性に希望をあほり立てるやうだつた。

× × × ×

文覺は頼朝と會見した夜、伊豆を發つて京へ潜上した。四日目の夜、東の獄門の乾の方(西北の間)の一隅で、小さな土饅頭の中に眠つてゐる義朝の首級を掘出し、これを蒔繪の手箱に収め、錦の袋につゝんだ。銅で燒附けられた額の「義朝」の二字は、まだ消えずにあつた。

嘗て東の獄門の前の樗（あふち）の木に、久しく曝し放しになつてゐたのを、同所を預る博士判官兼成に頼んで申受け、文覺が此所に埋葬して、在京中缺かさず回向をつゞけてゐたのであつた。文覺はそれを首にかけて、八日目には伊豆に歸り着き、頼朝の屋敷に現はれた。

「父君下野守殿、只今御着到――」

高らかに呼ばはると、頼朝は愕いて走り出で、左の袖をひらき、文覺の手から恭しく父の首級を受取つた。これから頼朝は深く文覺を恃み、遂に腹心を打明けるにいたつた。

明くれば治承四年――。文覺は再び上洛して、弟子全庭の手を通じ、前（さき）の兵衛督光能（ひやうゑのかみみつよし）に接近して、その奏聞によつて後白河法皇より平家征討の院宣を賜はり、これを奉じて歸つて頼朝に傳へた。そこで頼朝は勇躍し、八箇國の家人を催して源氏再興の旗を飜したのである。

壽永三年、頼朝は文覺の功に酬ゆる爲め、丹羽國吉富庄内宇都鄕を、高雄山の傳法料として寄進したので、神護寺は修覆成つた。

その後、眞紗留の狂氣は文覺の愍ろな加持で治癒したが、名を眞香尼と改めて出家した。（終）

會友作品評

『純な人々』（二十八枚）　久見　新

妻をなくして一人息子を大學まで出した父、夫に死別して一人娘と共に寂しく生きる母、これが隣り同志で、二組の愛情を描からとしてゐるが、人生觀が甘く、登場人物が弱く描かれてゐないために、すべてがぼやけてしまつてゐる。『聖愛の詩』といふサブタイトルがついてゐるが、作者は骨肉愛を聖愛と考へてゐるらしい。だが、これは詩でもなければ、小説でもない。これを小説にするためには、誰か一人を中心として、その周圍の人間をはつきりと描くことが必要であらう。次作を期待したい。（土屋光司）

◇文學建設同人近著◇

海音寺潮五郎	錢屋五兵衛（長篇）	大都書房
海音寺潮五郎	武士道日月記（長篇）	大都書房
海音寺潮五郎	時代の旗風（長篇）	大都書房
村雨退二郎	坂本龍馬（長篇）	聖紀書房
村雨退二郎	盤山僧兵錄（短篇）	越後屋書房
村雨退二郎	富士の歌（長篇）	淡海堂
村雨退二郎	黑潮物語（中篇）	今日の問題社
村雨退二郎	愁風嶺（短篇）	三邦出版社
鹿島孝二	豪傑の系圖（短篇）	大都書房
鹿島孝二	青春希望あり（短篇）	成武堂
鹿島孝二	愛情延期（短篇）	東成社
鹿島孝二	青春突破（中篇）	興亞文化協會
山田克郎	帆装（短篇）	泰光堂

北町一郎	青春工場（短篇）	東成社
北町一郎	若き紋章（短篇）	成武堂
岡戸武平	恩讐蜻蛉斬（短篇）	越後屋書房
岡戸武平	延元神樂歌（長篇）	奥川書房
中澤巠夫	攘夷の道（長篇）	越後屋書房
中澤巠夫	本圀寺黨の人々（長篇）	奥川書房
戸伏太兵	赤道地帶（短篇）	興亞文化協會
戸伏太兵	坂上田村麿（長篇）	大道書房
石井哲夫	印度鐵騎隊（長篇）	大日本雄辯會講談社
石井哲夫	ガンジス河の海賊（短篇）	金鈴社
蘭郁二郎	百萬の目擊者（短篇）	越後屋書房
蘭郁二郎	黑い東京地圖（長篇）	大都書房
鯱城一郎	一億の家族（長篇）	大都書房
鯱城一郎	春風列車（短篇）	東成社
大隈三好	高山彦九郎（長篇）	東光堂

編輯後記

○われわれの文學建設運動が始められてからこの十一月を以て滿四年になる。從來のいはゆる大衆文學は、眼前の讀者の興味といふことだけを賴りに、風に吹かれる葦の如く、右にゆれ左にゆれてゐた。この傾向は、對象が違つてきたといふだけで、今尙、なしとしない。われわれは過去を顧みつつ、日本文學のための使命遂行に全力を捧げようといふ誓ひを固める。

○今月號は、作品が三篇集まつたので、月評その他に頁を割くことが出來なかつた。文學建設には、評論と作品が車の兩輪の如く平行しなければならないと思ふ。本誌の出發當時には、意氣ぐみはわかるが、作品が伴はないといふ批評が各方面に多かつたものである。本年度は作家論その他の評論と共に、作品でも幾多の力作を掲載出來たと思ふが、今後とも文建には力いつぱいのものといふモツトーで、寄稿せられんことをここでおねがひしたい。

○宣戰の大詔を拜して、未曾有の決戰下に立つてから來月で一ケ年、この間日本の文學はいかに生き、いかにその道をすすめることが出來たか、種々の感慨がおありのことと思ふ。來月には、これについて反省しまた將來に向つての覺悟といふやうなものを掲げたい。これまた御寄稿をお願ひする次第である。

○本誌を文壇の公器とするために、毎月の文學作品一覽表を掲げたいと思つてゐたが準備がおくれたので、これは昭和十八年度の分からすることにした。これについては各方面の御助力を仰ぎたいと思つてゐる。

○同人諸氏の著作が次ぎ次ぎに出ることは喜ばしいことである。近刊書はなるべくその書名を掲げるやうにしたいと思ふので、確定次第編輯部のはうに御一報をおねがひしたい。

○大陸に海洋に大空に、また南に北に、默々として活躍を續けられ、大戰果を擧げつゝある皇軍將兵に、感謝を捧げ、その御武運長久をお祈りする。

文學建設 十一月號
（定價三十錢 送料壹錢）
昭和十五年五月六日第三種郵便物認可
昭和十七年十月二十五日印刷納本
昭和十七年十一月 一 日發 行
（毎月一回一日發行）
東京市小石川區白山御殿町一一四
編輯兼發行人 岡戸武平
東京市芝區愛宕町二丁目九九番地
印刷人（東東二究）黑部武男
東京市芝區愛宕町二丁目九九番地
印刷所 昭文堂印刷所
日本出版文化協會會員
（會員番號一二八五二五）
東京市麴町區平河町二ノ一
發行所 文學建設社
電話九段(33)三四一〇
振替東京一五六五九八
東京市神田區淡路町二丁目九番地
配給元 日本出版配給株式會社
定價 三十錢（送料壹錢）
半年 一圓八十錢（送料共）
一年 三圓五十錢（送料共）
送金は振替を御利用下さい切手代用の場合は一割增のこと

（昭和十五年五月六日）昭和十七年十 月廿五日印刷納本

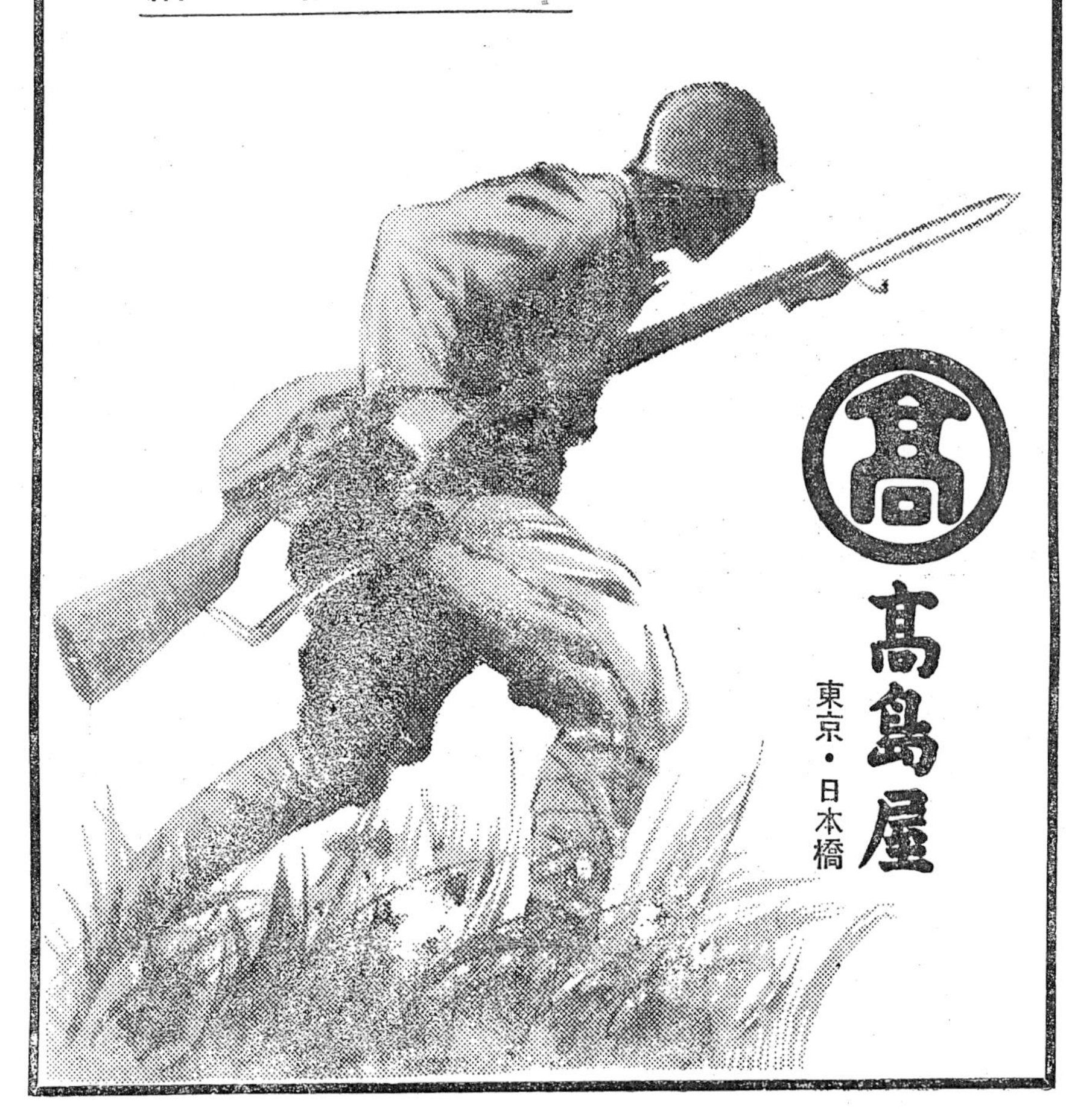

文学建設
十二月號
河風　東野村章
守宮　鯱城一郎
第四巻第十二號
昭和十五年五月六日
（第三種郵便物認可）
昭和十七年十一月廿五日印刷納本
昭和十七年十二月一日發行
文學建設十二月號

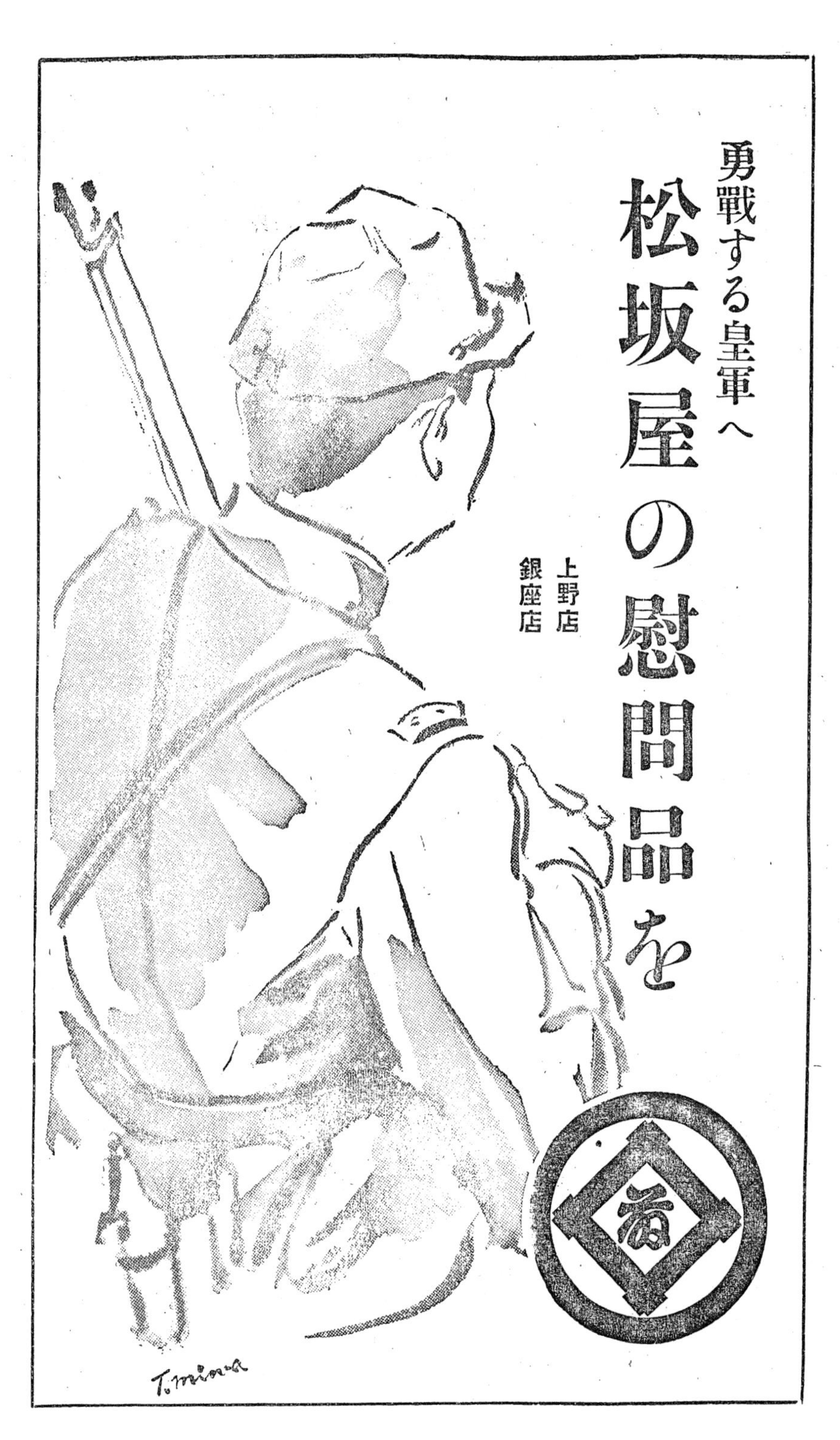

勇戰する皇軍へ
松坂屋の慰問品を
上野店
銀座店
T.miura

文学建設

第四巻 第十二號

目次 〔通巻第四十七號〕

南方通信

北町一郎

「文學建設」――先日は六月號を、今日は五月號と七月號を同時にいたゞきました。最初に六月の「文建欄」を探し、編輯後記をよみ、それからまた表紙へもどり目次をめくつて小說をよみました。はじめに山田克郎君の「歸化人部落」を、それからまた目次をたのしんで緣川玄三君の「小木の譜」をよみました。なるべくゆつくりと長く日本の活字と文章をたのしみたいので、わざとこんな風に手間どつたり考へたり、一氣に讀んでゆくのが勿體ないのです。勿論、最後には表紙の發行日や廣告の文章や、奧付の文協會員番號までも、讀んでしまふことには變りのないことです。小說にはそれ〴〵感想をもちましたが批評めいたことは控へます。實は二冊をすつかり讀んでしまつてからの手紙をと思ひましたが、この數日來なんとなく身體の具合がわるいやうで、それにこの二三日は珍しく日本の梅雨みたいに小雨がつゞいて、毛布をかぶ

らないと寒い位で、ベッドに横になつて讀んでゐるうちに手紙を書きたい衝動にかられてきてテーブルにむかひました。少し熱があるので、濡れタオルで頭をまき、半年以前にはオランダの石油會社の社員が書きものでもしてゐたテーブルで、今は私の參考書やタバコや懷中電燈や耳かきや「わかもと」や時計やライターや埃や煙草の灰などが、ごちやごちや積んだり落ちてゐます。七月號の消息で私がマラリヤで入院したやうにあるのは、何かの誤です。昭南でデングで寢こみおナカの病氣で寢こみ、その他にも小病はしましたが、入院しないでなほりました。いろ〳〵お見舞下さつた方へ、お禮申上げるとゝもに右樣の次第ですから御安心ねがひます。しかし暑いところでは、內地のやうに無理がきかないのは事實らしく、このところ少し長い原稿をまとめてゐて、やつぱり知らぬうちに無理をしてゐたらしく、少々身體具合が變なので、目下は原稿を休み、その點はのんびりしてゐます。

　スマトラは旱期で、それも今やがて終る時節に近づいてゐるらしく、さういふ時はしばらく變な氣候が續いて、またからりとした旱期にもどり、やがて徐々に雨期に入るとのことです。さうなると、ドリアンやマンゴーやマンゴスチンや、その他諸々の果物にめぐまれるのださうです。パレンバンは落下傘隊で有名ですが、あの長いムシ河を敵の抵抗を排除しながら上つてきて、パレンバンへ文字通り第一步をまつ先に印した人や、その同じ舟でこゝへ上つた人たちとも、仕事の關係でよく會ひます。その場所、その地へ行つて說明をきくと、まことに感慨ふかいものがあります。この人たちも私と同じく國民徵兵の方々です。「文建」の批評欄で南方小說のことが書かれてあり、さういふ南方のことを書いた小說が讀みたくなりました。私の受持つてゐる仕事は雜多ですが、赤道をこえたこゝで白墨をにぎつて日本語を敎へたり、十四五年も昔のサイレント映畫の檢閱をしたり、考へたこともなかつたことを、ともかく愉快にやつてゐます。今日は新聞社（インドネシア人の）の連中は寒がつてジヤケツを着たり、日本なら薄い冬服といへる厚地の服を着たりしてゐました。日本へ留學に行つたら、死んでしまふね、とひやかしました。こんな暑い筈のところなのに、いつか田舍を旅行したら、厚さ三分もあるかと思ふ純毛の冬オーバーを着てゐる人物がゐて氣ちがひだらうとそのときに思つたほどでしたが、その謎もとけさうです。先日の菊池寬氏とジヤバの阿部知二氏とのラヂオ對談を聞き、面白く思ひましたが、ジヤバの文學について阿部さんがパントン(民謠)に觸れなかつたのを物足りなく思ひました。マレイ半島でも、スマトラでも、このパントンを住民は大好きで、音樂にあはせて歌ふことをクロンチョン

とか或はスタンボールなど〻云ひます。これにも流行歌謡曲があつて、大抵はダンス(ルンバとかトロットなどの曲)で、歌ひつ〻踊つたりします。ジヤバはさういふ流行物の中心地です。ジヤバの放送局は一日に何回もクロンチヨンを放送してゐます。クロンチヨンは飜譯が中々難しいのですが、そのうち紹介したいと思ひます。内地の放送はよく聞きます。よく聞えます。香港、上海、サイゴン、バンコツク、ペナン、昭南、パラオ、バタビアと、日本の放送は全く全東亞の地球をおほつてゐて、何とも力づよい限りです。こ〻にはまた敵性放送もよくキヤツチされ(住民には禁止)重慶、ロンドン、印度、濠洲、米國なども入り、ドイツからもよく入つて、世界の電波戰が居ながらに聞けるのも愉快ですが、敗戰つゞきの敵のデマ放送は眞實性のない抽象的なことばかりで可笑しくなります。小さな地球儀をラヂオの前へそなへておいて、戰況が發表になると、すぐに實地調査といふ次第です。窓のそとにゴムの木が一本あつて、今は落葉が多く、かさ〱と窓から降つてきます。栗鼠がよく遊びに來て、庭の椰子の花を食べたり、檳榔樹の實をかぢつてゐます。それをゴム鐵砲で打つことを覺え、庭の小石が大分減りましたが、まだ誰も一回も命中せず、栗鼠の方でも慣れつこになつたやうで、今にみろとみんなで口惜しがつてゐます。しかし、よい運動になつて汗をかき、マンデーで暑さを流す氣持は格別です。つかれたので、こ〻らで失禮します。

スマトラにてある日の夕、ガメロンの放送を聞きつ〻

文學建設同人諸兄

(マレイ派遣富八九九一部隊檢閱濟)

◇同人消息◇

石井哲夫氏　作『王女行』はレヴュウ化されて帝劇で上演された。そのために十一月一日上京、五日に歸任された。

村松駿吉氏　大森區北千束七三〇番地へ轉居。

東野村章氏　評論集『國民文學新作家研究』を都書房より近刊。

村雨退二郎氏　長篇小説『戊辰の旗』を大日本出版閣より近刊

村正治氏　十一月四日嚴父を失はる。謹んで哀悼の意をさゝぐ。

淺野武男氏　作品集『點字日記』を泰光堂より十一月中旬刊行。

綠川玄三氏　『サンデー毎日』第三十一回大衆小説懸賞に當選された。尙、同人總會出席のため十一月七日上京。

安藤信氏　同人總會出席のため十一月七日上京。

中澤巠夫氏　長篇小説『藤田小四郎』を鶴書房より近刊。

土屋光司氏　飜譯『スコット南極探險記』を聖紀書房より近刊。

岡戸武平氏　十一月上旬京都へ旅行

昭和十八年への構想

眼目は依然國民文學

村雨退二郎

國民文學の樹立とか、新日本文學の建設とか、いろ〳〵鳴物入りで騒がれながら、騒がれた十分の一も、その實績は擧らなかつた。

文學報國會が、國民文學十種を選むといふが、どんなところに標準を置くのか、實際さういふ標準が文壇的に確定してゐるものかどうか、その點大いに危ぶんでゐる次第である。

もつとも、かういふ事業を通じて、國民文學問題が、大いに論議され、それによつて少しでも國民文學理論の前進を見るとすれば、まことに結構なことだから、あながちに此種の企劃に反對するわけではない。

われ〳〵の考へは、ほゞ纒まつてゐるが、今年は整つた形で發表しなかつた。理論の先走りを惧れたためでもあるし、他の都合もあつた。有力な同志が三人も、南方へ出かけてゐたので、その人達の歸つて來るのを待つ必要も感じた。

來年は、さういふ障害といふか、拘束といふか、さういふものも除去されるので、文建として纒つた意見を發表し、そしてその見解にもとづいて、强力な實踐に移ることができる筈だし、またさうあるべきだと考へてゐる次第である。

國民文學の問題は、解決すれば日本の文學の大飛躍を招來するし、未解決の儘に放任して置けば、かへつて日本の文學にとつて命とりの大障害になる。

たとへば、大衆文學とか純文學とかいふ呼

び方が今でも行はれて居り、作品個々の質を言はないで、掲載される雜誌の種類や、單なる「感じ」で、小説をこの二つに分類することが、今尚常識として通用してゐるけれど、國民文學は、さういふ分類法とは兩立しないものだと思はれる。言葉を換へて言へば、國民文學は單一原理に立つものであつて、大衆文學の國民文學、純文學の國民文學といふやうな區別があつては困る。さういふ國民文學は、世界に曾て存在したことがないし、日本と雖もあり得べきものでは、絶對に無いものである。

內容と形式とは、同時に解決されなければならない。文學では、內容と形式を分離して考へるといふ考へ方は、決して正しい結論を見出す途ではない。

われ〱は、高級大衆文學などと云ふ物の存在を認めない。大衆文學といふ言葉の固執は、同時に大衆文學意識の固執であり、さういふ立場をとるかぎり、高級の二字を冠するやうな物は、絶對に生れるものでないといふ信念を持してゐる。

大衆文學意識は、國民文學意識とは兩立しないものである。強烈に反撥するものである。大衆文學意識を固守しつゝ國民文學作家などと自稱する人があるけれど、それは惡い意味の便乘作家であつて、本物とは云へないのである。

大衆文學、大衆作家、純文學、純文學作家——さうした呼び方を、敢然として廢棄する勇氣がなければ、一方で國民文學の樹立などと、いくら大聲疾呼しても、何にもなるものではない。

われ〱は、前期大衆文學を辯護する氣はない。前期大衆文學が、大衆文學と呼ばれ、その作家たちが、大衆作家と云ふ侮蔑的な肩書で呼ばれることに、抗議しようとは思はない。それはそれでいゝ。

しかし、國民文學運動の進行しつゝある現在、作品の質も見ず、その方向も知らず、國民文學的主張に對する眞率な檢討も經ないで前期の古い常識をもつて、簡單無責任に、純文學、大衆文學の分類法を適用する人に對しては、强硬に抗議し、その反省を求めざるを得ない。

過去の常識も　今では文學の前進、作家の向上を妨害する偏見と化してゐるのだ。

前期大衆文學の、徹底的清算は、來年一年で完了するかどうかわからない。この追擊戰は、まだ〱二三年續くやうな氣がする。實際のところ、國民文學の新潮流はまだ形成半ばの狀態であつて、半年や一年の間に、强力な後繼文壇が確立するとは思はれない。

たゞ、遲かれ早かれ、さういふ時代が來るといふことは疑ふ餘地が無い。早ければ早い程、日本文化のためではあるが、かういふことは戰爭や政治のやうには行かないものだ。あせつても仕方がない。さりとて放つて置いたら逆轉するかもしれない。やはり適當な力を加へて、既定の軌道を推進することが必要である。

愉しく苦しき行進へ

村　正治

　昭和十八年の文壇への構想、といふ課題を案じて、今、筆を持つてゐる僕の心は「文建」現代小説部會の確立といふことに、愉しく、また苦しい夢を描いてゐる。

　歴史文學部が創刊以來、恒に志向的に、統制あり連絡ある作品行動に依つて、わが「文建」の紐帶を成し國民文學への正しい指標を示し來たつたのに比し、現代小説部は指導理念を同じくしながら其の實踐に、歩調の揃つてゐない傾きがあつた。この傾向は本年に於て更に著しく、之れを作品の上に觀ても、恣意を愉しみ、習作的に作品を弄んでゐる風がなかつたと云へない。既成作家たる先輩が、營業雜誌からの註文殺到、書下し長篇の連續的出版と多忙に追はれて、「文建」に指導的作品を寄せる遑がなかつた。自然、專門作家でなく謂はゞジレッタント的興味から脱臭出來ない僕らが、作品を多く發表したことがこの主因を成したのだと自責してゐる。

　が、それ以上に、十月現代小説特輯號の編輯後記にも書かれてゐたやうに「それ〲の世界に食ひ下つてゐる……」といふ小乘的態度に安住して、全體的に、志向的に行動する統制と連互を缺いてゐたことが、省みらればならぬ。然し、幸ひにして、現代小説特輯號の相互評を契機として、この反省に依り、現代小説部の確立が要請されるに至つた。即ち新しい年を前に、現代小説部としての指標を確立して、組織あり統制ある作品行動が始められやうとしてゐる。逆説的に云へば、この反省を得ただけでも、今年の我々の作品行動は無駄ではなかつたのだ。況して、この反省の上に新しい指標を樹立した限りに於て「文建」現代小説部の作品實踐が、昭和十八年度の小説界に投げる波紋は、小さくないだらうと自負されるのである。

　自分のことを云へば、今年の僕の作品には舊作を今日的色彩に塗り換へただけのものや似而非國策小説を揶揄したり、ヂアナリストの自己防衛的な國策病を諷刺したり、故ら旋毛を曲げて書いたものがあつたが、現在のやうな時に在つては揶揄や諷刺それ自體が遊びだと云へるのだ。來年は、こんな長屋の女房の不貞寢のやうな態度から立ち上がつて、文建精神の大旆の下に、齊々たる團體行進の中に自己を規矩しよう。併も全の中に個を生かす、愉しさ——苦しさに筆を執りたいと念じてゐる。

　そして「我れは文學者として愧ぢず」と書いた大旆の下に「常に人間として、涙にも尿にも人間の臭ひを持つた」といふ吾が歌を誦じながら行進することが出來たら……書き甲斐が感じられることだらう。そして、我々が書き甲斐を感じて書き、讀者が讀み甲斐を感じて讀む作品が、毎月の「文建」に踵を接して、その宿命的な當然の歸結として漸く飽かれんとしつゝある、似而非國策小説の沒落を

拍車せしめることにならなければ……とおもふのである。然し、斜視である上に、檢閲の耳門を猫背になつて潜る習性から、文學本然の大道をすらを、屁ぴり腰でしか歩き得ないヂアナリストを、同行者として行かねばならぬ點に於て、似而非國策小説の驅逐も尙ほ容易なことではなからう。

我々が書き甲斐を感じる——といふことを具體的に云へば、書きたいことを伸び伸びと書く——併もそれに依つて作者の愛國精神を顯現し得るのだ、といふ信念から書けることだ。讀者が讀み甲斐を感じるといふことは、理窟で責められるものでなく、人間の本能的な、本質的な面から動かされて、讀んで面白く併も讀後に美しい感銘の殘されるものを讀まされることだ。それには先づ、我々も人間であり讀者も人間である——といふ基礎觀點から、讀者を皇民として奮起せしめ、時局意識を昂揚せしめる方途が探究されねばならぬのだ。米英思想といふ癌腫を摘出し、日本精神といふ肉芽を再生せしめねばならぬ根深い腫瘍へ、メンソレやオゾを塗つてゐたのでは却つて害になるのだ。この根深い國民的腫瘍をオゾ的國策小説で療治しようとする姑息療法を驅逐することこそ、僕らの第一の目標だ。がこれは文學者の責任だけに於て貫徹し得ることではない——玆に我々の前途の行路難が豫測されるのだが、ドン・キホーテと云はれてもよい「文建」を牙城として悔ひなき作品行動に、昭和十八年の自分を、我々を律して行かう。

たゞ邁進!!

村松駿吉

與へられた表題を前に、私はまづ、昭和十七年度の慘敗を顧みなければならない。

昭和十七年——これは私にとつての、文學上にも、私生活の上にも、忘れることの出來ない、大きな敗北の一年であつた。悔ゆることの、餘りにも多い、慚愧に堪へぬ一年ではあつた。

この年を送ると同時に、總ての過去の、好もしからざるころもを脱ぎ捨てゝ、新しい出發をするつもりである。

さて、來年度の文學上の構想——それは、今年度に於ける敗慘の焦土の上にこそ、建てねばならぬと思ふ。

少年時代より私の中に、長く培かはれて來た、自然主義的な 或は自由主義的な文學上の觀念や手段は、私の身内に執拗に喰いこんでしまつてゐた。それを、脱け出さうとしての、この一年間の苦鬪が續いたのであつた。

身邊の材を取つてしては、結局、身に染みついたものにしかならぬと思つて、今までついぞ覗いてみもしなかつた世界を取りあげて來たり、或は半歳に亙つて、未知の世界を調べてみたりした。それらのことは、私に、非常に有益な知識を與へてくれはしたが、直接に、目前の自分の文學のためには、何等の好影響をも與へてはくれなかつた。

しかし、私は、自己の文學と云ふものは、そんな題材や、周圍から得る知識などによつて左右せられるものではないと云ふ、分り切つたことに、改めて氣がついたのであつた。

支那事變の後半期から、大東亞戰爭の勃發期に當つて、文學の世界にも、あらゆる昏迷と、困惑の渦卷がわき起つた。私もまた、その渦卷の中にまき込まれた一人であつた。

しかし、この一ヶ年間のあいだに、漠然としながら、その向ふべき方向を、大部分の文學者たちは、探り出したものゝやうである。それを探りあへずして、依然として古い殼を拔け出すことの出來なかつたものは、或は既に沒落の彼方に消え去り、或は、今將に消え失せんとしつゝある。「文學建設」の、指導的立場にある者は、既に早くから今日あるを指摘してゐた。

幸にして、私は未完成であつた。それ故に過去の厚い殼を持たなかつた。だが、將來の新しい文學の路を見出すのに苦惱した。前車の示す路は、たゞ覆轍の戒めのみに過ぎなかつた。

私はこの一ヶ年に、沒落して行く過去の文學を眺め新しく出發しなければならぬ自己の文學に、苦しみ惱んで來た。そしていろ〱の試みと、努力を繰り返した。しかしそれは直接には何等の効果ももたらさなかつた。即ち、慘敗の結果を招くほかなかつた。

こゝに、昭和十八年度の、私の構想が泛びあがつて來るのである。

昭和十七年度の慘敗こそ、私に、新しい進路の暗示と、勇氣を與へてくれた。

まづ自己の建設から——正しく、力強い自己を建設することによつて、私の文學を、改めて建設して行きたいと思ふ

身を引き緊め、心を引き緊め、惑はず、私の文學道に精進して行くつもりである。

具體的に云へば、身邊に材を取つても、過去の私の識見に材をとつても、これからの私自身の向はふとする、建設的意志によつて描いて行けばいゝのだと思つてゐる。

時勢に追從したくない。ヂャーナリズムに叩頭もしまい。私の信ずる文學を、思ふがまゝに書いて行かうと決心してゐる。

文學の道は遠い。敢て、昭和十八年度と云はず、昭和十八年以後の、私の文學に向つてまつしぐらに邁進して行かうと思つてゐる。

（十七、十一、一）

希望

東野村章

からすべきだ。かうあるべきだ、と、いふことが多すぎる時代のやうな氣がする。この一年、時にさういふことを、あらゆる面で聞いてきた。無論、その中には嚴正な批判や、指導もあつた。が、單なる押しつけもあつたやうである。

文學は、現實を紙と文字の上に再現するだけが目的ではない。それは、目的への過程の

一つではあつても、また、かうあるべきだといふ教訓のためにあるのでもない。しかし、かういふこともあり得るのではないか、といふ批判は、多くの目的の中の一つに這入るのではないかと思ふ。

この一年を振り返り、多くの作家達が、文字を並べる技術を土臺に教訓だけを描いて、それで、この時代に於ける作家としての役目を果してゐるかのやうに考へてゐると思はれるところがある。

或る場合、あるひは、それも一つの(協力)であるかも知れないし、必要である場合も考へられないではない。しかし、そのために眞の文學の方向をあやまつてはならないと思ふ。

かうすべきだ——といふことも、考へてみれば、さう易々と言へることではない。文學を一つの枠の中に押し込められるだらうか。どんな時代だつて、文學には一つの眞の流れがある。現在の指導機關たることも、決して悪いとは言へないが、未來の人々の胸に殘るやうな面のあることも忘れてはならないのではないか。

來る十八年への希望は、作家が、現在だけの問題や、作品の些細な缺點をほぢくり出すやうな批判から、拔け出て、もつと大きなところに焦點を向けて貰ひたいことだけだ。

素描を

山田克郎

來年やりたいことゝ云へば、一々書き列ねたらたいへんな位。

そのうちでも試みたいことは、もつと基本的な勉強をしたいといふこと。それで一時ひどく厭ひだつた身邊小説を二、三書いてみたい。

また、知らない土地を旅行して、日本國土に對する認識を深めたい。

そして何よりも、一番平凡なことであるが良い小説を書くこと——。

日本文藝の大道を歩まん

中澤巠夫

去年十一月一ッ橋如水會館に於て開催された文學建設第三週年祝賀の同人總會の席上で今年度の大切な活動の一つとして、國民文學理論の確立が取り上げられ、又その必要が力説された。然して十二月八日米英に對する宣戰の大詔を拜し、續いて、驚嘆すべき戰果とそれに伴ふ日本精神の數々の發露をひし／＼と實感し、日本國民の獨自の精神に基づく國

民文學の樹立と、その文學理論の確立の急務を感じたのは、ひとり文學建設同人のみではなかつた。

大稜威の下、赫々たる戰果擧り、東亞共榮圏は、我が國の傘下に集り、之等共榮圏内の米英唯物文化の驅逐と共に、我國の傳統文化の移植の急を告げるに至り、國民文學は、文壇の主流をなす運動となるに至つた。

文學建設同人は、夙に、この國民文學の樹立を叫んだのであつたが、一面に於ては、之が實踐として、孜々として、國民文學的作品の試作、相互檢討を行つて來た。同時に、國民文學理論の確立に、研究を重ねて來たのであつて、そして我々は、ある最後的結論へ到達することが出來た。然し尙、研究の餘地があるのでこの發表は差控へて來たのであるが、來年は、之を決定的なものとして、文學建設社の主張として發表出來ると思ふ。

抑も、國民文藝理論の基礎は、日本藝術學の基礎を根底とすべきであることは論をまたない。この日本藝術學の根底は、實に日本人の美意識の問題に端を發する。

日本人の美の追求は、泰西美學の領域を超越するものであつて、泰西美學の理論を以てしては、到底、究明し得ないものである。

我々は　日本の繪畫、彫刻、音樂、文藝の傳統を探り、日本美術日本音樂日本文藝によつて創造され、また探求された美の本體を把握しなければ、日本國民文學理論の確立はなし得ないとの見地に立つ。この見地から、我々は、この藝術全般の探求を行ひ、一つの抽象を得たのである。

從來、日本文藝學として抽象された日本的美の本體としていはれてゐる「わび」とか「さび」とか「物のあわれ」とか「幽玄」とかいふものが、實は、日本の美の本體の一面觀であつて、實は、筆舌に盡し得ない微妙深甚のものである爲に、このやうな所までしかいへなかつたに違ひないと斷定する

我々は、古來の日本の藝術學が、奥義といひ、秘奥といひ、深秘といひ、又は口傳としたといふ所のものへ、メスを入れる。

從來、これらは、日本の藝術家達の職人氣質、或は中世封建氣質といふやうな言葉で、簡單に片づけられてゐたのである。

然し、之は誤解である。先入感である。すべて、新らしい出發には先入感は排除しなければならない。筆に表はし口に云へることならば、古來の名人が、それを書き殘しておかない筈はない。ある所までは、書きあらはしてゐるのであるからだ。千利休は、茶道の心として、七つの條件をあげてゐる。然し、それは、茶道といふ藝道の奥へ分け入る心掛けであつて、茶道の眞義と云ひ現はしてゐるものではない。

劍聖の逸話とか、名人秘話とかの形で、しばしばこれに類する話に遭遇する。これも單なる名人逸話として見のがしてはならない。

筆舌につくし難い深秘、こゝに、我々は突入しなければ、問題は解決されない。我々は繪畫、彫刻、音樂、文學、庭園、建築、茶道など、日本藝道の各面から、討究し、朧ろげながらも、それが明らかになし得たことを信ずる。

來年度に於て、一層、之が究明を行ひ、日本文藝學を樹立し、國民文學樹立の基礎に一つの礎石を据えねばならぬ。

然して、堂々、日本文藝の大道を驀進したい。

切に念ふ

鹿島孝二

觀念的な國民文學論の時代はもう過ぎたと思ふ。來年は論をしてゐる時ではなく實踐の時である。

未だに新しい文學觀を抱き得ぬ作家がゐる。「文學」といふ名にこびりついてゐる。その文學とは古い文學だ。「小說とは人生の探究である」といふ自然主義時代の文學テーゼに囚はれてゐる人達である。さういふ囚はれた頭の人には新しい文學は分らないし書けもしない。來年は併しさういふ人を相手に、何が國民文學かを論じてゐる時ではない。さういふ人達は墓場の向ふまで西洋流の自然主義文學觀念を背負つて行くといいのだ。

僕は一億の一人として自分の行動に責任を感じてゐる。一億の一人として何をどうなすべきかといふ思索から出發し、あれも書きたい、これも書きたいと思ふテーマが有り餘る程ある。

たとへばアニリンのやうな小說を書くことも一つの務めである。あゝいふ小說を書きたいとは去年來考へて、秘かに化學史なぞ讀み始めてゐたが、アニリンの發刊によつて出鼻を挫がれた。が、獨逸に負けない日本人の化學の發達史を書いて見たいと思つてゐる。

船のことも書いて見たい。軍艦ではない。商船である。日本は海國なぞと言ひ乍ら海、船のことは國民は知らない。かつての日本は汽船の船長になり得なかつた。高級船員は全部英人だつた。それが今日の隆盛を見るやうになつたことを書き、しかもまだ船を知らない國民の耳に警鐘を亂打したいのだ。

今年は工作機械のことを書いたが、來年も機械工業のことは書きたいと思つてゐる。から考へると幾つ體があつても足りない。さう心を勞してゐながら體は益々肥えるのが不思議に思へてならない。體益々頑健に、鬪志愈々旺盛に、來年こそ頑張りたいと思ふ。これが僕の實踐である。

やれあの小說は國策便乘だとか、國策便乘小說は文學でないとか、文學には文學の道があるとか、いふやうな靑白い意見を吐きつづける人には吐きつづけさせるがいゝ。さういふ御意見は戰爭が濟んでからゆつくり拜聽しよう。

さういふと得たり賢しとその人等はお前はポスター書きかと輕蔑するだらうが、それをこそ古い觀念だとお敎へしよう。

昔流の文學だけが文學で、それと型の變つた、目的を持つ理想主義の小說をポスターと君等は言ふが、僕の方では、僕等のが新しい文學で、君等のは古い文學だとハッキリ申上げよう。

論より實踐! 僕は來年こそ、日本人をして心の底から日本に殉ずる氣持にならしめるやうな小說を書きたいと只々念じてゐるのである。

來年度への道

土屋光司

苦しい道である。だが、絶對に切り開いてゆかなければならない道である。

來年度への構想といふ題で、机に向ふと、直ぐに感ずるのはこのことである。

きびしい自己反省から、自分を出しきつた作品を書くこと、日本人の永遠に通ずる道を探究すること、私はしみ〴〵とそれを感じながら、來年に向つて進まうと思ふ。

最後の學校を出てから十三年、私は種々の條件に身を縛られて、自己の進むべき道だけを歩いてはゐなかつた。今になつて振返つて見ると、やむを得なかつたとはいへやうが、正しかつたとはいへないことを恥づかしいと思ふ。

私は本誌の創刊號に、

僕等が特に三十代でこの時代に遭遇したことは大きな幸福だ。が、何の仕事も出來なかつたらこれはまた大きな恥辱である。

と書いてから、なにをしてきたといふのであらうか。それは、こゝに書くべく餘りに乏しい收穫であつた！

近頃、武者小路實篤氏や里見弴氏が、作家は書齋に立て籠つて、本來の職域に邁進してこそ、國家に對して第一の御奉公であるといつたのに對して、菊池寛氏は『話の屑籠』の中で、

『今の時世で、文士は誰もそんなに忙しくはないだらう。文學報國會の仕事などいくら手傳つたとて書齋生活の妨害にならない……第一、事變以來、おれは書齋生活が第一だと威張れる位、誰もいゝものは書いてゐないのである……』

といつてゐたさうである。

文壇では、この二つの考へ方が、來年度にも行はれるであらう。

文學者が、文學者である前に國民であることはわかりきつた話である。事變以來、おれは書齋生活が第一だと威張れる位、いゝものを書いてゐなくても、文學者は文學以外の仕事は、文學者の名でなく、無名で果しながら文學の仕事に精進すべきではないかと私は思ふ。菊池氏のやうな立場にある人が、右のやうなことをいふのは差支ないが、日本の文學を少しでも進めるためには、誰もがさういふ考へ方をしてゐてはならないと思ふ。

私は今年の六月に、思ふところがあつて、勤めてゐた學校をやめた。が、私のやうな末輩にさへも、いろ〳〵な雜務がある。私はこのはうは、事情の許す限りつくしてはゐるつもりである。だが、私が本來の使命と信じてゐる仕事には邁進しなければならないと思つてゐる。その意味で、武者小路氏や里見氏の意見に從ふつもりである。たとへ他に誇るに足るだけの仕事が出來なくても、それに悔ひは感じない。――いよ〳〵これからであるといふ氣持である。

事變以來、特に從來大衆文學といはれてゐ

たものが、大きな現實に直面して、文學を忘れかけてゐたのは確かである。また、これではならぬといふ機運に向いてきてゐることも確かである。嘗ては夢想だに出來なかつた偉大な事業を遂行しつゝある日本國民が、あらゆる部門を並行して進めなければならないのは當然な話である。

國民文學樹立といふことが、近頃は一時程にはいはれなくなつてゐる。だが、國民文學はまだ樹立されてはゐないのだ。過去にいろ〳〵な題名のついた文學が現はれたので、國民文學もその一種であるといふやうな考へ方がある方面にあつて、それが却つて妨害になつてゐる。もう一つ、作者が眞に自分のものにしてゐないものに、一種の既成概念だけを盛上げたものを國民文學の名で賣らうとした人々の責任もある。だが、私達の目標は、あくまでも正しい、單なる流行文學的存在でない國民文學でなければならない點は、來年度になつても變りはない。

私達の文學建設の現代文學部が、これまで個別的に動いてきたのには、種々の理由が考へられる。

その理由のうちに、昨年の決議を有名無實の存在たらしめた私の責任もあることを申上げて、お許しを願ひたい。

ところが、幸ひにも今度から完全に協力一致の歩調を揃へることが出來るやうになつてこの十一月二日に第一回の會合を開くことが出來たのである。村雨氏初め、同人諸兄の厚意、熱意には感謝の他はない。この成果は、必ずや來年度には見られるであらう。この小文の冒頭の言葉も、そのために掲げたのである。今多難な道を歩いてゐる現代文學のために、なにものかを與へることこそ、私達の願ひであり、祈りである。

私自身についていへば、私は文學の道の難かしさ、嶮しさを日毎に身を以て感じてゐるところである。漸く一つの山を越えたかと思ふと、眼前にはまたそれよりも高い山が屹立してゐるのである。だが、今更引返すわけにはゆかないし、勿論その氣もない。一つの山を越したと思つたのが、實はまだほんとの山ではなかつたのかも知れない。あるひは、今眼前にあるのも、まだ安心の出來ない山であるかも知れない。いづれにしても、こゝには前進があるばかりである。たとへ小さくとも私が日本文化のために果すべき役割が、そこにあると思はずにはゐられない。

幸ひにも、私には多くの親しい先輩友人がある。その人達の不斷の友情こそは、私にとつては、なによりの鞭であると同時に糧でもある。私はそれらに酬ゆる道がなんであるかをはつきりと知つてゐる。それが來年度にすべき仕事のうちにある。

だが、いふは易くして行ふは難い。先日、ふと考へたことがあつて、數年前の某誌を取出して、明日の文學を語る座談會といふのを讀返したことがあつたが、そこでいはれてゐた抱負や希望は、なに一つ實現されないで、その出席者達さへ既に文壇から消去つてゐるのだ。——なによりも實踐である。

◇受贈雜誌御禮◇

○講談倶樂部○ユーモアクラブ○講談雜誌○文藝日本○につぽん○現代女性○海の村○愛の日本○ふるさと○くろがね○メトロ時代○向上○開拓○文藝情報

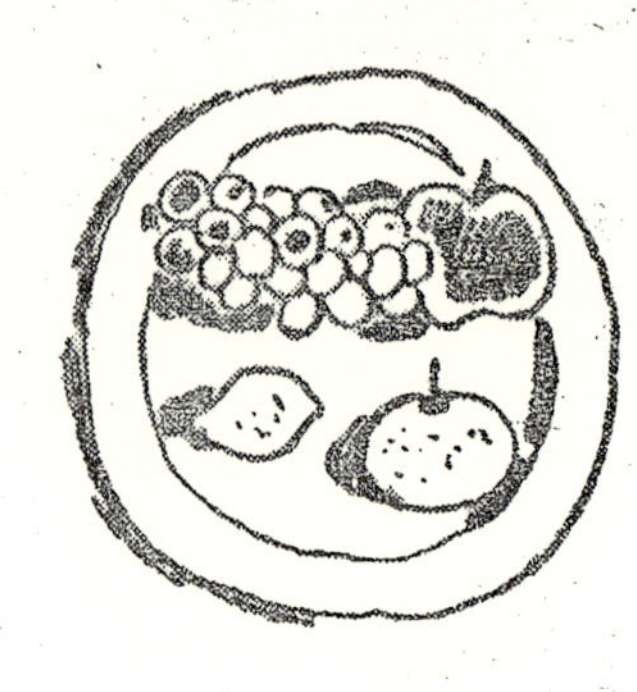

歴史文學の雑音

村雨退二郎

一

小說文學としての、歴史文學の進み方について、我々は過去數年間、一生懸命に考へ、そしてその考へを、かなり無遠慮に述べて來た。また自分達の創作の基準を、その考への上に、いつでも置くやうに努めて來た。

木村毅氏は、我々のこの態度を批評して、「あれでは自分の文學を縛ることになる」といふ意味のことを「大衆文藝」に書いた。自縄自縛だといふのである。

しかし、實際のところ、我々はそれをよく承知の上でやつて來たのである。大衆文學の時代小說は、あまりに拘束をもたなさすぎた。野放圖であり過ぎた。三田村鳶魚氏の考證批評に、法制、風俗、言語等についての缺陷を衝かれると、いやこれは小說だ、小說といふものは歴史を無視する特權があるんだと逃げる。さうかと思ふと、文學としての批評には、いやこれは娯樂讀物だ、文學でなくても差支へないのだと逃げる。それでは、大衆文學獨自の理論といふやうなものがあるかといふと、何もありはしない。それがあると思つてゐるのは、中谷博氏くらゐなものである。

娯樂性より外に、獨自の據り所をもたないやうな、大衆文學から脫却するためには、我々は一應自分たちを、自らある基準に縛りつける必要を感じた。一定の創作原理を把握する必要を感じた。自分の作品を、絶えず反省するための鏡、歪みや狂ひを修正して行くための規矩を持たなければならない

ことを感じた。正統歴史文學の途は、そこから拓かれて來たのである。もし我々が、自分で自分を縛ることをしなかつたら、文學建設の歴史文學運動は、今日ほど足並の揃つた運動にならなかつただらうし、また今日の如く、歴史小説、時代小説の變貌を見ることはなかつただらう。

文藝批評家は、批評を通じて自分を語るのだと云はれる。多分さうだらう。しかし、作家の批評活動は、それとは自ら趣を異にするものがある。

批評活動をする作家は、批評を通じて、自分を語るだけではすまない。批評に現はれた彼の文學論は、同時に彼の創作原理でなければならない。彼は批評の基準と創作原理とを二つにすることは許されない。他人に求めたことを自分で實踐して見せなければならない。それをしない者は良心ある作家とは云へないし、その批評は人を首肯せしめることはできない。

屢々繰返して云ふやうに、源頼朝正誤表のために多くの勞力と誌面を費したのは、單に吉川英治氏一人の文學を目の敵にして、これをこき下すためではなかつたのである。あまり書かなくなつた吉川氏が、今日大衆文壇でどのやうな指導的位置を占めるか私は知らないが、正誤表が出た頃の吉川氏は大衆文壇の最高峰と呼ばれ、實質的に大衆文學の指導的位置を占めてゐたので、大衆文學の時代小説が當時どんなに低級であるかを檢討するにはもつとも條件の揃つた作家であり、作品であつたのだ。

我々は、正誤表によつて、正統歴史文學の行き方についての自信をかためることができた。吉川氏は、正誤表を見て、何等の痛痒も感じなかつただらうが、我々はあれによつて自らをかたく正統歴史文學の創作原理に縛りつけた。別な言ひ方をすれば、正誤表や作品批評や、作家論、評論、書評等歴史文學に關する文學建設の批評活動は、いつでも作家としての公約と觀られて差支へないのである。また、これは文學建設だけのことであつてはならないと思ふのである。

作家が、批評活動を、相當に擔當しなければならない日本文壇の現狀では、このことは深く考へてみなければならないことであらう。先月、大東亞會館である會があつた折、木村莊十氏も、日本の、特に大衆文學の文藝批評としての低さについて嘆いてゐたが、まことに印象批評、ゴシップ的批評が跋扈しすぎてゐる。忌憚なく云へば、大衆文學批評の九十パーセント以上は、文藝批評の名に價しないものである。

二

歴史精神は、歴史文學の根本命題である。しかし、現在日

本の歴史文學作家、または大衆作家には、そのことの重要性が充分認識されてゐない。

超時間的な生命が理解される前に、人間は先づ時間的な生命の流れを理解しなければならない。恰度そのやうに、歴史精神が把持される前に、人生の眞實に對して何等の成心なく謙遜に、且つ眞劍に突入して行かなければならない。歴史的眞實は、現象の奥底にあるものだから、單に文書又は繪畫に記錄された物——史料が歴史的眞實ではない。記錄された歴史と、歴史的眞實とは區別して考へられなければならない。いかによく撮れた寫眞でも、寫眞は印畫紙上の影像であつて人間そのものではないのだ。

現在日本の歴史文學作家の大部分は、漸く歴史の門戸に一歩を踏込んだばかりだと云つても暴言ではなからう。歴史的知識の必要を自覺したといふ程度からいくらも出てゐないのであつて、歴史の眞實に切込んで行つて、歴史の流れの中にある生命の法則を會得するといふ時期に到達するのは、まだまだいつのことかわからない。

歴史文學上の重史主義、あるひは史實主義といふのは一種の文献主義であり、安價な歴史知識露出主義であつて、通俗史話と云ふことは出來ても、歴史文學と呼ぶことは妥當でないのである。

この事については、同人の中澤巠夫氏が、長谷川伸氏の「江戸幕末志」を文學作品だと主張する湊邦三氏に對して、强硬な反駁書を發表してゐる。湊氏はどうしたわけか、これに答へないで、どこかへ行つてしまつた。そのため此問題は徹底的な結論を見ないで立消えになつてしまつたが、我々は、長谷川、土師兩氏及所謂純文學派の歴史文學作品に散見されるこの史實主義的傾向を、歴史文學の本道でないとする信念に變更の必要を認めないのである。

ずつと以前の文學建設に、私は「史實は重荷になるか」といふ小論を發表した。當時「史實」といふ言葉は、一般に正しい意味で使はれてゐなかつた。今では、もうこんな風に使ふ人は多くないだらう。

史實が、歴史文學の重荷になるなぞといふことは、あるべきことではない。文献、古文書、歴史的繪畫といふやうな、史料が重荷になるといふ時期は慥かにある。しかしそれとても歴史入門當初のことであつて、歴史文學にいつまでも隨いて廻るものではない。

史實が重荷になるの……、歴史文學でないもの、例へば「江戸幕末志」「上杉太平記」あるひは村松梢風氏の「呂宋助左衛門」のやうな史話の場合である。このやうな讀物は、史實の興味を生命とするものだから、史實を證明するために時に史

料を引用する必要もあり、從つて史料が重荷になると云ふことも出來る。

歴史文學も、歴史の門戸を一歩踏み込んだばかりの所に、史實主義、考證主義、重史主義などの店を開いて滿足してゐるやうなことでは仕方がない。三田村鳶魚氏や森銑三氏などの考證批評によつて、致命的な打擊を感じなければならないといふのも、歴史文學がまだ本統のものに達してゐないからである。

考證家の批評と、歴史文學の發達といふことについて、私は平常から一つの考へをもつてゐる。このことは、今まで誰にも云つたことはないが、私は一般の歴史文學作家、大衆作家とちがつて、考證批評歡迎論の方である。考證家といふのは、歴史の門番のやうなものだと私は考へてゐる。この門番に咎められて、もとのテーマ主義や大衆文學に歸るやうな作家は、到底正統歴史文學の繼承者たり得ない。勿論このことは、文學の局外者であるといふ意味で、考證家の批評を無視する、頰冠りで押通せといふことではない。考證批評に對して、沈默すると否とには關係なく、その批評を乘越へるだけの、歴史的素養があるかどうかの問題に歸結するのである。

三田村鳶魚氏が大衆小說を、考證的立場から批評した著書は二册出版されてゐる。大佛次郎氏も吉川英治氏も直木三十五も白井喬二氏も林不忘も、前期大衆文學の大家と稱せられる人々は、例外なくその歴史知識の缺如を指摘され、一代の名作と持てはやされた作品も滿身創痍の慘狀を呈してゐる。さすがに考證硏究四十年、その知識の廣さ、切込み方の深さ銳さ、源賴朝正誤表等は到底足元にも及ばないもので、ひと年とつた人間には大衆文學よりも此方がずつと面白いだらうと思はれる。

翁のこの批評が現はれた時、前にも述べたやうな、大衆作家達は、文學を知らない局外者の揚足取りに過ぎないと云つて、殊更默殺の態度を取つた。田村榮太郎氏や、森銑三氏の批評に對しても同樣だつたし、文學建設の正誤表に對しても歴史上の誤りを指摘した部分が多いために、文法の誤りを訂した部分までも無視して、やはりさういふ風に扱つた。

しかし表面默殺してゐても、芯から無視することは出來なかつたらしい。それは歴史文學作家としては、基本的な資格に關係してゐるし、三田村氏などは、殊に大衆作家が貶すほど沒分曉漢ではない。中里介山氏の大菩薩峠に對する批評を見てもわかるやうに、文學の自由創造世界にまで、史實的根據の尺度を持ち込むほど、文學を理解しない人ではない。從つて、考證を表に立てた批評でも、內には「これが文學か」といふ設問があるから、前期大衆作家も多少反省させられる

ところがあつたに相違ないと私は信じてゐる。

歴史文學に新運動が起り、大衆文學的時代小說が驅逐されはじめた時、新運動の戰術として、大衆作家の文學以前の用意、特に歴史精神の有無が追求された。ところが、歴史知識と史觀の區別さへつかない作家の多い大衆文壇は、たちまちに混亂を起し、その結果正統歴史文學を、史實主義、重史主義と誤認した。要するに、考證家にやつつけられないやうな考證精密なそして史實まる出しの讀物が、正統歴史文學といふものであらうと彼等は考へた。

こゝ一兩年の大衆文壇に現はれた、歴史物流行の現象は、國史の回顧といふやうな殊勝な考へに因ると云ふより、むしろこの錯覺から出發した大衆作家の自己保全と觀た方が、より眞相に近いやうに思はれる。それと同時にまた、正統歴史文學の大衆文學批判の根據を、三田村鳶魚氏等の考證批評と混同してゐる事實によつて、我々は前期大衆作家が三田村氏に對して、一種の恐怖症に罹つてゐることを知ることができる。

大衆作家を恐怖させるといふのは、甚だ罪なことだが、しかし我々は、考證批評によつて大衆作家が、半歩でも一歩でも、歴史の方へ近寄らされたとすれば、考證家の局外批評も亦歴史文學の發達に、相應の貢献をしたものと認めないわけには行かない。

ことはるまでもなく、考證批評、あるひは歴史科學の立場のみに立つ批評は、文學としては局外批評であつて、正しい意味の文藝批評とは嚴しく區別しなければならない。考證批評のみによつて、決して文學の全價値が決定されるものではない。ただ、それを承知の上で我々が考證批評を歡迎するのは、歴史文學の特質を無視できないからである。

三

以上述べた通り、また數年前から同志が繰返し繰返し主張して來た通り、史話と正統歴史文學とは、小說文學の法則に照らして、出來るだけ早く分離されなければならない。

大衆文學をやつて來た人が、正統歴史文學の道にはいる過渡期には、通俗史話や考證小說のやうなものを書かずにはゐられないかもしれない。殊に國家意識の昂揚かくの如く旺んなる時代に於ては、歴史家の眞似事に興味を感じたり、著名な志士烈士傳の通俗版を書くことによつて、文學者としての稟質の貧しさを蔽ふことに保身上の利益を感じたりすることもあるだらう。

さういふ皮肉な觀方をしないとしても、大衆作家が歴史精神はおろか、歴史知識にさへ緣遠い存在であつた以上、正統

歴史文學に接近する際、先づ一度、歴史の虜になるのは已むを得ないことであらうと思はれる。そして、現在、有名な大衆作家と、その亞流の大部分は、そこで足踏みを續けてゐるのである。

逸話小説といふものがある。名君、賢相、武將、志士、貞婦などの逸話を、小説體に引伸した通俗讀物のことで、かういふものを歴史文學だと思ひ込んでゐる作家や編輯者が尠くない。

だが、思索的内容を有たず、その作家獨自の批判にかけられた形跡のないものが、どうして文學であり得よう。原話を單に小説風に書直し、原話の作者乃至記錄者の解釋を、その儘に踏襲したものを、どうして創作と呼ぶことができよう。

原話の文章が難解だとか生硬だとか、さういふ理由によつて現代語に書直されることは、勿論差支へないことである。さういふ雜文も通俗敎育の方面では必要だらう。しかし、必要だからと云つて、それが最高の價値を有つてゐると思ふのは、とんでもない妄斷である。

さういふ仕事は、雜文家のすべきことであつて、文學の領域の問題ではない。歴史文學とはそのやうに低級なものではない。「阿部一族」や「夜明け前」をかういふ逸話小説と同列に置いて共に歴史文學として論じようとする者はあるまい。

逸話から素材を採るといふことは右の場合とは別である。森鷗外の「高瀬舟」は「翁草」から材料を採りながら見事に文學として昇華してゐる。同じ作者の「佐橋甚五郎」もやはり立派な文學であつて、右に述べたやうな逸話小説と同日に論ずべきものではない。

「常山紀談」や「明良洪範」や「名將言行錄」、「偉人言行資料」「武將感狀記」「史籍集覽」「國史叢書」等は、慥かに讀むべき書物ではあるが、同じ讀むにしても、歴史文學者と、雜文家、ブックメーカーとでは、讀む態度に自ら差別がある筈である。

編輯者が逸話小説と歴史文學を混同するのは、單に文學を知らないからだとは言切れない。大衆文學の文學としての低級さに慣れて來た編輯者には、逸話小説がそれほど低級なものには見えないだらう。ただ非常に早くそれを鑑別するためには、作家の「種本」を知ることである。同じ「佐橋甚五郎」の逸話を扱つてゐても、文學と文學でもないものとは、まるでちがつたものになつてゐる筈だし、假に比較對照する同一素材の作品が見當らなくても、種本と較べて見ればそれが小說風に書直しただけの逸話小説か歴史文學かは、誰にでもわかると思ふ。

傳記の需要旺盛に乘じて、近來怪しげな傳記が續々出版さ

れる。一方歴史文學の方にも、傳記小說を書くことが、一種の流行になつてゐる。これも實に困つた風潮である。

特定の、實在人物の生涯を調べ、その人生の特別な意味を摑み、適當な小說的構成を整へて、これを文學化すといふことは、別に文學の法則に外れることではない。むしろ現實的理想主義文學は、かういふ所にこそその基礎を置くべきであらう。

しかし、如何に數奇な運命の路を辿つた人物でも、その傳記がその儘、小說的構成を持つてゐるといふことは殆んどあり得ない。單なるヒューマン・ドキユーメントと、文學としての小說とは別個のものであり、その價値も亦別個の價値である。

傳記は、特定の一人物の生涯の、內外兩面の記錄である。立派な傳記作者とは、傳記中の人物の生涯を明らさまに記述し、そしてその人物自身をして語らしめ、決して作者自身の思想や感情に當嵌めて代辯しようとはしないものである。傳記は、純粹に客觀的に、精細に、卒直に書かれなければならない。若し讀者の興味を狙ひ、あるひは敎化的効果を期待して、事實を曲げたり、揑造したり隱微に附したり、說敎じみた作者の主觀を羅列したりしたとしたら、それは傳記としての價値を喪つてしまふ。

私は、時々さういふ傳記書物を見て、非常に不愉快な思ひをすることがある。傳記は特定の實在人物の歷史である。その歷史から、どんな哲學を抽出すか、人生論を組立てるかは傳記以後の問題であつて、傳記作者が傳記の中でやるべきことではない。

とは云へ、私と雖も、多くの傳記が、眞にこのやうな純粹な態度で書かれてはゐないことを知らないのではない。事實傳記は崇拜者や鄕黨の後輩や、甚しきに至つては單に報酬を目的とする者によつて執筆されたものが、大部分を占めてゐる。だが、同時にまた、歷史的人物について、例へばシエクスピアとかナポレオン一世とか織田信長とか豐臣秀吉など死後相當の年月を經たものには、純粹な態度で書かれた立派な傳記が現はれてゐる事實も强調して置かう。

傳記のかうした特質を考へると、傳記小說の極限といふものが、自ら理解される筈である。小說文學になり切れば、それは傳記の二字を冠してはならないことになるし、傳記に死嚙みついてゐれば、それは小說文學とは云へないのだ。

傳記を小說風に書直した――または書いたと云ふべきだらうが、現在の傳記小說の大部分は、旣に有る傳記を土臺にしたものである――讀物には、もつと適當な名稱を與へた方が良い。小說といふ言葉は、もつと尊重して貰はなければなら

ない。

　歴史上實在の人物を取扱ふことでは、私も人に劣らない方だし、「火術深祕錄」のやうに一人の人間を中心にして、相當に長い年月のことを書いたものもある。だが、かういふ作品を自分で傳記小說と呼びたくはないし、他からさう呼ばれることにも反對である。

　傳記と文學とは、人生を捉へる方法が違ふと同時に、捉へる面も違ふから、それを調和して、二つのものの間に、文學の新種を成立させることは不可能事である。私はさう信じてゐる。

　傳記と、文學の條件を兼ね備へた大傳記小說が現はれたらその時は屑く兜を脫ぐが、どうもそんな傑作が、今の傳記小說家の手で生れさうもないし、自分でさういふ空想家の仲間入りをして、徒な努力をしてみる氣も無い。

　我々は、いろんな商賣的肩書に迷はないで、歴史文學一本槍で邁進すればよいのである。

（文建四週年記念日、麹町三丁目の新居にて）

會友原稿批評

「斷行」（工藤重康氏）

古い負債に苦しむ農村の中農一家を描いた作品で、若い當主は、附近の町に出て、工場に働いてゐるが、結局、借金の利子の支拂に追はれるばかりであるので、擔保の土地を整理し借金から脫して、新らしく立上らうとするが、土地に執着する祖母の爲に、それを斷行することの出來ない苦惱を描からうとしてゐるらしい。然し作者の態度は、古い自然主義以上には出てゐないので、たゞありのまゝの姿をありのまゝに書いてゐるのに過ぎない。小說は、生活記錄ではない。現實を直視し、あくまでも現實に印して、對象を見きはめると共に現實の奧底に、ある人生の眞實を把握し、藝術に再現するのであつて、單なる生活記錄をいかに克明に書いても藝術とはなり得ないことを再考すべきである

「木堂和尙行狀記」（平山孝明氏）

引き續いて送稿されてゐるが小說の勉强は、書くことばかりではない。まづ、人生を見る眼を養ふことが大切である。農村の和尙が村を救ふ話であるが、このやうな作り話では小說にはならない。

貧しい少年が、寺の柿を盜むこと一つでも、もつとよく見きわめれば、小說の素材となるので、隣組だの、水爭ひだの增產だのと、やつさもつさと時局現象をとり入れても、なにの感銘も、もたらさないではないか。

再考三考を切に希みたい。（中澤巠夫）

月例評壇

南達彦著 禁酒先生

鹿島孝二

東成社版のユーモア文庫の一冊として出された書下ろし長篇小説である。

題名の示す如く、主人公の禁酒を主題にした小説である。主人公は畫家だが、生活の爲に賣る畫を描かねばならない境涯で、その生活の逼迫の原因は酒によることが多い。眞面目な精神を持つ主人公は本格的な畫への心を捨てきれず、どうかして禁酒しようと思つて百方苦心する。その心理經過が百何十頁かに渡つて細々と描破されてゐる。酒の爲に病氣になつて一時禁酒しても猶止められない酒も、慈愛深い母の死によつて、流石の主人公も酒を飮む氣になれずつひに禁酒の域に達し、一方本格的の畫に精進し、文展に入選する。友人等がそれを祝つて宴を開くところでこの小説は終つてゐる。

かういふストーリイの小説であるが、このストーリイからは恐らく原作の良さが伺へないであらう。原作を傷つけることを僕は恐れる。

始めの百頁餘は退屈で讀みつゞけるのに骨が折れたが、終りに行くに從つて作者の筆は冴え、心理描寫なぞも鋭く、細く、鮮やかになり、その筆力には南氏に頭を下げる氣持になつた。眞面目なその態度にも襟を正さざるを得なかつた。

僕は南氏の小説をこれまで數多く拜見したが、この小説は南氏の作品として最上位に置かるべきものではないかと思ふ。恐らく南氏としてもその意氣込みで書かれたのではないか。

只僕としては（南氏と小生との文學觀の相違となるのだらうが）かういふ主題にこれ程眞劍に取組む作者の心に同感出來ないのだ。これ程眞面目な態度を以て、これ程鋭い眼と逞ましい筆力とを持ち乍ら、何すれぞ今時禁酒の苦心談なぞ書くのであらうか？　この小説は誰に訴へようとして書かれたものであらうか？　この小説を讀んで感じるものは誰であらうか？　アルコール

中毒患者を書くことはこの時代にどういふ意義を南氏は認めてゐられるのだらうか？さういふことが僕の文學觀からは到底理解出來ないので、この力作の力作なるに頭を下げ乍らも、方角違ひに力を入れてゐられるやうに考へられて、憮然としたのである。このことは根本的な問題だから、胸襟を開いて南氏と談じ、若し僕の考へが誤まつてゐるなら妄を開いて頂きたいと思つてゐる。

　次にこの小說は斷じてユーモア小說ではないことも言はなければならないと思ふ。南氏はあとがきの中で「ユーモア小說とは言ひ條、これは人間喜劇といふ意味からのそれで、讀む下から微笑をさそふとか、ほがらかであるとかさういふ雰圍氣のものと多少違ふので、その點を讀者は諒解してほしい」と斷つてゐられるが、どういふ意味から言つても、これはユーモア小說ではない。この主人公のアルコール中毒性は病的で、この小說はその病氣の記錄だから、しかも血を吐くやうな闘病記だから、喜劇ではなく悲劇である。人間喜劇とか悲劇とかいふ言ひ方はあやふやでどうにもとれればとれるが、この小說は絕對にいさゝかのユーモアを感じさせないことは、事實である。（讀んでゐる間も讀後も）このユーモア論についても南氏と是非一度談じて見たい。それから斷る迄もなく、この小說がユーモア小說でないことはこの小說として一向構はないことなのである。ユーモア文庫の一册として刊行されたから讀者の立場として、ユーモア小說ではありませんね、といふだけで、ユーモア作家の南氏だからとてユーモア小說を書かねばならぬ理由も無し、この小說がユーモア小說であるか無いかといふことは批評ではないのである。（小說の中にユーモア小說といふ特殊な小說があるかあるべきかの論は長くなるからこゝでは省く）

　先輩南氏に對して思ふがまゝの盲評を敢てしたが、寬恕を得たい。

緩衝地帶的存在

村　正治

　大阪出身の作家、宇井無愁、長谷川幸延河内仙介の三君は、それぞれ鄕土色を生かして、大阪といふ商業都市の世界に取材しそれぞれの持味を生かしてゐる人達である。

　最近、長谷川幸延君の短篇小說集「渡御の記」が出た。

　收載九篇の中「つるべの曲」の箏曲、「當麻の蹴速」の相撲、「春の川風」「道頓堀の兄弟」「烈士の墓」の興行界と、五篇まで藝道の世界を舞臺にしてゐる作品だが、讀み應へのするのは矢張り、題名に採られてゐる「渡御の記」で、それに次ぐのは、先づ「永代借地權」だらうか？

「渡御の記」に就ては、本誌七月號の「大衆文藝五月號評」で、相當高く評價して置いたが、世評は筆者の評價以上に良かつたやうだ。著者としても、代表作として題名に採つてゐる程だから、此の九篇中では最も自信を持つてゐるのだらう。得意の大阪物であり、併も大阪の夏を飾る代表的な年中行事で、日本三大祭の隨一として全國的に知られてゐる、天神祭を背景にしたこと

が、この作品のヒットした第一の原因だ。神輿の前棒三人組の友情にお若の戀を絡ませ、大阪商人の意氣を配して、義理と人情を交錯さした、此の作者常套の舞臺を、神輿の前棒擔ぎを敵前渡河の人柱架橋に結びつけて幕を引く、國策小說に仕上げたのが其の第二の原因だ。

「永代借地權」もまた大阪物で、川口居留地の起源沿革を叙して、運命的な悲劇を永代借地權の消滅といふ今日的な事件に、巧みに結びつけてゐる。この短篇集には洩れてゐるが、「最後の傳令」などと共に、著者の代表的な國策小說的作品であり、成功作といへるだらう。然し「渡御の記」が、事件も人物もリアルに響いて來るのに對し「永代借地權」は面白く讀めながらも、作り噺だといふ感じを去り得ない。これは何に起因してゐるか？大阪を舞臺にしても作者の本領から足を踏み出してゐるからだ。

　長谷川幸延の本領は、長谷川伸氏がこの本の序文にも書いてゐるやうに「大阪の眞をうつす」にある。併も、其の「大阪の眞」は、純粹の大阪人としての著者が育つた大阪＝「幼年畫報」「模型飛行機」等に描かれてゐる明治末年から大正期への一著者の少年時代のノスタルジアの中に生きてゐる「大阪の眞」であることに依て、讀者をも甘美な夢に誘ふのである。

「永代借地權」に於て川口居留地を描いた著者は「支那蕎麥」でも、舊川口居留地に近い本田＝中華民國人居住地帶を背景にしてゐる。が、「幼年畫報」や「模型飛行機」に描かれてゐる曾根崎界隈が、繪卷物を繰り展げて行くやうに、多彩に印象的に讀者を魅惑するのに較べると、サッと輕く表面を撫でただけの感銘しか受け得られない。

　得意の大阪といつても、襁褓搖籃の地らしい曾根崎界隈を描いたのと、緣の遠い異人町の川口、本田を描いたのでは、これだけのひらきが生じるのだ。これは背景だけでなく、作品の素材に於ても云ひ得ることで、大體に於て、自傳的な、追憶的な素材を扱つた作品に佳いものが多く、この點でども矢張り「幼年畫報」「模型飛行機」の系列の作品が氏の本領を成してゐるのだ。

　それが、此の一册では「渡御の記」が、其の本領的な素材に自信を持つて立ち對ひ併も今日的なテーマに巧みにアダプトさせて、成功してゐるのを除いては、「當麻の蹴速」の出征、「櫻の下の銅像」の南進論、「道頓堀の兄弟」の滅私勤皇、「烈士の墓」の外侮排擊、「支那蕎麥」の日華親善等、今日的な色彩を盛らうとしたことが、却つて、作品を卑俗にしてゐる。

　手馴れてゐる藝道の世界に常套的な義理人情の縺れを描き、お義理だけに時局色を添えようとした安易な態度が、作品を繪空事にしてしまつてゐるのだ。隣近所の騷々しさに浮腰になり、また、少しは戶外に出て貰はないと、と誘ひに來る者の顏も立てねばならぬのだらうが、とつて附けたやうな一持つて廻つたやうな時局的テーマへの結合はこの著者の場合殊更に惜しまれる。「櫻の下の銅像」では角倉了以を、「道頓堀の兄弟」では安井道頓兄弟を擔ぎ出して來ての今日的テーマが狐の尻尾のやうに眼觸りになつてぶら下がつてゐるが、それより「つるべの曲」の「ほんまに靜かです。これで戰爭をしてるお國とは思へまへん」

との、靜かな感謝を籠めた一言の方が、讀者の心に、自然に深く滲み入つて來ることを、筆者は作者と共に考へてみたい。

「當痲の蹴速」や「春の川風」等、登場人物の名で故ら實話的興味を誘はうとする意圖の見えるのは、それが實話的素材に立脚してゐない限り、邪道といふべきで、このことは「つるべの曲」にも云へる。が、それを除いては「つるべの曲」の如き、時局的にも、とつて附けたやうな國策小說よりは高く評價されてよいのだ。祖母の會話が饒舌で、併も時々文章調になるのが瑕だがこの作品では、島之內の在りし日の俤がさながらに描かれてゐる。

漫才じみた駄洒落が飛出したり、戲作者的態度で素材が處理されたりするのは、二十前後から白足袋、角帶の芝居のお作者さんで生活して來た、過去の殘滓で感心出來ないが、大阪といふ特殊な雰圍氣の漂ふ世界を、背景に活かすことは著者の作品の絕對的身上だ。追想的な描寫や鄕土史的な記述を合の手に、義理人情の世界を描くことに於ては、今のところ追隨する者がないのだ。だから、自信を以て本領にじつくり腰を据えてゐる方が、著者として眞實の行き方であり、讀者としても有難いのでなからうか。

狂燥的に無定見に、今日的なものを追つ驅け廻つてゐる作家の多い中に、自分の世界を靜かに守り愉しんでゐるやうな、この著者の一列の作品は案外、緩衝地帶的な役割を以て銃後の讀者の心を娛しませてゐるらしい。このことは注目されなければならない現象で、似而非國策小說が、當然の歸結として漸く飽かれんとしつゝある現在に一つの示唆を投げてゐる。

若し夫れ、著者がその世界に安住し得ないまでに、時局意識の昻揚を感じてゐるといふのなら、本腰を据えてかゝつての第二第三の「渡御の記」をこそ期待したいものである。

村雨退二郎著『愁風嶺』

土屋光司

村雨退二郎君の近業が、殆ど收錄されてゐる短篇小說集である。

「愁風嶺」、「ひよつと齊出陣」、「七里香草堂」「改曆變」はひき續いて講談俱樂部に發表され、村雨君の作家的地位を確定した傑作である。「おすみ」は少女畫報に、「ある日の草雲」は肇國精神に「走る蒲生君平」は政界往來に、それぞれ發表した好箇の小篇であるが、發表された雜誌が特殊な爲、一般に知る所が少ないが、珠玉の如き小篇小說である。

講談俱樂部に發表されたものは、その都度本誌に批評が載つてゐたから、再批評は差し控へて、小篇の方を批評する。

「おすみ」は、桂小五郎が、禁門變の後、但馬出石へ隱れたときに桂を世話した甚助の妹とおすみの桂小五郎感が實によく描かれてゐる。十三歲の町人の娘らしい感受の仕方で、桂小四郎を浮彫をしてゐる。「ある日の草雲」は、「七里香草堂」の主人公田崎草雲の、晩年姿を描きつゝ、作者村雨退二郎と作中の主人公草雲との藝術に對する信念の交流を感じさせる作品である。

遅塚麗水を以て言はしめてゐる言葉の、藝術に於ける理想主義と現實主義の相剋と藝術家の生活の問題との絡み合ひに、村雨君の文學的態度たる精神が理想主義的でありながら、あくまで嚴正な現實主義の眼で睨んでゐる姿の片鱗をうかがふことが出來る。

「走る蒲生君平」蒲生君平傳として坊間流布されてゐる書物には、漏れてゐる貴重な資料を踏んまいて、蒲生君平の人間味豐かな一面を巧みに把握してゐる。

故人の逸話は、長く後人の手に弄れると非常に變形し、その逸話をとうしては、その人間をとらへることが困難になることが往々ある。小澤芦庵と君平との話（足利家の墓所を鞭つた時のこと）は君平の飄逸とした所より高山彦九郎流の慷慨激越家といふ風に考へられやすい。單に一つの面白い話を書くといふ逸話小説が、藝術になり得ない點は、そこにある。村雨君は、この問題を、隨筆「望洋雜記」で讀者の興味と作家の興味との相違として明快に解答を與へてゐる。

「ひよつと齊出陣」の主人公前田利大にしても「七里香草堂」の主人公田崎早雲にしても、屢々それが小説化されてゐながら今まで、藝術としての批判の對照にはなり得なかつたのは、實に、この問題が解決されてゐなかつたからである。

この作品集を通して、村雨君が、人生をどう考へてゐるかを、探求するのはいゝ題目であるが、私は不敏にして、その任ではないので、明快に把握できないが「愁風嶺」の小椋處平「改暦變」の山城屋和助「七里香草堂」の田崎草雲が、深刻な人生の悲劇を負ふ人物でありながら、逞しく永遠のものへの探求によつて、その悲劇を克服してゐる姿を描いてゐる。こゝに村雨君の人生觀の深さがうかがはれるのではなからうか。

小椋處平が、秋風落莫たる西南戰爭の薩軍に身を投じつゝ「支那水路誌」の著述を殘さうとし、山城屋和助が、明治五年の大陰暦と太陽暦との暦法改變の犧牲となつて遂に切腹しながら、商人となつても武士の心に背かなかつた自分の生涯に對する自信が、ほのぼのとした明るさを與へてゐるのも、妻の狂死、息子の自殺と、重疊する悲劇の前に端然と藝術の道を睨んでゐる草雲の態度といひ、永遠の生命に對する作家の確信がうかがはれるのではあるまいか。

現實の生命を越へて、永遠に生きるものは、人間の精神であるといふ確信を感じるのである。

牢獄に投じられても、尙且つ、今日一日の生を大切にして、自らの心を磨いてゐた幾多の志士の心が、作者の心なのではなからうか。

私は、この「愁風嶺」一册を讀んで、さう感ずるのである。

近頃、村雨君の作品が殆ど、單行本として世に出たやうだ。誰か新たに、村雨退二郎論を執筆し、この問題に解答を與へて欲しいものである。

「愁風嶺」は、あぢさいの花を描いた木村莊八畫伯の裝幀、朝と夕と色を變へるあぢさいに、運命の變轉する人生の姿を表象されてゐるやうな氣がする。

石井哲夫著

印度鐵騎隊

中澤巠夫

材を一七七五年代の印度にとり、ヘスチング印度總督時代の惡辣な英國侵略史を展開し、暴虐なる文明に對抗する果敢なる精神を描くロマンである。

ロンドンに豚の如く肥る東印度會社の殖民地搾取のあくなき要求に、東印度會社の手代であるヘスチング印度總督の惡辣な、財寶追求と、その犧牲となる印度諸王族領との關係を摘出して、ヘスチングに亡ぼされたロヒルカンド王國の王子アナン、バリムの燃えるやうな復讐心と、配するに、華麗極樂の花の如き美女、ベナレス王女スーナをめぐる、邪戀の葛藤を描いてゐる。興味探々たる物語である。

石井哲夫君の印度史に對する造詣の深さは定評のある所で、喋々を要しない。纔に「印度侵略史」を著はした著者は、冒險小説的興味を盛つて、その物語化に成功してゐる。

現在の日本の國民の多數は、歷史の傳統の中に育ち、歷史の尊貴さを知りながら、日本の歷史そのものについては、明確な知識を缺いてゐる。これは、日本の歷史小説が、歷史の眞實を傳へず、單に歷史的時代の背景を使用するものが多かつたためである。我々が、國民文學として、正統歷史文學を主張する動機も、之の誤つた時代小説が、國民に歷史の眞實を誤まらしめることを是正する意味もあつた。

日本史にうとい位であるから、まして東洋史に至つては、せいぜい支那の三國志の程度の知識しかもたぬものが、多いのである。ヒリツピン史、印度史、支那史の正しい史觀による物語文學化は、東洋史の大衆化の意味で、どんどん書かれなければならない。

石井君が、深い印度史研究を、この方面に活用されることは、誠に意義深いことである。

石井君は、續いて「印度兵の嘆き」「ガンジス河の海賊」「第一獨立戰爭」と續々印度に、取材する小説を發表される豫定と聞く。その健鬪を祈つてやまぬ。

印度鐵騎隊を手にして、講談社の出版に對する良心を讃する。紙質の惡い書物の多い時代に、紙質を選び、又裝幀にも、細い心つかひを窺はせてゐるのは嬉しい。

山田克郎著

「帆裝」について

東野村章

山田君の第一作品集『帆裝』が美しい本になつて出た。『木蔭の丘』以下九篇の作品が收錄されてゐる。

山田君の文學については、本誌九月號で論じておいたので、ここでは本書を通讀しての感想だけに止めることを許して頂きたい。

山田君の作品のあるものには、非常に纎

細な感じが克つて、作品そのものが、美しいけれども弱さが感じられるものがある。『木蔭の丘』などについては、それがいへるであらう。それは感觸がやはらかで、どんな頑な人の心も一旦は和やかにほぐされる程のものである。『繪姿』などでも、それが感じられた。だが、嬉しいことには、山田君には不屈な文學魂――決して『常識』と妥協しない文學魂があつて、それが『美神の子たち』などによく現はれてゐると思ふ。この『美神の子たち』は今度本になつて初めて拜見したのであるが、題材が題材だけに、美の探究を直接に取上げてゐる。そして、あくまでも眞面目に深く、美と人生の眞實とを追究してゆく作者の全貌が、行間ににじみ出してゐる。本誌の月評でも取上げられた事とは思ふが(匆々の際で、それを調べる手數をかけなかつた失禮を許して頂いて)、この作品は山田君の傑作の一つに數へられるべきであると思ふ。

もう一つ、本書を讀んで感じたことは、『海笛』から感じられる山田君のつゝましい態度である。最近のジャーナリズムは、特に現代小説に向つて、ルポルタージュの要素を求め過ぎてはゐないだらうか。ところが、この『海笛』は、能登半島沖の舳倉島を描きながら、作者はその調査の結果を誇らず、これを文學に溶込ませることに努力の跡を見せてゐる。――これは、文學である以上、當然であるが、特に現代では稍々もすれば忘れられ易いことなので、山田君の人柄がしみじみと、感じられて嬉しい。

海女のもつ愛情が、たゞ海女といふ特種生活をもつ女性のみでなく、すべての女性の感ずる愛情の底をついたものが、海女に依つて更に深く表面化してゐて、更に作者は、それに眞實の深さを取出してゐる。

さて、山田君が嫌ひらしい常識的なことばかり書いてきたが、ここで、これらの作品を讀んで、Aの作品とBの作品とに現はれた良さを綜合した作品がないことに稍々淋しさを感じたことを附加へさせて頂きたい。これは本書だけでなく、長い期間に發表した作品を集錄した場合には、多くの場合に感じられることである。實はかういつてみても、短篇において、かかる綜合がどの程度まで行はれ得るかは、私にもわからないのである。むしろ、ひたむきな山田君あたりから、それを教へて頂きたい位のものである。

これは餘計なことであるが、私がひそかに、最近脱稿されたといふ作者の長篇に大きな期待をもつてゐるのは、右の理由があるからなのだ。以上、甚だ雜駁な讀後感に終つたことをお詫びして禿筆を擱く。

村雨退二郎著

『黑潮物語』讀後感

村松駿吉

この本には、「黑潮物語」「錫蘭島」「今橋創世紀」「春の夜の雨」「野中兼山」の、五篇が收錄されてゐる。「黑潮物語」は書下しで、他は一度發表されたものである。

私はこのうち、はじめの二篇のみの讀後感をのべたいと思ふ。

『黒潮物語』を讀み出した時、はぢめの「……マルチネル・カノの手記」と云ふ、說話體の文章を讀んで行つて、何か探偵小說的な面白さで引づられてゐた。すると、次の「……クララ姬の手記」と云ふ章へはいつて行つて、今夜は、クララ姬の運命的悲劇に對する興味で讀ませられて來た。

が、その次の章の「……モーリー航海日誌」と云ふ章へはいると、俄然、興味の中心點が、黒潮觀測の面白さに集中されて來た。

それから「…兎園小說第十一集所載…」に次で、「梅の塵拔萃」「曾我誠之亟日記」と云ふ章へはいると、更に史的な興味を呼び起して來た。

さうしたことを、繰り返してゐるうちに最後までこの作品を手離すのが惜しくなつて、一氣に讀了してしまつた。

さて、そのあとで靜かに考へてみると、私が、そのヴアラエテーに富んだ作品の構成に、魅了せられてゐるかに思つたのは、實際は、その各章を追ひ乍ら、やつぱりこの主人公クララ姬の數奇なる運命を追つてゐたものだつた。

そして、最後に至るに及んで、このクララ姬の、遂に知れざる行末を、茫然としてひとりで想像に描いてゐるのみだつた。

實際のところ私は、讀みながらの部分的にはともかく、讀後直ちには、この作品全體を通じての、よし、あしがわからなかつた。

たゞ、變つた小說——普通の讀み慣れた小說らしくない小說、と云ふ感のみが深かつた。

が、時が經つにつれて、頭が冷靜に返つて來るに隨つて、この小說の中に盛られてゐる、いろいろな事象と、人生の種々なる面を思ひ浮べることが出來た。

神のやうに美しく、純眞なクララ姬、魯鈍ななかにも正直一圖なマルチネル・カノが、正しいが故に必らずしも惠まれなかつた運命的の悲劇が、表面の筆には現はされずに、しかもそくそくと讀む者の胸に訴へて來た。

その他の、ヴイラ・ロチも、その妻のロザーリアも、ガニヴエットも、少しの破綻もなく描き進められてあつて、それぞれ人間的の苦惱にもがいてゐる。

作者が後記してゐるやうに、いはゆる小說的なハッピー・エンドではなく、かうした特異な人生を、しかも嘘と思はせないで描いてゐるところに、作者の人生を描く深い心があるのではなからうか。

さうした、作品自體の內面的なものゝほかに、この作品を構成してゐる色々な、內外の文獻を、よく蒐め、これを纏めたところに、作者の日頃の、寸暇もゆるがせにせずに、史實のみならず、ひろくいろいろな方面の探求に沒頭してゐる姿をみることが出來る。

『錫蘭島』は、曾てサンデー毎日に「泣くなルヴイニア」と題して大衆文藝の首位に當選した作品で、當時（昭和十年）に讀んで今度また讀み返したのだが、その當時の讀後感と、今のそれとは、私はまるで違つた印象を與へられた。

實を云ふと、その當時は、何か「變つた感じの小說」、ある意味での「肌觸りの惡い小說」と云ふ感を受けたものだつた。しか

し、どこか、がつちりとした、骨のある小說と、云ふ感はたしかに與へられたものだつた。

　ところが、今度これを讀み返してみて、これが事變前の昭和十年に書かれた小說だらうかと、思ふほどに、今の私たちにぴつたりと來るのだつた。

　あの頃の、いはゆる大衆小說を考へてみれば、恐らく誰にでも分ることであらう。現在の世の中へ出して、何の修飾もほどこさずに、立派に通る作品が、いくつあつたらう。

　時の選者、千葉龜雄氏によつてこそ、始めて選ばれ得た作品だつたのだ。

　作者は、「はしがき」で、「……專門家にやつつけられることは承知の上で……」と云つてゐるが、よしんば、專門家が、この小說の上に現はれてゐる史實に就て、多少の異議めいたものを差しはさむ餘地があつたとしても、この作品の持つ小說としての構成の上に於ては、何等の差支へもないものと思ふ。

　今でこそ、日本的性格だとか、日本精神を云々とか——、その頃はいはゆる英米的でありすぎるほどの作品ばかりを書いてゐた人達が盛んに、しかもわれ先にと云ひ出して來たが、あの頃の旣成作家のうちに、この作品程度に、日本人的性格を描き得た作家が、何人あつたらうか？

　近頃、この作品に似通つたテーマの小說は、雨後の筍のやうに出て來る。しかし、大部分が、全く大部分が、いはゆる時局小說臭の、ふんぷんたるものであるのは何故か？——云はずと知れた、作者に無いものを、いはゆる便乘的に描かうとするからなのだ。

　作者は旣に、この當時から、恁ふしたものを深く內に藏して筆をとつてゐたものであることが、はつきりとわかる。

　作品の中に出て來るエヂプトの將校タウルス中尉にしても、深い祖國愛のために身を犧牲にしながらも、いざと云ふ場合には自己の名譽のためにグラ付いてしまふ——つまりは自分あつての祖國と云ふ思想（だからその國も滅びるのだが）、リュテシア夫人も、ジョンソンは云ふに及ばず、イギリス風の、如何に自國の諜報員でも、自分のためには祖國ばかへられなかつたり、一番に美しい心の持主のルヴィニアでさえも、祖國のために起つて、父が死地に入るならば、これをあきらめさせやうとする。——

　その人々の中にあつて、野村欣士のみはもえるやうな愛情をも、日本人であるが故に強く押へることが出來、殊に、エヂプト獨立に狂奔する者たちからことづかつたパシヤに手渡す筈の手紙を、破つて海中へ投ずるあたりの、微妙な欣士の氣持は、眞に日本人的に、少しのまじりのないものであることをうなづかせる。

　私は何よりも、八年前の時代に、この小說を書いた作者に、改めて驚かざるを得なかつた。

足袋　　校正子

埋草の句も足袋足袋は困るなり
足袋の句で六行かせぐ校正室
この足袋で苦しき穴の埋仕舞ひ
評　足袋の句も二點以上はなかりけり

大東亜文學者大會は無事に終了した。戰ふ日本が文化のあらゆる面を並進しやうとする一つの現れたる本大會の意義は極めて深い。我々はこの大會が豫期以上の成果を收めたことを衷心より喜ぶものである。これは大東亜共榮圏文化への一つの昂獻である。

×

從來の日本文化は、日本自身のためであり、自らその殼に身をちゞめてゐた觀がある。特に文學の場合その感が强い。それは從來の文學が徒らに時代思潮に追隨するのみで、これを指導するだけの精神と氣魄に缺けてゐたからである。だが、今尙固定概念だけで、眼前の興味だけを追及する、文學の名に値しないものが多くはないか。大東亜文學者大會の成功を喜ぶと同時に、よくこのことを反省して、日本文學の前進のために全力をさゝげることを誓はう。

×

出版文化協會の適切なる指導に依つて、書下し長篇小說の出版が非常に多くなつたことを喜びたい。だが、こゝには警戒すべき反面がある。量よりは質の問題である。それから、良き批評、書評が乏しいことである。

×

出版文化協會が來年度から高級なる讀書指導雜誌を刊行するさうであるが、これは右の理由から大いに期待したい。願はくは各新聞に時々出る書評特輯を一歩進めて、嚴正なる書評のみを集め、讀書階級を正しく指導されんことを望む。從來の推薦制度は、文部省推薦の某書が物議の的となつたりして、必ずしも完全な方法ではなかつた。勿論、推薦制度は依然として行はれるであらうが、これについても愼重なる考慮を拂はれんことを望む。

×

近頃、雜文屋の傳記、通俗小說の出版が多過ぎる。いはゆるブックメーカーが、ほんの一二冊の參考書を傍に置いて、糊と鋏とでつくつた粗雜なものが、良心的な學者の著書の間に伍してゐるのは言語道斷である。これが世を誤る弊害は測り知られぬものがあり、實に國家の損失である。

×

世間的有名人の代作時代が、現出しつゝあることは、旣に文協關係者の知るところであらうが、談記筆記なら述とすべきだし校閱なら校閱とあるべきだ。著と述とは違ふし、著作と校閱とはその性質からして異なるものだ。これも讀者を欺瞞するものである。切にかゝる惡書の征伐をのぞむ。

×

「小說の面白さ」の問題は、今まで本欄でも屢々採上げたところであるが、作家は作家として感ずべき面白さと、讀者としてのそれとを混同してはならない。民族の歷

史や、産業發達史のやうなものを小說化することは作家の隨意である。たゞそれに向つた場合でも、作家の文學魂は嚴としてなければならない。

×

ある人は、いや、小說を通して、知識や教訓を與へることも一つの任務であるといふかも知れない。が、それならば、なにも小說家の筆を煩はして、態々小說の形式を取るよりも、それ〲の專門家に執筆してもらふはうが、確かでもあるし、ためにもなる。講談から取材した舊大衆文學が文學でなかつたのと同樣に、それらも單なる小說化だけでは文學ではないことを思ふべきである。さもなければ、歷史文學などといふ言葉は最初からない筈である。

×

手許にある某婦人雜誌を見ると、小說五篇のうち、四篇が連載小說で、そのうちの三篇が、いはゆる家庭小說の型から一歩も出てゐないものである。たゞ、新時代の概念がその儘投げ出されてゐる點だけが、從來のものよりも惡くなつてゐる。一般婦人の頭を見くびつて、こんなもので涙腺を刺戟して、讀者を引きずらうとするのは實に卑怯ではないか。

×

近頃、名のある雜誌は發賣と同時に直ちに賣切れてしまふさうである。とすれば、營業部のはうから返品のことで苦情が出る筈はないから、こゝらで新しい意圖を盛つた編輯が出來さうなものである。讀者のレヴエルが低いのならば特にこれを高めるための努力をすべきではないか。雜誌は第一に讀者を正しく指導し、健全なる娛樂を與へることをモツトーとすべきである。

×

雜誌もよく賣れるが、新刊書の賣行きも頗る早い。新聞廣告を見て書店に行くと、既に賣切れといふやうなことは、決して珍しくない。現在の狀態では、書物の生命は短い上にも短くされる。これでは纒まつた研究などをする場合には甚だ不都合である。良心的な研究書に引用書名とか、參考書名とかゞ擧げられてゐても、二三年前のものだと、圖書館にない限り、眼を通す方法がないからである。

×

これについては、圖書館、國民文庫といつたやうなもの丶擴大整備が考へられる。氾濫する圖書群のうちから、眞に後世に殘すべきもの、將來の研究の基礎となるべきものを出來るだけ豐富に蓄積することは、人類の義務であらう。これはあらゆる方面の協力を以てして初めて可能なことであると思はれる。

×

文化面に於ける實績尊重主義は今尙撤回されてゐない。既にその仕事を終つた人々の功績を認めるのはよい。が、これからの役割を擔當すべき眞面目な新人の指導、擁護を怠つてはならない。文化の進步發展はそこから生れてくる。出版文化協會並びに日本文學報國會が、これについてつねに充分なる考慮を拂はれんことを、もう一度お願ひしておきたい。

天狗黨雜記

中澤堅夫

水戸の天狗騒ぎは、有名だが、天狗黨の意味、又彼等が、天狗と呼ばれる理由については明瞭でなかつた。

學問自慢の天狗とか、自分免許の天狗とか云ふやうにとられ、奸黨側からの命名のやうに考へられるが、實際はそうではなく、寧ろ天狗と云ふ意味は、人間業では出來ないことをする人と云ふ意味で、始めは名譽のことであつたらしい。

烈公齊昭が、駒込へ蟄居した後、當時の閣老阿部伊勢守との間にひそかに文通した。その往復尺牘を、烈公自ら輯錄して置いた新伊勢物語の中にある弘化二年十月廿六日付烈公書翰の別紙中に「先づ第一に天狗と申し候て別種には無之同じ家中にて是より是までが天狗と申す界は無之父は天狗にても子は俗物姦物も有之父は俗物姦邪にても其子は正論の天狗も有之夫のみならず一人の身分上にても昨日迄は姦人に組し居候ても姦人の事業を不宜と存じ一言申し候へば直ちに天狗と申事に相成打退けられ此節の重役共何れも姦物右に順じ下役迄も皆々姦物のみ取用ひに相成候へば有志の者も姦物とは存じ乍ら先つ重役之事故共に組し居り候ても餘りなる事有之候へば存意等申聞せ候へば直に夫も天狗是も天狗と申候て打退け益々姦物は權を握候仕方に有之候」云々とあつて、この所の附札に「江戸にては高慢者杯を天狗と申すかに承り候所水戸にては義氣有之有志を天狗と申候たとへ滕手向困究にて今日の暮しにも差支ながら食し候物も食し不申書物を買入れ、又は刀劍甲冑杯買入容易に人に出來不申事を致候を天狗に有之可しと感心致し候より義氣つよく國家の爲に忠を致し候者

は何れも天狗の仲間是も天狗仲間と申樣に相成候義にて、天狗と申すは拙老が國にては義勇のかへ名にて江戸にて申とは相違に有之候乍然此節奸物共盛に相成候ては天狗は惡人のかへ名と可相成候御一笑可給候拙者も幕府には兼々忠節の心得に候へば奸物よりは太郎坊とも可申歟呵々」と、烈公自ら解しておられた所が、正しい意味であらう。

天狗の代表的人物として武田耕雲齋が擧げられるのも、又この意味を裏付けるものだ。

天狗黨騷動と云はれる、波山暴發に於ける武田耕雲齋は、主謀者の側ではなく、寧ろ最初は、抑制する方であつたし、姦黨の壓迫によつて、無理押しに波山勢の中へ加はることを餘儀なくされたのである。成程、最後に、越前敦賀で斬首をされた時には、その身分は、確かに前執政であるから、一黨の最上班であつたかも知れぬが、首謀者は、藤田小四郎であつて、彼が、天狗騷動の中心人物でなかつたのである。

耕雲齋が、天狗黨の中心人物の如くに喧傳されたのは、耕雲齋の日常が、模範的な天狗仲間であつたと云ふ所からである。

耕雲齋は、軀幹長大で六尺近かつた上、姿勢端正のあばた面の男、人となり剛毅不屈であつた。高瀨羽皐のきのふの夢に「武田修理どの大番頭にて黑羽町の屋敷におられし頃」と書かれてあるから、おそらく天保十三年、烈公の千波原の追鳥狩が行はれた時分のことであらうが、非常に困窮の樣子で女中一人、若黨一人、下男一人位の暮しで、奥方が自ら肴を拵へるやうであつたと云ふことだし、酒を出した時に大きな膳を持ち出したが一方の足が折れてぐらぐらするので、一本の折れた足を取り外し三本足にして一方を碁盤に持たせかけるやうな始末だつたが、これほど貧乏であり、借金も多かつたが、鎧櫃は三つもあり、槍も十本許り鐵砲もあつたと云ふことを傳へてゐるし、この追鳥狩に、彼の平常の心掛けが發揮されて烈公から賞賜されてゐる話も傳へられてゐるが、彼の生活振りが正に、烈公の解釋する天狗の意義にぴつたりとあてはまるし、彼が、天狗の代表的人物と見られた所も判ると思ふ。

烈公襲封前の水戸藩風は、所謂寛政時代の江戸仕掛の餘風で、士庶の遊藝は盛んだし、財政のやりくりを富籤で行ふやうな有樣であつた。又江戸屋敷では執政が吉原の妓樓に通ふと云ふ噂が高く、大久保今助と云ふ博奕打上りの富豪が勘定格の役人になり、江戸詰の藩士の遊び場に小石川屋敷の前今の春日町の所に地所を貰つて、子分の名前で料理店を開業させてゐたやうな狀態であつた。

こんな藩風の中で、武骨一點張で押し通して來た人物だか

ら、藤田東湖が烈公へ上つた上書中で「武具奉行にしたらよい男だ」と評し、又「五月幟の武者人形」とも評したのであらうが、正に天狗的人物と云へる。

一説には、哀公齊脩時代に、士風淫惰に流れたのを慨嘆した藤田幽谷門下の金澤恒藏等が質素儉約を旨として文武に精勵し、時々汁講を開いて時事を談じてゐたのを、誰かが自分達は、太平記の中にある六本杉の天狗のやうだといつたのがもとだと解するのもあるが、烈公書翰による考の方が自然のやうな氣がする。

◇

天狗黨と對蹠的立場にある所謂姦黨を目して諸生黨と云つてゐるが、この呼稱は、天狗よりも新らしい。

安政五年八月八日に、水戸家に「墨夷假條約調印の輕卒さもさることと乍ら、このやうなことでは國内の治亂も如何と宸襟を悩まされ給ふ。國家の大事は、大老閣老三家三卿家門列藩外樣譜代共一同詳議し内を整へ外悔を防ぐやうすべし」と云ふ勅諚があつた。幕府は政治の例として、三家に勅諚が下る場合、當然幕府を通じる筈であるが、この勅諚は直接に下つたので密勅とか内勅とか云つてゐた。この勅諚が下るに至つた經路には、京都にゐた勤王有志、梁川星巖、梅田雲濱、頼三樹三郎、日下部伊三次等が、政局の展開を企圖し、備州水戸、長州等の志士と氣脈を通じ、公卿の間に周旋し、降勅運動をしたのであつた。

この事件が、有名な安政戊午の大獄を生んだのである。降勅問題に關係した人物は、ことごとく小塚原刑場の露と消えるか、牢舍住居の憂目を見るに至つたが、問題は關係志士の處斷だけではすまなかつた。

この時の若年寄安藤對馬守は、水戸藩取締掛として水戸の内政に干與してゐた。德川慶篤公は勅諚を江戸屋敷に置くのを不安に思つて、水戸の祖廟に奉安して置いたが、十二月十五日に登營すると、對馬守から、勅書返納の勅命があつたから三日以内に返納するやうと云はれた。翌日は對馬守が小石川邸へ來て、一日も早く返納しなければ、違勅になると云つて嚇した。

この報が水戸に達すると藩論頗る沸騰して、天狗黨の連中が、江戸街道の長岡宿に屯集して、交通を監視し、若し勅諚返納のことがあれば、奪還するといきまいた。

烈公もこれには困つて、人を以て諭させたが聞き入れず、側用人の久木直次郎が、納勅説をとると云ふので一夜刺客に襲はれたるするので、烈公も、長岡勢の綜をひいてゐる高橋多一郎等を押へるにしかずと、多一郎を捕へやうとした所が

多一郎は逃げてしまつた。家老鳥居瀬兵衛が烈公の諭旨を奉じて、長岡に往かうとして、城下の紺屋町まで來ると、長岡勢のものと出逢ひ、激しい闘爭となり、徒目付の國友忠之介が死んだ。烈公も遂に怒つて、勅書返納派である弘道館の諸生（書生）を、長岡勢鎭撫に赴かせたのである。このことを大場一眞齋が、密かに天狗黨に告げたので、烈公がそこまで考へてゐるのではと、屯集を解散したのである。

一眞齋が、激徒に密告したことを知つて烈公は大場一眞齋を責め、一眞齋に勅書を奉じて江戸下れと命じた。

烈公夫人有栖川宮登美子の手翰に「御申譯に御一品先小石川迄參るやうに諸生へ一心齋より申聞かせ、すら〳〵と小石川と着き候はゞ一命たすけてやると御沙汰にて……」云々とあつて、嘗つて勅諚を江戸から水戸に奉送した一眞齊が今度は弘道館の諸生に護衛されて江戸へ下ることになつた。

然し、これを聞いた齋藤留三なる者が、御廊下の一室に屠服し、白壁に「盡忠報國」の四字を、腸を摑み出して、鮮血淋漓たる大文字を書いたと云ふ事件が起つた。これでまた勅書返納が遲れた。

その内に、高橋多一郎等は、井伊大老を櫻田門外に擁撃したのである。

この奉勅事件、勅諚返還事件が、激派、鎭派の分岐點になり、所雖、鎭撫派になつた方が、所謂巨室派が多かつたし、姦黨と目されてゐたので姦黨即鎭派と云ふ事になつた。鎭撫隊は、弘道館の書生を中心に組織されたので、鎭派を目して諸生黨と呼ぶやうになつたのである。

越前の春嶽公（松平慶永）は、水戸齊昭、島津齊彬、鍋島閑叟、山内客堂など云ふ幕末維新時代を背負つた賢君達と親交あり、特に慶喜擁立には、相當骨を折つた人で、齊昭とは餘程親しく、烈公の性行などもよく知つてゐた。

春嶽公が老後、幕末の歴史に關し、「逸事史補」と題した自著を出した。

「歴史は後來に傳ふるに大切なるものなれども、和漢古今當朝にて史を編修するもの命なりとも多くは美事をのみ記載して惡事を記さず。これ嫌疑のあればなり。夫ゆへに清朝にて前代の明史を編するや民間の傳來するものを進呈し逸事を求むること深切なり。清朝のみにてはなし古よりみなしかり。——余おもふ後來より今日を見る時は前世なり、後來の參考に供せんがために世上にしらざるのことを余の記憶にまかせて書記せり、嫌疑をはばからざるものなり」と、冒頭し、正史の冒しやすい誤りを指摘して、かなりはつきりと云つてゐ

る。
烈公を評して「老公の賞すべきことは勤王の誠意は飽迄も盛んなり。閨門の不治は領る老公の短所なり」と、云つてゐる。この言葉は傾聽に値ひする言である。正に、烈公は、閨門の治らざる君子であつたらしい。

將軍家齊の子女の六十餘人は、德川幕府は三百年中に於ける最も太平なる時代の將軍樣のことであつて、いかにも、太平なことだと思へるが、烈公齊昭が、長男慶篤、二男二郞麿以下廿二麿（はたふたまろ）、二十二男、女子十六人の子持であつたと云ふ事は、意外な氣がしよう。（水戸前中納言殿御系圖）

登美家夫人、荻原氏（豐子）、山野邊氏（直）、松波氏（春）、栖原氏（登聞）、立原氏（夏）、葛里小路氏（睦（ちか））、高丘氏（德子）、庵原氏（道）、高橋氏（里瀨）、正室以外に九人のお腹樣だから、これを、齊昭の兄齊脩が、正室峯姬（御守殿）のやきもちに禍されてか、一人の妾お蓮の方を、氣兼しながら愛してゐたのとは、まるで格段のひらきではないか。

春嶽公は、水戸の天狗騷ぎの原因を、烈公の一時の失策から起つたと云つてゐる。それは「水戸家臣姦惡の巨魁結城寅壽は、幼年十三四歲のころ、烈公御側に侍し御伽を勤めてゐた所、烈公は色欲を專ら好みたまう御性質ゆえに寅壽の美麗に沈溺したまひ寅壽を念者にした。寅壽も奸惡ものゆえたびたび御意に應じ、烈公もゆくゆくは重く用ひるなどと約束しだんだん出世をさせたが、藤田、戸田等の姦人掃除が始まると、急に、寅壽をにくみ出した。これは烈公が好惡の思情が烈しいからで、憎み出すと、どこまでも惡むので、寅壽は、公に怨をもつやうになつた。といふのである。

大谷木忠醇の「燈前一睡夢」には、烈公が、兄齊脩の御守殿峯姬の入輿の際、大奧から附添つて來た上﨟年寄唐橋迫奸一件を起したことをのせてゐるが、この大谷木の祖父大谷木藤左衞門は峯姬樣御用人をつとめてゐた人物で、この藤左衞門の口から傳へられた實相であるから信ずべきものである。この事件で、嫂峯姬（齊脩他界の後峯壽院といふ）の機嫌をそこね、峯壽院は、長い間齊昭を嫌つてゐた。

水戸治紀に齊脩と齊昭と二人しか子供がゐなかつたが、齊脩は小池五百（陪臣松永の女）齊昭は、外山補子（烏丸中務資補女）の腹で、小池派と外山派は絕へず暗鬪があつたが齊脩が弱いので、小池派の巨室連は、齊脩の夫人峯姬の緣で、將軍家齊の子を養子にしようとし、正義派の憤慨を起すこととなり、藤田東湖が顏を出して來るわけであるが、この東湖と戸田銀次郞は、烈公の失點を補ふ爲に生れて來たやうな男達であつた。

唐橋は、一度京へ戻つたが、後に花野井と名を改め、水戸へ置いた。そこで水戸烈公が追鳥狩だの調練だの海防だのといつて、國入りをひんぱんにやつたのも、唐橋に迷つてゐたからといふ說も出る。

東湖は、相當之には困つた。海江田信義達の「實歷史傳」に、藤田東湖が「公平生聊か女色に過ぐるものあり、余ひそかに公の爲に之を憂ふ一日直諫して曰く公の齡旣に高し、若色に過ぐるものあらば恐らく賢體を害するならん。臣願はくば少く之を節し給はんことを公曰く汝の忠告ただ可なり…云々」と語つたといつてゐるが、これは嘉永六年、烈公五十六歲のときの記事である。海江田信義——即ち有村治郞左衞門の兄有村俊齋であるが、東湖に私淑し、嘉永六年、東湖が江戶詰になつてから安政二年に東湖が震死するまで東湖の所へよく出入してゐた。東湖も餘程烈公の閨政の勇には困つてゐたらしい。水戶史談「きのふの夢」久木直二郞談として、東湖が妾を追ひ出したのは、結城寅壽が、烈公に士分には多く妾をもたせ男の子を多く產せるがよいと献言したのを聞きこんで、びつくりして自分の妾を片付けたのだといふことを載せてゐるが、それでなくても、仕樣のない殿樣に、油をかけるやうな事をいふ奴がゐるのだから、烈公に意見するときには、自分が一人でも妾をもつてゐるわけにはいかぬので追ひ出したのだ。この妾の子が藤田小四郞信であるから、春秋の筆法を以てすれば、結城の一言が、小四郞を母の乳房からもぎとつたやうなものだ。

東湖と戶田蓬軒が、安政二年十月二日の大地震で震死すると、流石の烈公も、ずつと男前が下がつてゐる。御城へ上つても東湖は、實にかゆい所へ手の屆くやうにしてあつたのでも齊昭もぼろを出さずにすんだのだが、東湖が死んだ後は齊昭は、よく間誤間誤することがあつたと、西鄉が島津齊彬から聞いたと傳へられてゐる。が、東湖が死んで翌年、手綱をはなれた奔馬のやうに、烈公は、各方面に飛躍した。この年に、烈公の子慶篤の夫人線姬が自裁してゐる。これについて三田村鳶魚氏は「水戶侯齊昭の內寵」として、この問題も、何か伏在するものがあるのではないかとうたがつてゐる。

同じ水戶の家臣でも、烈公崇拜と烈公に反情をもつものとが生れるのは無理もない。比較的下級の武士とか、或は正義派の人達は、烈公の勤王の面を慕ひ、閨門の方は餘り知らなかつたのである。又、烈公に反感をもつてゐたものは、比較的上士が多く、又慶篤側近のものが多いのから見ても、烈公の、不品行を身近かに知つてゐての反情が多かつたに違ひない。これが、天狗諸生のあの對立のいふにいはれぬ微妙な感情の分れ目である。

河風（承前）

東野村章

一

……河は、悠然として變りなく流れてゐた。秋の透明な陽の光りを受けて小波は銀色に燦めき、その向ふに深い色が、沈默の物語をたゝえてゐた。

その河を挿んで、兩岸に思ひ思ひの高さで建ちならぶ倉庫ののつぺりした白い壁や、その壁の脇から、鋭い線で河の上に伸びてゐるクレーンや、岸壁に繫留された傳馬や達磨の船の河水の泌みた色と、積み込んだ荷物や、タン〳〵と一定の調子で、爽やかな秋風を突いて浮き上る機動艇の煙の白い輪や、その機動艇から太い繩（ロープ）で繫いだ船の連がりや、船の上の船頭や、屋根板をはづしたところに紐を張つて吊ら下げた洗物の旗などを、フナは、懷しさでいつぱいになつた瞳で、凝と見廻すのであつた。

都會の一隅の煤けた空氣の中に築かれた（故郷）の姿の昨日のやうに活動する有樣に、何かしら安堵に似た安らひが、フナの胸に擴がつてゆくのだつた。

機動艇に、曳かれて走る達磨船のおもてゞ、嘗つて、好奇と憧憬の想ひで見上げた永代橋の上に立ち、鐵の欄干に、いま兩肘をのせて凭りかゝりな　ら、暫く離れてゐたそれらの(故郷)の景色に、しみじみとした感慨の湧いてくる想ひである。

二ケ月半――たつた七十數日にしか過ぎなかつたが、生れてはじめて、波音とランプのない家に眠り、動かない地上での生活を味つたフナには、長いやうでもあり、短いやうでもある日の重なりであつた。新しい生活に馴れるには　まだ、日が淺かつた。ふと、何時か想ひは、河の上の育つた生活や風物が、影繪のやうに懷しまれた。幾度か、この廣々とした河の流れ、小波の燦めき、倉庫の薄汚れた壁、船のゆらめきを夢にも見た。

いま、かうして眺める心に擴がるほのぼのとした安らひは生れ育つた(故郷)の變りなき姿への安心と、想ひ出に戯れる愉しき憩ひであつた。

過ぎた日の記憶に、人々は限りなき美しさと夢を抱かうとする。過ぎた日の現實のきびしさも、もう其處では、きびしさは感じられなくて、想像と記憶との混り合つた夢幻の境地を創り出すのだ。まして、人生の初春をゆく乙女の胸には、それは更に夢幻的であるに違ひない。

波を蹴つてすゝむ機動艇の輕やかな姿態を中心に、左右に走る白い波紋が織り重なり、やがて、消えてゆく――橋の上から見ると、こんなにも輕やかに美しいものであつたのだ。――達磨船の舵柄に、そつと身を凭せかけた船頭の姿も、緩漫な風の動きと共に、至極のんびりしてゐるやうに見える。

かつて、船の上から、橋の上を行く人々の長閑さを想つたやうに、橋の上からでは、河の上の凡てが長閑に見えるのである。

から／＼と鳴るクレーンの音に、ふと、工場の、あらゆるものを搖がせるやうな機械の騒音。單調に繰り返される仕事の山。油の胸を突く匂ひが連想され、現實のきびしい吠え聲となつて耳を突くのである。そして、夢幻の世界へ、二ケ月半を送つた地上の工場での生活が、潮のやうに迫つてくるのであつた。

懷に抱いて來た、働きを通してはじめて得た僅かな給金を父は如何言つて受取つて呉れるだらうか。金を見るときに輝く、父の瞳が、彷彿として瞼に浮んでくる。働きの中の苦しさも、はじめて經驗する樣々の苦しみも、そのとき堪えしのびつゝ描いたのも父のあの瞳であつた。いや、瞳を通しての父の温かさを想はうとしたのであつた。母は、岐度、涙さへためて懷しがつて呉れるに違ひない。

辰次小父さんは、暢氣に板子節を唄つてゐるだらうか。

　安藝の宮島廻れば七里
　浦は七浦
　七夷比須……

　小母さんも、もう快くなつて、小父さんの唄を、「しようがないひと」といつた笑聲で聞いてゐるだらう。美坊は、狹い船の上を、また落つこちさうになつて隱れん坊をしてゐるのぢやないかしら。さうだ、美坊に何か悦びさうなお土産を街で買つてくるんだつた。

　それから、第二丸新丸の人々や、その他の小父さん達も元氣にやつてゐるだらうか。みんな、かうして離れて思ふと、荒々しい言葉つきで、亂暴だけれど心の觸れ合ふやうな、親しさのある人々だつた。荷が多くて、忙しいだらうか。幹本の小父さんは、相變らずのお喋りで、みんなを煙に卷いてゐるのではあるまいか——。

　次々に、それらのことが想像されるのだ。

　フナは、肘を伸して身を起すと、こつ〳〵と、欄干を、輕く握つた掌で叩きながら歩をすゝめて行つた。——橋の袂の交番の屋根に被さつた木々が黃葉してゐた。行くときには、濃い綠に包まれ、燃える太陽に喘いでゐたのにと、季節の流れが、はじめてフナの肌に觸れるのだつた。

　足もとの影を見て、まだ、正午にはならないだらうと考へる。——十一時頃に、永代橋の上に來られるやうにして下さい。其處で待つてゐますから——と健三からの返事の文句をフナは想ひ出してゐた。時計を持たないフナには　正確な時刻を知ることが出來なかつたが、約束の十一時頃にはなつてゐると思はれた。

　橋の袂まで、ゆつくり步いて行つたフナは、くるりと踵を返して、再び橋の上へ步いて行つて立止つた。通りがゝりの人々の視線が煩らはしく感じられる程、冷靜をとり戾しはじめてゐた。暫く經つた。急に時間の流れが緩やかに思へる。

——やがて、交番の前を通つて、橋を上つてくる健三の姿を發見(みつ)けた。波のやうに蜒つた髮。澁い綠色(グリーン)のネクタイを、チヨツキがなくて風に躍らせ、これも澁い灰色の背廣を着た、若やいだ姿であつた。

　フナは、健三の姿をみつけた瞬間から、言ひ知れぬ胸のとどろきを如何することも出來なかつた。あゝ、何ケ月のあひだ、心に描きつゞけたこの健三の姿であつたらうか——。

　健三が、父の病氣で瀨戶內海の一小島に歸鄉してゐたのであるが、もう歸るといふ便りもあつたので、フナは、工場へ行くにしても一度健三に逢つて行きたかつたので、いろ〳〵

と日を伸すことに努力したのである。お腹が痛いと言つては假病をつかつて寢てもみたし、わざと、あへびを踏みはづし太股に怪我をして治療の日を重ねてもみた。だが、それらもそんなに長くは續かなかつた。――一日も早く歸る心算だと言つて來た健三であつたが、さうしたフナの努力にもかゝはらず逢へずに工場へ行かなければならなくなつたのである。

この河の上の生活に深い名殘りを置いて、重い足を引きづるやうにして、フナは、工場へ、幹本に連れられて行つたあの日を思ふと、いまも胸の痛くなるやうな思ひに閉ざされるのであつたが――。

二

……明るい健三の笑顔であつた。若さのもつ明るさもあるが、性格的な明るさが血の中に燃えてゐるのだ。フナは、その明るさに觸れつゝ、この二ケ月半の間、たへず心を占めてゐた不安――あの心殘りのまゝから續いた不安――が、すつ〱と消えてゆくやうであつた。

「工場へ行つちまつたんだね」

フナに向ひ合つて、欄干にそつと身體を凭せかけた健三が一沫の寂寥のある聲で、さう言つた。

「えゝ……」

フナは、微かに、點頭いた。それから何か言はうと思ひながら、何も言へないのを苛立たしく思ふ。手紙では一度、書き連ねたものゝ、たゞ、幹本の世話があつて、父が行けと言ふから行つたのではなかつたことを、お歸りになつたら、お逢ひしてから行きたかつたのだといふことを、いま、言つて了はなければ機會がなくなつて了ひさうでならなかつた。だが、かうして逢つてみると、それが、待ちに待つた機會であるのに、何故か、氣輕に言ひ出せないのだつた。

健三の、ポケットから煙草のケースを出して、銀色のそのケースから、白い齒のやうに並んだ煙草を、すつツと拔きとる手つきを、眺めながら靜かに過ぎてゆく時刻を、言ひだせぬ胸の中をもどかしく思ひつゝ送るのだつた。そして、電車が、激しい響をたてゝ通り過ぎる方へ、何氣なく裝つた視線を走らせたりする。

やがて、フナは、健三に言つた。だが、その聲は、幾分の顫へをおびながら、胸のうちにもどがしかつたその事とは、全く別なことであつた。

「……もう、お父さんは、快くなられましたの？」

「うん。有難う。いろいろ心配をかけたけれど、もう大丈夫なんだ。こちらへ戻つてからも暫くは、また惡くでもなつて何か言つて來るんぢやないかと案じてゐたんだが、此の間、

兄貴から、峠を越したから安心しろといふ便りがあつたから
もう大丈夫だと思ふんです」

「本當に、御心配でしたわね」

「一時は、どうなるかと思つて心配したよ。……中風つてやつなんだよ。半身が全々駄目になつちまふのさ。右手でお茶碗もつたつて、左手でお箸を持つことが出來ないんだよ。足だつて片方きかなくなつちまつてね。ずつと寢たつきりで、絶對安靜にしてなきやいけないのだよ。……兄夫婦が一緒だから、安心は、安心なんだけど」

「さう……」

と、フナの瞳は、びつくりしたやうに瞠いてゐた。

「しかし……」

健三は、其處で烏渡息を吸ふと、

「僕が行つてゐる間に、フナ公が居なくなつちまつて、工場へ行つちまつたんだと聞かされて驚いてしまつたよ。……矢ツ張り」

「…………」

「矢ツ張り幹本の奴の世話かい？」

「えゝ」

「さうだらうとは思つてたんだがね。……工場つてつらいんぢやない。フナ公のやうに、傳馬か、達磨の虫のやうな女の子に出來るやうな仕事かい？」

「そんなに、まだ、つらいと思つたことはないんだけど、すつかり樣子が違ふものだから……」

「幹本の世話ぢやないかと思つて、どうせ、いゝ處ぢやないんぢやないかと心配してたんだよ」

「でも、大きな工場なの」

「さうかい。それぢや安心していゝんだね」

「女工さんも澤山ゐるのよ」

「でも、幹本の奴のことだから、給料の前借か何か惡いことされたんぢやないかな」

「そんなこと、ないと思ふんだけど」

「兎に角、あいつは食へない、惡い奴なんだから用心しなけやいけないよ。……世の中の害になるほか、何にもならねえ奴なんだからな」

健三の頰がぴくりと痙攣して、言葉に籠る激しいものが、フナの耳朶に強く響くのだつた。

「フナ公のお父さんが、丸新の船を棄てゝ、何とかつていふ廻漕店の船に乘りかへたことだつて、幹本の惡智慧が這入つてゐるに違ひないんだ」

「なに？　お父さんが何かしたの？」

「なんだ。フナ公は知らないのかい。……もう、父さんは丸

新の船にゃ乗つちやゐないんだよ」

「さう、ちつとも知らなかつたわ」

「僕が、此處へ歸つて來て、フナ公が居なくなつてゐるのにも驚いたけれど、そのことだつて驚いたよ。……何か、いろいろと、深い事情もあるのだらうと思ふんだが、二十年も一緒に、仲間になつて仕事をし、盛り立てやうと共に努力して來た丸新の店を、此頃になつて、それも、親父がさういふことのないやうにと心配してゐる折も折、急に變つて了ふなんて、少しひどいと思ふんだよ」

「…………………」

「丸新の親父といふのは、あゝいふ、何て言ふか鳥渡親分肌のある人だし、何だ彼だと、小さいことをほじくるやうにして言ふ人ぢやないから、變りたいつて言へば、厭だと言ふ人ぢやないが、胸のうちぢや、どうだつたか、僕にはよく判るやうな氣がするんだ」

「…………………」

「丁度、飼犬に手を噛まれたといふ氣持よりもつと、くやしい氣持ではなかつたらうかと思ふんだ。……と、フナ公に言つて、くどいてみても仕方のないことなんだけど。僕は、親父の氣持の廣さにや、全く感心してしまつたよ」

「…………………」

「しかし、それも、決して、父さんだけが悪いんぢやないと思ふんだ。フナ公の父さんは、毛虫のやうに嫌つてゐる人もあるが、からいふことを獨斷でやれる人ぢやないし、あきらかに、幹本の奴が煽動し、うしろで手をひいてゐるに違ひないと思ふんだ……」

三

健三のやゝ興奮した激しい口調に乘つた言葉のひとつひとつが、フナの胸を緊めつけるのであつた。父のことは最初(はじ)めて聞くので、それに對しての何の用意も出來てゐなかつたばかりか、何かしら譯の判らないやうな話にどう考へていゝのか判らなかつた。鷹の前の小雀のやうにフナはおどおどしながら、健三の言葉を噛みしめるやうに、凝ッと聞き入るのであつた。

深い事情や、父の態度のことはよく判らないが、父が、丸新の船から離れたといふ、そのことが、健三と自分との、溫かい情愛に連がる鎖にひとつの切れ目が入るのではないかといふ氣がしてくる。――それは、丁度、工場への出發前に逢ふことが出來なくて胸に抱いた不安や、言ひ知れぬ寂寥の思ひが、いま、再び、別のかたちで焰をあげはじめたやうであつた。――運命は悪魔は、知らないあひだに、身近かな思ひ

がけぬところで亂舞する。フナの人生の初春の夢は、だが、丁度、停まることを知らぬ河の水の流れのやうに、現實の歩みの上を流れてゆくのであつた。

　遙かに期待して待つた、この日の愉しかるべき語らひの時は、全く一瞬のうちに過ぎ去つて了つたかのやうである。鎖の切れ目は、次第に大きくなり、夜の帳（とばり）のやうにフナの胸に擴がつてゆくのである。

　父のことを、更に批判する言葉を續けた健三は、言つて了ふと、ぽんと煙草の吸殼を河に投げ棄て、欄干から身を起した。それから彼は、急に明るい笑顔になつて、フナの顏を覗き込むやうにして、

「だが……フナ自身は何も心配することはないんだよ。誰だつてフナ公の純情は知つてゐるんだから、ね。何も父さんがそんなことをしたからつて、フナ公まで變に思はれることはないんだ」

　さう言ふ健三の言葉が、聲が、やつと、フナの氣持をやはらげるのであつた。

「僕だつて、今迄通りフナ公とは親しくしたいんだよ。判るね」

「えゝ」

　と、フナは、微かな笑を浮べて點頭く。健三の氣持が有難かつた。

「フナ公に言つてみたつて仕方のないことだと思つたんだけれど、つい、言つちまつたが、なァに、本當に氣にしなくつていゝんだよ」

「でも、如何して……急に……父さんが、そんな風に船を變つたり何んかしたのかしら」

「幹本に屹度、煽動されたのに違ひないんだよ。フナ公にはよく判らないだらうけれど統合の話やなんか、その裏には、いろいろな問題があるのさ」

「だつて、父さん一人のことに、そんなに、何かあるの？……父さんのことだから、お金のことがあるんぢやない？」

　フナは、父が幾日かを、假病をつかつて仕事を休んだり、滅多に着たことのない半纏を着て行つて醉つぱらつて夜遲く歸つて來たりしたことのあつたのを思ひ出してゐた。——あの時、何かあるんぢやないかしらと思はないではなかつたけれど。——金、金、金と金を貯めることだけに夢中になつてゐる父がうらめしかつた。いや、その手段が堪まらない氣がするのであつた。（父さんたら、如何（どう）して、あゝなのかしら）と、フナは心の中で呟いた。

「……さあ、もういゝんだ。元氣をお出しよ。折角、たまのお休みを愉しみにして來たフナ公なんだらう。もう、お晝も

近いしさ、何か御馳走しやうか」

「あら、そんなにして戴いちや惡いわ。もうお仕事の方の……」

「いゝんだよ。さア、行かう」

さう言ふと、もう歩きはじめてゐる健三の廣い肩に曳かれるやうにしてフナがつゞいた。橋を渡りきると、眞つ直ぐ茅場町の方に向つて電車道に添ふ鋪道を歩いて行つた。

秋の陽は、なんといふ美しさで輝いてゐることだらう。鋪道は白くつゞいてゐる。――二ケ月半前には、この同じ道を同じように並んで幹本と歩いた。あの燃えるやうな陽ざしと灼きつくやうな胸の痛みを思ふと、今日の冴えた陽ざしは、軟らかく愉しい。フナは、父のことから遁れるやうに、そのことを思ひつゞけるのだつた。

四

……勞働は、奉仕の精神によつて、はじめて美しい汗となるものである。その美しい汗の流れるところに勞働の歡喜が湧くのだ。

しかし、祐作にとつては、奉仕は（無駄）の同義語であつた。彼は（無駄）を何よりも怖れた。（無駄）からは、何も得られないからである。彼は、何事も（得る）ためになければならなかつた。そして、一日の凡てが、（得る）ために充實してゐなくては氣が濟まないのだつた。

と、言つて、彼の働きに汗がなかつたであらうか。全く反對であつた。丸新の船から、東洋廻漕店の船に移つても、彼は、新しい主人のもとに、汗みどろになり、他人の二倍か三倍の働きをしてゐた。

荷を揚げ降しするには、別に人夫が居て、船頭は、荷の量を間違ひのないやうに確めてゐればいゝのであるが、祐作はすゝんで、それらの人夫に混つて、骨つぽい肩に荷を擔ぎ、一個でも早く、多く敏速に仕事を運ぶために汗みどろになつて働くのであつた。

あへびを踏む足もとをよろめかしつゝも、重い荷を擔いでは、船と倉庫の間を、幾度も往復する。さうした勞働の一日を過した彼は、夜になると、丸新のかつての仲間のもとに、執拗なる借金の催促に船々を巡り、新しい仲間の船へも顔を出しては、その方の商賣の擴張につとめるのであつた。それが濟んで、自分の船に戻つて來ると、船底の薄べりの上の薄い蒲團にくるまつて眠る。が、暫くすると、妻の寢息をうかゞふやうにして、起き上り、こそ〳〵と蒲團の上で、指を折つて利殖の計畫をすゝめるのであつた。一錢一厘の間違ひのないやう、綿密に幾度も、幾度も計算し、確な、滿足な數字

を出すと、新な計畫と、その方法を實際的な判斷で定め、練る。ランプの蒼白い光りの中に、彼の滿足な笑顏が浮かぶのは、更にそれから數十分を要すのが習慣であつた。そして、今度は、死んだやうにぐつすりと眠るのだ——。

もし、彼の働きのうちに(奉仕)があるとすれば、老人にもかゝはらず、ひと一倍働くぞと言つた意識的な、押しつけがましい働きであつたし、それは、やがて若干の增收となつて返つて來ることを見越しての働きであつた。

……フナが休みを貰つて歸つて來た日。例によつて以前の仲間の船を巡つて來た祐作は、交涉が不首尾だつたか、むつゝりした不機嫌な顏をして戾つて來た。そんなときの彼は、眼が鋭く光り血走つてゐて、薄い眉毛をひくひくと痙攣させるのであつた。

陽に灼けて黑い顏を、すとんと肩の眞中にのせたやうな恰好で、彼は炊事ロの處までやつて來ると、其處に、キチンと揃つて置いてある朱塗りの、花模樣のある女下駄のあるのを見て、不審さうに首を傾げた。が、やがて、はツと氣がついたやうに大きく點頭くと、今までの曇つた顏に、僅かな明るさをとり戾して、

「おい。フナが、歸つて來たのか」

と、船底に向つて怒鳴つた。

「あらツ、父さん」

ランプの光りに照らされたフナの顏が、輝いて仰向いてゐた。

出て行く時に持つて行つた見馴れた着物を着てゐたが、若い娘のもつ明るさに船底の部屋は、何時にないほのかなものを漾はせてゐた。

祐作は、ゆつくりと降りてゆき、向ひ合つた母娘の間に座を占めた。暫く見なかつた娘の姿を、半ば探るやうな彼の視線が匍つた。何時の間につけることを覺えたか、フナの口紅(ルージュ)をつけた唇の紅さが、彼の視線を捕へるのであつた。

「如何だい。工場の方は？」

「えゝ、……とても忙しいのよ」

「忙しい。うん……さうか」

祐作は、大きく頷いてから、

「忙しいのはいゝ。忙しいといふことはいゝことだよ。忙しけれや、それだけ餘計に仕事をしてゐることになるんぢやからなア」

さう言つてカラカラと笑ふ父の笑聲は、滅多にない機嫌の良いときの響があつたが、何處か腹の底から笑つてゐる笑ひではないのをフナは感じるのであつた。

「軍需工場は大した景氣だつてなア。今日も源の野郎から聞

かされて、俺ももう十年や十五年若けれや、轉向でもして、みつちり稼いでやるんだがな」

その言葉が、父の働きの信條であるのぢやないかと、今度の父の(轉向)に結びつけて考へられた。

「景氣つていふより、眞劍にみんなが仕事をもつて戰つてゐるつてことを感じますわ」

「眞劍に働かうといふのも、結局、いゝ儲けになるからさ。まア、忙しいことはいゝさ。忙しけれや何時かは返つてくるからな」

「船が變つちまつたので驚いたわ」

「お前にや、まだ、知らしてなかつたかな。……鳥渡、事情があつて變つたのさ。なアに、俺もさう先の永い歳ぢやねえんだから、今のうち稼げるだけ稼ぎたいと思つたまでさ」

「…………」

「誰かゞ何つて言つたつて氣にするこたアねえよ。……ところで、お前は、行つてから二ケ月と少しになるんぢやないかな。二ケ月と言やア六十數日あるんだから、だいぶ稼いだらうなア。父さんはそれを思つて、お前の歸つてくるのを愉みにしてたんだ。」

それから期待に胸顫はせるときにするやうに眼はしばたき早口で後の言葉をついだ。

「何か毎月定つて差引かれるやうなものでもあるのかい?」

フナは、帶の間に手を入れながら答へた。

「部屋代や食費としてではいらないんだけれど、相互會つて言つて、寄宿舍に居る人達だけの會で、その會費や、積立金や保險やなんかとられるの」

「うん、成る程。……しかし、出費にには充分注意せんといかんな。働いて稼いだ金には羽根がついとる。すぐ飛んで行つて了ふものだ。が、飛ばして了つたらいかんのだ」

フナの差出した小さな財布を、丁度彫刻家が創りあげた作品を、しみじみと愛撫をして愉しむやうに、掌の中で、暫く弄び、そのふくらみを愉しんでゐるかのやうであつたが、コツンと音をたてゝ口金をはづすと、逆さにして振つた。

フナの二ケ月半の勞苦が其處に飛び散つた。薄べりの上の小錢の花に祐作の兩手が掴みかゝつてゐた。くるりとまるまつた紙幣は、彼のごつい指先によつて擴げられた。そして、一枚づゝ、子供が千代紙遊びに興じる、ある恍惚の境地が、彼の指先に感しられたと思つたが、次の瞬間、ぢろりと探るやうな眼がフナの方に向いてゐた。

「小遣に、幾らか別に持つてゐるんだらう」

「うゝん……」

「そんな譯はねえ。……日給一圓五十錢、その他に夜勤の手

當があれや、こんな筈はねえよ」

「はじめつから、そんなには貰へやしないわ」

「いや、幹本からちやんと聞いてるんだぜ。胡魔化さうたつて駄目だ」

「あら、胡魔化すなんて……」

「フナツ、父さんに隱したつて駄目だぞ。お前に胡魔化される程、まだ耄碌はしちやゐねえからな。……なアに、そんなこたア、調べりやすぐ判るんだ。その眞紅にした唇は、なんだ。つまらねえもんに使つちまつたんぢやねえのか。……さあ、すつかり言ふんだ」

「父さん」

と、激しく挑みかゝる父の言葉を遮つたのは、顫へた母の聲だつた。彼女は、今迄堪へてゐたものが、もう、溢れ出したといふやうに、その聲はキーんと強く響いた。

「フナは、そんな、そんな嘘の言へる娘ではありませんわ。はじめて、……生れて、はじめて、自分で稼いだお金を、そんな、そんなことを、する筈が、ありませんわ。……この、この、お金だつて、フナの、一日、一日の勞苦があるんだと思ふと……」

母の言葉は、涙にとぎれた。

「だが、餘り少な過ぎるんだ。幹本の話と違ひ過ぎる。幾ら差引かれるものがあつたとしても。……お菊さんはな……」

「フナに、お菊さんの眞似をさせるために、あんたは、あんたは工場へ、やつたの、ですか。……フナは、フナは違ひますわ。違ひますわ……」

今日の母の激しい強さ、が、フナの胸にじーんと泌みるのであつた。

五

……源四郎は、飄然として、此の水上の部落に歸つて來た男である。

かつて、影のやうにすうッと此の部落から姿を消してしまつた彼は、今度は、また、すうッと影のやうに姿を現してゐた。

彼は、背位が低く、身體の何處も風船のやうな肉づきをしてゐた。何處か腑脱けたつくりの顔が、太く短い首に支へられ、その圓い肩の上にのつかつてゐた。眉毛は薄く、左の眉毛の上から額へかけて、一寸近くの傷の跡が、皮がひきつゝたやうになつて、眼や鼻や唇の腑脱けた道具に、一種の凄みを加へてゐた。その傷がある爲、(傷の源さん)といふ呼び名があつた。小柄だけに敏捷な動作をもつてゐたが、仕事に關しては、それは當て嵌らなかつた。祐作とは、その點では、

よき對照をなしてゐた。――何時から船頭生活に這入つたか誰も知る者はなかつた。だが、轉々として各所を渡り歩いてきた者だといふことゝ、故鄕が、日本海に面した漁村であることは、彼の話のふし〴〵から察することが出來るくらゐであつた。金があれば、飲む、打つ、買ふのいづれかを味つてゐなければ氣の濟まぬ彼であつた。(計畫を樹てる)といふことを、假令、彼の僅かな理性が許したとしても、彼の氣持はそれを實行させはしなかつた。――部落から影のやうに消えて行つたことも、一ツの理由があつた。それは　お菊が、まだ工場へ行つてゐなくて、松榮丸に乘つて、覺えたばかりのお白粉のつけ方を、盛に練習してゐる頃であつた。親達の眼を盜んで、ほんのりと染めたお菊の色づきはじめた身體へ近づいて行つた源四郎は、むら〳〵と湧き起つた氣持を自制することが出來なかつた。ふツとランプの灯を消した。月のない晩で、眞つ暗だつた。さツと飛び散つたお白粉の甘酢つぱい香が、かねて、秘かに抱いてゐた想ひを刺激した。夢中だつた。お菊の反抗も、馬鹿力のある源四郎にかなふ筈はなかつた。――彼は、お菊の純潔を奪つて了ふと、暗夜を、よろめきながら逃げ出さうとし、あやまつて、死のやうに沈んだ河に落ちた。その水音に驚いた、邊の船から、ランプの灯が飛び出してゐた。河に落ちたまゝ、それつきり彼はこの部落から姿を消してゐたのだ。

それから、何處をどうほつゝき歩いてゐたのであらうか。過去を語らうとしない彼は、聞いたところで、腑脫けた顏にへへへといつた笑を浮べるに過ぎないであらう。

或る日の夕闇の迫るころ。河つぷちの柳の木の下で、小さな風呂敷包みを大事さうに抱えた源四郞の姿を、船の上からふと祐作はみつけた。祐作は何といふことなく呼びかけた。細い雨がびしよ〳〵降つてゐて、邊はベールをかけたやうにけむつてゐた。ぐつたりと雨に打たれた柳の木の下で、源四郞は幽靈のやうに不氣味な恰好で、ぐつしよりと濡れて立つてゐた。

馬鹿だけに單純な源四郞の性格を知つてゐる祐作の腦裡に突嗟に何か閃めくものがあつたのかも知れない。濡れ鼠のやうになつた源四郞を、船に呼び入れた。

「俺のことを、誰か、何か言つてやしねえだらうか?」

源四郞の不安は、それだつた。强いて、こんな雨の日を選んだのではないにしても、大きな顏をしては歸つて來られない不安があつたのだ。柳の木の下から見た河の上の船の姿に變らぬものを感じたやうに、かうして、久しく見なかつた祐作の顏にも、また、變らぬものをみるのではあつた。さうして、もやいだ幾つかの船の何處かに、お菊さんが變りなく、

あの眞紅にした唇をして、呪ふやうな瞳をこちらへ向けてゐるやうな氣がするのである。

「若えもんが、そんな、昔のことで、何時までもくよ〳〵する奴があるけえ。人の噂は七十五日。もう、お前のことなんか、話しもしねえよ」

「さうけえ。本當けえ。——俺ア、つく〴〵思つたんだ。俺ア矢ッ張り船の虫だとな。陸でやつてみたが、いつから面白えことはなくつてな」

「船頭は、船頭さ。船頭にや船頭の稼ぎかたがあるつてことは判りきつたことさ」

「俺は、もう一度船に戻らア。……丸新の親方に話してみて呉んねえか」

「實は、丸新の船から離れちまつたんだ。なアに、一人でも多く人手の欲しいところだ。俺がいゝところに世話してやらアな」

かうして、源四郎は、祐作の世話で、船に乘ることになつた。と、同時にかうしたきつかけは、源四郎を、丁度、古木に喰ひ入る虫のやうに、祐作の生活の中に、喰ひ入らせるのだつた。

（傷の源さん）が、再び船に歸つてきたことは、忽ち、そこら中の部落の話題にならないでは置かなかつた。噂といふものは、幾つかの人間の空想の飛び廻る廣場であるものだ。其處には、むき出しにした遠慮のない感情が、別の形をもつて泳ぎ廻るのだ。（傷の源さん）と祐作との取り合せは、奇妙な取り合せである。それだけ餘計に、空想の溫床とならない筈はなかつた。——みんなから向けられる憎惡に似た視線を、源四郎の出現によつて、視線を源四郎に轉化させようとした祐作の秘かな計畫は、見事、失敗に終つた。そして、突嗟の思ひつきといふやつが、如何に危險なものかを、彼はしみじみと味つた。

祐作は、一日一日と源四郎の遠慮のない出入りに警戒の度を强めて行つた。が、薄馬鹿の彼には、一向感じなかつた。此處でも祐作は、薄馬鹿である彼を利用しようとし、そのために餘計、惡い結果を招かねばならなかつた。

フナが、歸つて來た日の夜。

祐作がフナの稼いだ給金を、薄べりに擴げて、妻の、涙のある言葉を聞き流すやうにして、如何に出費に就いて注意しなければならないか。何の爲に働くのか。多く得ようとすることゝ同時に、出費は最少減度のぎり〳〵の處まできりつめねば、幾ら得たつて、何にもなるものではない。口紅を塗るのなら、塗つてもいゝが、その目的がなければならない。と

いつたことをくど／＼と、例の低い方の聲でくどきはじめてゐるところへ、足音もなく、源四郎が立現れてゐた。

「やア、居るね。フナさん」

最初に、叫ぶやうに言つた源四郎の聲は、誰よりも、祐作を驚かした。彼のごつ／＼した手が、擴げた小錢の上に、がばツと蔽ひ被さつてゐた。

「俺は、其處んとこで、フナ公が歸つて來たと聞いて飛んで來たんだ。……源だよ。俺はまた舞ひ戻つて來てるんさ」

「源さん」

と、祐作は、振り返りもしないで言つた。

「ちつと、こみ入つた話をしてゐるんでなア。遠慮して貰ひてえんだが」

「さうかい。殘念だな。フナ公は、すつかり大人になつちまつたぢやねえか。何時歸るんだ」

「今夜――」

さう答へて、フナは、はツとした。十時までには歸つて來るやうに――と寄宿舍の寮長が、さう言つてゐたのを思ひだしたのである。（いま、何時かしら？）

搖れるランプの蒼白い灯の向ふの、ほのかな闇に沈んでゐる時計の針に、凝ツと瞳をこらした。その、可憐な横顏に、源四郎の眼が吸ひついたやうに動かなかつた。――（未完）

◇會友作品評◇

或る妻の死（大草倭雄氏）

村　正治

テーマとしてはいゝものを摑んでゐる。結核で人工流産を勸められた應召軍人の妻が自らの生命を滅して子を生む、國のために敢然と生む。そして、それが自分の生命をも永遠に生かすことになるのだといふ覺悟に到達して、お國の役に立つ男を、健かな男の兒をと、節生に胎敎に念じてゐた通りの男兒を分娩して、併も自分は死んで行く。といふ經過が、心理的にも敍事的にも無理なく描かれてゐる。

然し、それだけのストリーなのでプロットが單純で、初めの三分の一を讀んだだけで結末が判つて終ふ。それに、全篇を、作品の中心人物たる妻の義妹がその兄＝即ち歸還した夫に話す說話體にしたので、尙更ら單調なものになつてしまつたのが惜しまれる。

ストリーが單純なのをカバーするために、斯ういふ說話體を採つたのかとも思れるが却つて逆効果になつてゐる。複雜味を狙ふのなら、義妹とその兄である戰地の夫との書簡の往復體にでもして、經過を語つて行き夫の感情をも盛り込んだら、幅も擴げられ奧行のある作品になつたらうとおもふ。さういふ觀點から、このテーマを摑んで、もう一度書き直されると、發表價値のある作品になるだらうとおもふ。その際、注意を望ましいのは字が評者など愧づかしい程に綺麗なのだが、誤字や不用意な文章の瑕のあることを、自分でよく推敲されたいといふことだ。例之、獨で、正氣ずかれた唯かに、唯も、信んじて、寢んでゐた等「又草木の芽立つ頃には持病の再發する時だといふものねえ」「二十臺の時に初産を終つてゐないと、三十歲を過ぎての初產は」等の文章に、ひつかゝる不熟なところのあるのをよく檢討されたい。

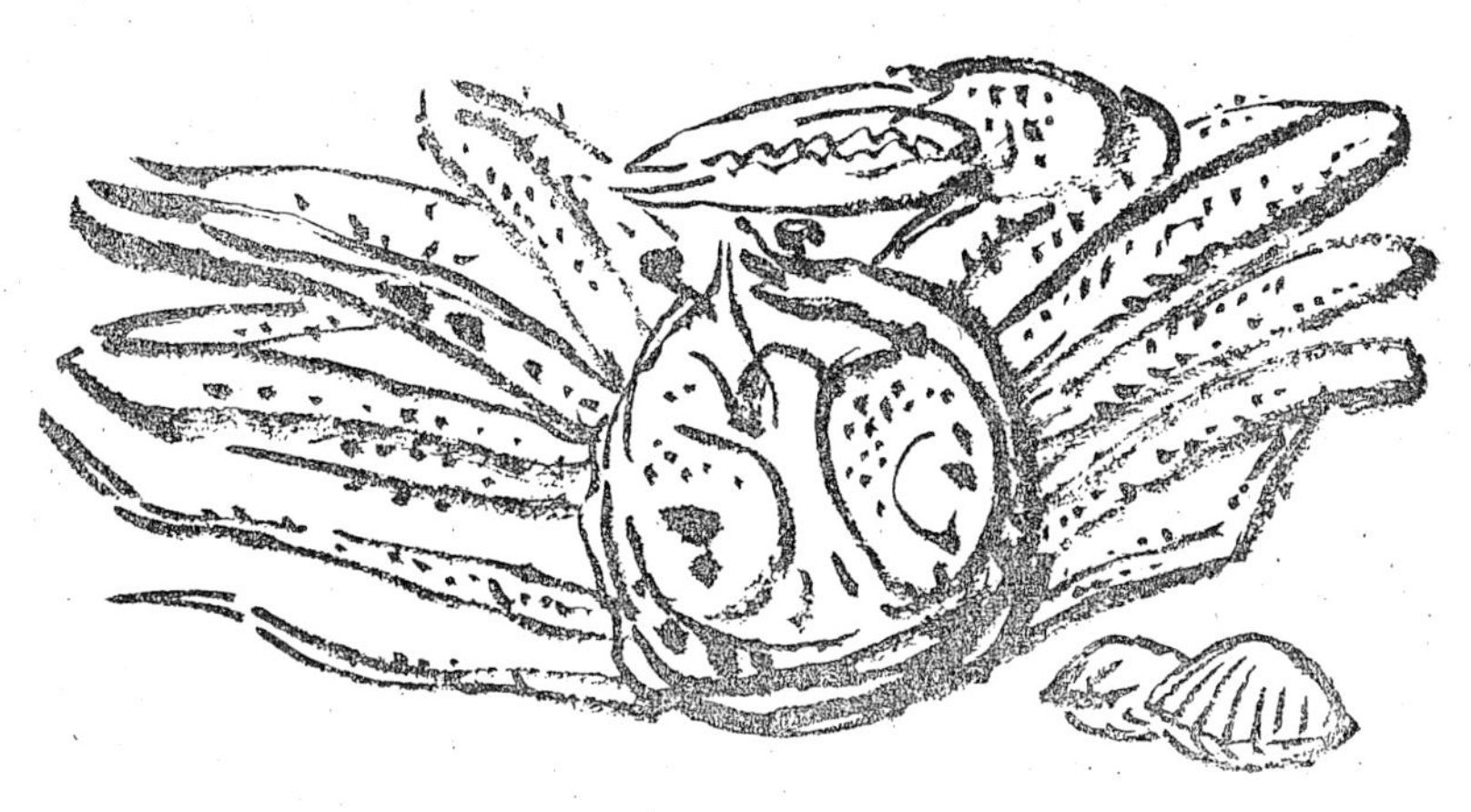

守宮（やもり）

鯱城一郎

一

『サルカニ合戰とウラシマ太郎と二樣にやつてみたんですが、如何なものでせう』

と挿畫家の成田久吉は、持參した繪を風呂敷の中からとり出して、主人の前に擴げて見せた。

『サルカニも、ウラシマも受けるには受けるんですがな、唯、繪が確りしてゐることと、取り扱ひ次第ですな』

と、社主の井村勘三郎は小頸を傾けながら、繪を疊の上にづらりと並べて、一枚一枚勿體をつけながら見て行つた。

成田久吉は畫家らしく、ぞろりとした和服姿をしてゐるが、角刈の頭が一寸呉服屋の番頭さんと云つた恰好に見えるし、年はもう四十を越してゐるだらう。或ひは彼の名を古い雜誌でちよいちよい見た人もあるくらひ、彼は古くからの挿畫

家であつた。しかし彼は昔から決して人氣の焦點になるやうな人氣畫家ではなかつた。唯、如何にも手堅く地味に、今日まで挿畫を描いて來たのである。

本來なら洋畫を本格的に研究すべきだつたが、洋畫では金にならなかつたので仕方なく挿畫家になつたのだつた。挿畫家の生活は約十年續いた。その挿畫も知らず知らずにやつて來てゐるうち、彼は如何にも古い存在になつてしまつたことを意識した。それは一時ちやほやして依頼に來た雜誌や出版關係の人達が、近頃ではとんと寄りつかなくなつたことでも分る。俺だつて昔はなあ、と時に感慨を洩らすことはあつても、健忘性なさうした人達は、既にその事には何等の責任を感じてゐない。そこで、現在では專ら繪本屋に出入りすることにしたのだつた。この繪本屋だつて、昔から知つてはゐたのだが、昔はこんな繪本屋の人物など相手にしなくても充分食つて行けた。ところが現在では、こちらから頭を下げて、原稿を持ち込まなくては、相手にしてくれなくなつたのである。これは、あながち久吉の無力な故ばかりではない。時勢が既に、彼の如き畫家を要求しなくなつた爲でもある。

『ほほう、もう少し筆に新らし味があるとなあ……、この頃の子供はこんな畫を好きませんよ』

井村はサルカニ合戰の繪だけを見終ると、胡坐をかいてゐた膝つ小僧をぴしやりと叩きながら、微笑して久吉の顏を見た。出版社の社主ともあらう人だから、きちんと洋服でも着込んで、洋風の應接間か何かに客を通すのかと思つたら、もつとも夏のことではあつたが、久吉の通されたのは、そこらに用紙だの、繪本だのの小汚なく積み重なつた埃だらけの燒けた疊の眞中だつた。そこへ勘三郎が裸體で、腹卷に褌と云ふ恰好で胡坐をかいて坐つたにはさすがの久吉も驚いた。勘三郎はいが栗頭に日に燒けた顏で、眼を細めて久吉の顏を眺めたがその顏は明らかに久吉を輕蔑してゐた。

『一層どうです。新ウラシマ、新サルカニと新らしいところで行つては……』

久吉の顏には、途端に失望の色が現れた。彼も、こゝまで描き上げるには相當苦勞したのである。

『さうですな。しかし……』

何とか抗辯しようと思つたが、此頃では自分でも變に自信を失つて、これと云ふ名案も浮ばなかつた。

『このオサルサンの顏ですな、これはもつと單純化した筆で描いて欲しかつたですな、子供に親しみ易くね。それにこのオサルサンに着物を着せたのはまづかつたですよ。どうもこれぢやあオサルサンの本當の姿と云ふものが、子供にははつきり分らんですからね』

『しかし、昔からサルには皆着物を着せたもんですよ。』

『それがね、現在は繪本でも昔の缺點を補つて、もつと指導性を持たせなくてはね……』

こゝ迄來ると、久吉は妙に腹立たしくなつて來た。勘三郎は今でこそ、繪本屋で金も相當儲けてゐるかも知れないが、昔のことを考へりや、印刷小僧から紙屋になつたに過ぎないぢやないか、その印刷職工上りの彼が、生意氣にも文化人面をしやうとは……、折角原稿を書いてくれれば、何とか彼とか難癖をつけて返さうとするのが彼の癖であつた。久吉は自分の腕と云ふことは棚にに上げて、先づ勘三郎に對して妙に腹立たしくなつて來たのだつた。と云ふのが、このどちらかを買つてくれゝば、差し當り二三百の金にはなる筈である。

勘三郎は久吉のむつとした顔を見てとると、今度は如何にも御機嫌をとるやうに、

『ね、成田さん、動物畫家のあんたにも似合はないことですぜ、私の方もこの繪は別にあんたに注文したものでもないし、まあ、勝手なことを云はせて貰つたが、はは……』

勘三郎は強ひて笑つて、

『この前のこともあるから、まあ、無駄な勞力賃として少いですが……』

と云ひ、腹卷の中から財布を出して、十圓札を二枚ぽんと疊の上に投げ出してくれた。

『塗り繪もこれでなかなか難しいもんだからね……』

勘三郎はさう云つて、天井を眺めながら、煙草の煙を輪に吹いた。久吉はこの金を貰つていいものだらうか、と一應考へないわけでもなかつたが、商賣だ、貰づておかうと、默つて懷の中にねぢ込んだ。

ともかく、いい年をした大人同志がサルカニ合戰だの、ウラシマ太郎だの、眞正面になつて論じ合はなければならぬと云ふことは、何だか滑稽でもあるし、淋しくもあつた。この他モモタラウだの、ハナサカジジイだの、久吉はもつと勉强しなければならない立場にあつた。

『ぢやあまた……』

久吉はぷいと立ち上つた。外へ出ると、丁度夕方で、涼しさうな風が、神田の街路を吹き過ぎてゐた。生ビールでも呑んで、この憂鬱を吹き飛ばさう。久吉はさう考へて、ふと人の一杯たかつてゐるビヤホールの行列の中に加はつて行つた。

二

『お父ちやん、面白い動物が居るよ、來てごらん……』

その翌日だつた。長男の國民學校二年生の邦夫がさう云つ

て飛んで來た。昨晩つひビールを呑んでしまつたので、立ち上るのも何だかけだるかつたが、久吉は邦夫について行つて見た。

『どれ、どれ、何が居るんだい』

ひよいと見ると、臺所の網でつくつた蠅捕り器の中に一尾の守宮（やもり）が入つてゐるのだつた。

『あ、こりやあ、守宮と云ふ動物だよ、しかし、どうしてこんなところに入つたんだらうなあ……』

さう云へば久吉も不思議だつた。その蠅捕器と云ふのは、兩面が網で平べつたく出來てゐて、その內側に面したところに硝子製の漏斗のやうな形をしたものが三つついてゐる。外が漏斗のやうに開いてゐて、それが管になつて網の中へ入るやうに仕掛けてある。それが臺所の窓にはめ込まれてゐるので、臺所の食物の匂ひや、夜の電燈の光を慕つて來た蠅や虫が、外へ出る拍子にその開いてゐる漏斗から自然網の中へ入り、這入り込むと出られなくなると云ふ、虫の習性を利用した蠅取り器だつた。その中には既に蠅や虫が、面白い程澤山入つて、這つたり飛び廻つたりしてゐる。それはいいが、同じその中に三寸程もある守宮が入り込んで、網に張りついてゐるのである。

『ははあ……、虫を捕りに入つたんだね。守宮はかうして小さな虫を食つて生きてる動物なんだよ。南の方の暖かい國には澤山ゐる動物さ、しかし、こんな大きな圖體して、よくこの中へ入つたもんだね』

久吉もつひ邦夫につり込まれて不思議さうに、守宮の樣子を見守るのだつた。

守宮（やもり）は網の一隅に張りついた儘、じいつとして動かない。時々硝子玉のやうな眼が、くるりくるりと廻轉する。澤山の蠅や虫達は、その守宮の身邊を、わやわやと、飛び廻つてゐる。そして、守宮の頭の近くを飛んで、その前に敵が控へてゐるのさへ知らない樣子であつた。とかげに似た守宮の身體は、終止緊張に張り切つてゐて、いささかの油斷を見せてはゐない。唯、この網に入つたことが、守宮にとつて、今後どんな運命に定められてゐるかを知らないのは、動物の悲しさとも云ふべきものであらう。しかし、守宮の全身は一種の闘志と云つたもので漲つてゐる。

その時守宮の咽喉がひくひく動いて、ぱくり、守宮が口を開けたと思つたら、途端に一匹の虫は、守宮の腹の中に納つてしまつた。

『あつ、食べたね、お父さん』

邦夫は驚きの叫びを上げた。

『蠅が飛行機だとすると、守宮は何だらう。高射砲かな』

『いやタンクだよ。あゝして網の中を走り廻つて敵兵をつぶしたりやつつけたりするんだもの……』

『さうだね、成程タンクだよ。守宮が日本軍のタンクで、蠅が英米の兵隊だな。しかし、かうなると、守宮もこの網の中から出られないんだから、本當に食ふか食はれるかだね』

『さうか、でもお父さん守宮も可哀さうだね。』

『うむ、こりやどつちが勝つかなあ』

久吉も邦夫にさう云つてから、この闘爭に興味を覺えるのだつた。邦夫は今虫や動物に一番興味を持つてゐる時代で、朝から晩まで、蟬や蜻蛉捕りに走り廻つたり、池のめだかを捕つて來たり、龜を摑へて來たりしてゐる。その邦夫が、この守宮と云ふ動物に興味を持つのは當然である。だが、これを見た久吉は、最近の自分の生活に何かを敎へられた氣がした。

この網の中へ入つた守宮は、自然に一種の背水の陣を布いてゐることになる。蟲を食つて生きてゐるうちは良い。だがこれから段々に涼しくなつたら、守宮はどうするのだらう。さう考へると久吉は背中に肌寒いものを感じずにはゐられなかつた。現在の自分の生活がさうだ。子供の玩具のヌリヱを描いてどうやら暮してゐるやうなものの、自分の腕では、これが何時まで續くか分らない。ヌリヱは自分の生活にとつて一種の蠅である。あまり良い飯の種ではないが、とかく安易に金になり易いものだからかうしてやつては來たが、しかし、最近ではその蠅ですら、容易に飯の種にはならない自分ではないか。

いつか時代の流れに押し流されながら、まだ立ちなほらうともせずに、流れの儘に、とかく安易な生活に馴れやうとする。こんな生活であつていいのだらうか。今自分の立場は切るか切られるか、食ふか食はれるかの戰ひではないか。闘ふ守宮、久吉はそれを見た時、こんな風に感じた。

『面白いな』

邦夫はそんな久吉の心配などは知らないらしく頻りにその守宮を見守つてゐるのだつた。

三

久吉は仕事机の上にケント紙を擴げて、又ヌリヱのカチカチ山を描きはじめた。

タヌキの顔を丹念に描いてゐると、ふとアヲゾラ社の主人の勘三郎の顔が眼に浮んで來る。あの親爺と來たら、職人肌の一本氣で、かうと云ひ出したら、自分の主張を一歩も抂げやうとしない。その癖自分では繪本のことなど分つてゐやしないのだ。自分の不見識を笑はれやしないかと云ふ一種のひ

がみがあつて、あんなことを云ひ出すのだ、と久吉は考へながら、段々鉛筆で形をとつてゆくと、どうやらあの主人の顔がタヌキに似てゐるなと思ふ。これはあの親爺がタヌキで、この俺がウサギと云ふところかな、と考へてゐると、久吉は段々吹き出しさうになつて來るのだつた。

先刻から描いては消し、描いては消ししてみるが、どうもあの親爺の單純化と云ふ生意氣さうな言葉が氣になつて、うまく筆が運ばない。途中でいやになつて、今時高いケント紙を、惜しも氣なくびりびりと割いて、紙屑籠の中へ投り込んでしまつた。外では子供の騷いでゐる聲がわやわやと聞える。今日は何日かな、あゝ、もう二十六日だ。月末が迫つて來たぞ、さう思ふと、又氣をとりなほして、新らしい紙を机上に擴げるのだつた。

『駄目だ、何枚描いたつて同じことだ。あの親父から一揖されゝば、それつきりではないか』

さう思ふと、又莫迦莫迦しくなつて、久吉はじろりと仰向けになつた。

『成田さん、電燈會社ですが、二圓三十錢ですよ』

その時、階下で電燈會社の集金人がやけに大きな聲を出して云ふのが聞えた。あれはわざと近所隣りに聞えるやうにあんな大きな聲を出して、嫌應を云はせず、金をとつて行くのだ。細君の云つてる聲はぼそぼそとして聞えない。

『さうですか、無いんですか、ぢやあ、明日又來ますよ』

次の聲はもつと大きくなつた。その聲を聞いた途端に、久吉は腹立ちまぎれに、すつくと起き上つた。

『かうなりや守宮だ。あの戰術で行くんだ。背水の陣だ』

さう心の中で叫んだ。そして、ひよいと部屋にかゝつてゐる昔描いた洋畫の額に眼をとめると、じつと立つてそれを凝視した。

『俺にも昔はこんな繪が描けたのだな』

久吉は懷しさうにそれに見入つた。それは、インコと題する繪だつた。籠に入つてゐるインコを一人の女性が見上げてゐる。美くしいインコと女性の感じが、うまくマッチして渾然とした春の部屋の感じだつた。その女性のモデルになつたのは　今の細君の久美子である。これと一對をなしてゐる同じ畫題の繪が××展覽會に出品されて、はじめて自分の名が畫壇の一隅に出たのだつた。あの頃はまだ細君は若くて、この繪が動機になつて結婚したやうなものだつた。その若々しい細君の顔は、今では世帶苦勞にやつれ果てゝゐるではないか。誰があんな顔にしたのだ。さう思ふと、久吉はこゝ何年來の自分と云ふものがつくづく相すまないやうに思へた。

『よし、やるぞ……』

不思議な活力がむらむらと湧いて來た。

『成田久吉を莫迦にするな』

さう叫んで、押入れをあけると、古いカンバスをとり出して、繪の具をナイフでけづりはじめた。まだ××展には間に合ふだらう。ともかく成田久吉の意氣を見せるのだ。繪の具をかき落しながら、夢中で久吉は考へた。

その翌日、めづらしく勘三郎が、わざわざ久吉を訪ねて來た。今度は洋服姿に、カンカン帽と云ふ姿だつたが、どう云ふものか、この男には洋服姿がちつとも映らない。如何にもごつくて、サルが洋服を着たみたいだ。

『はは……、やつてゐますね。この間は失禮しました』と井村が云つた。

今日は又大變御機嫌がいいなと思つたが、久吉は默つてゐた。

『あんたも熱心なんだから、今日はひとつお願ひがあつてやつて來たんですよ。實は紙芝居の繪を大至急描いて欲しいんですがね』

『カミシバヰ……』

『子供の玩具ですがね、これがとても賣れるんですよ』

『今度はお斷はりしませう。から云ふ仕事は僕でなくても、幾らでもやる人があるでせうから……』

今迄だつたら、ぺこぺこと頭を下げて、是非やらして下さいと賴み込んだかも知れない。しかし、今度はきつぱりとさう云つて斷はつてしまつた。

『まあ、そんなこと云はないでやつて下さいよ。折角かうしてやつて來たんですから、矢つ張りから云ふ仕事になると、貴方でなくては都合が惡いんですよ』

井村はさう云つて熱心に賴み込んだ。しかし、久吉にはそれが蠅が兩手を合せて拜んでゐる姿みたいに見えた。成程眼先きはこの人によつて、食つてゆくことが出來るかも知れない。だが、こんなことをしてゐると何時かは自分と云ふものの存在が消えてしまふ。

『實は僕、これから根本的な繪の勉强を始めやうと思ふんです。今迄の僕は駄目でした。たとへ何を描いても、本當の勉强が出來てゐなければ無駄です。』

『さうですか、そこ迄あなたが云はれるなら結構です。私だつて決してあなたの繪を買はないと云ふんぢやありません。つまり、あなたに勉强して貰ひたいからこそ、いつもあんなわが儘を云つてゐたんです。さう考へて下さるんなら、私もあなたの新らしい出發を祝して、この間のあのサルカニ合戰を買ひませう。あれでも紙芝居になるかも知れません。』

『はは……、サルカニ合戰ですか、いや、どうも……』

久吉は、はじめて朗らかに笑つた。久吉は勘三郎の珍らしい一面を見たと思つた。全然商賣人かと思つたらさうでもない。矢つ張り一本氣ないいところを持つてゐるなと思つた。

四

それから久吉はせつせと繪を描きはじめた。それは「守宮」と題する畫だつた。子供が熱心に守宮を見つめてゐる久吉一流の細密な畫風だつた。その繪が描き上つた時、世の中はもうめつきり秋らしくなつて、朝夕は寒い位だつた。

久吉は、そつと、あの守宮の居る網戸のところへ行つてみた。いつの間にか、あれ程澤山入つてゐた蟲は、もう居なくなつて、網の下には澤山の蠅や蟲の死體が、乾いて積み重つてゐた。が、その中に守宮は依然として、網に張りついてゐた。その身體はづつと蛟細くなつて、身體が飴色に透きとほるやうに見えたが、彼は昂然として周圍を見廻して、どんな微かな蟲の通過をも見逃さないやうに見えた。どう考へても外には出られない守宮は、このまゝで何時かぱたりと落ちる迄、こゝで頑張つてゐるつもりであらう。

『文學建設』第四卷索引

（會）（報）

月例同人會

十月二十二日午後五時より神田基督教青年會館に於いて同人會開催。中澤幹事の會計報告、土屋幹事の編輯報告後、本年後總會を十一月七日八重洲園に開くことを決定その準備委員として、村雨、戸伏、村、中澤、土屋諸氏を擧げて後、晩餐を共にしつゝ、種々の問題を協議懇談して七時半散會した。

當日の出席者

○佐野孝○村正治○鹿島孝二○大隈三好○由布川祝○佐藤利雄○松本太郎○鯱城一郎○中澤巠夫○村雨退二郎○土屋光司○戸伏太兵○山田克郎○岡戸武平

現代小說部會

十一月二日午後七時より麹町三丁目村雨氏の新居に於いて、初の現代小說部會を開催、現代小說の行くべき道に關して各自意

（三）評論・研究

村　正治　我々の批評態度について（1）
　國民文學を文學の廣場に（5）
　史傳と歴史小説（8）
　史實尊重の限界性（9）
東野村　章　作家の心構へについて（3）
鹿島　孝二　ユーモア作家の言葉（1）
　幽默豪語（8）
大慈宗一郎　探偵小説の再出發（1）
山田　克郎　「大衆文學」と別れる（1）
　「日本海流」について（8）
中澤　巠夫　風呂木生事湊邦三君に與ふ(1)
　戰爭の後に行くもの（2）
　似而非國民文學を排す（6）
　「阿波山嶽武士」について（8）
　天狗黨雜記（12）
松本　太郎　新しい衣裳（2）
岡戸　武平　大衆文學技巧より
　國民文學技巧へ（3）
　小泉八雲（8）
村雨退二郎　望洋雜記（7）
　「日本の小説について」（8）
佐野　孝　歴史文學の雜音（12）
　講談覺え書（2—8）
蔭山　東光　歴史文學
　としての國民文學（7）
今井　達夫　文學の眞實（8）
牧野　吉晴　新文學の擡頭を希望する（8）

（四）隨筆・旅信

石井　哲夫　丹波の山奥にて（2）
綠川　玄三　大いなる環境と小なる環境(2)
　飛んだ聽き役（5）
　毒消し村（11）
伊志田和郎　環境と文學（2）
　小さな町で（5）
佐藤　利雄　花さまざま（3）
　猪苗代湖（8）
瀬木　二郎　野の花・山の花（3）
飯田　美稻　熱河旅情（6）
　赤　峰（9）
鹿島　孝二　旅信旁々（6）
岡戸　武平　宍道湖（8）
北町　一郎　南方通信（12）

見を交換した後、今後は毎月一回例會を開くことを申合せて十時散會した。

當夜の出席者

○村雨退二郎○大慈宗一郎○石井哲夫○村正治○東野村章○土屋光司○山田克郎○鹿島孝二○戸伏太兵○伊志田和郎○中澤巠夫○村松駿吉

昭和十七年度總會

十一月七日午後六時より八重洲園に於いて本年度總會を開催、中澤幹事の會計報告後、總會準備委員の起草になる會則改正案を中澤幹事より說明、これを可決して、晩餐を共にしつゝ、當面の諸問題に關する各自の意見を交換、九時散會した。

總會出席者

○中澤巠夫○東野村章○安藤信○戸伏太兵○村雨退二郎○綠川玄三○伊志田和郎○土屋光司○由布川祝○鹿島孝二○大慈宗一郎○松本太郎

以上

編輯後記

○第四卷最終號をおくる。一昨年に發行日繰上げのために、月休刊の形になつただけで通計四十七册をおくり得たのは、われ／＼の大きな喜びである。この四年間は、國家的にはもちろんのこと、本誌の上にも非常な變化があつた。われ／＼は種々の經驗を反省しつゝ、第五年度へ飛躍する。

○今月號は種々の理由のために發行が遲れたのは殘念である。が『來年度への構想』を固めて、われ／＼の覺悟を披瀝することが出來た。われ／＼はこれ以外にない道を踏みしめてゆきたい。倍舊の御支援と御指導とをおねがひする次第である。

○來年度は本誌にとつては一大飛躍の年となることになつた。今その計畫は着々と進行中である。小なりと雖も日本文壇の一公器としての使命を全うしたい。早速新年號から新陣容を以てまみえる筈である。

○宣戰の大詔を拜して以來一ケ年、皇軍はめざましい戰果を擧げて、光輝ある昭和十八年を迎へることになつた。戰ひはいよ／＼長期戰たらんとしてゐる。この　皇軍將兵諸氏の御勞苦に滿腔の感謝をさゝげると同時に、われ／＼は銃後にあつて、日本文化高揚の挺身隊としての使命を果してゆきたい。これこそわれ／＼に殘された職域奉公の道である。

○現代小說がいろ／＼な意味で多難の道を歩いてゐることは事實である。しかし、これを乘越えてこそ文學の大道に出られるのだ。われ／＼の部會は今まで有名無實の存在であつたが、先月から別掲の如く活潑なる活動を開始した。その協議要項は今後その都度御報告する筈であるが、これまた廣く各位の御指導と御支援とをお願ひする次第である。

○われ／＼の意圖を汲まれた都田鼎氏から寄附金の申込があつた。その御芳志に對して厚く御禮申上げる次第である。

○一年前までは豫想だにしなかつた大戰果を擧げた光輝ある昭和十七年よ、さらば！　各位の御多幸なる御越年を祈る。

文學建設 十二月號
(定價三十錢　送料壹錢)

昭和十五年五月六日第三種郵便物認可
昭和十七年十一月二十五日印刷納本
昭和十七年十二月　一　日發　行
(每月一回一日發行)

東京市小石川區白山御殿町一一四
編輯兼發行人　岡　戸　武　平
東京市芝區愛宕町二丁目九九番地
印刷人(東東二六九)黑　部　武　男
東京市芝區愛宕町二丁目九九番地
印刷所　昭文堂印刷所

日本出版文化協會會員
(會員番號一二八五二五)
東京市麹町區平河町二ノ一
發行所　**文學建設社**
電話九段(33)三四一〇
振替東京一五六五九八

東京市神田區淡路町二丁目九番地
配給元　日本出版配給株式會社

定價　三十錢(送料壹錢)
半年　一圓八十錢(送料共)
一年　三圓五十錢(送料共)
送金は振替を御利用下さい切手代用の場合は一割增のこと

◇文學建設同人近著◇

海音寺潮五郎	錢屋五兵衞（長篇）	大都書房
海音寺潮五郎	武士道日月記（長篇）	大都書房
海音寺潮五郎	時代の旗風（長篇）	大都書房
村雨退二郎	坂本龍馬（長篇）	聖紀書房
村雨退二郎	高松美丈夫（短篇）	那古野書房
村雨退二郎	富士の歌（長篇）	淡海堂
村雨退二郎	黑潮物語（中篇）	今日の問題社
村雨退二郎	愁風嶺（短篇）	三邦出版社
村雨退二郎	火術深祕錄（長篇）	國文社
鹿島孝二	豪傑の系圖（短篇）	大都書房
鹿島孝二	青春希望あり（短篇）	成武堂
鹿島孝二	愛情延期（短篇）	東成社
鹿島孝二	青春突破（中篇）	興亞文化協會
山田克郎	帆裝（短篇）	泰光堂
北町一郎	青春工場（短篇）	東成社
北町一郎	若き紋章（短篇）	成武堂
岡戸武平	恩讐蜻蛉斬（短篇）	越後屋書房
岡戸武平	延元神樂歌（長篇）	奥川書房
中澤巠夫	攘夷の道（長篇）	越後屋書房
中澤巠夫	本圀寺黨の人々（長篇）	奥川書房
戸伏太兵	赤道地帶（短篇）	興亞文化協會
戸伏太兵	坂上田村麿（長篇）	大道書房
石井哲夫	印度鐵騎隊（長篇）	大日本雄辯會講談社
石井哲夫	ガンジス河の海賊（短篇）	金鈴社
石井哲夫	印度兵の歎き（篇短）	博文館
蘭郁二郎	百萬の目擊者（短篇）	越後屋書房
蘭郁二郎	黑い東京地圖（長篇）	大都書房
鯱城一郎	一億の家族（長篇）	大都書房
鯱城一郎	春風列車（短篇）	東成社
大隈三好	高山彥九郎（長篇）	東光堂